Silver Burdett & Ginn

MATEMÁTICAS

AUTORES

AUTORES DE LA SERIE
Lucy J. Orfan • Bruce R. Vogeli

AUTORES DE PROBLEMAS PARA RESOLVER
Stephen Krulik • Jesse A. Rudnick

Sadie C. Bragg • Ruth I. Champagne • Gerald A. Goldin • Edith E. Grimsley
Deborah B. Gustafson • John F. LeBlanc • William D. McKillip • Fernand J. Prevost

SILVER BURDETT & GINN
MORRISTOWN, NJ • NEEDHAM, MA
Atlanta, GA • Cincinnati, OH • Dallas, TX • Menlo Park, CA • Deerfield, IL

ISBN **0-382-11098-6**

Contenido

Tema: Las montañas

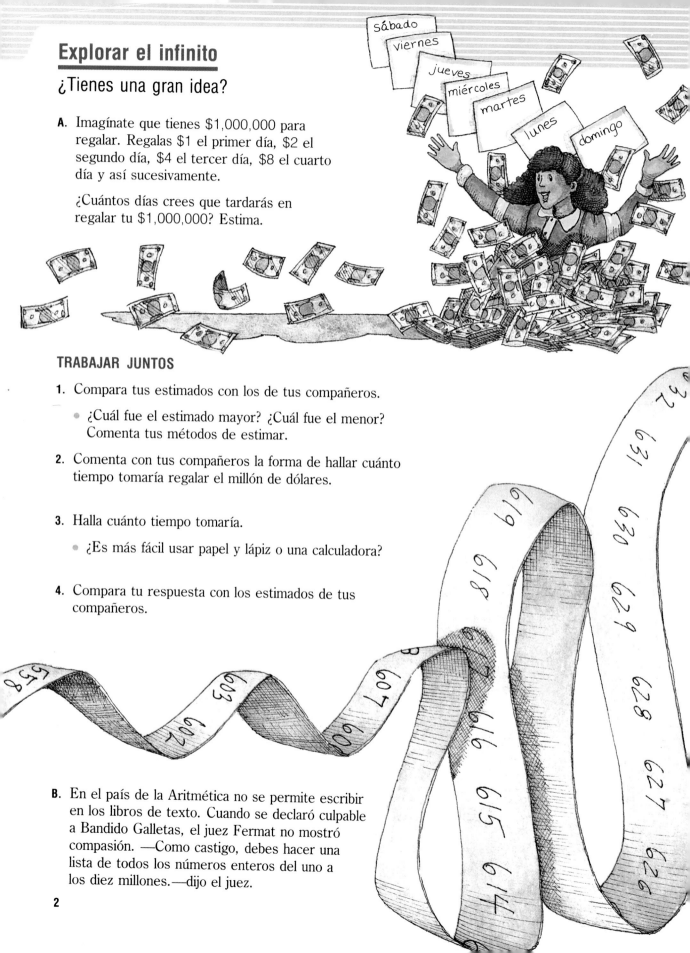

Explorar el infinito

¿Tienes una gran idea?

A. Imagínate que tienes $1,000,000 para regalar. Regalas $1 el primer día, $2 el segundo día, $4 el tercer día, $8 el cuarto día y así sucesivamente.

¿Cuántos días crees que tardarás en regalar tu $1,000,000? Estima.

TRABAJAR JUNTOS

1. Compara tus estimados con los de tus compañeros.

- ¿Cuál fue el estimado mayor? ¿Cuál fue el menor? Comenta tus métodos de estimar.

2. Comenta con tus compañeros la forma de hallar cuánto tiempo tomaría regalar el millón de dólares.

3. Halla cuánto tiempo tomaría.

- ¿Es más fácil usar papel y lápiz o una calculadora?

4. Compara tu respuesta con los estimados de tus compañeros.

B. En el país de la Aritmética no se permite escribir en los libros de texto. Cuando se declaró culpable a Bandido Galletas, el juez Fermat no mostró compasión. —Como castigo, debes hacer una lista de todos los números enteros del uno a los diez millones.—dijo el juez.

2

Comenta en un grupo las diferentes formas de estimar cuánto tiempo tardará Bandido Galletas en completar su lista.

1. ¿En qué se diferencia este problema del problema del millón de dólares? ¿De qué forma es más complicado?

2. ¿Cómo puede ayudarte una calculadora a hacer estimados?

3. Determina un estimado para tu grupo.

4. Compara tu estimado con los de otros grupos de tu clase. Cada grupo debe explicar sus deducciones.

5. Determina un estimado de la clase.

RAZONAR A FONDO

A Bandido Galletas lo perdonaron cuando llegó a 200,000. Pero pronto lo volvieron a sorprender con las manos en la masa. El juez estaba furioso. —Ahora debes escribir una lista como la de antes. Pero debes continuar hasta que no se pueda escribir un número entero mayor, —afirmó el juez.

1. Comenta la tarea de Bandido Galletas con tus compañeros. ¿Puede completarse durante la vida de una persona? ¿Puede completarse alguna vez?

Bandido Galletas descubrió que si tienes un número entero, siempre puedes hallar uno mayor añadiéndole 1. Un conjunto que tiene un número ilimitado de miembros es un conjunto **infinito.** El conjunto de números enteros es infinito. Cuando se puede expresar cuántos objetos hay en un conjunto, se dice que dicho conjunto es **finito.** Un conjunto puede ser muy grande y todavía ser finito.

2. ¿Son finitos o infinitos estos conjuntos? Comenta.
   - el conjunto de árboles altos de la Tierra
   - el conjunto de todas las fracciones
   - el conjunto de todos los números enteros menores de 10,000,000
   - el conjunto de las moléculas de agua en los océanos.

3. ¿Cuáles son unos ejemplos de conjuntos finitos?

4. ¿Cuáles son unos ejemplos de conjuntos infinitos? Comenta.

3

Valor posicional

¿Cuán grande es un millón de millón?

Millones de millón	Millares de millón	Millones	Millares	Unidades
c d u	c d u	c d u	c d u	c d u
1,	0 0 0	0 0 0	0 0 0	0 0 0
	5,	3 4 0,	0 0 6,	0 0 0

5 mil millones ⌐

3 centenas de millón ⌐   ⌐ 4 decenas de millón

⌐ 6 mil

El sistema de numeración decimal es un sistema de valor posicional. Cada posición tiene un valor que es diez veces el valor de la posición a la derecha. El valor de un dígito depende de su posición en el número. Se usan comas para separar números en períodos.

Una columna de un millón de millones de billetes de dólar es dos veces más alta que el Monte Everest.

forma usual   5,340,006,000

- lee   5 mil millones, 340 millones, 6 mil

- escribe en palabras   cinco mil millones, trescientos cuarenta millones, seis mil

Puedes mostrar el valor de cada dígito escribiendo el número en la forma desarrollada. Éstas son dos formas de escribir 5,340,006,000.

5,000,000,000 + 300,000,000 + 40,000,000 + 6,000

(5 × 1,000,000,000) + (3 × 100,000,000) + (4 × 10,000,000) + (6 × 1,000)

Otro ejemplo

forma usual   8,024,005,000

- lee   8 mil millones, 24 millones, 5 mil

- escribe en palabras   ocho mil millones, veinticuatro millones, cinco mil

- forma desarrollada   8,000,000,000 + 20,000,000 + 4,000,000 + 5,000
  ó (8 × 1,000,000,000) + (2 × 10,000,000) + (4 × 1,000,000) + (5 × 1,000)

TRABAJO EN CLASE

Da el valor del dígito 3 en cada número. Después escribe la forma desarrollada de dos maneras.

1. 350,600   **2.** 48,600,397   **3.** 18,306,489,512

4

PRÁCTICA

Escribe el dígito que está en el lugar nombrado en el número 8,347,506,129.

1. cien millones
2. diez millares
3. millares
4. millares de millón
5. centenas
6. diez millones

Escribe en palabras el nombre de cada uno.

7. 5,126,384
8. 492,578,160
9. 7,354,871,002
10. 725,490,162,300

Escribe la forma desarrollada de dos maneras.

11. 7,348
12. 109,653
13. 3,000,513
14. 2,000,400,890

Escribe la forma usual de cada uno.

15. 7 millones, 618 mil
16. 43 mil millones, 5 millones, 6 cientos
17. 800,000 + 7,000 + 9
18. 4,000,000 + 90,000 + 6,000
19. siete millones, ciento ochenta y siete mil trescientos
20. (40 × 1,000,000,000) + (2 × 1,000,000) + (80 × 1,000) + (9 × 1)
21. treinta y siete millones de millón, seis mil millones, trescientos millones, siete mil, cuarenta y cuatro

APLICACIÓN

22. Un millón de millón de billetes de dólar puestos uno junto al otro darían la vuelta al mundo tres mil, ochocientas ochenta y dos veces. Escribe el número en la forma usual.

23. Tardaría 31,688 años contar hasta un millón de millones si se contara 24 horas al día. Escribe este número en palabras.

★ 24. En 1976 había 375 billetes de diez mil dólares en circulación en Estados Unidos. Escribe esta cantidad usando números en la forma usual.

5

Comparar y ordenar números enteros

Aproximadamente, 126,500 personas han escalado el Matterhorn, incluyendo una niña de once años y un hombre de 76 años. Aproximadamente, 159,800 personas han escalado Mt. Rainier. ¿Han escalado más personas el Mt. Rainier o el Matterhorn?

Compara 159,800 y 126,500.

Comienza a la izquierda y compara los dígitos en el mismo lugar.

159,800   126,500

Halla el primer lugar donde los dígitos son diferentes.

159,800   126,500

5 > 2

Como 5 > 2, 159,800 > 126,500.

Más personas han escalado el Mt. Rainier que el Matterhorn.

Ordena los siguientes números de menor a mayor.

73,138; 72,645; 73,442; 170,382

▶ Para ordenar números de menor a mayor, halla el número menor. Después halla el número mayor. Compara los números restantes.

7 3 ,138

7 2 ,645 ◄——— el número menor

7 3 ,442

17 0 ,382 ◄——— el número entero con el mayor número de dígitos es el mayor

Compara 73,138   73,442

1 < 4

por lo tanto 73,138 < 73,442

Los números en orden son   72,645; 73,138; 73,442; 170,382.

TRABAJO EN CLASE

Compara. Usa >, < ó = en lugar de ⬤.

1. 79,853 ⬤ 798,524   **2.** 378,692 ⬤ 358,450   **3.** 1,642,692 ⬤ 1,642,450

Ordena de menor a mayor.

4. 34,896; 34,968; 34,986; 34,698   **5.** 63,701; 65,701; 6,371; 63,507

Compara. Usa >, < ó = en lugar de .

1. 3,212 ⬭ 3,112

2. 6,341 ⬭ 6,314

3. 63,181 ⬭ 63,181

4. 179,684 ⬭ 179,864

5. 41,457,364 ⬭ 1,453,463

6. 7,861,364 ⬭ 7,861,643

7. 875,198 ⬭ 875,189

8. 60,000 ⬭ 60,100

9. 6,483,122 ⬭ 6,483,122

10. 5,436,009 ⬭ 5,346,900

11. 7,609,234 ⬭ 76,009,234

12. 96,000,000 ⬭ 9,600,000

13. 52,000,780 ⬭ 520,007,806

14. 80,000,000 ⬭ 79,411,282

15. 300,468,124 ⬭ 300,648,124

16. 3,002,175,842 ⬭ 301,175,841

17. 94,126,754 ⬭ 94,126,754

Ordena de menor a mayor.

18. 706; 670; 760

19. 8,419; 7,981; 8,149; 8,491

20. 43,926; 34,926; 58,124; 54,385

21. 600,000; 588,732; 598,984; 589,456

Ordena de mayor a menor.

22. 92,783; 93,738; 92,873

23. 877,873,548; 876,428,374; 877,863,542

★ **24.** 543,821; 534,821; 534,218; 544,821; 535,281

Halla el dígito menor para completar cada oración matemática.

25. 3,1■4,897 > 3,128,675

26. 58,624 < 58,■42

27. 1■8,917 < 148,894

28. 163,4■5 = 163,485

29. 428,■56 > 428,364

30. 18,■33,485 = 18,933,485

★ **31.** ¿Cuántos números de tres dígitos se pueden escribir usando cada uno de los dígitos 5, 6 y 7 una sola vez en cada número? Ordena los números de menor a mayor.

APLICACIÓN

32. ¿Cuál ofrece al alpinista un ascenso más largo, Mt. Whitney o Mt. Rainier?

33. ¿Cuál es la montaña más alta?

34. ¿Cuáles son las montañas más bajas que Mt. Rainier?

★ **35.** Haz una lista de la altura de las montañas de mayor a menor.

MONTAÑAS DE EE.UU.	
Nombre	Altura en pies
Mt. Whitney	14,495
Mt. McKinley	20,320
Mt. Hood	11,245
Mt. Rainier	14,410
Pikes Peak	14,110

Redondear números enteros

Una arqueóloga está reuniendo dinero para una expedición a los Andes. Su presupuesto es de $168,745. A la centena de millar más cercana, ¿cuánto dinero, aproximadamente, tendrá que reunir la arqueóloga?

Redondea $168,745 a la centena de millar más cercana.

Paso 1 Halla el lugar a redondear.

$$168,000$$
$$\downarrow$$

Paso 2 Observa el dígito a la derecha. Si es menos de 5, no cambies el dígito del lugar a redondear.

$$168,000$$

Si es 5 o más, agrega 1 al dígito del lugar a redondear.

$$6 > 5$$

Paso 3 Cambia a cero cada dígito a la derecha del lugar a redondear.

$$2--,---$$
$$200,000$$

La arqueóloga necesitará reunir aproximadamente $200,000.

Más ejemplos

a. Redondea al millón más cercano. 8,507,263 se redondea a 9,000,000

b. Redondea al dólar más cercano. $239.24 se redondea a $239

c. Redondea a la decena de dólares $197 se redondea a $200
más cercana.

TRABAJO EN CLASE

Redondea 977,561,079 al lugar nombrado.

1. millar más cercano   2. centena de millar más cercana   3. millón más cercano

Redondea al dólar más cercano y a la decena de dólares más cercana.

4. $289.36   5. $143.45   6. $176.75

Redondea cada número al lugar nombrado.

millar más cercano **1.** 4,399   **2.** 14,812   **3.** 347,196

decena de millar más cercana **4.** 16,941   **5.** 37,464   **6.** 354,726

centena de millar más cercana **7.** 156,000   **8.** 421,200   **9.** 951,000

millón más cercano **10.** 4,385,622   **11.** 8,760,025   **12.** 6,195,835

dólar más cercano **13.** $35.16   **14.** $57.65   **15.** $72.50

decena de dólar más cercana **16.** $67.18   **17.** $95.15   **18.** $73.95

Escribe el lugar a redondear para cada uno.

19. 74 → 70   **20.** 479 → 500   **21.** 7,861 → 8,000

22. 244,505 → 200,000   **23.** $261.95 → $262   **24.** $349.50 → $300

Halla el número original menor y el número original mayor.

Lugar a redondear	Número redondeado	Número menor	Número mayor
Centenas	200	150	249
★ **25.** Millares	7,000		
★ **26.** Centenas de millar	400,000		

★ **27.** ¿Cuántos números pueden ser redondeados a 40 cuando se redondea a la decena más cercana?

★ **28.** ¿Cuántos números pueden ser redondeados a 400 cuando se redondea a la centena más cercana?

29. Redondea cada número de la tabla a la decena de millar de dólares más cercana.

30. Redondea cada número de la tabla a la centena de millar de dólares más cercana.

Expedición	Costo
Lago Titicaca	$165,000
Machu Picchu	$256,000
Arica	$115,000

Problemas para resolver

DATOS EN LA ILUSTRACIÓN Y EL TEXTO

Un club de excursionistas se fué de excursión a escalar montañas. Roberto tomó la Ruta Central. Escaló 485 metros (m) y se detuvo en una saliente para descansar un poco. Después escaló otros 360 m hasta la próxima saliente. ¿Cuánto más tiene que escalar para llegar a la cima?

En la escuela, la casa, el trabajo o el juego ocurren muchas situaciones donde hay que resolver problemas. Para resolverlos bien, debes seguir un plan. Aquí tienes un plan de cuatro pasos que te ayudará.

PIENSA

¿Cuál es la pregunta?

¿Cuánto más tiene que escalar Roberto para llegar a la cima?

¿Cuáles son los datos?

A veces, los datos se toman del texto y también de la ilustración. El relato nos dice que Roberto ha tomado la Ruta Central y escalado 485 m y 360 m. La ilustración muestra que la Ruta Central tiene 1,675 m de largo.

PLANEA

¿Cómo se puede hallar la respuesta?

Suma las distancias que Roberto ya ha escalado. Resta esa suma del largo total de la Ruta Central.

RESUELVE

Sigue con el plan. Haz el trabajo y halla la respuesta.

$$\begin{array}{r} 485 \text{ m} \\ +\ 360 \text{ m} \\ \hline 845 \text{ m} \end{array} \qquad \begin{array}{r} 1{,}675 \text{ m (distancia total)} \\ -\ \ 845 \text{ m (distancia escalada)} \\ \hline 830 \text{ m} \end{array}$$

Roberto tiene que escalar 830 m más para llegar a la cima.

REVISA

¿Contestaste la pregunta? ¿Hiciste bien la cuenta? ¿Tiene sentido tu respuesta?

Suma para comprobar la respuesta.

$$\begin{array}{r} 845 \\ +\ 830 \\ \hline 1{,}675 \end{array}$$

La respuesta es correcta.

PRÁCTICA

Usa la ilustración de la página 8 para contestar las preguntas.

1. ¿Cuánto más larga es la Ruta Central que la Ruta Corta?

2. ¿Cuánto más corta es la Ruta Corta que la Ruta Insensata?

3. Susan escaló 1,885 metros por la Ruta Insensata. ¿Cuánto más tiene que escalar para llegar a la cima?

4. Betty escaló la Ruta Central hasta la cima. La última vez que escaló la montaña tomó la Ruta Corta. ¿Cuántos metros escaló en total en ambas rutas?

5. David escaló 550 m, descansó en una saliente, y después escaló otros 600 m por la Ruta Corta. ¿Cuánto más debe escalar para llegar a la cima?

6. Luis tiene que escalar 650 m por la Ruta Insensata. Marta tiene que escalar 150 m por la Ruta Central. ¿Quién ha escalado más alto? ¿Cuánto más?

Usa la información del cartel a la derecha para resolver lo siguiente:

7. ¿Dónde será el concierto?

8. Si Bruno llega a las 7:30 P.M., ¿podrá escuchar todo el concierto?

9. ¿Qué grupo va a tocar?

10. ¿Puede Kathy comprar dos entradas en la puerta con $12.00?

★ 11. Jaime tiene $42.00. ¿Cuál es el máximo número de entradas que puede comprar el viernes? Si espera hasta el concierto, el sábado, ¿cuántas entradas podrá comprar?

★ 12. Frank compró dos entradas por adelantado y dos en la puerta. Gastó $4.00 en refrescos. ¿Cuánto gastó en total?

Concierto de música country
SILVER MOUNTAIN ARENA
sábado, 27 de junio
7:00 PM – 11:00 PM

Con el grupo The Mountaineers

Entradas $5.50 por adelantado
$7.50 en la puerta

CREA TU PROPIO PROBLEMA

La ilustración muestra tres montañas y sus elevaciones. Crea un problema en el cuál se use suma y resta.

Mt. Washington 1,917 m   Mt. Mitchell 2,057 m   Mt McKinley 6,194 m

Propiedades de la suma

¿Cuántas pistas para principiantes e intermedios tiene Pine Hill?

$$11 + 16 = 27$$

¿Cuántas pistas de esquiar tiene Pine Hill?

$$(11 + 16) + 13 = 40$$

Pine Hill tiene 27 pistas para principiantes e intermedios: Tiene 40 pistas de esquiar en total.

▶ Usa las propiedades de la suma para ayudarte a hallar las sumas.

Propiedad conmutativa	El orden de los sumandos no altera la suma. $a + b = b + a$ $11 + 16 = 16 + 11$
Propiedad asociativa	La forma en que los sumandos están agrupados no altera la suma. $(a + b) + c = a + (b + c)$ $(11 + 16) + 13 = 11 + (16 + 13)$ Trabaja dentro del paréntesis primero.
Propiedad de identidad	Cualquier número más cero es ese número. $a + 0 = a \quad 0 + a = a$ $27 + 0 = 27 \quad 0 + 40 = 40$

Puedes usar las propiedades para sumar rápida y fácilmente.

$$27 + 34 + 3$$

$$27 + 3 = 30$$
$$30 + 34 = 64$$

$$(16 + 17) + 13$$
$$16 + (17 + 13)$$
$$16 + \quad 30 \quad = 46$$

TRABAJO EN CLASE

Halla cada sumando que falta. Nombra las propiedades que usaste.

1. $23 + 0 = \square$

2. $(76 + 30) + 14 = 76 + (30 + \square)$

3. $14 + 62 = \square + 14$

4. $(28 + 17) + 12 = 28 + (\square + 17)$

12

PRÁCTICA

Nombra las propiedades que se usan.

1. (7 + 8) + 2 = 7 + (8 + 2) **2.** 3 + 9 = 9 + 3   **3.** 14 + 0 = 14

4. 4 + (7 + 6) = 4 + (6 + 7) **5.** (5 + 3) + 7 = 5 + (3 + 7) **6.** (5 + 1) + 2 = 5 + (2 + 1)

Halla cada sumando que falta. Nombra las propiedades que has usado.

7. (12 + 3) + 5 = □ + (3 + 5)   **8.** 27 + □ = 27

9. (32 + □) + 8 = 32 + (8 + 7)   **10.** 35 + 0 + □ = 35 + 9 + 0

11. (4 + □) + 16 = 4 + (16 + 12)   **12.** (2 + 19) + □ = (2 + 8) + 19

Usa las propiedades para completar cada oración matemática.

13. 24 + 12 + 6 = □   **14.** 0 + 45 + 7 = □   **15.** 33 + 10 + 7 = □

16. 65 + 20 + 115 = □   **17.** 479 + 0 = □   **18.** 238 + 72 = □

19. 0 + 574 = □   **20.** 127 + 54 + 13 = □   **21.** 113 + 17 + 54 = □

22. 536 + 57 + 94 = □   **23.** 702 + 34 + 98 = □   **24.** 621 + 63 + 19 = □

25. 1,613 + 47 + 0 = □   **26.** 327 + 22 + 81 = □   ★**27.** 2,201 + 19 + 523 = □

APLICACIÓN

28. La suma del número de telesillas y remolques es 12. Hay 4 telesillas. ¿Cuántos remolques hay?

29. Hay 2 barras dobles más que telesillas. ¿Cuál es el número total de barras dobles y telesillas?

30. ¿Cuál es la suma del número de barras dobles y remolques?

★**31.** Pon los dígitos 1, 2, 3, 4, 5, 6, 7, 8 y 9 en los círculos del triángulo a la derecha para que la suma de cada lado sea 17.

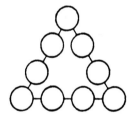

RAZONAMIENTO LÓGICO

Encuentra los 3 números a, b, c.

$a + b = 7$
$b + c = 9$
$a + b + c = 12$

13

Estimar sumas y diferencias

La familia López está de vacaciones en las Montañas Rocosas. El registro de viaje y el mapa muestran parte de la ruta recorrida.

Estima el número total de millas que viajaron en los días que aparecen en el registro.

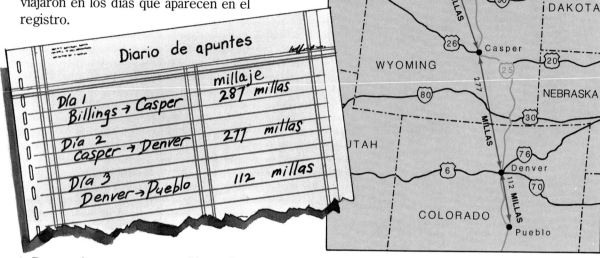

▷ Para estimar una suma o diferencia, redondea cada número al lugar mayor del número mayor. Después suma o resta.

Día 1	287	se redondea a	300
Día 2	277	se redondea a	300
Día 3	112	se redondea a	+ 100
			700

Viajaron aproximadamente 700 millas.

Para un estimado más exacto, redondea al lugar que sigue a la derecha.

a. Estima 8,115 − 475.

Redondea al millar más cercano.	Redondea a la centena más cercana.
8,000 estimado	8,100 estimado
− 0 muy alto	− 500 más exacto
8,000 ←	7,600 ←

b. Estima $225.67 + $19.75.

Redondea a la centena más cercana.	Redondea a la decena más cercana.
$200 Estimado	$230 estimado
+ 0 muy bajo	+ 20 más exacto
$200 ←	$250 ←

TRABAJO EN CLASE

Da el estimado y el estimado más exacto.

1. 293
  + 482

2. $821
  − 385

3. 4,129
  − 792

4. 6,821
  + 5,333

5. 8,215
  − 1,748

6. $4,315 − $295   **7.** 17,462 + 4,657   **8.** 1,552 + 2,485 + 3,068   **9.** 715,609 − 47,380

PRÁCTICA

Da el estimado y el estimado más exacto.

1. 5,621 − 1,243	**2.** 4,962 + 2,318	**3.** 25,148 − 17,809	**4.** $6,314 − 1,867	**5.** 10,490 − 5,675
6. 1,206 + 8,520	**7.** 54,321 + 6,856	**8.** 72,560 − 1,720	**9.** $65,920 + 8,156	**10.** 37,595 − 16,578
11. $4,014 8,627 + 2,133	**12.** $2,809 362 + 458	**13.** 693,418 − 64,107	**14.** 978,147 − 231,915	**15.** $394,128 854,796 + 12,511

16. 9,816 − 3,562

17. $7,841 − $2,109

18. 9,075 + 2,314 + 5,921

19. 68,215 − 48,600

20. $26,215 + $48,911

21. 89,108 + 12,164 + 24,571

22. 76,013 − 9,215

23. $72,146 + $8,259

24. $5,289 + $36,111

25. 520,781 − 58,123

26. 189,701 − 132,623

27. 350,901 + 201,631

★ **28.** (19,542 + 4,852) − 9,711   ★ **29.** (51,076 − 11,756) + 8,339

APLICACIÓN

30. Los gastos de viaje de los López fueron $884.68 en hoteles, $63.42 en recuerdos y $354.88 en comidas. Estima la cantidad total.

31. Los López visitaron tres parques nacionales. ¿Cuál es el parque más grande? ¿Cuánto más grande es este parque que los otros dos combinados?

Parque	Acres
Bryce Canyon	35,835
Rocky Mountain	266,942
Mesa Verde	52,085

HAZLO MENTALMENTE

Suma mentalmente manteniendo sumas parciales en tu mente.

Piensa

Ejemplo

14 { 14

17 { +10 = 24
     + 7 = 31

26 { +20 = 51
     + 6 = 57

+ 18 { +10 = 67
       + 8 = 75

75

	1.	**2.**	**3.**	**4.**
	12	75	11	54
	19	24	64	42
	23	16	34	63
	+ 15	+ 13	45	85
			+ 51	+ 22

Sumar

El verano pasado la familia de Jeff manejó 1,975 millas hacia el norte, a través de las Montañas Rocosas del Canadá. Manejaron 2,464 millas en el viaje de regreso. ¿Cuántas millas manejaron el total?

Suma para hallar el total de millas. Reagrupa si es necesario.

Paso 1

Suma unidades.

```
  1,975
+ 2,464
─────────
      9
```

Paso 2

Suma decenas.

```
    1
  1,975
+ 2,464
─────────
     39
```

Paso 3

Suma centenas.

```
 1 1
  1,975
+ 2,464
─────────
    439
```

Paso 4

Suma millares.

```
 1 1
  1,975
+ 2,464
─────────
  4,439
```

La familia de Jeff manejó 4,439 millas.

Estima para asegurarte de que la respuesta tiene sentido o suma de abajo hacia arriba para comprobar.

Estima.   Suma.

```
  1,975  se redondea a    2,000     1,975 ↑
+ 2,464  se redondea a  + 2,000   + 2,464 |
                          4,000     4,439
```

Más ejemplos

a.
```
    1
  $59.21
+  14.07
─────────
  $73.28
```

b.
```
  1 1
  214,381
+  16,584
──────────
  230,965
```

c.
```
   1
  57,009
+ 16,340
─────────
  73,349
```

d.
```
   11 1
  $ 24.34
+   89.96
──────────
  $114.30
```

TRABAJO EN CLASE

Suma. Estima para asegurarte de que la respuesta tiene sentido.

1.
```
  1,657
+   918
```

2.
```
  21,486
+  9,314
```

3.
```
  $449.50
+  116.13
```

4.
```
  $674.05
+   72.59
```

5.
```
  19,009
+  6,131
```

6. 15,655 + 3,836 + 25,944

7. 367,302 + 424,878

PRÁCTICA

Suma. Suma en sentido contrario para comprobar.

1. 643
    + 281

2. 825
    + 719

3. $469.27
    + 134.08

Suma. Estima para asegurarte de que la respuesta tiene sentido.

4. 618
    73
    + 164

5. 24,869
    13,527
    +   634

6. 232,606
    604,007
    + 116,845

7. $293.00 + $94.70 + $5.86

8. $482.15 + $189.60 + $74.09 + $219.12

Usa las propiedades para que cada oración sea verdadera. Suma para comprobar.

9. $37 + 12 = \square + 37$

10. $87 + (75 + 42) = (87 + \square) + 42$

★ 11. $66 + 0 + 344 + \square = 344 + \square + 66 + 0$

Completa. Agrega 6 a la entrada y duplícalo.

	Entrada	Salida
	7	26
12.	9	
13.		36
14.	18	

	Entrada	Salida
	5	22
15.		44
16.		70
17.	41	

	Entrada	Salida
	14	40
18.	21	
19.		68
20.	35	

	Entrada	Salida
	31	74
21.		88
22.	45	
23.		118

APLICACIÓN

24. Jeff compró un compás por $7.50, una linterna por $18.25 y botas por $27.50. Estima el costo total. Después calcula el costo exacto.

25. Estima el costo de tres mochilas. Después calcula el costo exacto.

$18.50
impuesto $1.20

1. 72 + 49

2. 648 + 75

3. $28.09
    + 15.38

4. 197
    638
    + 425

5. 86
    − 49

6. 125 − 37

7. $7.21
    − 6.98

8. $1,203.05
    548.28
    +   97.83

9. 0 + 89 + 123

10. 70 − 19

11. 1,575
     + 293

Redondea al millar más cercano.

12. 5,673

13. 10,099

14. 16,582

15. 29,850

16. 172,779

Restar

Jenny caminó por el Sendero Appalachian desde Maine hasta Georgia. ¿Cuánto más alto fue el ascenso al Mt. Katahdin que el ascenso a la Montaña Springer?

Resta para hallar la diferencia.

Reagrupa si es necesario.

Paso 1	Paso 2	Paso 3	Paso 4
Resta unidades.	Resta decenas.	Resta centenas.	Resta millares.
5,267 − 3,782 5	5,2⁽¹⁾6⁽¹⁶⁾7 − 3,782 85	⁽⁴⁾5,⁽¹¹⁾2⁽¹⁾6⁽¹⁶⁾7 − 3,782 485	⁽⁴⁾5,⁽¹¹⁾2⁽¹⁾6⁽¹⁶⁾7 − 3,782 1,485

Mt. Katahdin es 1,485 pies más alto que la Montaña Springer.

Estima para asegurarte de que la respuesta tiene sentido o suma para comprobar.

Estima.

5,267	se redondea a	5,000	5,267
−3,782	se redondea a	−4,000	−3,782
1,485		1,000	1,485

Suma.

```
  3,782
+ 1,485
  5,267
```

Mas ejemplos

a.
```
    7 12 13
    8,3 4 6
  −   7 4 7
    7,5 9 9
```

b.
```
     4 11 0 15
    5 5,1 1 5
  − 1 2,3 0 6
    4 2,8 0 9
```

c.
```
      6 10 8 10
  $ 1 7 0 . 9 0
  −   1 5 1 . 1 5
  $    1 9 . 7 5
```

d.
```
    2 11   0 17
    3 1,4 1 7
  − 1 4,0 0 8
    1 7,4 0 9
```

Monte Katahdin + 5,267 pies

El Sendero Appalachian

+ *Montaña Springer* 3,782 pies

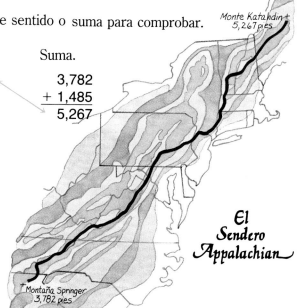

TRABAJO EN CLASE

Resta. Estima para asegurarte de que cada respuesta tiene sentido.

1. $29.46
− 18.75

2. 15,923
− 6,487

3. 150,020
− 28,431

4. $81.09
− 12.24

5. $51.15
− 17.25

6. 38,921 − 17,843

7. 407,535 − 253,061

8. $6,728.92 − $956.08

PRÁCTICA

Resta. Suma para comprobar.

1.	782	2.	946	3.	423	4.	$84.91	5.	8,346
	− 467		− 875		− 201		− 63.99		− 747

6.	23,065	7.	652,706	8.	$483.47	9.	2,627,331	10.	1,759,607
	− 1,890		− 29,070		− 65.08		− 1,418,425		− 1,631,213

Resta. Estima para asegurarte de que cada respuesta tiene sentido.

11.	65,030	12.	80,019	13.	18,127	14.	$950.34	15.	$6,624.62
	− 43,092		− 38,520		− 6,198		− 616.85		− 4,916.07

16. 367,405 − 147,117   17. 8,467,624 − 2,109,669

18. 5,161,519 − 2,879,321   19. $3,507.17 − $2,879.05

Compara. Usa >, < ó = en lugar de ⬭.

20. 416 − 201 ⬭ 521 − 427   21. 1,739 − 1,003 ⬭ 941 − 109

22. $264.15 − $118.00 ⬭ $294.75 − $148.60   23. 1,879 − 613 ⬭ 1,688 − 513

Halla cada dígito que falta.

24.	9 2 1	★25.	7,6 2 0	★26.	$1 7 ▮.9 6	★27.	5,4 6 ▮	★28.	7 ▮,1 ▮ 6
	− 4 ▮		− 2 ▮ 8		− 6 3.▮ 5		− 8 7 4		− 7 4,▮ 8 0
	8 ▮ 8		7, ▮ 4 ▮		$▮ ▮ 5.5 ▮		4, ▮ ▮ 8		7 4 6

APLICACIÓN

Daniel Boone	Nació	Cruzó los Montes Appalachian	Murió
	1734	1767	1820

29. ¿Cuántos años vivió Daniel Boone?

30. Daniel Boone descubrió Kentucky. ¿Qué edad tenía cuando cruzó los Montes Appalachian?

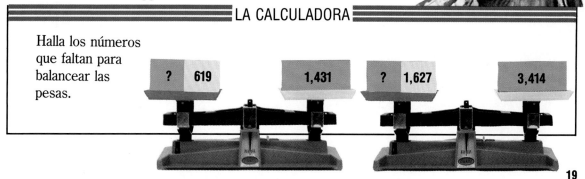

LA CALCULADORA

Halla los números que faltan para balancear las pesas.

? 619   1,431   ? 1,627   3,414

19

Problemas para resolver

REPASO DE DESTREZAS Y ESTRATEGIAS Excursiones

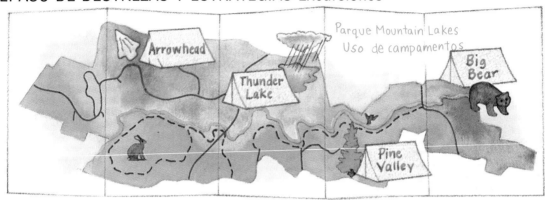

El guardabosques Perkins estudia el uso de campamentos en el Parque Mountain Lakes. El mapa muestra cuántos campamentos se usaron durante dos meses.

Usa el mapa para contestar las preguntas.

1. ¿Cuántos excursionistas hubo en Thunder Lake en julio?

2. ¿Cuántos excursionistas hubo en Arrowhead en junio?

3. ¿Qué campamento tuvo el menor número de excursionistas en julio?

4. ¿Qué campamento tuvo el mayor número de excursionistas en junio?

5. ¿Cuántos excursionistas más usaron el campamento de Pine Valley que el de Big Bear en junio?

6. ¿Cuál fue el aumento en la asistencia al Thunder Lake de junio a julio?

7. ¿Fue el aumento en asistencia de junio a julio mayor en Arrowhead o en Big Bear? ¿Cuánto mayor?

8. ¿Cuál fue la asistencia total en todos los campamentos durante junio y julio?

9. Cualquier campamento que haya tenido más de 5,000 excursionistas al final de julio da una fiesta especial. ¿Qué campamentos tuvieron fiestas?

10. ¿Cuántos excursionistas más hubieran tenido que venir a Pine Valley en julio para que demostrara un aumento en la asistencia?

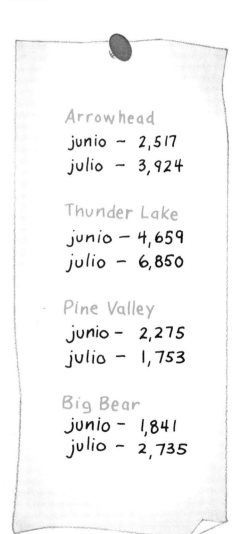

Arrowhead
junio — 2,517
julio — 3,924

Thunder Lake
junio — 4,659
julio — 6,850

Pine Valley
junio — 2,275
julio — 1,753

Big Bear
junio — 1,841
julio — 2,735

Problemas para resolver

¿QUÉ PASARÍA SI ...?

1,875,643 personas han dado el pintoresco paseo en teleférico

PINTORESCO PASEO EN TELEFÉRICO
Parque Mountain Lakes

1 hora y media de bellas vistas

Adultos	$ 12.50
Jóvenes (8-15 años)	$ 10.50
niños (3-7 años)	$ 8.50

Mira la ilustración. Después contesta las preguntas.

1. ¿Cuál sería el costo total de las entradas para el Sr. y la Sra. Jacoby y su hijo de nueve años, Steve?

2. La Sra. West pagó su entrada y las de sus dos hijos de 7 y 12 años con un billete de $50. ¿Cuánto cambio recibirá?

3. El Sr. y la Sra. Marens y sus hijos Tony, de 12 años de edad y Ralph, de 6 años, quieren ir en teleférico. Tienen $35.00. ¿Pueden ir?

★4. Los Warrens fueron en el paseo del mediodía. Viven a una hora de camino. ¿A qué hora más o menos volverán a casa si salen al terminar el paseo?

¿Qué pasaría si el Sr. y la Sra. Slone fueran al paseo y después gastaran $6.00 en recuerdos y $4.50 en refrescos?

5. ¿Cuánto gastarían en total?

6. ¿Cuánto les quedaría de $45?

7. ¿Pueden llevar también a su hija Susan, de 5 años de edad, al paseo?

8. ¿Cuánto les quedaría de $45 si llevan a Susan al paseo?

¿Qué pasaría si los niños fueran al paseo a mitad de precio después de las 5:00 P.M.?

9. ¿Cuánto les costaría al Sr. y a la Sra. Fong y a sus dos hijos, de 13 y 7 años de edad, dar el paseo a las 6:00 P.M.?

10. ¿Cuánto se ahorraría una familia de 2 adultos y 3 niños, de 4, 6 y 9 años, si esperan hasta las 5:30 P.M. para dar el paseo?

¿Qué pasaría si 29,372 personas dieran el paseo en junio y 38,596 personas dieran el paseo en julio?

11. ¿Cuántos visitantes aparecerían en el anuncio al final de julio?

12. ¿Cuántos visitantes se necesitarían en agosto para aumentar el número de visitantes a 2,000,000?

★13. Antes de la temporada de verano, la Oficina de Turismo de Mountain Lakes estimó que 26,575 personas tomarían el teleférico en junio y 43,650 en julio. ¿Cuán cerca estaba el estimado del número exacto?

★14. La Oficina de Turismo planea una campaña publicitaria para atraer visitantes durante el mes de agosto. Esperan tener 18,250 más en el teleférico en agosto que en julio. ¿Cuál será el número de visitantes hasta el final de agosto?

21

REPASO DEL CAPÍTULO

Escribe cada uno en la forma usual. págs. 4–5

1. 45 millones, 6 cientos

2. 57 mil millones, 24 mil, 8

3. 7,000,000,000,000 + 30,000,000,000 + 4,000,000,000 + 70,000,000 + 5,000,000 + 100,000 + 6,000 + 200

Escribe el dígito que está en la posición mencionada para el número 635,617,105,006. págs. 4–5.

4. diez millones

5. cien millares de millón

6. diez millares

Compara. Usa > ó < en lugar de ⬤. págs. 6–7

7. 571,604 ⬤ 517,406

8. 237,941 ⬤ 239,741

Redondea cada número al lugar nombrado. págs. 8–9

9. centena de millar más cercana 95,671,034

10. millón más cercano 617,504,312

11. centena más cercana 514,095

12. dólar más cercano $219.71

Escribe la propiedad usada en cada uno. págs. 12–13

13. (24 + 11) + 3 = 24 + (11 + 3)

14. 75 + 0 = 75

15. 95 + 8 = 8 + 95

Escoge la suma o diferencia estimada más cercana a la suma o diferencia exacta. págs. 14–15.

16. 728,263   **a.** 700,000
      − 59,306   **b.** 670,000

17. $348   **a.** $600
       273   **b.** $650
      + 26

18. 667,419   **a.** 600,000
      − 74,815   **b.** 700,000

Suma o resta. págs. 16–19

19. 52 + 39

20. 115,176 + 18,492

21. $367,419 − 74,815

22. $593.57
      − 159.35

23.   342
       1,262
      + 1,538

24. $5,614.42
       882.60
        23.17
      + 47.01

25. 513,000
      − 58,716

Resuelve. págs. 8–9, 20–21

26. El Alpine Club tiene 5,467 miembros. El Highland Hiking Club tiene 2,682 miembros. ¿Cuántos miembros más tiene el Alpine Club?

27. Estima el costo total del equipo de acampar. Después, halla el costo exacto.

PRUEBA DEL CAPÍTULO

Escribe la forma desarrollada de dos maneras.

1. 307,050   **2.** 21,000,500   **3.** 8,250,000,000

Ordena de menor a mayor.

4. 56,821; 568,210; 568,120   **5.** 786,500,250; 78,650,250; 785,600,250

Redondea cada número al lugar nombrado.

6. dólar más cercano $647.56   **7.** millón más cercano 481,986,305   **8.** decena más cercana 389

9. decena de dólar más cercana $352.79   **10.** millar más cercano 809,682

Escoge la suma o diferencia estimada más cercana a la suma o diferencia exacta.

11.	529,290	**a.** 500,000	**12.**	$437	**a.** $840	**13.**	546,094	**a.** 540,000
	− 78,349	**b.** 450,000		361	**b.** $800		− 14,185	**b.** 500,000
				+ 39				

Suma o resta.

14. 83 − 67   **15.** 147,329 + 321,943   **16.** $246,378 − $47,928

17.	$692,401	**18.**	24,880	**19.**	$ 397.27	**20.**	25,825
	− 593,732		7,649		4,382.71		− 17,726
			+ 19,749		11.92		
					+ 560.24		

Escribe la propiedad usada en cada uno.

21. (16 + 4) + 7 = 16 + (4 + 7)   **22.** 25 + 0 = 25   **23.** 17 + 4 = 4 + 17

Resuelve.

24. Halla la diferencia entre las altitudes de las dos montañas.

25. Los gastos de viaje fueron $18.50; $79.00; $87.50 y $375.40. Da un estimado y después, halla el total de gastos.

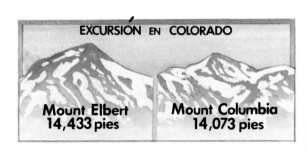

EXCURSIÓN EN COLORADO

Mount Elbert 14,433 pies

Mount Columbia 14,073 pies

Halla este número de 3 dígitos. La suma de sus dígitos es 14. El dígito de las centenas es 2 menos que el de las unidades. El dígito de las decenas es dos veces el de las centenas.

CÓDIGO EGIPCIO

Los antiguos egipcios usaban un sistema de numeración basado en el agrupamiento por decenas. La tabla que aparece más abajo muestra los símbolos que usaban.

SÍMBOLO		VALOR EN EL SISTEMA DECIMAL	SÍMBOLO		VALOR EN EL SISTEMA DECIMAL
|	bastón	1	∩	dedo índice	10,000
∩	hueso del talón	10	⌒	renacuajo	100,000
9	rollo de papiro	100	⚡	hombre asombrado	1,000,000
⚘	flor de loto	1,000			

El sistema egipcio de numeración no era un sistema de valor posicional. El valor de un número no cambiaba si la posición de un símbolo cambiaba. Se usaban combinaciones de los símbolos para nombrar los números.

9∩∩∩\| = 100 + 10 + 10 + 10 + 1 = 131

⚡⌒ = 1,000,000 + 100,000 = 1,100,000

⚘ ⚘∩ = 1,000 + 1,000 + 10 = 2,010

∩ 9\|\|\|\| = 10,000 + 100 + 4 = 10,104

99∩∩\|\|\| podía nombrar el mismo número que 9∩9∩∩\|\|\|

¡Descifra!

Traduce cada número egipcio a un número usual. Después halla en la tabla que aparece abajo la letra correspondiente para leer el mensaje.

999∩ ∩ 999\| ∩∩∩\|\|\|\|\|\|\| ∩∩\|\|\|\| \|\|99 ∩ \|999

\|\|\|∩∩ 999∩   ⚘99 ∩∩\|\|\| \|999

∩∩\| ∩∩∩\| ∩9\| ∩∩\|\|\| 99\|\|\| \|∩∩∩ ⚘∩∩ ∩∩\|\|\| \|999

A	B	C	D	E	F	G	H	I	J	K	L	M
23	302	111	1,020	24	30	11	103	31	12	10,110	1,200	203

N	O	P	Q	R	S	T	U	V	W	X	Y	Z
310	10	21	13	10,101	301	1,000	403	37	1,001	42	304	40

Crea tu propio mensaje en código usando los símbolos egipcios. Reta a un amigo a descifrarlo.

LÓGICA: DIAGRAMAS DE VENN

Un diagrama de Venn es un dibujo que puede ser útil para resolver problemas.

El diagrama de Venn que aparece a la derecha representa dos grupos de números: los números enteros del 1 al 8 y los números impares del 1 al 15. La **intersección** de los círculos contiene todos los números comunes a ambos grupos: 1, 3, 5 y 7.

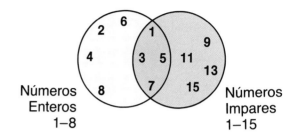

Se hizo una encuesta entre 50 estudiantes de New Hampshire para saber cual área de esquiar preferían. Podían escoger entre tres áreas: Montaña Canon, Montaña Loon y el Valle de Waterville. Los resultados aparecen en el diagrama de Venn representado más abajo.

¿Cuántos estudiantes prefirieron cada uno de los siguientes?

1. Solamente Loon
2. Loon y Canon
3. Loon
4. Loon y Waterville, pero no Canon
5. Solamente Waterville
6. Solamente Canon
7. Waterville y Canon
8. Loon y Waterville
9. Loon y Canon, pero no Waterville
10. Waterville y Canon, pero no Loon
11. Waterville, Canon y Loon
12. Waterville, Canon o Loon
13. Ninguna de las tres áreas

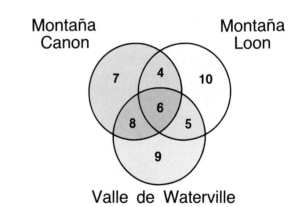

INTRODUCCIÓN A LA CALCULADORA

El teclado de una calculadora tiene tres tipos de teclas.

Teclas de control   C CE = M+ CM RM

Teclas de entrada
de números   0 1 2 3 4 5
          6 7 8 9 .

Teclas de función   + − × ÷ %

Compara las teclas de tu calculadora con las teclas que aparecen
arriba.

Algunas calculadoras de bolsillo tienen teclas   M+ CM RM
de memoria. Una calculadora con memoria
puede almacenar un número para ser usado
más tarde.

Sigue los pasos para aprender a usar las teclas de memoria.

aprieta 2 4 6

aprieta M+ ⟶ | 246.ᴹ | ⟵ Esto quiere decir que el número
                                       está en la memoria de la calculadora.

aprieta C para borrar el número ⟶ | 0.ᴹ | ⟵ La M se queda para
                                              recordarte que tienes un número almacenado

aprieta RM para recuperar el número. ⟶ | 246.ᴹ |

aprieta CM para borrar la memoria. ⟶ | 246. |

Sigue los pasos para ver cómo la memoria de la calculadora
puede ser usada en este ejemplo. $48 \times 54 - 96 + 54$

aprieta 5 4 ⟶ | 54. |

aprieta M+ ⟶ | 54.ᴹ |

aprieta 4 8 × RM − 9 6 + RM = ⟶ | 2550.ᴹ |

CON LA CALCULADORA

Almacena 16,754 en la memoria. Súmalo a cada número.

1. 45,287   **2.** 219,318   **3.** 415,875   **4.** 990,394

Almacena 5,096 en la memoria. Réstalo de cada número.

5. 19,285   **6.** 28,000   **7.** 394,287   **8.** 60,057

Almacena 583 en la memoria. Calcula.

9. $(15,741 \div 583) + 583 + 583$ **10.** $583 \times 583 + 583$ **11.** $24 \times 583 + 583 - 583$

Usa la memoria para calcular.

12. $(24 \times 37) + (52 \times 17)$ **13.** $(72 \times 19) + (972 \div 27)$

INTRODUCCIÓN A LA COMPUTADORA

Un sistema de computación está compuesto de **maquinaria (hardware)** y **programas (software).** Compara esto con la grabadora y los cassettes. La grabadora es la maquinaria y los cassettes son los programas. La maquinaria de una computadora incluye:

- un dispositivo de **entrada,** tal como un teclado, para entrar información a la computadora
- una **unidad central procesadora** (llamada **CPU** en inglés) donde se hacen todos los cálculos
- una **memoria** que almacena toda la información e instrucciones para ser usadas por el CPU cuando sea necesario
- un dispositivo de **salida,** tal como una pantalla o impresora, para sacar información de la computadora

Un **programa** es un conjunto de instrucciones que le dice al CPU lo que debe hacer. Una computadora puede cambiar de una tarea a otra según se entren diferentes programas. Hay muchos lenguajes de programación. Algunos de estos son FORTRAN, Pascal y Logo. La mayoría de las computadoras para el hogar usan el lenguaje llamado BASIC. Éstas son las traducciones al BASIC de algunos símbolos matemáticos.

Símbolo matemático	Símbolo BASIC	Ejemplo
$+$	$+$	$15 + 24$
$-$	$-$	$23 - 14$
$\times$	$*$	$4 * 5$
$\div$	$/$	$18/9$

Se usa el enunciado **PRINT** para que la computadora saque palabras o números.

entrada `PRINT 4 * 6`
salida `24`

entrada `PRINT "18/3"`
salida `18/3`

entrada `PRINT "3 + 5 = "; 3 + 5` ⟵ Cuando se usan comillas, la computadora
salida `3 + 5 = 8` da salida a lo que está entre comillas.

CON LA COMPUTADORA

Entra las órdenes. Escribe cada salida.

1. `PRINT 34 + 98`

2. `PRINT 9 * 8`

3. `PRINT 45/5`

4. `PRINT 112 - 78`

5. `PRINT "112 - 78"`

6. `PRINT "COMIENZA`

7. `PRINT "7 + 4 = "; 7 + 4`

8. `PRINT "10/2 = "; 10/2`

9. `PRINT "3 * N"`

PERFECCIONAMIENTO DE DESTREZAS

Escoge las respuestas correctas. Escribe A, B, C ó D.

1. ¿Cuál es el valor del 2 en 215,073?

A 2 centenas de millar   C 2 millares

B 20 millares   D 2 millares de millón

2. ¿En qué posición está el dígito 4 en 3,642,792,106?

A decenas de millar   C centenas de millón

B millones   D no se da

3. Compara. 1,073,215 ⬤ 1,049,915

A >   C <

B =   D no se da

4. Ordena de menor a mayor. 3,907; 3,069; 3,079

A 3,079; 3,069; 3,907   C 3,907; 3,079; 3,069

B 3,069; 3,907; 3,079   D no se da

5. Redondea 7,771,369 a la centena más cercana.

A 7,771,370   C 7,771,300

B 7,771,400   D no se da

6. Redondea 7,771,369 al millón más cercano.

A 8,000,000   C 7,800,000

B 7,000,000   D no se da

7. ¿Qué propiedad de la suma se usa?
$(2 + 11) + 6 = 2 + (11 + 6)$

A asociativa   C conmutativa

B de identidad   D no se da

8. Estima. $3,960 - 892$

A 2,000   C 4,000

B 3,000   D no se da

9. Estima. $1,133 + 6,881$

A 8,000   C 9,000

B 6,000   D no se da

10. $24,103 + 58,911$

A 83,013   C 83,014

B 82,014   D no se da

11. $378,915 - 184,723$

A 194,212   C 194,192

B 194,292   D no se da

12. ¿Cuál es la ecuación relacionada para $n + 13 = 72$?

A $n = 72 + 13$ C $n - 13 = 72$

B $n = 72 - 13$ D no se da

13. ¿Cuál es la ecuación relacionada para $d - 11 = 20$?

A $d = 20 - 11$ C $d + 11 = 20$

B $d = 20 + 11$ D no se da

Usa la ilustración para el 14 y el 15.

PARQUE ESTATAL MONTAÑA DEL PUMA

ENTRADA

ADULTOS $3.50
PERSONAS MAYORES $2.00
FAMILIAS $10.00
ESTUDIANTES $2.00

14. ¿Cuánto pagarían 23 familias por la entrada?

A $64   C $80.50

B $230   D no se da

15. ¿Cuánto pagarían 6 adultos y 9 personas mayores?

A $39   C $30

B $43.50   D no se da

Tema: El espacio aéreo

Propiedades de la multiplicación

Durante las 12 semanas que duró la filmación de una serie de televisión, la piloto acrobática Gina Mitchell voló un avión de 1929 dos veces por semana. ¿Cuántas veces voló?

Multiplica para saber cuántas veces voló.

$$12 \times 2 = 24$$
$$\uparrow \qquad \uparrow \qquad \uparrow$$
factores   producto

Gina Mitchell voló 24 veces.

Usa estas propiedades de la multiplicación para hallar los productos.

Propiedad conmutativa

El orden de los factores no cambia el producto.

$$a \times b = b \times a$$
$$5 \times 4 = 4 \times 5$$
$$20 = 20$$

Propiedad asociativa

La forma en que los factores están agrupados no cambia el producto.

$$a \times (b \times c) = (a \times b) \times c$$
$$2 \times (8 \times 10) = (2 \times 8) \times 10$$
$$2 \times 80 = 16 \times 10$$
$$160 = 160$$

Propiedad de identidad

El producto de cualquier número y uno es ese número.

$$a \times 1 = a \quad 1 \times a = a$$
$$32 \times 1 = 32 \quad 1 \times 32 = 32$$

Propiedad del cero

El producto de cualquier número y cero es 0.

$$a \times 0 = 0 \quad 0 \times a = 0$$
$$4 \times 0 = 0 \quad 0 \times 4 = 0$$

Propiedad distributiva de la multiplicación con respecto a la suma

Si un factor es una suma, el producto no cambia si se multiplica antes de sumar.

$$a \times (b + c) = (a \times b) + (a \times c)$$
$$6 \times (4 + 5) = (6 \times 4) + (6 \times 5)$$
$$6 \times 9 = 24 + 30$$
$$54 = 54$$

TRABAJO EN CLASE

Nombra la propiedad de la multiplicación ilustrada.

1. $3{,}456 \times 0 = 0$

2. $8 \times 15 = 15 \times 8$

3. $17 \times 1 = 17$

4. $(7 \times 3) \times 6 = 7 \times (3 \times 6)$

5. $3 \times (4 + 1) = (3 \times 4) + (3 \times 1)$

Nombra la propiedad de la multiplicación ilustrada.

1. $76 \times 0 = 0$ **2.** $6 \times (5 + 4) = (6 \times 5) + (6 \times 4)$ **3.** $54 \times 1 = 54$

4. $(3 \times 5) \times 6 = 3 \times (5 \times 6)$ **5.** $9 \times 12 = 12 \times 9$ **6.** $1 \times 0 = 0$

Escribe _verdadero_ o _falso_. Si es verdadero, nombra la propiedad de la multiplicación ilustrada.

7. $3 \times 0 = 3$ **8.** $0 \times 5 = 0$ **9.** $1 \times 7 = 7$

10. $6 \times 5 = 5 \times 6$ **11.** $(8 \times 3) \times 2 = 8 \times (3 \times 2)$ **12.** $7 \times 5 \times 0 = 0$

13. $(3 \times 4) + (4 \times 5) = (3 + 4) \times 5$ **14.** $(8 + 2) \times 3 = (8 \times 3) + (2 \times 3)$

15. $4 \times 1 \times 3 \times 1 = 4 \times 3$ **16.** $7 \times (4 + 2) = 7 \times 4 + 2$

17. $7 \times 82 = (7 \times 80) + (7 \times 2)$ **18.** $10 \times 96 = 90 \times 10 + 6$

19. $5 \times (9 \times 2) = 5 \times (2 \times 9)$ **20.** $5 \times (2 \times 6) \times 5 = (5 \times 2) \times (6 \times 5)$

Sugiere un nombre para la propiedad de la multiplicación ilustrada.

★**21.** $6 \times (8 - 5) = (6 \times 8) - (6 \times 5)$

APLICACIÓN

Nombra e ilustra la propiedad que uses.

22. El Museo Old Rhinebeck Aerodrome en el estado de New York da dos exhibiciones cada fin de semana durante 24 semanas, de mayo a octubre. ¿Cuántas exhibiciones se dan?

★**23.** En el museo los Coopers hicieron dos emocionantes vuelos en aviones antiguos. Cada vuelo recorrió el área en una dirección durante 7 minutos y en la otra dirección durante 8 minutos. ¿Cuánto tiempo volaron los Cooper?

HAZLO MENTALMENTE

Usa la propiedad distributiva para hallar cada producto rápidamente. **Ejemplo:** $6 \times 23 = (6 \times 20) + (6 \times 3) = 120 + 18 = 138$

1. 5×43 **2.** 8×35 **3.** $5 \times \$48$ **4.** 9×63

5. 6×72 **6.** 20×101 **7.** 5×142 **8.** 6×212

Patrones de multiplicación

En 1903 el avión de los hermanos Wright volaba a 30 millas por hora. En 1931 el *Supermarine SB6* volaba por lo menos a 10 veces esa velocidad. En 1967 el *X-15A-2,* modelo a reacción, era por lo menos 100 veces más rápido. En 1972 el *Pioneer 10* volaba por lo menos 1,000 veces más rápidamente. ¿A qué velocidad volaba cada aeronave?

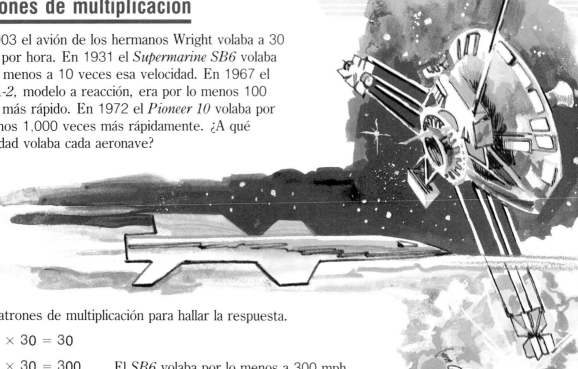

Usa patrones de multiplicación para hallar la respuesta.

$1 \times 30 = 30$

$10 \times 30 = 300$ El *SB6* volaba por lo menos a 300 mph.

$100 \times 30 = 3,000$ El *X-15A-2* volaba por lo menos a 3,000 mph.

$1,000 \times 30 = 30,000$ El *Pioneer 10* volaba por lo menos a 30,000 mph.

Busca los patrones.

$60 \times 4 \quad = 240$

$600 \times 4 \quad = 2,400$

$6,000 \times 4 \quad = 24,000$

$60 \times 40 \quad = 2,400$

$60 \times 400 = 24,000$

$25 \times 5 \quad = 125$

$25 \times 50 \quad = 1,250$

$25 \times 500 \quad = 12,500$

$250 \times 500 \quad = 125,000$

$250 \times 5,000 = 1,250,000$

TRABAJO EN CLASE

Usa un patrón para hallar cada producto.

1. 10×12
   100×12
   $1,000 \times 12$

2. 20×3
   200×3
   $2,000 \times 3$

3. 32×20
   32×200
   320×200

4. 78×100

5. $9 \times 4,000$

6. 6×500

7. 20×50

8. $50 \times 2,000$

9. 200×500

PRÁCTICA

Usa un patrón para hallar cada producto.

1. 10 × 15

2. 100 × 15

3. 1,000 × 15

4. 5 × 40

5. 5 × 400

6. 5 × 4,000

7. 20 × 21

8. 200 × 210

9. 30 × 210

10. 100 × 42

11. 1,000 × 42

12. 1,000 × 420

13. 10 × 83

14. 100 × 830

15. 1,000 × 83

16. 33 × 30

17. 33 × 300

18. 33 × 3,000

19. 24 × 100

20. 24 × 200

21. 240 × 2,000

22. 100 × 86

23. 10 × 860

24. 1,000 × 860

25. 1,000 × 75

26. 100 × 750

27. 2,000 × 750

28. 10 × 250

29. 400 × 250

30. 4,000 × 250

★**31.** 50 × 400 × 30

★**32.** 6 × 1,000 × 40

★**33.** 32 × 1,000 × 20

Compara. Usa >, < ó = en lugar de ⬤.

34. 40 × 900 ⬤ 400 × 9

35. 450 × 20 ⬤ 450 × 200

36. 36 × 1,000 ⬤ 360 × 100

37. 50 × 60 ⬤ 5 × 10 × 6 × 10

38. 24 × 200 ⬤ 2,400 × 20

39. 800 × 40 ⬤ 80 × 4,000

Halla cada factor que falta.

40. 50 × □ = 15,000

41. 200 × □ = 100,000

42. 40 × 300 = 400 × □

43. 6,000 × 500 = 60 × □

APLICACIÓN

44. El avión más pequeño que ha volado fue el *Stits Sky Baby,* que pesaba 452 lbs. El *Strato Boeing B-52H* pesa 1,000 veces más. ¿Cuál es el peso del *Boeing B-52H?*

45. En una exhibición aérea, un globo de aire caliente viaja una distancia de 25 pies por cada pie que se eleva en el aire. ¿Cuán lejos del punto de partida estará el globo cuando se encuentre a 1,000 pies de la tierra?

★**46.** Hay 300 pasajeros en el vuelo 34 de Transpolar Airlines de San Francisco a Tokio. Si el promedio de peso de cada pasajero es 150 lbs, ¿cuánto pesan en total los pasajeros?

Explorar el contar

Contar con colores

Sally está bordando sus vaqueros y su chaqueta con estrellas de 5 puntas. Cose una lentejuela roja, verde o azul en cada punta, pero nunca cose dos lentejuelas del mismo color en puntas contiguas.

Sally dice:—La estrella **A** es igual que la estrella **B**. Pero la estrella **C** es diferente—.

—Hay exactamente el número suficiente de estrellas como para que yo pueda tener una estrella en cada bolsillo—, afirma Sally.

¿Cuántos bolsillos tienen los pantalones y la chaqueta de Sally?

TRABAJAR JUNTOS

Trabaja en grupos.

1. Estudia los ejemplos de Sally. Después decide lo que ella quiere decir con «estrellas diferentes».

2. Dibuja varias estrellas de 5 puntas. Escribe en cada punta A (azul), R (roja) o V (verde), y haz todas las estrellas que puedas en los pantalones y en la chaqueta de Sally.

COMPARTIR IDEAS

1. ¿Cambia la sucesión de colores si se hace rotar una estrella a una nueva posición? Usa tus dibujos para verificar la respuesta.

2. ¿Puedes hacer una estrella para los pantalones y la chaqueta de Sally que tenga sólo dos colores de lentejuelas? Explica. Prueba diferentes combinaciones de dos colores.

3. ¿Cómo comprobó tu grupo que todas las estrellas eran diferentes?

4. ¿Cómo organizó tu grupo las estrellas para asegurarse de no pasar por alto ninguna posibilidad?

5. ¿De qué forma es útil hacer una tabla o un dibujo para hacer una lista sistemática de las estrellas?

6. ¿Cuántas estrellas diferentes puede hacer Sally?

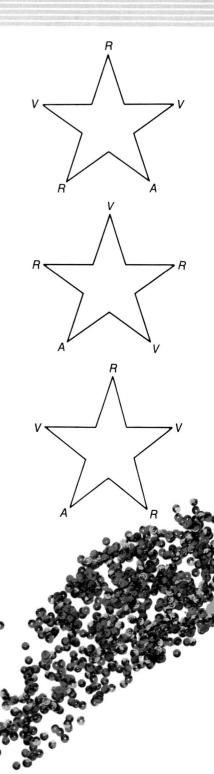

El grupo de Kevin cree que al hacer rotar una estrella a una nueva posición cambia la sucesión de colores.

1. ¿Cree Kevin que las estrellas **A** y **B** de la página 34 son diferentes? ¿Y Sally?

2. ¿Cuántas estrellas «diferentes» intentó hacer el grupo de Kevin rotando la estrella que está a la derecha?

3. Compara el número total de estrellas que halló el grupo de Kevin con el número que halló Sally.

4. ¿Por qué sería más fácil pensar en las estrellas como lo hizo el grupo de Kevin? ¿Sería más fácil hacer una lista sistemática?

5. Comenta cómo puede ayudarte el método de Kevin a hallar el número de bolsillos en los pantalones y la chaqueta de Sally.

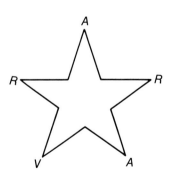

Estimar productos

Steve opera un helicóptero-grúa que puede levantar 20,000 lbs. Necesita llevar 15 planchas de concreto a unos obreros que están en lo alto del rascacielos. Cada plancha pesa 1,859 lbs. ¿Puede levantar todas las planchas a la vez?

Estima el producto y compáralo con la capacidad del helicóptero para levantar.

▷ Para estimar un producto, redondea cada factor a su posición mayor. Después multiplica los factores redondeados.

1,859	se redondea a	2,000
× 15	se redondea a	× 20
		40,000

Como 40,000 > 20,000, Steve no puede levantar todas las planchas a la vez.

Más ejemplos

a. Estima 52 × $17.42.

$17.42	se redondea a	$20
× 52	se redondea a	× 50
		$1,000

b. Estima 68 × 340.

340	se redondea a	300
× 68	se redondea a	× 70
		21,000

TRABAJO EN CLASE

Estima.

1.	32	2.	49	3.	291	4.	$4.30	5.	786
	× 57		× 19		× 43		× 12		× 427

6. 19 × $19.88   **7.** 78 × 61   **8.** 12 × $103.50   **9.** 27 × 753

PRÁCTICA

Estima.

1. 57 × 13	**2.** 93 × 47	**3.** 52 × 19
4. $232 × 12	**5.** 210 × 36	**6.** $671 × 23
7. 423 × 87	**8.** 504 × 49	**9.** $719 × 215
10. 1,971 × 406	**11.** 5,097 × 983	**12.** 3,115 × 481

13. 368 × 6,238   **14.** $8,321 × 3,627

15. 64 × 16,208   **16.** 2,350 × 1,767

Estima. Usa las propiedades de la multiplicación para que te sea más fácil estimar.

17. 83 × 58 × 49   **18.** 36 × 92 × 53

19. 41 × 56 × 53   **20.** 196 × 684 × 513

Di qué producto estimado está más cerca al producto exacto en cada par. Explica por qué.

★ **21.** 96 × 703
 75 × 753

★ **22.** 111 × 111
 98 × 389

APLICACIÓN

23. Bill Marcus trabaja como piloto de helicóptero en un servicio de taxi aéreo. El servicio lleva 178 pasajeros por semana de un aeropuerto a otro. Aproximadamente, ¿cuántos pasajeros transporta en un año? (Hay 52 semanas en un año).

★ **24.** El tiempo récord de un viaje en helicóptero alrededor del mundo es 699 horas 8 minutos 32 segundos a un promedio de velocidad de un poco más de 32 millas por hora. Estima la distancia viajada alrededor del mundo.

Práctica mixta

1. 1,572
 + 829

2. 32,496
 + 8,657

3. 2,396
 953
 + 8,719

4. 718 + 56

5. 5,237 + 694

6. 863
 − 487

7. 12,396
 − 5,958

8. $6,357.15
 − 929.49

9. 1,239 − 897

10. 6,532 − 2,956

11. 182,490 − 6,889

Compara. Usa >, <, ó = en lugar de ⬤.

12. 4,211 ⬤ 4,112

13. 9,314 ⬤ 9,314

14. 310,123 ⬤ 309,989

15. 1,121,113 ⬤ 1,112,113

16. 17,089 ⬤ 17,121

17. 212,108 ⬤ 212,099

Multiplicar

El transbordador viaja a una velocidad de 27,400 kilómetros por hora. ¿ Qué distancia puede viajar en 6 días? (6 días = 144 horas)

Multiplica 144 × 27,400.

Paso 1

Multiplica unidades.

```
  27,400
×    144
 109 600
```

Paso 2

Multiplica decenas.

```
   27,400
×     144
  109 600
 1096 00
```

Paso 3

Multiplica centenas.

```
  27,400
×    144
 109 600
1096 00
2740 0
```

Paso 4

Suma.

```
    27,400
×      144
   109 600
  1 096 00
  2 740 0
 3,945,600
```

Estima para ver si la respuesta tiene sentido.

144 × 27,400 se redondea a 100 × 30,000 ó 3,000,000.

El producto tiene sentido.

El transbordador puede viajar 3,945,600 kilómetros en 6 días.

Más ejemplos

a.
```
  $23.69
×      28
  189 52
  473 8
 $663.32  ←decimal en el producto.
```
Pon el símbolo del dolar y el punto

b.
```
    394
×   507
  2 758
  0 00   ←0 × 394
  197 0
 199,758
```

Forma corta
```
    394
×   507
  2 758   ←7 × 394
  197 0   ←500 × 394
 199,758
```

TRABAJO EN CLASE

Multiplica. Estima para asegurarte de que cada respuesta tiene sentido.

1.
```
  322
×   5
```

2.
```
  426
×  70
```

3.
```
 $2.74
×  300
```

4.
```
  1,609
×   273
```

5.
```
 $10,502
×     450
```

6. 486 × 903

7. 255 × 3,070

8. 442 × $68.74

9. 647 × 85,090

38

PRÁCTICA

Multiplica. Estima para asegurarte de que cada respuesta tiene sentido.

1.	418 × 4	2.	$783 × 3	3.	504 × 9	4.	870 × 93	5.	$5.79 × 61

6.	3,217 × 290	7.	6,815 × 702	8.	$4,109 × 366	9.	$84.90 × 500	10.	5,027 × 327

11.	56,890 × 309	12.	$214.12 × 653	13.	$20,203 × 360	14.	42,009 × 772	15.	57,921 × 527

16. 555 × 216 **17.** 604 × $7.98 **18.** 127 × 8,564 **19.** 238 × $79.07

20. 470 × 1,087 **21.** 2,642 × 1,740 **22.** 811 × $624.30 **23.** $37.75 × 2,081

Estima para escoger el producto correcto para cada uno.

24. 174 × 425 a. 70,100 b. 73,950 c. 92,000

25. 483 × 206 a. 99,498 b. 88,098 c. 120,908

★**26.** 118 × 27 × 509 a. 1,821,674 b. 2,421,674 c. 1,621,674

★**27.** 115 × 56 × 36 × 210 a. 48,686,400 b. 50,863,200 c. 55,863,200

APLICACIÓN

28. La nave espacial *Voyager 2* tomó fotos de Mercurio. Un día completo en Mercurio equivale a 176 días en la Tierra porque Mercurio gira muy despacio. ¿Cuántos días en la Tierra equivalen a 365 días en Mercurio?

★**29.** Júpiter gira una vez cada 9 horas 55 minutos. ¿Cuántos minutos tomarían 376 vueltas?

LA CALCULADORA

Pon el signo de multiplicación de forma que el producto en cada ejemplo sea el correcto.

Ejemplo: 1 2 3 4 5 6 = 41,472
1 2×3 4 5 6 = 41,472

1. 1 2 3 4 5 6 = 56,088   **2.** 1 3 5 7 9 0 = 122,130

3. 3 3 3 3 3 3 = 109,989   **4.** 7 8 9 3 4 5 6 = 4,736,070

Exponentes

Michele escribe un reporte sobre cometas y aprendió que la cola de un cometa es una formación de vapor de approximadamente 10,000 millas de largo.

Puedes usar exponentes para escribir números grandes.

$$10,000 = 10 \times 10 \times 10 \times 10$$

factores

10 se usa 4 veces como factor.

$$10,000 = 10^4 \leftarrow \text{exponente}$$

base

$$10,000 = 10^4$$

Lee diez a la cuarta potencia

Un **exponente** dice cuántas veces la **base** se usa como factor.

La cola de vapor de un cometa tiene 10^4 millas de largo.

Más ejemplos

En forma de exponente	Lee	Factores	Forma usual
6^2	seis a la segunda potencia o **seis al cuadrado**	6×6	36
5^3	cinco a la tercera potencia o **cinco al cubo**	$5 \times 5 \times 5$	125
4^1	cuatro a la primera potencia	4	4
7^5	siete a la quinta potencia	$7 \times 7 \times 7 \times 7 \times 7$	16,807

Trabajo en clase

Escribe cada uno usando exponentes.

1. $6 \times 6 \times 6 \times 6 \times 6$ **2.** $1 \times 1 \times 1 \times 1$ **3.** 9×9 **4.** $10 \times 10 \times 10 \times 10 \times 10$

Escribe cada uno como el producto de factores. Después escribe cada uno en la forma usual.

5. 4^2 **6.** 10^4 **7.** 6^3 **8.** 7^1 **9.** 5^4 **10.** 3^2

PRÁCTICA

Escribe cada uno usando exponentes.

1. $7 \times 7 \times 7 \times 7$ **2.** 12×12 **3.** $1 \times 1 \times 1 \times 1 \times 1 \times 1$ **4.** $8 \times 8 \times 8$

5. $4 \times 4 \times 4$ **6.** $2 \times 2 \times 2 \times 2 \times 2$ **7.** $9 \times 9 \times 9 \times 9 \times 9$ **8.** 15×15

Escribe cada uno como el producto de factores.

9. 5^3 **10.** 4^2 **11.** 10^2 **12.** 3^5 **13.** 2^7 **14.** 6^4

15. 6^1 **16.** 12^3 **17.** 8^3 **18.** 9^2 **19.** 1^6 **20.** 4^4

Escribe cada uno en la forma usual.

21. 3^4 **22.** 9^2 **23.** 7^2 **24.** 1^5 **25.** 5^3 **26.** 11^2

27. 4^3 **28.** 7^1 **29.** 3^1 **30.** 9^4 **31.** 14^2 **32.** 2^5

33. 3^5 **34.** 3^6 **35.** 8^3 **36.** 5^1 **37.** 6^2 **38.** 6^4

Escribe el cuadrado y el cubo de cada número.

39. 8   **40.** 10   **41.** 4   **42.** 5   **43.** 12   **44.** 3

Haz verdadera cada oración matemática.

★ **45.** $14^\square = 196$ ★ **46.** $5^\square = 125$ ★ **47.** $\square^3 = 1{,}000$ ★ **48.** $2^\square = 128$

APLICACIÓN

49. Un cometa es una gran bola de gases resplandecientes, polvo y hielo. Un cometa puede tener más de 10^6 millas de ancho. Escribe el ancho en la forma usual.

★ **50.** El Cometa de Halley fue fotografiado en agosto de 1909 cuando estaba a 3×10^8 millas del sol. En octubre de 1982, los astrónomos fotografiaron al Cometa de Halley cuando estaba a 10^9 millas del sol. ¿En qué fecha estaba más cerca del sol? Escribe estas dos distancias en la forma usual para comprobar tu respuesta.

RAZONAMIENTO LÓGICO

Adivina el número.

1. El número es 4 más que 5^2. ¿Cuál es el número?

2. El número es mayor que 2^4 y menor que 2^5. Es una potencia de 5. ¿Cuál es el número?

3. El número puede ser escrito como una potencia de 2, 4 u 8. Es mayor que 3^3. ¿Cuál es el número?

Problemas para resolver

DEMASIADA O MUY POCA INFORMACIÓN

Busca los datos importantes para resolver problemas. ¿Hay más información de la necesaria? ¿Hay suficiente información para resolver el problema? Decide qué datos son necesarios.

Los astronautas completaron 3 misiones en el espacio. Durante cada misión, pasaron 12 horas comiendo, 48 horas durmiendo y 62 horas haciendo experimentos. ¿Cuántas horas pasaron haciendo experimentos en las 3 misiones?

PIENSA
¿Cuál es la pregunta?

¿Cuántas horas pasaron haciendo experimentos en las 3 misiones?

¿Cuáles son los datos?

Actividad	Horas por misión
Comer	12
Dormir	48
Hacer experimentos	62

¿Hay demasiada información?

Sí; el tiempo empleado en comer y dormir.

¿Falta información? No.

PLANEA
¿Cómo se puede hallar la respuesta?

Multiplica las horas pasadas haciendo experimentos en cada misión por el número de misiones.

$$62 \times 3 = n$$

RESUELVE **Sigue con el plan. Después contesta las preguntas.**

$$\begin{array}{r} 62 \\ \times\ 3 \\ \hline 186 \end{array}$$ Los astronautas pasaron 186 horas haciendo experimentos.

REVISA
¿Has contestado la pregunta? ¿Tiene sentido tu respuesta?

Estima $\quad \begin{array}{r} 62 \\ \times\ 3 \end{array}$ se redondea a $\begin{array}{r} 60 \\ \times\ 3 \\ \hline 180 \end{array}$

180 está cerca de 186. La respuesta tiene sentido.

Decide si hay suficiente información para resolver cada problema. Si faltan datos, di cuáles datos se necesitan. Si hay datos extras, di cuáles no son necesarios. Resuelve cada problema si es posible.

1. Richard es miembro de un equipo de 5 astronautas que harán un vuelo en el transbordador espacial. Para completar sus experimentos, Richard trabajará 8 horas cada día del vuelo. ¿Cuántas horas pasará trabajando durante el vuelo?

2. Ana está haciendo un experimento agrícola en la estación espacial. Plantó 60 semillas Tipo A y 30 semillas Tipo B. Germinaron 40 semillas Tipo A y 24 semillas Tipo B. ¿Cuántas semillas Tipo A no germinaron?

3. Ana trabaja 6 horas el lunes, 8 horas el martes y 8 horas el miércoles, haciendo experimentos en la estación espacial. ¿Trabaja más de 40 horas a la semana haciendo experimentos?

4. Las plantas Tipo B crecen 1 cm por día en la Tierra. ¿Cuánto crece el semillero Tipo B durante 3 días en el espacio?

5. Juan es uno de los 5 científicos en un proyecto de cohetes. Trabaja 42 horas por semana. ¿Cuántas horas más de 1,000 trabaja en 26 semanas?

6. Rocket I tiene una masa de 18,500 kg. El vuelo duró 105 días. Rocket II tiene una masa 388 kg menor que Rocket I. ¿Cuál es la masa de Rocket II?

7. La duración del vuelo del Rocket III fue 27 días más que la del vuelo del Rocket IV. ¿Cuál fue la duración del vuelo del Rocket III?

8. Mientras más alta es la órbita de un satélite, más baja es la velocidad necesaria para mantenerse en órbita. Un satélite de comunicaciones en órbita alrededor de la Tierra a una altura de 320 km debe viajar a 24,400 km por hora para mantenerse en órbita. ¿Qué distancia viaja el satélite en 24 horas?

9. Tres astronautas completaron 158 órbitas alrededor de la Tierra. Viajaron 45,680 km por órbita. Tomaron 15,000 fotografías. ¿Cuántos kilómetros viajaron en total?

CREA TU PROPIO PROBLEMA

Esta tabla muestra 3 objetos grandes y el peso de cada uno. Crea dos problemas que usen algunos o todos estos datos. Un problema debe tener demasiada información y al otro le debe faltar información. Pídele a un compañero que identifique cada tipo y resuelva el que puede ser resuelto.

Objeto	Peso
	45,000 kg
	3,000 kg
	120,000 kg

Promedios

¿Qué modelo de cohete tuvo un tiempo más cercano al promedio de tiempo de vuelo de los seis cohetes?

Para hallar el promedio, primero halla la suma de todos los números y entonces divide la suma por el número de sumandos.

Vuelos de prueba de los modelos de cohetes		
Nombre	Tiempo en segundos	Distancia en yardas
Jeff	35	182
Tim	23	95
Sonia	31	150
Valerie	30	161
Mike	18	63
Rafael	25	87

Paso 1

Halla la suma.

```
  35
  23
  31
  30
  18
+ 25
 162
```

Paso 2

Divide por el número de sumandos.

```
                    27  ← cociente
divisor → 6)162  ← dividendo
                    12
                    42
                    42
                     0
```

El promedio de tiempo es 27 segundos. El vuelo de 25 segundos del cohete de Rafael es el más cercano al promedio.

▶ La forma corta de dividir es útil para dividir por números de 1 dígito.

Halla el promedio de $2.56, $3.75, $2.96.

Suma.

```
 $2.56
  3.75
+ 2.96
 $9.27
```

Divide.

Forma larga

```
   $3.09
3)$9.27
   9
   0 2
     0
     27
     27
      0
```

Forma corta

Paso 1

```
   $3.
3)$9.²⁷27
      0
```

$3 \times 3 = 9$
$9 - 9 = 0$

Paso 2

```
    $3.0
3)$9.2²7
       0
```

$0 \times 3 = 0$
$2 - 0 = 2$

Paso 3

```
    $3.0 9
3)$9.2²7
```

$9 \times 3 = 27$

TRABAJO EN CLASE

Halla cada promedio.

1. 8, 6, 6, 10, 5

2. 12¢, 20¢, 22¢

3. 26, 35, 32, 19, 21, 17

4. 57, 210, 84, 125

5. $1.98, $3.57, $2.43

6. 330, 156, 200, 112, 222

PRÁCTICA

Halla cada promedio.

1. 12, 18, 20, 14 **2.** 6, 7, 8, 8, 11 **3.** 26, 25, 27

4. $4.20, $4.60, $3.80 **5.** 86, 88, 88, 93, 100 **6.** 17, 27, 35, 22, 34

7. 85, 93, 78, 96, 83 **8.** 63¢, 32¢, 37¢ **9.** $5.83, $4.25, $2.16

10. 28, 50, 46, 20, 30, 30 **11.** $120, $125, $132, $127

12. 100, 250, 120, 260, 100 **13.** $28.75, $32.15, $51.60, $47.50

14. 188, 210, 209, 176, 257 **15.** $240, $250, $240, $280, $240, $250

Halla el número que falta en cada grupo. Se da el promedio.

★**16.** 87, 93, 72, □   ★**17.** 119, 213, □

El promedio es 85.   El promedio es 163.

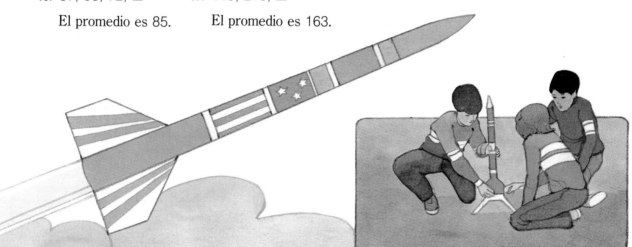

APLICACIÓN

Resuelve cada problema. Si no hay sufiente información, indica qué falta.

18. ¿De quién fue el modelo de cohete cuyo vuelo de prueba estuvo más cerca al promedio de distancia de los seis cohetes? Usa la tabla de la página anterior.

19. Jackie y Felipe gastaron un total de $16.84 en equipo para modelos de cohete. Sus amigos gastaron un total de $27.32. ¿Cuál fue el promedio gastado por persona?

20. Halla el promedio de la distancia de vuelo de los cohetes si Jessica entra en el club. Su cohete viajó 158 yardas.

21. En ocho vuelos de prueba, el cohete de Rafael voló un total de 768 yardas. ¿Cuál fue el promedio de distancia?

★**22.** Tim probó un cohete nuevo construido por él. Los dos primeros vuelos duraron 21 segundos cada uno. Los tres vuelos siguientes duraron 26 segundos cada uno. ¿Cuál es el promedio de tiempo de vuelo?

★**23.** El cohete de Jessica vuela más tiempo que ninguno. Si se incluye al cohete de Jessica, el promedio de tiempo del club aumenta a 29 segundos. ¿Cuánto tiempo permanece en el aire el cohete de Jessica?

Estimar cocientes

El Sr. Ramírez planea tomar lecciones de vuelo. Aproximadamente, ¿cuánto costará cada lección?

Estima para hallar la respuesta.

Paso 1

Si el divisor tiene más de un dígito, redondéalo a su posición mayor.

$$26\overline{)\$1{,}250}$$ se redondea a $$30\overline{)\$1{,}250}$$

Paso 2

Halla el primer dígito del cociente. Escribe ceros en los otros lugares.

$$\begin{array}{r} \$\ \ 40 \\ 30\overline{)\$1{,}250} \\ \underline{1\ 20} \\ 5 \end{array}$$

Piensa $30\overline{)125}$
$3\overline{)12}$

Cada lección costará más o menos $40.

— APRENDA A VOLAR —
Inscríbase ahora mismo:
Lecciones privadas en
Sussex Air
26 lecciones por $1,250

Más ejemplos

a. Estima $245.91 ÷ 22.

$$22\overline{)\$245.91}$$ se redondea a $$20\overline{)\$245.91}^{\$\ 10.00}$$

Piensa $20\overline{)24}$
$2\overline{)2}$

b. Estima 238,674 ÷ 67.

$$67\overline{)238{,}674}$$ se redondea a $$70\overline{)238{,}674}^{3{,}000}$$

Piensa $70\overline{)238}$
$7\overline{)23}$

TRABAJO EN CLASE

Estima.

1. $72\overline{)5{,}248}$ **2.** $55\overline{)1{,}272}$ **3.** $58\overline{)\$3{,}715}$ **4.** $73\overline{)50{,}375}$ **5.** $14\overline{)175{,}809}$

6. 1,984 ÷ 22   **7.** 2,079 ÷ 15   **8.** $167.01 ÷ 39   **9.** 85,007 ÷ 81   **10.** 751,980 ÷ 62

Estima.

1. $81\overline{)6{,}718}$ **2.** $62\overline{)3{,}673}$ **3.** $49\overline{)\$3{,}592}$

4. $83\overline{)7{,}009}$ **5.** $65\overline{)6{,}703}$ **6.** $89\overline{)\$99.85}$

7. $82\overline{)48{,}698}$ **8.** $37\overline{)\$252.20}$ **9.** $67\overline{)64{,}116}$

10. $59\overline{)137{,}846}$ **11.** $73\overline{)286{,}421}$ **12.** $17\overline{)\$606{,}007}$

13. $3{,}162 \div 74$ **14.** $\$1{,}723 \div 29$ **15.** $83{,}714 \div 67$

16. $601{,}237 \div 25$ **17.** $254{,}710 \div 23$ **18.** $904{,}785 \div 44$

Escoge la división apropiada para cada estimado.

★**19.** El estimado es 70.

   a. $26\overline{)1{,}439}$

   b. $23\overline{)1{,}439}$

   c. $23\overline{)14{,}390}$

★**20.** El estimado es 400.

   a. $48{,}007 \div 13$

   b. $48{,}007 \div 15$

   c. $4{,}800 \div 13$

★**21.** El estimado es 2,000.

   a. $68\overline{)15{,}278}$

   b. $68\overline{)132{,}783}$

   c. $68\overline{)152{,}783}$

APLICACIÓN

22. Sussex Air recibió 2,487 peticiones de información en un año. Aproximadamente, ¿cuántas peticiones recibieron al mes?

23. La escuela paga a sus 18 instructores un total de $420,000 por año. Estima el promedio del salario anual de un instructor de vuelo.

★**24.** Joe Collins es un instructor en Sussex Air. Voló 948 horas el año pasado y el doble de horas este año. Estima el promedio de horas de vuelo que voló cada mes.

Práctica mixta

1.
$$\begin{array}{r} 2{,}046 \\ +\ 1{,}399 \\ \hline \end{array}$$

2.
$$\begin{array}{r} 156{,}809 \\ 76{,}597 \\ +\ 273{,}008 \\ \hline \end{array}$$

3.
$$\begin{array}{r} 213 \\ -\ 175 \\ \hline \end{array}$$

4.
$$\begin{array}{r} 1{,}248 \\ 629 \\ +\ \ \ 355 \\ \hline \end{array}$$

5.
$$\begin{array}{r} \$130.06 \\ 29.45 \\ +\ \ \ 281.04 \\ \hline \end{array}$$

6. $2{,}870 - 2{,}096$

7. $\$24.97 + \$8.03$

8. $\$123.75 - \$67.89$

9. $496{,}000 - 387{,}954$

10. $n + 17 = 89$

11. $n - 46 = 23$

12. $n = 29 + 57$

13. $19 + n = 74$

14. $10 = n - 5$

Redondea a la decena de millar más cercana.

15. 10,873

16. 67,409

17. 557,564

18. 802,987

19. 1,735,575

Dividir

Juanita coleccionó 512 sellos mostrando logros en el espacio. Ella quiere poner el mismo número de sellos en cada página de su álbum. El álbum tiene 32 páginas. ¿Cuántos sellos debe haber en cada página?

Divide 512 por 32 para hallar cuántos sellos debe haber en cada página.

Paso 1

Decide dónde poner el primer dígito en el cociente.

$$32\overline{)512}$$

Piensa No hay suficientes centenas. Divide las decenas.

Paso 2

Redondea el divisor y estima el dígito del cociente.

$$32\overline{)512}$$

Piensa $30\overline{)51}$
 $3\overline{)5}$

Prueba el 1.

Paso 3

Multiplica.

$$\begin{array}{r} 1 \\ 32\overline{)512} \\ 32 \end{array}$$

Comprueba $32 \times 16 = 512$

Paso 4

Resta y compara.

$$\begin{array}{r} 1 \\ 32\overline{)512} \\ 32 \\ \hline 19 \end{array}$$ ← 19 < 32

La diferencia *tiene* que ser menor que el divisor.

Paso 5

Baja el próximo dígito. Repite los pasos.

$$\begin{array}{r} 16 \\ 32\overline{)512} \\ 32 \\ \hline 192 \\ 192 \\ \hline 0 \end{array}$$

Piensa $30\overline{)192}$
 $3\overline{)19}$

Prueba el 6.

Juanita debe poner 16 sellos en cada página.

Más ejemplos

a.
$$\begin{array}{r} 423 \text{ R}14 \\ 58\overline{)24{,}548} \\ 23\ 2 \\ \hline 1\ 34 \\ 1\ 16 \\ \hline 188 \\ 174 \\ \hline 14 \end{array}$$

Coloca el residuo en el cociente.

Comprueba
$$\begin{array}{r} 423 \\ \times\ \ 58 \\ \hline 3\ 384 \\ 21\ 15 \\ \hline 24\ 534 \\ +\ \ \ \ 14 \\ \hline 24{,}548 \end{array}$$
← Residuo

b.
$$\begin{array}{r} \$\ 14.25 \\ 63\overline{)\$897.75} \\ 63 \\ \hline 267 \\ 252 \\ \hline 15\ 7 \\ 12\ 6 \\ \hline 3\ 15 \\ 3\ 15 \\ \hline 0 \end{array}$$

Comprueba
$$\begin{array}{r} \$14.25 \\ \times\ \ \ \ 63 \\ \hline 42\ 75 \\ 855\ 0 \\ \hline \$897.75 \end{array}$$

TRABAJO EN CLASE

Divide. Multiplica para comprobar.

1. $30\overline{)780}$
2. $21\overline{)966}$
3. $19\overline{)866}$
4. $38\overline{)17{,}260}$
5. $62\overline{)45{,}942}$

6. $1{,}032 \div 43$
7. $12{,}470 \div 28$
8. $\$158.13 \div 21$
9. $377{,}572 \div 53$

PRÁCTICA

Divide. Multiplica para comprobar.

1. 31)992 **2.** 61)2,318 **3.** 23)9,485 **4.** 70)3,220 **5.** 42)3,654

6. 23)8,123 **7.** 81)2,187 **8.** 39)$8,619 **9.** 94)1,316 **10.** 41)$252.15

11. 87)49,359 **12.** 32)$1,684.80 **13.** 48)39,668 **14.** 29)21,564 **15.** 81)38,240

16. 12)25,689 **17.** 19)830,241 **18.** 52)387,625 **19.** 59)316,340 **20.** 68)291,425

21. 824 ÷ 30 **22.** 502 ÷ 18 **23.** 2,684 ÷ 33 **24.** 4,256 ÷ 81

25. 42,134 ÷ 58 **26.** $905.96 ÷ 22 **27.** 191,642 ÷ 31 **28.** 213,812 ÷ 37

Escribe *verdadero* o *falso*

★**29.** 750 ÷ 50 = (1,000 ÷ 50) − (250 ÷ 50)

★**30.** (50 − 5) ÷ 5 = (50 ÷ 5) − (5 ÷ 5)

Sigue la regla siguiente para hallar cada número que falta.

Regla: Divide la entrada por 12.

	Entrada	Salida
	384	32
31.	852	
32.	2,568	

Regla: Divide la entrada por 23; después multiplica por 10.

	Entrada	Salida
	598	260
33.	782	
34.	9,798	

Regla: Divide la entrada por 32.

	Entrada	Salida
★**35.**	480	
★**36.**		9
★**37.**		26

APLICACIÓN

38. En total Juanita ha colecionado 1,674 sellos de 62 países. ¿Cuál es el promedio de sellos que tiene de cada país?

★**39.** Los estudiantes del Wilcox High School colecionaron sellos de varios países describiendo logros en el espacio. Los estudiantes coleccionaron 546 sellos de África, 935 de Europa, y 847 de Norte y Sur América. Si en un álbum de sellos se pueden colocar 24 sellos por página, ¿cuántas páginas llenarán lo sellos coleccionados?

Cambiar estimados de cocientes

En "A Wrinkle in Time," libro de Madeleine L'Engle, Meg, Charles y Calvin vieron casas grises idénticas en el oscuro planeta Camazotz. Si habían 4,366 casas en áreas cuadradas con 74 casas en cada cuadra ¿cuántas cuadras vieron?

Divide 4,366 por 74 para hallar cuántas cuadras son.

Paso 1

Decide dónde poner el primer dígito del cociente.

$$74\overline{)4,366}$$

Piensa
No hay suficientes millares ni centenas. Divide decenas.

Paso 2

Redondea el divisor y estima el dígito del cociente.

$$74\overline{)4,366}$$ 70

Piensa $70\overline{)436}$
$7\overline{)43}$
Prueba el 6.

Paso 3

Divide. A veces es necesario cambiar el estimado.

$$
\begin{array}{r}
6 \\
74\overline{)4,366} \\
4\ 44 \\
\end{array}
$$
444 > 436
6 es muy grande.
Prueba el 5.

$$
\begin{array}{r}
5 \\
74\overline{)4,366} \\
3\ 70 \\
\hline
66 \\
\end{array}
$$

$$
\begin{array}{r}
59 \\
74\overline{)4,366} \\
3\ 70 \\
\hline
666 \\
666 \\
\hline
0 \\
\end{array}
$$ 70

Piensa $70\overline{)666}$
$7\overline{)66}$
Prueba el 9.

Comprueba $74 \times 59 = 4,366$

Meg, Charles y Calvin vieron 59 cuadras iguales.

Otro ejemplo

$$86\overline{)6,198}$$ 80

Piensa $90\overline{)619} \rightarrow 86\overline{)6,198}$
$9\overline{)61}$
Prueba el 6.

$$
\begin{array}{r}
6 \\
86\overline{)6,198} \\
5\ 16 \\
\hline
1\ 03 \\
\end{array}
$$
103 > 86
el 6 es muy pequeño.
Prueba el 7.

$$
\begin{array}{r}
72\ \text{R6} \\
86\overline{)6,198} \\
6\ 02 \\
\hline
178 \\
172 \\
\hline
6 \\
\end{array}
$$ 80

$$
\begin{array}{r}
86 \\
\times\ 72 \\
\hline
172 \\
6\ 02 \\
\hline
6,192 \\
+\ \ \ \ 6 \leftarrow \text{residuo} \\
\hline
6,198 \\
\end{array}
$$

TRABAJO EN CLASE

Divide. Multiplica para comprobar.

1. $34\overline{)2,584}$ **2.** $75\overline{)3,850}$ **3.** $53\overline{)7,851}$ **4.** $46\overline{)31,464}$ **5.** $84\overline{)\$8,286.60}$

6. $6,863 \div 27$ **7.** $30,854 \div 36$ **8.** $\$3,805.20 \div 45$ **9.** $36,360 \div 64$

PRÁCTICA

Divide. Multiplica para comprobar.

1. $16\overline{)4{,}992}$ 2. $87\overline{)7{,}154}$ 3. $56\overline{)2{,}296}$ 4. $26\overline{)7{,}956}$ 5. $24\overline{)8{,}252}$

6. $65\overline{)56{,}615}$ 7. $76\overline{)47{,}430}$ 8. $44\overline{)\$332.64}$ 9. $67\overline{)\$546.05}$ 10. $35\overline{)19{,}884}$

11. $66\overline{)27{,}766}$ 12. $67\overline{)54{,}605}$ 13. $56\overline{)28{,}120}$ 14. $87\overline{)436{,}192}$ 15. $16\overline{)78{,}320}$

16. $34\overline{)91{,}338}$ 17. $38\overline{)22{,}856}$ 18. $48\overline{)310{,}200}$ 19. $56\overline{)227{,}640}$ 20. $47\overline{)328{,}225}$

21. $6{,}221 \div 26$ 22. $\$642.60 \div 84$ 23. $34{,}587 \div 63$ 24. $41{,}830 \div 27$

25. $\$24{,}366 \div 62$ 26. $36{,}998 \div 54$ 27. $239{,}470 \div 35$ 28. $168{,}292 \div 26$

Halla cada dividendo o divisor que falta.

29. $64\overline{)■■,■■■}$ ↑ 158

★ 30. $■■\overline{)4{,}902}$ ↑ 86

★ 31. $32\overline{)■■,■■■}$ ↑ 568 R17

★ 32. $■■\overline{)3{,}184}$ ↑ 67 R35

APLICACIÓN

33. Si 4,116 flores bordean 98 casas idénticas en Camazotz, ¿cuántas flores bordean cada casa?

34. Cada día en Camazotz, 75 repartidores de periódicos entregan 10,200 periódicos. Si cada niño entrega la misma cantidad, ¿cuántos periódicos entrega cada niño?

★ 35. Si el mismo número de personas viven en cada cuadra de Camazotz, y hay 10,360 personas en 35 cuadras, ¿cuántas personas viven en 18 cuadras?

★ 36. En Camazotz, 24,000 niños rebotan pelotas al unísono, 5,200 niños saltan la cuerda, 1,700 montan en columpios y 1,600 juegan rayuela. Los niños van a 25 escuelas idénticas. Hay el mismo número de niños en cada escuela. ¿Cuántos niños hay en cada escuela?

Dividir números mayores

Un equipo de fútbol ahorró dinero alquilando aviones para ir a los juegos. El alquiler cuesta $9,944 para 113 pasajeros. ¿Cuánto cuesta por persona?

Calcula $9,444 ÷ 113.

Paso 1

Decide dónde colocar el primer dígito del cociente.

113)$9,944 **Piensa** No hay suficientes millares o centenas. Divide decenas.

Paso 2

Redondea el divisor y estima el dígito del cociente.

100
113)$9,944   **Piensa** 100)994

1)9 Prueba el 9.
9
113)994
1017 1017 > 994
El 9 es muy grande.
Prueba el 8.

Paso 3

Multiplica.

```
     $   8
113)$9,944
    9 04
```

Paso 4

Resta y compara.

```
     $   8
113)$9,944
    9 04
      90     90 < 113
```

Comprueba $88 × 113 = $9,944

El vuelo cuesta $88 por persona.

Paso 5

Baja. Repite los pasos.

```
100      $  88
    113)$9,944
        9 04
         904    Piensa 100)904
         904    Ajusta el estimado.
           0
```
9

Más ejemplos

```
     400        125 R250
a.      393)49,375
             39 3
             10 07
              7 86
              2 215
              1 965
                250  250 < 393
```

```
     800      $   63.24
b.      811)$51,287.64
             48 66
              2 627
              2 433
              194 6
              162 2
               32 44
               32 44
                   0
```

```
     400        180 R406
c.      409)74,026
             40 9
             33 12
             32 72
                406  406 < 409
```

TRABAJO EN CLASE

Divide. Multiplica para comprobar.

1. 204)71,810   **2.** 672)$88,704   **3.** 712)886,450   **4.** 376)320,352

Divide. Multiplica para comprobar.

1. $400\overline{)26{,}384}$ 2. $196\overline{)93{,}688}$ 3. $234\overline{)95{,}480}$ 4. $127\overline{)66{,}200}$

5. $314\overline{)178{,}352}$ 6. $708\overline{)\$39{,}853.32}$ 7. $492\overline{)445{,}270}$ 8. $523\overline{)463{,}378}$

9. $212\overline{)128{,}900}$ 10. $629\overline{)345{,}950}$ 11. $118\overline{)237{,}534}$ 12. $399\overline{)618{,}151}$

13. $409\overline{)\$88{,}474.88}$ 14. $234\overline{)586{,}424}$ 15. $618\overline{)335{,}676}$ 16. $312\overline{)626{,}898}$

17. $\$76{,}700 \div 118$ 18. $224{,}950 \div 279$ 19. $807{,}700 \div 394$

20. $298{,}811 \div 611$ 21. $671{,}823 \div 319$ 22. $881{,}984 \div 288$

Estima para escoger el cociente exacto para cada uno.

23. $28\overline{)69{,}300}$
   a. 2,475
   b. 3,475
   c. 2,975

24. $32\overline{)60{,}960}$
   a. 1,095
   b. 1,905
   c. 19,005

25. $318\overline{)159{,}636}$
   a. 5,002
   b. 492
   c. 502

★ 26. $4{,}075\overline{)1{,}731{,}875}$
   a. 4,025
   b. 425
   c. 525

APLICACIÓN

27. Un vuelo alquilado para 350 pasajeros en un "jumbo jet" cuesta $62,650. ¿Cuánto cuesta por pasajero?

★ 28. La tarifa aérea regular de New York a Miami sería de $79,475 para 275 pasajeros. ¿Cuál sería el total para 300 pasajeros?

═══ RAZONAMIENTO VISUAL ═══

Une todos los pares que juntos forman un círculo.

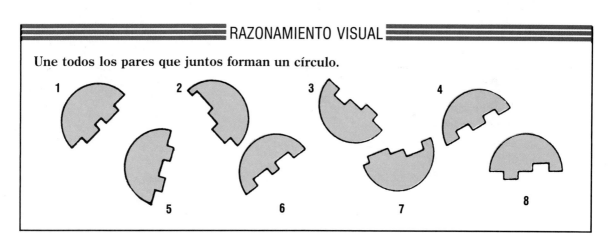

Explorar las operaciones inversas

¡Sherlock Holmes y el gran misterio de la calculadora!

—¡Por Júpiter!, ¿has visto eso Holmes? ¡El profesor Moriarty acaba de marcar un número en su calculadora!—

—De veras Watson ¿qué número era? Puede ser importante.—

—No pude verlo, pero ahora ha puesto
$\boxed{\times}$ $\boxed{7}$ $\boxed{-}$ $\boxed{1}$ $\boxed{3}$ $\boxed{=}$, ¡la calculadora muestra 4782!
¿Cuál sería el primer número?—

—¡Elemental, querido Watson! Usa tu calculadora y las operaciones inversas y lo descubrirás.—

TRABAJAR JUNTOS

1. Trabaja en pareja. Usa una calculadora para explorar el problema. Trata de seguir la sugerencia de Sherlock Holmes para hallar el número que falta.

2. Cuando creas que has resuelto el misterio, túrnense en el juego. Sigue estos pasos.
   - Pon un número secreto y después una sucesión de operaciones y números.
   - Tu pareja debe anotar la sucesión de teclas de la misma forma en que las pusiste.
   - Cuando aparezca la salida, deja que tu pareja use la calculadora para hallar el número secreto.

1. ¿Qué quería decir Sherlock Holmes con «operaciones inversas»?

2. ¿Cuál es la inversa de la suma? ¿Y de la resta? ¿Y de la multiplicación? ¿Y de la división?

3. ¿Dónde comenzarías si quisieras seguir la sugerencia de Sherlock Holmes?

4. ¿Es importante el orden en que se usan las operaciones inversas? Explica.

RAZONAR A FONDO

1. Describe tus métodos a los otros equipos. Ponlos a prueba poniendo en secreto el primer número de una sucesión de teclas que diseñes.

2. ¿Crees que la sugerencia de operaciones inversas de Sherlock Holmes funcionará para cualquier cálculo? Da ejemplos para apoyar tu respuesta.

3. ¿Puede ser cero el número secreto? ¿Y un decimal? ¿Puede ser cero cualquier otro número de la sucesión de teclas? ¿Y un decimal? ¿Qué pasaría entonces?

4. Algunas calculadoras tienen teclas «científicas», tales como x^2 y $\sqrt{x}$. Si x^2 es la inversa de $\sqrt{x}$, pon a prueba a un miembro de tu equipo para que halle el número Super Secreto:

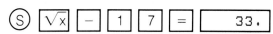

$$\text{S} \quad \boxed{\sqrt{x}} \quad \boxed{-} \quad \boxed{1} \quad \boxed{7} \quad \boxed{=} \quad \boxed{33.}$$

Problemas para resolver

REPASO DE DESTREZAS Y ESTRATEGIAS   La vida en el planeta Lemma

Gila es una ciudad de Lemma, un planeta de otro sistema solar.
Gila tiene una población de 875,000. Algunos habitantes tienen
una cabeza con dos antenas, y se llaman biantenos. Otros tienen
dos cabezas sin antenas, y se llaman bicráneos.

Resuelve cada problema que tenga suficiente información.
Si no hay suficiente información, di cuáles datos son necesarios.

1. ¿Cuál es el nombre de la ciudad?

2. ¿A qué distancia de la Tierra está Lemma?

3. ¿Cuántos habitantes tiene Gila?

4. ¿Cuántos biantenos hay en Gila?

¿Qué pasaría si hubiera 448,000 bicráneos en Gila?

5. ¿Cuántos biantenos hubiera?

6. ¿Cuántos sombreros fueran necesarios si
   cada cabeza en Gila llevara un sombrero?

7. ¿Cuántos de estos sombreros deben tener
   agujeros para dos antenas?

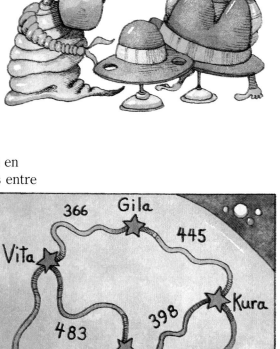

Las distancias entre ciudades se miden en milterios en
Lemma. Este mapa muestra el número de milterios entre
varias ciudades importantes.

8. ¿Cuál es la distancia entre Kura y
   Siva?

9. ¿La distancia entre Kura y Siva es
   aproximadamente cuántas veces mayor
   que la distancia entre Gila y Kura? Estima
   la respuesta.

10. Si un bianteno viaja de Gila a Kura y de
    Kura a Siva ¿cuántos milterios viaja en
    total?

11. ¿Cuál es más larga: la distancia entre
    Kura y Vita pasando por Gila o pasando
    por Siva? ¿cuánto más larga?

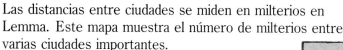

Problemas para resolver

¿QUÉ PASARÍA SI . . . ?

Resuelve cada problema que tenga suficiente información.
Si no hay suficiente información, di cuáles datos son necesarios.

1. Suponte que es el año 2001, y has terminado tus estudios. Eres ingeniero de un centro espacial. ¿Cuántos años tienes?

2. Estás a cargo de un pequeño proyecto. Ganas $45,624 al año y trabajas 5 días a la semana. ¿Cuánto dinero ganas al mes?

3. ¿Cuánto sacan de tu sueldo por impuestos federales?

4. ¿Cuánto ganas a la semana?

¿Qué pasaría si tuvieras tres ayudantes? Sus ganancias aparecen en la tabla a la derecha.

Usa la información para contestar 5–12.

Persona	Ganancias por hora
Luanne	$21
Mack	$18
Vince	$16

5. ¿Cuánto gana Mack a la semana si cada ayudante trabaja 35 horas a la semana?

6. ¿Cuánto más de $30,000 gana Mack al año?

7. ¿Cuánto más gana a la semana Luanne que Vince?

8. ¿Cuánto más gana al año Luanne que Mack?

¿Qué pasaría si los ayudantes trabajaran 39 horas a la semana?

9. ¿Cuánto ganaría Mack en 4 semanas?

10. ¿Cuánto ganaría Vince a la semana?

11. ¿Cuántas semanas le tomaría a Mack para trabajar 1,560 horas?

★ 12. ¿Cuántas semanas aproximadamente le tomaría a Luanne para ganar $40,000?

¿Qué pasaría si hubiera un nuevo reglamento de salario y horario? Suponte que cada ayudante recibe un aumento de $2 la hora y trabaja según el siguiente horario: 7 horas al día de lunes a jueves y 4 horas al día los viernes y sabados.

13. ¿Cuántas horas trabajará cada persona en 4 semanas?

14. ¿Cuántas horas de descanso tendrá cada persona en 4 semanas?

15. Aproximadamente, ¿cuántas semanas le tomaría a cada persona trabajar 1,000 horas? Estima. Escribe la respuesta en números enteros.

16. Cada ayudante recibe un aumento de $2 la hora después de trabajar 2,520 horas. ¿Cuántas semanas de trabajo son 2,520 horas?

Nombra la propiedad de multiplicación ilustrada en cada ejemplo. págs. 30–31.

1. $8 \times 5 = 5 \times 8$
2. $9 \times (4 + 7) = (9 \times 4) + (9 \times 7)$
3. $0 \times 12 = 0$

4. $(3 \times 6) \times 2 = 3 \times (6 \times 2)$
5. $32 \times 1 = 32$
6. $9 \times (10 + 4) = (9 \times 10) + (9 \times 4)$

Estima cada producto. págs. 36–37

7.   76
 $\times\ 24$

8. $33
 $\times\ 88$

9. 1,280
 $\times\ \ \ 19$

10. 5,465
 $\times\ \ \ 237$

11. 8,603
 $\times\ 2,099$

Multiplica. págs. 36–39.

12.   67
 $\times\ \ 8$

13.   434
 $\times\ \ \ 7$

14. 2,405
 $\times\ \ \ 12$

15. $67.49
 $\times\ \ \ 205$

16. 32,500
 $\times\ 1,482$

Halla el exponente o producto que falta. págs. 40–41

17. $6^{\square} = 216$
18. $4^5 = \square$
19. $16^{\square} = 256$
20. $9^{\square} = 9$
21. $3^4 = \square$
22. $2^7 = \square$

Halla cada promedio. págs. 44–45

23. 17, 24, 34
24. 39¢, 49¢, 57¢, 63¢, 57¢
25. 748, 659, 723, 698

Escoge el estimado más cercano al cociente exacto. págs. 46–47, 50–51

26. $25\overline{)3,287}$
 a. 200
 b. 100

27. $83\overline{)82,709}$
 a. 900
 b. 1,000

28. $17\overline{)670,083}$
 a. 30,000
 b. 3,000

Divide. págs. 48–49, 52–53

29. $2,352 \div 42$
30. $29,743 \div 36$
31. $62,089 \div 300$
32. $401,952 \div 158$

Usando una operación inversa; escribe una ecuación relacionada para cada uno y resuélvela.
págs. 54–55
33. $n - 19 = 43$
34. $s + 43 = 71$
35. $360 = 10 \times a$
36. $q \div 12 = 8$

Resuelve. págs. 42–43, 56–57

37. Isabel va a volar de New York a Paris. El viaje toma aproximadamente 7 horas. El avión sale a la 1:00 P.M. y vuela a un promedio de velocidad de 520 millas por hora. Estima la distancia entre New York y París.

38. El satélite de televisión por cable Galaxy 1 gira en órbita alrededor de la Tierra una vez cada 1,440 minutos. ¿Cuántas horas toma una órbita?

PRUEBA DEL CAPÍTULO

Nombra la propiedad de multiplicación ilustrada en cada ejemplo.

1. $8 \times (4 \times 9) = (8 \times 4) \times 9$ **2.** $10 \times 5 = 5 \times 10$ **3.** $0 \times 11 = 0$

Estima cada producto o cociente.

4. 79×43 **5.** $27\overline{)1,304}$ **6.** $239 \times 1,903$ **7.** $43,704 \div 44$

Multiplica.

8. $\begin{array}{r} 2,408 \\ \times \quad 9 \\ \hline \end{array}$ **9.** $\begin{array}{r} 835 \\ \times \quad 28 \\ \hline \end{array}$ **10.** $\begin{array}{r} \$10.67 \\ \times \quad 205 \\ \hline \end{array}$ **11.** $\begin{array}{r} 37,490 \\ \times \quad 1,687 \\ \hline \end{array}$

Halla el exponente o producto que falta.

12. $2^{\square} = 32$ **13.** $5^3 = \square$ **14.** $7^2 = \square$ **15.** $3^{\square} = 729$

Divide.

16. $9\overline{)358}$ **17.** $36\overline{)1,944}$ **18.** $29\overline{)2,048}$ **19.** $402\overline{)130,650}$

Usando una operación inversa; escribe una ecuación relacíonada para cada uno y resuélvela.

20. $n - 27 = 83$ **21.** $p + 19 = 84$ **22.** $432 = 9 \times a$ **23.** $47 = 47 \times n$

Resuelve.

24. Cierta aerolínea permite hasta 55 libras de equipaje por pasajero. ¿Cuál es el peso máximo del equipaje en un avión que lleva 134 pasajeros?

25. Un avión cubrió las siguientes distancias en 3 viajes: 1,300 millas, 972 millas y 1,580 millas. La velocidad promedio del avión fue de 550 millas por hora. ¿Cuál fue el promedio de la distancia cubierta en los 3 viajes?

Comienza con un número. Divídelo por 25. Multiplica ese cociente por 16. El resultado es 64. ¿Con qué número comenzaste?

LATIDOS DEL CORAZÓN

Los astronautas del *Skylab* hicieron ejercicios regularmente
para mantener sus corazones fuertes durante el largo período
de ingravidez. Los latidos de sus corazones fueron cuidadosamente
supervisados en el espacio y a su regreso a la Tierra.

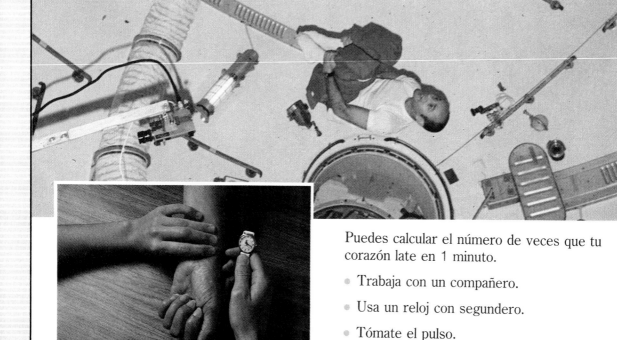

Puedes calcular el número de veces que tu
corazón late en 1 minuto.

- Trabaja con un compañero.

- Usa un reloj con segundero.

- Tómate el pulso.

1. Cuenta el número de
veces que tu pulso late
en un minuto. Tómate el
pulso dos veces más.
Escribe los resultados.

2. Encuentra el promedio de
los 3 conteos. Redondea
tu respuesta al número
entero más cercano.

3. Multiplica el promedio
por 4 para encontrar el
número de veces que tu
corazón late en un
minuto.

Usa una calculadora para hallar aproximadamente cuántas veces late tu corazón.

4. en una clase de
matemáticas

5. en 6 horas

6. en un día

Aproximadamente ¿cuántas veces latirá tu corazón?

7. en un año

8. en 5 años

9. en 12 años

Halla cada uno al número entero más cercano.

10. el número de días que le toma a tu corazón latir 1 millón de veces

11. el número de años que le toma a tu corazón latir 1,000 millónes de veces

ENRIQUECIMIENTO

SUCESIÓN GEOMÉTRICA

A Gary le ofrecieron un trabajo poco corriente que paga 1¢ el primer día, 2¢ el segundo día, 4¢ el tercer día, 8¢ el cuarto día, y así sucesivamente. ¿Cuánto dinero ganaría Paco el décimo día?

Los números 1, 2, 4, 8, . . . forman una **sucesión geométrica.** Una **sucesión** es una lista de números. Los números en una sucesión se llaman **términos.** En una sucesión geométrica cada término es el resultado de multiplicar el término previo por un número dado.

La regla para la sucesión del problema mencionado anteriormente es multiplicar cada término por 2. Usando esta regla, puedes continuar la sucesión hasta encontrar el décimo término.

El décimo día, Gary ganaría 512¢ ó $5.12.

¿Tomarías tú el trabajo?

**Continúa la sucesión geométrica.
¿Cuánto dinero ganarías cada día?**

1. el decimoquinto día **2.** el vigésimo día **3.** el vigésimo quinto día

Escribe la regla para cada sucesión. Después halla los tres términos que siguen.

4. 1, 3, 9, 27, . . . **5.** 2, 8, 32, 128, . . . **6.** 4, 20, 100, 500, . . .

7. 1, 10, 100, 1,000, . . . **8.** 5^1, 5^2, 5^3, 5^4, . . . **9.** 2^1, 2^3, 2^5, 2^7, . . .

Halla el término que falta en cada sucesión.

10. 2, 6, n, 54, . . . **11.** n, 4, 16, 64, . . . **12.** n, 5, 25, 125, . . .

13. 12, 24, 48, n, . . . **14.** 8, 24, n, 216, . . . **15.** 1, n, 81, 729, . . .

16. 7, 35, n, 875, . . . **17.** 111, 333, 999, n, . . . **18.** 10, 40, n, 640, . . .

19. 10^1, 10^2, n, 10^4, . . . **20.** 2^2, 2^4, n, 2^8, . . . **21.** 3^1, 3^4, 3^7, n, . . .

PERFECCIONAMIENTO DE DESTREZAS

Escoge las respuestas correctas. Escribe A, B, C ó D.

1. ¿Cuál es el valor del 8 en 1,086,493?

A 80 mil millones   C 8 millones

B 80 mil   D 8 mil millones

2. Compara. 7,399 ⬤ 7,408

A >   C =

B <   D no se da

3. Redondea 24,896 al millar más cercano.

A 24,000   C 30,000

B 25,000   D no se da

4. ¿Qué propiedad de la suma se usa?
$97 + 0 = 97$

A conmutativa   C de identidad

B asociativa   D no se da

5. Ordena de menor a mayor.
43,009; 43,090; 43,089

A 43,090; 43,089;   C 43,009; 43,089;
    43,009   43,090

B 43,089; 43,009;   D no se da
    43,090

6. $374.86 + $91.17

A $465.93   C $466.03

B $376.03   D no se da

7. $219.42
 − 164.07

A $55.35   C $155.45

B $55.49   D no se da

8. Estima. $34,493 − 19,103$

A 10,000   C 30,000

B 20,000   D no se da

9. ¿Cuál es la ecuación relacionada para
$42 = x + 35$?

A $x = 42 + 35$ C $x = 42 - 35$

B $x = 42 \times 35$ D no se da

10. 216×446

A 96,306   C 86,336

B 96,336   D no se da

11. Estima. $9,062 \div 33$

A 30   C 300

B 200   D no se da

12. $22 \overline{)\$91.30}$

A $4.25   C $4.11

B $4.15   D no se da

13. ¿Cuál es la ecuación relacionada para $\frac{b}{7} = 14$?

A $b \times 7 = 14$ C $b = 14 - 7$

B $b = 14 \div 7$ D no se da

Usa la información que sigue para resolver 14 y 15.

La Escuela Roberto Clemente tiene una matrícula de 847 estudiantes de sexto grado, 909 estudiantes de séptimo grado y 878 estudiantes de octavo grado.

14. ¿Cuántos estudiantes más hay en el séptimo grado que en el sexto grado?

A 162   C 31

B 62   D no se da

15. El año pasado la escuela tenía una matrícula de 2,597 estudiantes. ¿Cuántos estudiantes más se matricularon este año?

A 37   C 47

B 48   D 137

Sumar y restar decimales 3

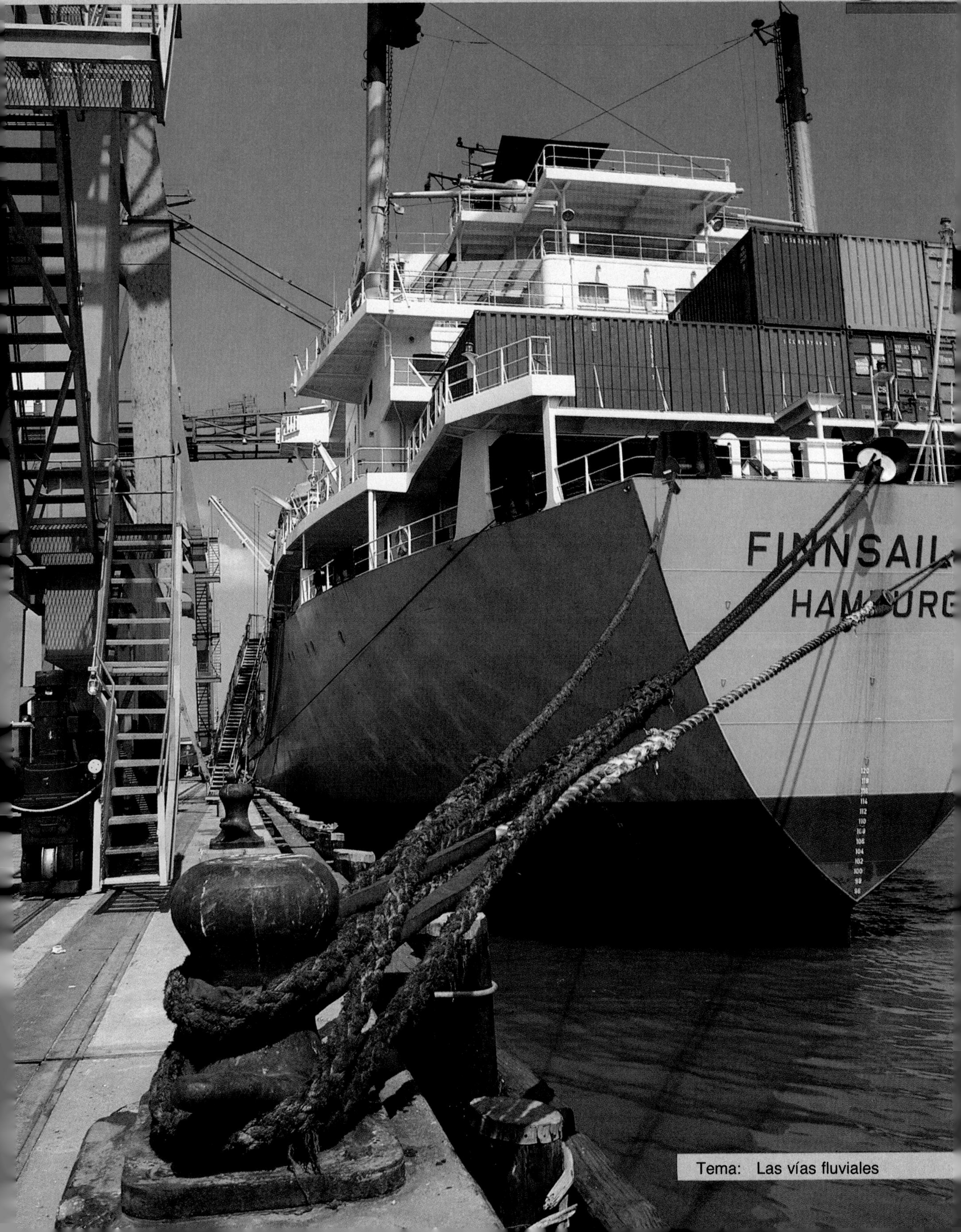

Tema: Las vías fluviales

Decimales

Sandy Strong es una bióloga que estudia las formas de vida en ríos y arroyos. Debajo de las rocas en un arroyo ella encontró diminutos platelmintos llamados planarios.

Los planarios rara vez miden más de 3 centímetros de largo. Este mide 2.86 centímetros.

El número 2.86 es un decimal. Aparece aquí como modelo y también en la tabla de valor posicional que sigue.

			$\frac{8}{10}$ ó 0.8	$\frac{6}{100}$ ó 0.06
1	1		8 décimas	seis centésimas
dos enteros				

centenas	decenas	unidades	décimas	centésimas	milésimas
100	10	1	0.1	0.01	0.001
100	10	1	$\frac{1}{10}$	$\frac{1}{100}$	$\frac{1}{1,000}$
		2.	8	6		← lee 2 y 86 centésimas
	3	5.	1	4	9	← lee 35 y 149 milésimas

El valor de un dígito depende de su posición en el número. Mira la tabla de valor posicional. ¿Cuál es el valor del dígito 9 en el número 35.149?

$$35.149$$

0.009, ó **9 milésimas** escribe nueve milésimas

TRABAJO EN CLASE

Escribe cada uno como decimal.

1.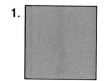

2.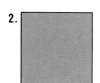

3.

4. $\frac{5}{10}$

5. $\frac{3}{100}$

6. $\frac{34}{1,000}$

7. $1\frac{4}{10}$

8. $6\frac{103}{1,000}$

9. $10\frac{10}{1,000}$

Escribe cada decimal en palabras. Da el valor del dígito 7 en cada uno.

10. 0.7

11. 0.27

12. 1.371

13. 2.047

14. 16.705

PRÁCTICA

Escribe cada uno como decimal.

1.   **2.**   **3.**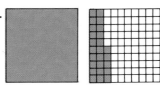

4. $\frac{3}{10}$ **5.** $\frac{9}{100}$ **6.** $3\frac{23}{100}$ **7.** $\frac{157}{1,000}$ **8.** $5\frac{46}{1,000}$ **9.** $\frac{5}{1,000}$

10. cinco y seis décimas

11. uno y veinticuatro milésimas

12. ocho y setenta y una centésimas

13. trescientas nueve milésimas

14. dos y cuatro centésimas

15. dos y cuatro milésimas

Escribe cada decimal en palabras. Da el valor del dígito 5 en cada uno.

16. 2.5 **17.** 6.05 **18.** 0.507 **19.** 5.123 **20.** 1.025

21. 52.63 **22.** 321.95 **23.** 6.152 **24.** 513.6 **25.** 0.145

Une.

26. sesenta y ocho centésimas   **a.** 6.8

27. sesenta y ocho milésimas   **b.** 0.068

28. seis y ocho décimas   **c.** 0.68

29. sesenta y ocho y ocho milésimas   **d.** 0.680

30. sesenta y ocho milésimas   **e.** 6.08

31. sesenta y ocho y sesenta y ocho centésimas   **f.** 60.008

32. seis y ocho centésimas   **g.** 68.008

33. seiscientos ochenta milésimas   **h.** 68.68

APLICACIÓN

34. Sandy encontró un planario de dos centímetros y nueve centésimas de largo. Escribe su largo en decimales.

★ **35.** Sandy coleccionó una muestra de 1,000 planarios y anotó sus largos. Solamente 18 medían más de 3 cm de largo. Escribe el decimal que representa la parte de la muestra de planarios más largos de 3 cm. Escribe el decimal que representa la parte de planarios *no* más largos de 3 cm.

Decimales a millonésimas

Mientras trabajaba en las Islas Filipinas, Niki Wong, una bióloga, encontró un pez gobio enano que pesaba 0.000156 de onza. El gobio enano es el pez más pequeño del mundo.

Para poder leer un número decimal como 0.000156, se extiende la tabla de valor posicional hasta la posición de las millonésimas.

centenas	decenas	unidades	décimas	centésimas	milésimas	diez milésimas	cien milésimas	millonésimas	
100	10	1	0.1	0.01	0.001	0.0001	0.00001	0.000001	
100	10	1	$\frac{1}{10}$	$\frac{1}{100}$	$\frac{1}{1,000}$	$\frac{1}{10,000}$	$\frac{1}{100,000}$	$\frac{1}{1,000,000}$	
		0	0	0	0	1	5	6	← lee 156 millonésimas
	3	6	0	0	2	4	7		← 36 y 247 cien milésimas

Puedes usar la tabla de valor posicional para hallar el valor de cada dígito. El valor del dígito 5 en 0.000156 es

$5 \times 0.00001 = 0.00005$ ← lee 5 cien milésimas

Puedes escribir un decimal en la forma desarrollada para mostrar el valor de cada dígito.

$0.000156 = 0.0001 + 0.00005 + 0.000006$
ó $(1 \times 0.0001) + (5 \times 0.00001) + (6 \times 0.000001)$

$36.00247 = 30 + 6 + 0.002 + 0.0004 + 0.00007$
ó $(3 \times 10) + (6 \times 1) + (2 \times 0.001) + (4 \times 0.0001) + (7 \times 0.00001)$

TRABAJO EN CLASE

Escribe cada uno como decimal.

1. 125 cien milésimas

2. 3 y 18 millonésimas

3. $(5 \times 1) + (6 \times 0.0001) + (7 \times 0.00001)$

4. $3 + 0.9 + 0.008 + 0.000004$

Da el valor de cada dígito subrayado.

5. 4.0967   **6.** 31.863159   **7.** 0.0408   **8.** 0.000452

Escribe cada uno como decimal.

1. 6 y 19 centésimas
2. 215 milésimas
3. 3,125 diez milésimas
4. 5 y 42 millonésimas
5. 2 y 36 milésimas
6. 86 cien milésimas
7. 6 + 0.2 + 0.005 + 0.0009
8. 90 + 7 + 0.04 + 0.00005
9. (5 × 0.1) + (6 × 0.01) + (3 × 0.001)
10. (4 × 1) + (8 × 0.001) + (7 × 0.0001)
11. (6 × 0.1) + (9 × 0.001) + (4 × 0.00001)
12. (4 × 100) + (6 × 1) + (3 × 0.000001)

Da el valor de cada dígito subrayado.

13. 15.16_7_3
14. 0.000_9_1
15. 3.19765_2_
16. 0.00_8_523
17. 0.0000_5_6
18. 7_2_.0145
19. 6.0004_5_9
20. 0.9_8_0051

Escribe de dos maneras la forma desarrollada para cada decimal.

21. 6.083
22. 3.2054
23. 0.010073
24. 23.000045

Copia y completa cada patrón.

★25. 0.27, 0.28, 0.29, □, □, □
★26. 0.012, 0.017, 0.022, □, □, □

APLICACIÓN

27. Niki Wong encontró un pez gobio enano que medía 0.2904 pulgadas de largo. Escribe este largo en palabras.

★28. Niki Wong encontró otro pez diminuto. Pesa 4 milésimas de onza más que el gobio enano. El gobio enano pesa 0.000156 de onza. ¿Cuál es el peso del otro pez?

LA CALCULADORA

Entra ☐2 ☐· ☐3 ☐4 ☐5 ☐6. Después entra ☐− ☐· ☐0 ☐4 ☐=.

Tu calculadora mostrará la respuesta [2.3056] porque restaste 4 centésimas. Comienza con [2.3456] cada vez. ¿Qué número debes entrar en la calculadora para conseguir las siguientes respuestas?

1. [2.3406]
2. [2.0456]
3. [2.345]
4. [2.3006]
5. [2.0056]
6. [0.3456]

Comparar y ordenar decimales

Los miembros del Club White Water tuvieron una carrera de kayaks en el Río Kennebec. ¿Quién terminó la carrera en menos tiempo?

Remador	Minutos	Tiempo Segundos
Bill	4	9.835
Devin	4	9.752
Arlene	4	9.843
Nita	4	9.755

Para comparar dos decimales, comienza por la izquierda y compara los dígitos en las mismas posiciones. Halla la primera posición donde los decimales difieren.

9.835 ● 9.752   9.835 ● 9.843   9.752 ● 9.755
└─8 > 7─┘   └─3 < 4─┘   └─2 < 5─┘

9.835 > 9.752   9.835 < 9.843   9.752 < 9.755

En orden de menor a mayor, los resultados de la carrera de kayaks fueron los siguientes:

9.752 < 9.755 < 9.835 < 9.843

Devin terminó la competencia en menos tiempo.

▶ Los decimales que nombran el mismo número se llaman **decimales equivalentes**. Anexar ceros no cambia el valor de un decimal.

0.3 = 0.30 = 0.300 = 0.3000

4.8 = 4.80 = 4.800 = 4.8000

6 = 6.0 = 6.00 = 6.000

▶ Cuando el número de posiciones decimales en dos decimales es diferente, anexa ceros para compararlos.

6.3142 ● 6.314

6.3142 ● 6.3140
└─2 > 0─┘

6.3142 > 6.314

TRABAJO EN CLASE

Compara. Usa >, < ó = en lugar de ●.

1. 6.72 ● 6.48

2. 0.08 ● 0.083

3. 2.080 ● 2.08

4. 1.5535 ● 1.5530

5. 0.52 ● 0.520

6. 0.0153 ● 0.0162

Ordena de menor a mayor.

7. 4.869, 4.871, 4.853, 4.792

8. 3.6, 3.642, 3.648, 3.644

Compara. Usa >, < ó = en lugar de ⬤.

1. 8.723 ⬤ 8.713
2. 0.07 ⬤ 0.72
3. 3.42 ⬤ 3.420

4. 13.5 ⬤ 13.7
5. 7.03 ⬤ 7.30
6. 35.6 ⬤ 3.56

7. 0.654 ⬤ 0.645
8. 0.006 ⬤ 0.0006
9. 7.314 ⬤ 7.31

10. 0.703 ⬤ 0.7030
11. 5.81 ⬤ 5.18
12. 54.61 ⬤ 546.1

13. 7.14 ⬤ 71.48
14. 16.65 ⬤ 1.665
15. 3.6004 ⬤ 3.604

Ordena de menor a mayor.

16. 0.3546; 0.3846; 0.3536
17. 0.623; 0.627; 0.614

18. 35.62; 3.562; 356.2
19. 7.030; 7.0310; 7.029

20. 3.2003; 3.20301; 3.20013; 3.2
21. 7.405; 7.045; 7.540; 7.054

22. 0.314; 0.31; 0.3; 0.3145; 0.3154
23. 2.84; 2.8; 2.48; 2.81; 2.4

Escribe el decimal mayor en la forma usual.

24. novecientas diez milésimas o novecientas cuatro milésimas

25. dos y cuarenta y una centésimas o dos y trescientas noventa milésimas

26. cuarenta y treinta y una milésimas o cuarenta y treinta y una centésimas.

27. mil y una diez milésimas o mil y una millonésimas

Escribe tres decimales que estén entre cada par.

★28. 2.57 y 2.58
★29. 3.681 y 3.682
★30. 18.53 y 18.54

APLICACIÓN

31. ¿Quién terminó la segunda carrera en menos tiempo?

32. ¿En qué orden terminaron la segunda carrera los remadores?

★33. Peter no igualó el récord del club en esta carrera por 3 centésimas de segundo. ¿Cuál es el tiempo récord del club?

Carrera de kayaks # 2

Remador	Tiempo	
	Minutos	Segundos
Thalia	6	0.953
Marc	6	1.09
Peter	6	0.95
Kate	6	1.125

Redondear decimales

....
Vía marítima St. Lawrence

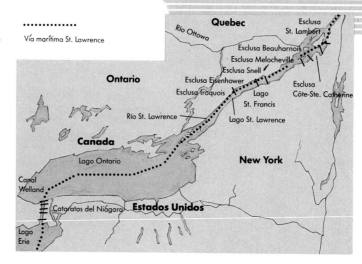

La vía marítima St. Lawrence es el enlace final en la transitada ruta que va de Duluth, Minnesota, al Océano Atlántico. Canales y esclusas permiten que los barcos eviten los rápidos y las cataratas del Río St. Lawrence.

¿Qué altura eleva los barcos esta esclusa? Redondea a la decena más cercana.

Paso 1 Halla el lugar a redondear.

12.8̲7

Paso 2 Mira el dígito que está a la derecha.

12.8↓7

Si es menos de 5, no cambies el dígito que está en el lugar a redondear.

7 > 5

Si es 5 ó más, aumenta por 1 el dígito en el lugar a redondear.

12.9̲

12.9

Paso 3 Quita todos los dígitos a la derecha del lugar a redondear.

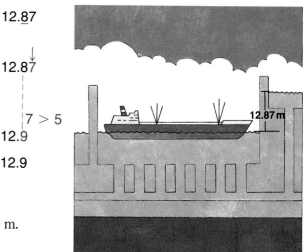

La esclusa eleva los barcos aproximadamente 12.9 m.

Más ejemplos

a. Redondea al dólar más cercano.

$57.5̲4   se redondea a $58

5 = 5

b. Redondea a la centésima más cercana.

0.19̲47   se redondea a   0.19

4 < 5

c. Redondea a la milésima más cercana.

4.000̲8   se redondea a   4.001

8 > 5

d. Redondea a la diez milésima más cercana.

3.9619̲6   se redondea a   3.9620

6 > 5

TRABAJO EN CLASE

Redondea al lugar nombrado.

1. $3.18 a los diez centavos más cercanos.

2. 0.148879 a la diez milésima más cercana

3. 0.4 a la unidad más cercana

4. 7.6143 a la milésima más cercana

5. 8.604 a la centésima más cercana

6. 9.954 a la décima más, cercana

Redondea al lugar nombrado.

centésima más cercana	**1.** 3.1617	**2.** 19.316	**3.** 0.7168
milésima más cercana	**4.** 0.0161	**5.** 98.1604	**6.** 18.3097
	7. 0.2763	**8.** 54.0967	**9.** 0.9996
diez milésima más cercana	**10.** 8.23603	**11.** 18.140658	**12.** 139.62183
	13. 1.48007	**14.** 13.90909	★**15.** 5.18995
dolar más cercano	**16.** $1.11	**17.** $19.75	**18.** $15.99
diez centavos más cercanos	**19.** $5.19	**20.** $18.25	★**21.** $12.95
centavo más cercano	**22.** $17.133	**23.** $2.0574	★**24.** $1.896
cien milésima más cercana	★**25.** 0.050057	★**26.** 0.0160995	★**27.** 99.999997

APLICACIÓN

Embarques de carga por la vía marítima St. Lawrence

28. A la centésima más cercana, ¿qué parte del tonelaje embarcado en la vía marítima es producto natural?

29. A la centésima más cercana, ¿qué parte del tonelaje embarcado en la vía marítima es producto manufacturado? ¿Qué parte consiste de otros productos?

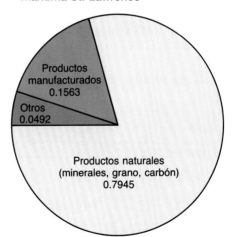

Productos manufacturados 0.1563

Otros 0.0492

Productos naturales (minerales, grano, carbón) 0.7945

RAZONAMIENTO LÓGICO

Usa los dígitos 0, 1, 2, 3, 4 y 5 para escribir cada número.
Usa cada dígito solamente una vez en cada número.

1. el número menor menos de 1

2. el número mayor menos de 1

3. el número menor entre 1 y 2

4. el número mayor entre 1 y 2

5. el número menor entre 4 y 5

6. el número mayor entre 4 y 5

Problemas para resolver

SIMULACIÓN

Algunos problemas se resuelven al hacer un experimento o al buscar y analizar datos. Cuando no es práctico hacer el experimento o buscar los datos, se puede hacer un **modelo** que representa el problema. Esto se llama una **simulación** del problema.

Dos barcos salen de un muelle en el río y viajan en direcciones opuestas. El Barco A viaja 6 km al este y el Barco B viaja 5 km al oeste. Los dos desembarcan. Al mediodía, el Barco A ha viajado 2 km al oeste hasta su próxima parada y el Barco B ha viajado 3 km al oeste de su primera parada. ¿Qué lejos están los barcos el uno del otro al mediodía?

PIENSA **¿Cuál es la pregunta?**

¿Qué lejos el uno del otro están los barcos?

¿Cuáles son los datos?

El Barco A viajó 6 km al este y 2 km al oeste. El Barco B viajó 5 km al oeste, más 3 km al oeste.

PLANEA **¿Cómo se puede hallar la respuesta?**

En efecto, no puedes realizar la acción. En su lugar, simula el problema con un dibujo. Después calcula o mide para resolverlo.

RESUELVE **Sigue con el plan. Después contesta la pregunta.**

El dibujo aclara la situación.

La distancia entre los barcos es:
3 + 5 + 6 − 2 = 12 km
Los dos barcos están a 12 km el uno del otro.

REVISA **¿Contestaste la pregunta? ¿Tiene sentido tu respuesta?**

El Barco A está a 6 − 2 ó 4 km al este del muelle.

El Barco B está a 5 + 3 ó 8 km al oeste del muelle.

4 + 8 = 12; por lo tanto, los dos barcos están a 12 km el uno del otro. La respuesta está correcta.

Resuelve cada problema usando simulación. Usa un dibujo como modelo, ó usa objetos cuando sea más conveniente.

1. Randi rema 3 km al este en su canoa, después 2 km al norte. Después rema 6 km al oeste, y luego 2 km al sur. ¿Qué lejos de su punto de partida ha remado?

2. Mario rema 2 km al este, en su canoa después rema 5 km al oeste. Luego rema 4 km al este. ¿Qué lejos está Mario de su punto de partida?

3. Se ha cerrado una sección del río que tiene rocas peligrosas. La sección es un cuadrado que mide 32 metros por cada lado. Han sido colocadas boyas marcadoras cada 4 metros. ¿Cuántas boyas hay?

4. Hay 4 barcos en el río. El barco amarillo está frente al barco rojo. El barco azul está detrás del barco verde. El barco amarillo está detrás del barco azul. ¿Cuál es el orden de los barcos?

5. El Barco X y el Barco Y salen del muelle y viajan en direcciones opuestas. El Barco X viaja 6 km al este y el Barco Y viaja 8 km al oeste. Los dos desembarcan. Después el Barco X viaja 3 km al este y el Barco Y viaja 8 km al este. ¿Qué lejos el uno del otro están los barcos?

6. Pablo tiene 4 tíos que tienen oficinas en diferentes pisos del Edificio Carreño. Un día Pablo visitó a sus tíos. Primero subió hasta el piso 12, después bajó 5 pisos. Más tarde subió 3 pisos y bajó 7 pisos. ¿En qué piso estaba cuando visitó a su último tío?

★7. Se deja caer una pelota de goma desde una altura de 12 metros. Rebota 9 metros en su primer rebote. Rebota de nuevo 5 metros en el segundo rebote. ¿Cuál es la distancia total que la pelota ha viajado cuando toca la tierra la tercera vez?

★8. Inés coloca 20 centavos en fila. Reemplaza cada tercera moneda con una moneda de 5¢, después cada cuarta moneda con una de 10, y finalmente cada quinta moneda con una de 25. ¿Cuál es el valor de las 20 monedas que están ahora en fila?

CREA TU PROPIO PROBLEMA

Esta tabla incluye las distancias que Pedro navega en su barco de lunes a viernes. Supon que el patrón continúa los dos próximos días. Escribe dos problemas usando esta información de lunes a domingo. Resuelve cada problema.

Día	Distancia en km
lunes	7
martes	5
miércoles	8
jueves	6
viernes	9

Estimar sumas y diferencias

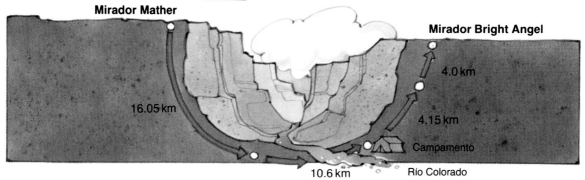

Mirador Mather

16.05 km

Mirador Bright Angel

4.0 km

4.15 km

Campamento

10.6 km

Río Colorado

Eric y Tom fueron de excursión al Gran Cañón. Salieron del Mirador Mather y cruzaron el Río Colorado el primer día. El segundo día escalaron hasta el Mirador Bright Angel. ¿Más o menos cuántos kilómetros cubrieron ellos en la excursión?

Estima para hallar la respuesta.

Redondea a la decena.

Para estimar una suma o una diferencia, redondea cada número a la posición del número mayor que no sea cero. Después suma o resta.

$$
\begin{array}{rcl}
16.05 & \longrightarrow & 20 \\
4.0 & \longrightarrow & 0 \\
10.6 & \longrightarrow & 10 \\
+\ \ 4.15 & \longrightarrow & +\ \ 0 \\
\hline
& & 30
\end{array}
$$

Cubrieron más o menos 30 kilómetros.

▶ Para obtener un estimado más cercano, redondea también el dígito a la derecha del lugar a redondear.

a. Estima $10 − $4.34.

Redondea a la decena más cercana.

$$
\begin{array}{r}
\$10 \\
-\ \ 0 \\
\hline
\$10
\end{array}
$$
Estimado demasiado grande

Redondea a la unidad más cercana.

$$
\begin{array}{r}
\$10 \\
-\ \ 4 \\
\hline
6
\end{array}
$$
Estimado más cercano

b. Estima 2.403 + 0.48.

Redondea a la unidad más cercana.

$$
\begin{array}{r}
2 \\
+\ 0 \\
\hline
2
\end{array}
$$
Estimado demasiado pequeño

Redondea a la décima más cercana.

$$
\begin{array}{r}
2.4 \\
+\ 0.5 \\
\hline
2.9
\end{array}
$$
Estimado más cercano

TRABAJO EN CLASE

Estima.

1.
$$
\begin{array}{r}
51.176 \\
+\ 42.479 \\
\hline
\end{array}
$$

2.
$$
\begin{array}{r}
\$9.87 \\
-\ \ 1.40 \\
\hline
\end{array}
$$

3.
$$
\begin{array}{r}
9.16 \\
+\ 8.178 \\
\hline
\end{array}
$$

4.
$$
\begin{array}{r}
8.99 \\
-\ 7.21 \\
\hline
\end{array}
$$

5.
$$
\begin{array}{r}
77.1486 \\
-\ 54.87 \\
\hline
\end{array}
$$

Da el estimado y el estimado más cercano.

6.
$$
\begin{array}{r}
76.512 \\
-\ \ 9.21 \\
\hline
\end{array}
$$

7.
$$
\begin{array}{r}
\$20.00 \\
-\ 16.79 \\
\hline
\end{array}
$$

8.
$$
\begin{array}{r}
\$19.23 \\
+\ \ \ 8.75 \\
\hline
\end{array}
$$

9.
$$
\begin{array}{r}
0.48 \\
+\ 1.39 \\
\hline
\end{array}
$$

10.
$$
\begin{array}{r}
321.98 \\
+\ \ 48.67 \\
\hline
\end{array}
$$

PRÁCTICA

Estima.

1. $19.25
   $+\ \ 36.15$

2. $154.19
   $-\ \ \ 76.20$

3. 7.063
   $-\ 0.745$

4. 19.2
   $-\ \ 8.9$

5. 8.22
   $+\ 3.06$

6. 30.57
   $-\ 18.93$

7. $24.16
   5.12
   $+\ \ \ \ .38$

8. 17.416
   9.38
   $+\ 15.63$

9. 396.45
   78.21
   $+\ 516.30$

Da el estimado y el estimado más cercano.

10. $59.29
   $-\ \ \ 3.13$

11. 21.59
   $+\ 3.06$

12. 5,480.16
   $+\ \ \ 375.014$

13. 78.918 − 4.6219

14. $1,720.40 − $412.90

15. 834.61 + 32.9

16. 3.21 + 0.487

 Estima para hallar cuánto es el cambio. Usa la calculadora para averiguar si el cambio verdadero es más o menos que el estimado.

	Suma de compras	Pagado con	Cambio estimado
17.	$7.35	billete de $10	
18.	$38.95	billete de $50	
19.	$79.95	billete de $100	
20.	$15.10	billete de $20	
★21.	$519.10	billete de $1,000	

APLICACIÓN

22. Estima la distancia que Eric y Tom cubrieron cada día.

23. ¿Qué día cubrieron más distancia? Aproximadamente, ¿cuánta más distancia cubrieron ese día?

24. Otros cinco excursionistas compraron comida en el Mirador Bright Angel. Estima cuánto gastó el grupo en total si las compras fueron $1.85, $2.40, $1.20, $2.65 y $1.70.

Práctica mixta

1. 654
   93
   $+\ 852$

2. 1,025
   $-\ \ \ 796$

3. $327 + 58 = n$

4. $8,034 − 859 = n$

5. $125 \times 30 = n$

6. $7\overline{)634}$

7. $6\overline{)485}$

8. 2,008
   $\times\ \ \ \ 24$

9. 8,742
   $\times\ \ \ 396$

10. $23\overline{)1,803}$

11. $32,545 \div 45$

12. $82\overline{)33,292}$

13. 16,084
   $\times\ \ \ \ \ 27$

Resuelve.

14. $y − 15 = 32$

15. $4t = 52$

16. $\frac{r}{7} = 21$

17. $n + 11 = 24$

18. $n \div 3 = 8$

Sumar decimales

Louisiana Lou dirige una flota de barcos pesqueros en los grandes saladeros y costas de Louisiana.

¿Cuántos miles de kilogramos de camarones pescó Louisiana Lou en tres años?

Suma para hallar el total.

Pesca anual en miles de kilogramos		
	Arenque	Camarones
1982	4.203	3.834
1983	5.024	1.972
1984	3.97	2.05

Compañía Pesquera Louisiana Lou

Paso 1

Alinea los puntos decimales. Usa ceros para mantener las posiciones.

```
  3.834
  1.972
+ 2.050
```

Paso 2

Suma como si fueran números enteros. Pon el punto decimal en la suma.

```
  1 1
  3.834
  1.972
+ 2.050
  7.856
```

Lou pescó 7.856 miles de kilogramos de camarones en tres años.

Estima para asegurarte de que la respuesta tiene sentido o suma en sentido contrario para comprobar.

Estima.

```
  3.834   se redondea a      4
  1.972   se redondea a      2
+ 2.050   se redondea a    + 2
                             8
```

Suma.

```
  1 1
  3.834
  1.972
+ 2.050
  7.856
```

Más ejemplos

a.
```
  16.2
+ 55.0
  71.2
```

b.
```
      1
  $32.72
+ 41.40
  $74.12
```

c.
```
  1 1
  26.534
   9.700
+ 33.650
  69.884
```

d.
```
       1
  220.0317
  161.3500
+   8.0750
  389.4567
```

TRABAJO EN CLASE

Suma. Estima para asegurarte de que cada respuesta tiene sentido.

1.
```
  17.64
+  9.081
```

2.
```
   6.003
+ 12.0825
```

3.
```
  15.4569
+  4.918
```

4.
```
  17.1564
   8.1091
+  5.4832
```

5.
```
   5.250
  11.375
+  8.872
```

6. 7.45 + 0.9 + 2.031

7. 12 + 1.2 + 3.45 + 2.069

PRÁCTICA

Suma. Estima para asegurarte de que cada respuesta tiene sentido.

1. 2.2 + 0.7	**2.** 4.8 + 9.7	**3.** 128.4 + 94.9	**4.** $47.48 + 8.53	**5.** 214.96 + 38.23
6. 3.71 + 0.95	**7.** 315.93 + 17.65	**8.** 84.161 + 29.74	**9.** 4.073 + 0.906	**10.** 75.164 + 93.756
11. 84.24 6.314 + 19.31	**12.** 45.63 8.145 + 93.27	**13.** 18.145 26.38 + 7.416	**14.** 46.1542 8.175 + 32.3164	**15.** 54.163 8.9174 + 33.819

16. $15.29 + $28.50

17. 3.647 + 5.49

18. 2.4 + 5 + 17.13

19. 13.45 + 1.345 + 134.5

20. 74.12 + 7,412 + 741.2 + 7.412

Escribe de nuevo cada problema. Pon los puntos decimales en los sumandos o en la suma para que la respuesta esté correcta.

21. 1.255 + 4.78 6035	**22.** 31495 + 9.1672 12.3167	**23.** 18.914 + 38149 22.7289	★**24.** 891473 + 5468 9.46153	★**25.** 567781 + 293814 597.1624

APLICACIÓN

26. En total ¿pescó más Louisiana Lou en 1983 o en 1984?

27. ¿Cuál fue la pesca total de Lou en esos tres años?

28. ¿En cuál de los tres años apuntados en la hoja del récord hizo Louisiana Lou su mejor pezca?

29. Un diá Lou y su tripulación hicieron 3 pescas de camarones. Primero pararon a 2.5 km al sur del muelle. Para las próximas dos pescas navegaron 1.7 y luego 4 km al sur. ¿Qué lejos tenián que ir para volver al muelle?

HAZLO MENTALMENTE

1. 22 + 10 0.22 + 0.10 0.022 + 0.010	**2.** 35 + 20 0.35 + 0.20 0.035 + 0.020	**3.** 0.4 + 0.1 0.4 + 0.01 0.4 + 0.001	**4.** 0.44 + 0.1 0.44 + 0.01 0.44 + 0.001

77

Restar decimales

Con sus patines anticuados, el tiempo de Hans Brinker en la carrera fue probablemente cerca de 15.5 minutos. Con patines modernos pudo haber terminado en 7.36 minutos.
¿Cuánto más rápidamente pudo haber patinado con patines modernos?

Halla 15.5 − 7.36.

Paso 1

Alinea los puntos decimales. Usa ceros para mantener las posiciones.

$$
\begin{array}{r}
15.5\,\text{☉} \\
-\ 7.36 \\
\end{array}
$$

Paso 2

Resta como si fueran números enteros. Pon el punto decimal en la diferencia.

$$
\begin{array}{r}
\overset{4\ 10}{15.\cancel{5}\cancel{0}} \\
-\ 7.36 \\
\hline
8.14 \\
\end{array}
$$

Hans pudo haber terminado 8.14 minutos antes.

Estima para asegurarte de que la respuesta tiene sentido o suma para comprobar.

Estima.

se redondea a

se redondea a

Suma.

$$
\begin{array}{r}
8.14 \\
+\ 7.36 \\
\hline
15.50 \\
\end{array}
$$

Más ejemplos

a.
$$
\begin{array}{r}
\overset{4\ \ 10\ 12}{\$2\cancel{5}.\cancel{1}\cancel{2}} \\
-\ \ \ \ 9.86 \\
\hline
\$15.26 \\
\end{array}
$$

b.
$$
\begin{array}{r}
\overset{7\ 11\ \ \ 9\ 9\ 10}{8\cancel{2}.\cancel{0}\cancel{0}\cancel{0}} \\
-\ 13.671 \\
\hline
68.329 \\
\end{array}
$$

c.
$$
\begin{array}{r}
\overset{0\ 13}{6.\cancel{1}\cancel{3}468} \\
-\ 6.07250\text{☉} \\
\hline
0.06218 \\
\end{array}
$$

TRABAJO EN CLASE

Resta. Estima para asegurarte de que cada respuesta tiene sentido.

1.
$$
\begin{array}{r}
2.7 \\
-\ 1.8 \\
\end{array}
$$

2.
$$
\begin{array}{r}
\$45.73 \\
-\ 30.64 \\
\end{array}
$$

3.
$$
\begin{array}{r}
7.04 \\
-\ 7.017 \\
\end{array}
$$

4.
$$
\begin{array}{r}
63.744 \\
-\ 12.51 \\
\end{array}
$$

5.
$$
\begin{array}{r}
\$89.41 \\
-\ 7.13 \\
\end{array}
$$

6. 18.45 − 9.362   7. 26.3021 − 7.3596   8. 5.0696 − 2.0994

PRÁCTICA

Resta. Suma para comprobar.

1. 27.8 − 18.4	**2.** 216.5 − 98.8	**3.** $15.00 − 7.98	**4.** 4,324.1 − 856.6	**5.** 7.56 − 3.48
6. $500.00 − 496.58	**7.** 15.4 − 6.38	**8.** $246.03 − 59.75	**9.** 810.03 − 376.575	**10.** 6.54 − 6.453
11. 19.601 − 5.074	**12.** 137.128 − 75.204	**13.** 75 − 6.314	**14.** 12.004 − 10.6055	**15.** 7.15325 − 3.2819

16. 635.1 − 82.4   **17.** 0.60 − 0.53   **18.** 23 − 15.6

19. 8.174 − 0.04   **20.** 654 − 32.178   **21.** 411.603 − 79.71

22. 0.859 − 0.684   **23.** 14.153 − 8.1529   **24.** 1.2035 − 0.962

Completa. Para hallar la salida, resta 1.5 de la entrada.

	Entrada	Salida
	14.3	12.8
25.	11.8	
26.		7.9
27.	6.7	

	Entrada	Salida
	10.09	8.59
28.		16.13
29.	14.25	
30.		8.58

	Entrada	Salida
	19.01	17.51
31.		1.508
32.	14.19	
33.		7.74

Suma o resta. Haz el trabajo dentro del paréntesis primero.

34. (86.5 − 32.3) − 41.8 = *n*

35. (98.45 − 53.9) − 27.36 = *n*

★**36.** 76.05 + (32.9 − 14.01) = *n*

★**37.** (38.96 + 63.25) − (57.5 + 32.9) = *n*

APLICACIÓN

38. El patinador Jeen van der Berg completó un trayecto de 200 km por los canales holandeses en 455 min. Nikolai Dougan remó la misma distancia en 409.68 min. ¿Cuánto más despacio iba el patinador?

★**39.** Un equipo de relevos de 4 personas patinó el trayecto de 200 km en 435.57 min. Un segundo equipo cubrió los primeros 3 trechos en 329.29 min. ¿Qué tiene que ser el tiempo del cuarto patinador para que su equipo le gane al primer equipo?

Problemas para resolver

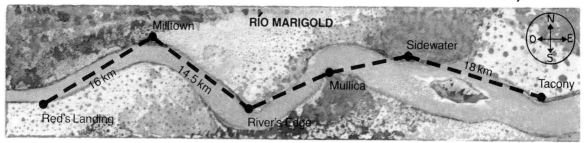

Imagínate que trabajas para tu estado. Eres responsable de la seguridad en el Río Marigold. Desde un helicoptero, estás al tanto de las posiciones de todas las canoas que usan el río.

Haz una copia del mapa. Marca las distancias que faltan según las computas para contestar las preguntas. Marca en el mapa los lugares dónde cada grupo acampa cada noche.

1. La distancia por el río entre Red's Landing y Tacony es 70.5 km. ¿A qué distancia está River's Edge de Sidewater?

2. Si Mullica está a igual distancia de River's Edge que de Sidewater, ¿qué lejos está Mullica de Sidewater?

3. El Club de canoas Star salió de Red's Landing al mismo tiempo que el Club de White Water salió de Tacony. Se encontrarán por el río en unos días. La primera noche, el Club Star acampó 3 km pasado Milltown. ¿Cuántos kms navegó ese primer día?

4. Cuando el Club White Water finalmente acampó la primera noche, calcularon que había navegado por el río un total de 21 km. ¿Dónde acampó el Club White Water la primera noche?

5. ¿Qué lejos estaba el Club Star del Club white Water al final del trayecto del primer día?

6. El Club Star navegó 4.5 km el segundo día. El White Water navegó 17 km. ¿Dónde acampó cada grupo la segunda noche?

7. ¿Qué lejos estaban un grupo del otro al final del segundo día?

8. El próximo día los dos grupos se encontraron después de cubrir igual distancia. ¿Dónde se encontraron?

9. ¿Cuál fue la distancia total que el Club White Water cubrió?

10. ¿Cuál club viajó la mayor distancia en total? ¿Cuánto más?

Luis Marín lleva seis meses trabajando en una estación metereológica cerca de un lago en las montañas. La tabla a la derecha muestra la precipitación medida por Luis en cada uno de estos seis meses. También muestra el promedio mensual de lluvia durante los últimos diez años.

PRECIPITACIÓN MENSUAL EN CENTÍMETROS		
Mes	Verdadera	Promedio durante 10 años
enero	12.29	13.47
febrero	12.42	14.61
marzo	15.98	17.82
abril	17.53	19.95
mayo	9.86	10.04
junio	8.78	9.03

Usa la table para resolver 11–15.

11. ¿Cuál es el mes con el promedio más alto de precipitación? ¿Fue mayor también la verdadera precipitación de este mes?

12. ¿Qué es la diferencia entre la verdadera precipitación y el promedio para enero?

13. ¿En qué mes es menor la diferencia entre el promedio y la verdadera precipitación?

14. ¿Qué período tuvo el mayor nivel de precipitación: de energo a marzo o de abril a junio? ¿Cuánto mayor fue?

15. ¿Cuál fue la verdadera cantidad de precipitatión durante los seis meses?

Angela Marín es viajante para un fabricante de barcos. El diario a la derecha muestra el número de kilómetros que manejó durante los primeros tres años en el trabajo.

Primer año	66,892 km
Segundo año	67,256 km
Tercer año	72,000 km

Usa el diario para resolver 16–21, si se puede.

16. ¿Cuál es el promedio de la distancia que manejó cada año?

17. ¿Cuántos kilómetros por litro de gasolina promedió Angela durante el segundo año?

18. En un mes Ángela gastó $152.39 en gasolina, $54.96 en reparaciones y $136.52 en el seguro del carro. Al dolar más cercano, ¿cuánto gastó en el carro ese mes?

19. ¿Aproximadamente, cuántos kilómetros más manejó Angela durante el tercer año que durante el primer año? Estima la respuesta.

20. Angela usó un promedio de 463 litros de gasolina mensualmente durante su primer año como viajante. Estima el número de kilómetros por litro de gasolina que promedió.

★21. Angela manejó un promedio de 6,050 km por mes durante su cuarto año. ¿Cuánto aumenta ésto el promedio de su distancia anual?

REPASO DEL CAPÍTULO

Escribe cada uno como decimal. págs.64–67

1. tres décimas   **2.** uno y dieciséis centésimas   **3.** setenta y nueve milésimas

4. cinco y ochenta y una diez milésimas.   **5.** doscientas treinta y una millonésimas

Escribe cada decimal en palabras. págs. 64–67

6. 0.83   **7.** 4.009   **8.** 0.0013   **9.** 1.09073   **10.** 0.000107

Escribe cada decimal de dos maneras en forma desarrollada. págs. 66–67

11. 4.014   **12.** 2.3907   **13.** 0.090038

Compara. Usa >, < ó = en lugar de ●. págs. 68–69

14. 9.0 ● 0.90   **15.** 14.070 ● 14.07   **16.** 0.737010 ● 0.73710

Ordena de menor a mayor. págs. 68–69

17. 0.63, 0.603, 0.632   **18.** 10.17, 1.17, 101.7, 1.1   **19.** 9.099, 0.099, 9.99, 9.909

Redondea a la posición nombrada. págs. 70–71

centésima más cercana

20. 0.095   **21.** 5.3856   **22.** 0.154   **23.** 1.996   **24.** 10.3379

milésima más cercana

25. 0.3652   **26.** 0.4866   **27.** 12.12369   **28.** 4.0097   **29.** 1.9998

Estima. págs. 74–75

30. $33.56 + 47.38	**31.** 672.833 + 27.94	**32.** 132.85 − 35.15	**33.** 32.88 − 18.01

Suma o resta. págs. 76–79

34. 63.095 + 145.36   **35.** 821.671 − 50.99   **36.** 500 − 301.93

37. 98.0014 + 61.84 + 190.5 + 0.832   **38.** 73.201 + 200.001 + 0.732 + 3.9

Resuelve. págs. 72–73, 80–81

39. Nell salió de su cabaña y caminó 0.42 km al norte. Luego caminó 0.72 km al este, 0.42 km al sur y 0.28 km al oeste antes de parar para descansar. ¿Qué lejos estaba su lugar de descanso de su cabaña?

40. Estima el costo total de los equipos de caminata comprados por cuatro personas si las compras fueron $37.75, $53.03, $69.82 y $46.98.

Escribe cada uno como decimal.

1. veinte y seis centésimas

2. trece milésimas

3. ochenta y tres diez milésimas

4. dos mil quince millonésimas

Escribe cada decimal en palabras.

5. 0.00439

6. 22.0903

Redondea cada uno a la centésima más cercana y a la milésima más cercana.

7. 0.1374

8. 13.0965

9. 0.00895

Escribe cada uno en cualquiera de las dos maneras de la forma desarrollada.

10. 0.902

11. 12.03004

Compara. Usa >, < ó = en lugar de ⬮.

12. 10.08 ⬮ 10.8

13. 10.88 ⬮ 10.880

14. 0.19563 ⬮ 0.19559

Ordena de menor a mayor.

15. 2.17, 2.173, 2.169, 2.106

16. 5.35, 53.5, 5.305, 53.55

Estima.

17. 125.62
   − 29.21

18. 19.83
   + 26.08

19. $275.08
   − 96.47

Suma o resta.

20. 137.59
   + 36.807

21. 15.3
   − 6.39

22. 31.291
    146.05
   + 7.8

23. 10.05 + 1.5 + 13.055 + 0.005

Resuelve.

24. Estima el tiempo total de tres patinadores en un equipo de relevos si sus tiempos individuales fueron 16.3 min, 17.37 min y 12.9 min.

25. Jim esquió del muelle 1.8 km al este y luego 3.5 km al oeste, donde perdió el equilibrio y cayó en el lago. ¿Qué lejos estaba del muelle cuando se cayó?

Si la porción decimal del tonelaje de productos naturales embarcados en la viá marítima St. Lawrence es 0.7864, ¿qué porción decimal del tonelaje no es de productos naturales?

EL SISTEMA DECIMAL DEWEY

El sistema decimal Dewey es el método más usado para clásificar libros por tema. Tu escuela y las bibliotecas de la ciudad probablemente usan este método.

El sistema lleva el nombre Dewey por Melvil Dewey, quien lo desarrolló en 1876.

La tabla da las 10 clasificaciones principales del sistema decimal Dewey.

000–999	General (enciclopedias, publicaciones periódicas, etc.)	500–599	Ciencias puras (matemáticas, física, etc.)
100–199	Filosofía y disciplinas relacionadas	600–699	Tecnología (ciencias aplicadas)
200–299	Religión	700–799	Arte y recreación
300–399	Ciencias sociales	800–899	Literatura
400–499	Lenguaje (diccionarios, gramática, idiomas extranjeros)	900–999	Geografía general e historia

Cada clasificación está dividida en 10 divisiones y cada división en 10 secciones. Las secciones se dividen aún mas, según el ejemplo a la derecha.

700–799	Artes y recreación
790–799	Juegos y recreación
796	Deportes
796.323	Básquetbol

1. Escribe un informe sobre el sistema decimal Dewey. Puedes pedirle a algún bibliotecario de tu pueblo o escuela que te ayude a hallar más información. Tu informe puede incluir:

   a. por qué se llama un sistema **decimal**
   b. la identificación de las divisiones específicas de una clasificación principal.
   (Escoge un tema que te interese.)
   c. dónde encontrar libros de matemáticas en la biblioteca

2. Halla los números del sistema decimal Dewey de libros que traten de los temas siguientes:

   a. ajedrez
   b. magia
   c. montañismo
   d. campo y pista

3. Identifica las secciones en la división de matemáticas: 510–519. ¿Cuántas están representadas en la biblioteca?

BASE DOS

¿Quieres aprender algo sobre la computadora?

Sus microfichas identifican y graban datos con interruptores eléctricos de ON y OFF.

Ø quiere decir «OFF» y 1 quiere decir «ON». Estos son los únicos dígitos que entiende la computadora.

La tabla de valor posicional en esta página muestra cómo escribir los números en base dos, es decir, en el sistema binario.

Estudia la tabla. Luego, haz los ejercicios.

¡Espero que consigas 1100100! Si entiendes el sistema binario, ya sabrás qué quiere decir eso.

El sistema binario usa el número dos como su base. Según te mueves a la izquierda, cada posición tiene el doble del valor de la posición a su derecha.

sesenta y cuatros	treinta y dos	dieciséis	ochos	cuatros	dos	unos	quiere decir	número en la forma usual	número en base dos
				1	1	0	1 cuatro + 1 dos + 0 unos 4 + 2 + 0	6	110_{dos}
	1	1	0	1	1		16 + 8 + 2 + 1	27	11011_{dos}
	1	0	1	0	1	1	32 + 8 + 2 + 1	43	101011_{dos}
1	1	1	0	0	0	0	64 + 32 + 16	112	1110000_{dos}

Escribe cada número en la forma usual.

1. 10_{dos} **2.** 1101_{dos} **3.** 10111_{dos} **4.** 100111_{dos}

5. 100100_{dos} **6.** 1010011_{dos} **7.** 1100101_{dos} **8.** 111001_{dos}

Escribe cada número como un número en base dos.

9. 7   **10.** 14   **11.** 29   **12.** 42   **13.** 60   **14.** 65

15. 73   **16.** 103   **17.** 117   **18.** 125   **19.** 128   **20.** 261

FLUJOGRAMAS

El procedimiento que se usa paso por paso para resolver un problema se llama un **algoritmo.** Un diagrama que muestra los pasos de un algoritmo es un **flujograma.** Un programador de computadoras con frecuencia hace un flujograma antes de escribir un programa.

Cada símbolo en los pasos de un flujograma tiene sentido.

se usa para start o stop   se usa para entrada o salida.

se usa para operaciones y direcciones.   se usa para una decisión.

Este flujograma muestra los pasos para redondear un número entero. Sigue las flechas para redondear 5,643 a la centena más cercana y 3,726 a la decena más cercana.

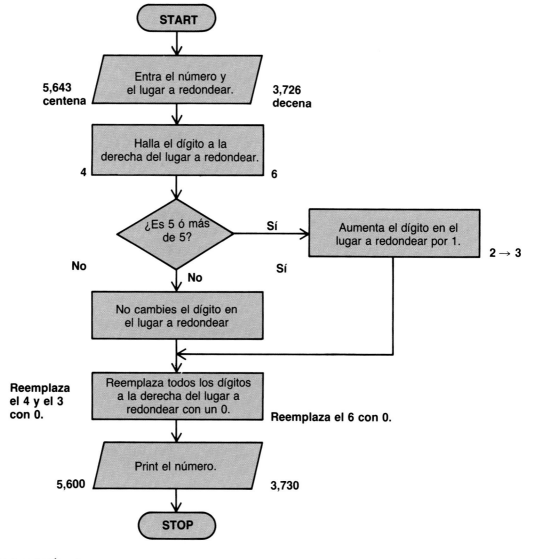

Escribe cada paso en el símbolo correcto del flujograma.

1. Divide n por 2.

2. Print "HOLA"

3. ¿Es n par?

4. STOP

5. Print el número

6. ¿Está la temperatura baja el punto de congelación?

Muestra los resultados de los pasos en cada flujograma.

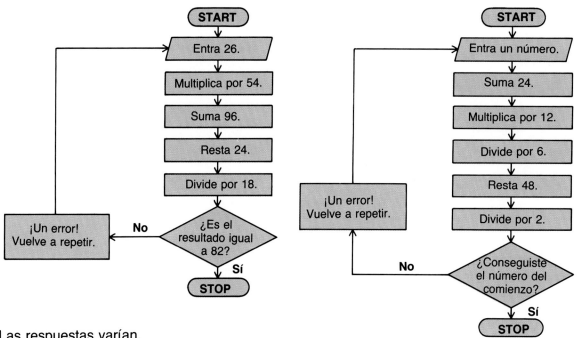

Las respuestas varían.

Agranda cada flujograma. Escribe cada paso en el lugar correcto.

9. Cómo marcar un número de teléfono.

Marca 1.

¿Es de larga distancia?

START

Marca el código de área.

STOP

Marca 7 dígitos.

10. Cómo comer cereal.

Busca un tazón, cereal, una cuchara y leche.

Añádele leche.

START

Pruébalo.

Pon cereal en el tazón.

STOP

¿Queda cereal en el tazón?

Quita la mesa.

Haz un flujograma para cada uno.

11. Cómo hallar el promedio de 3 números

12. Cómo redondear un número a un lugar

PERFECCIONAMIENTO DE DESTREZAS

Escoge las respuestas correctas. Escribe A, B, C ó D.

1. 61,916
   + 35,706

   A 97,612   **C** 96,212

   B 96,612   **D** no se da

2. 11,007 − 4,612

   A 7,619   **C** 7,615

   B 6,395   **D** no se da

3. $31.48
   ×   6

   A $188.88   **C** $188.48

   B $18.88   **D** no se da

4. 621 × 103

   A 63,963   **C** 80,730

   B 8,073   **D** no se da

5. Escribe 12 × 12 × 12 × 12 en forma de exponente.

   A 12^3 **C** 12^4

   B 4^{12} **D** no se da

6. ¿Cómo se escribe 9^3 en forma usual?

   A 27   **C** 243

   B 729   **D** no se da

7. ¿Cuál es el promedio de 15, 9, 18, 11, 10, 21?

   A 18   **C** 14

   B 13   **D** no se da

8. 17,575 ÷ 25

   A 73   **C** 730

   B 703   **D** no se da

9. Compara. 6.47 ⬤ 6.37

   A >   **C** =

   B <   **D** no se da

10. Redondea 0.967 a la décima más cercana.

    A 0.9   **C** 0.1

    B 1.0   **D** no se da

11. 365.21
    + 58.063

    A 423.273   **C** 423.84

    B 423.27   **D** no se da

12. 12 − 0.67

    A 12.33   **C** 11.33

    B 11.67   **D** no se da

Resuelve cada problema, si es posible. Si no hay suficiente información, escoge el dato que se necesita.

13. En la tierra, Walter pesa 84 kg y puede saltar 61 cm. En la luna podría saltar 6 veces esa altura. ¿A que altura puede saltar en la luna?

    A 504 cm   **C** 366 cm

    B hace falta su peso en la luna   **D** no se da

14. Siete astronautas han estado en la estación espacial durante 12 días. ¿Cuántos días más necesitarán para completar su misión?

    A 12 días   **C** 5 días

    B se necesita la duración total de la misión   **D** no se da

Tema: La energía

Estimar productos

El Jameson-Merlin, un poderoso carro de seis ruedas, tiene un tanque de gasolina capaz de contener 72 galones. Aproximadamente, ¿cuánto pagará este conductor por 71.3 galones?

Estima para hallar la respuesta.

▶ Para estimar un producto, redondea cada factor a su posición mayor que no sea cero. Después multiplica.

$1.60	se redondea a	$ 2
× 71.3	se redondea a	× 70
		$140

El conductor pagará aproximadamente $140 por el combustible.

GASOLINA SUPER $1.60 POR GALÓN

Más ejemplos

a.
0.96	se redondea a	1
× 4.5	se redondea a	× 5
		5

b.
105.018	se redondea a	100
× 4.37	se redondea a	× 4
		400

TRABAJO EN CLASE

Estima.

1.   2.6
       × 1.2

2.   4.86
       × 7.2

3.   0.957
       × 39.6

4.   7.107
       × 6.7

5. $419.63
       × 11.8

6.   3.08
       × 5.9

7. $15.97
       × 20.5

8.   87.5
       × 2.69

9.   123.64
       × 33.7

10.   11.609
        × 10.47

11. 4.86 × 89.65

12. 3.2 × $8.96

13. 6.7 × 0.85

14. 1.63 × 238.9

PRÁCTICA

Estima.

1. 5.95 × 3.61	**2.** 48.9 × 1.7	**3.** $2.37 × 2.6	**4.** 28.5 × 5.03	**5.** 3.86 × 2.9
6. 12.6 × 1.59	**7.** 18.2 × 3.94	**8.** 1.798 × 3.2	**9.** 0.962 × 14.3	**10.** 1.141 × 9.5
11. 5.378 × 7.39	**12.** $190.84 × 10.931	**13.** 3.497 × 47.5	**14.** $27.60 × 1.24	**15.** 596.5 × 0.93

16. 3.25 × 100.96 **17.** 2.5 × 34.65 **18.** 3.32 × 41.068

19. 162.4 × 109.41 **20.** 3.9063 × 3,906.3 **21.** 907.3 × 8,135.4

★ **22.** 3.18 × 43.26 × 631.9 ★ **23.** 8.47 × 91.6 × 0.9584 ★ **24.** 74.6 × 8.41 × 31.674

Estima para escoger el producto correcto.

25. 25 × $1.36
a. $34
b. $3.40
c. $.34
d. $340

26. 5.7 × 17.5
a. 9,975
b. 99.75
c. 0.9975
d. 997.5

27. 0.98 × 2.67
a. 26,166
b. 261.66
c. 2.6166
d. 2,616.6

28. 6.5 × 8.45
a. 5.4925
b. 54,925
c. 549.25
d. 54.925

APLICACIÓN

29. Anna y Bob comenzaron sus viajes de prueba en el mismo punto. Anna condujo 10.2 mi al norte, 2.5 mi al este y luego 8.7 mi más al norte. Bob condujo 6.9 mi al este y 18.9 mi al norte. ¿Qué lejos estaban el uno del otro?

30. ¡El Jameson-Merlin alcanza una velocidad de 185 millas por hora! A esta velocidad, ¿cuántas millas aproximadamente recorre este carro durante un viaje de prueba de 1.25 horas?

★ **31.** Otro carro poderosísimo es el Thrust 2, con motor de reacción. Va a 633.468 millas por hora. Aproximadamente, ¿cuántas millas más que el Jameson-Merlin recorrería el Thurst 2 en 2.25 horas?

Multiplicar decimales

Una mujer quema hasta 7.3 calorías de energía cuando corre. Si Joan Benoit corre la primera milla de un maratón en 5.23 minutos, ¿cuántas calorías usa?

$7.3 \times 5.23 = n$

Paso 1

Multiplica como si fueran números enteros.

```
    5.23
 ×   7.3
    1569
   3661
   38179
```

Paso 2

Pon el punto decimal en el producto contando el número total de posiciones decimales en los factores.

```
    5.2 3  ←— 2 posiciones decimales
 ×    7.3  ←— 1 posición decimal
    1 5 6 9
  3 6 6 1
  3 8.1 7 9  ←— 3 posiciones decimales
```

Estima para asegurarte de que la respuesta tiene sentido.

7.3×5.23 se redondea a $7 \times 5 = 35$

Joan Benoit usa 38.179 calorias en 5.23 minutos.

Más ejemplos

a.
```
    3.6  ←— 1 posición
 ×    4  ←— 0 posiciones
   14.4  ←— 1 posición
```

b.
```
    3.5 8  ←— 2 posiciones
 ×  0.4 8  ←— 2 posiciones
    2 8 6 4
  1 4 3 2
  1.7 1 8 4  ←— 4 posiciones
```

c.
```
     5.6 2 3 7  ←— 4 posiciones
 ×       6.2 5  ←— 2 posiciones
     2 8 1 1 8 5
   1 1 2 4 7 4
 3 3 7 4 2 2
 3 5.1 4 8 1 2 5  ←— 6 posiciones
```

TRABAJO EN CLASE

Pon el punto decimal correctamente en cada producto.

1.
```
    7.3
 × 0.18
   1314
```

2.
```
   3.54
 ×    8
   2832
```

3.
```
  10.007
 ×    2.4
  240168
```

4.
```
   8.014
 ×   6.7
  536938
```

5.
```
  0.2615
 ×    6.3
  164745
```

Multiplica. Estima para asegurarte de que cada respuesta tiene sentido.

6.
```
   3.148
 × 0.13
```

7.
```
   0.36
 ×  2.9
```

8.
```
   8.94
 ×  0.3
```

9.
```
   1.6231
 ×     5.9
```

10.
```
   3.482
 ×  5.26
```

Pon el punto decimal correctamente en cada producto.

1. 4.6	**2.** 3.8	**3.** 6.04	**4.** 5.538	**5.** 1.907
$\times\ 5.5$	$\times\ 6.3$	$\times\ 0.59$	$\times\ 23.2$	$\times\ 3.27$
2530	2394	35636	1284816	623589

Multiplica. Estima para asegurarte de que cada producto tiene sentido.

6. 5.76	**7.** 3.4	**8.** 13.7	**9.** 3.47	**10.** 26.84
$\times\ 0.5$	$\times\ 0.7$	$\times\ 0.9$	$\times\ 0.8$	$\times\ 0.58$

11. 1.82	**12.** 62.7	**13.** $3.20	**14.** 5.94	**15.** 32.15
$\times\ 0.25$	$\times\ 1.25$	$\times\ 4.6$	$\times\ 2.36$	$\times\ 6.4$

16. 2.401	**17.** 3.65	**18.** $5.20	**19.** 24.8	**20.** 8.008
$\times\ 9.08$	$\times\ 8.71$	$\times\ 3.05$	$\times\ 24.8$	$\times\ 30.03$

21. 0.94×5.806　　　　**22.** 8.14×12.48　　　　**23.** 2.002×24.801

★**24.** $0.6 \times 5.2 \times 7$　　　★**25.** $1.85 \times 0.2 \times 6.32$　　　★**26.** $6.01 \times 5.8 \times 0.324$

★**27.** $(9.1483 - 6.342) \times 0.9$　★**28.** $(1.43 + 7.89) \times (8.46 - 2.3)$

Escoge el factor que falta.

29. $0.5 \times n = 0.25$　　**30.** $0.6 \times n = 1.8$　　**31.** $0.2 \times n = 4$　　**32.** $0.8 \times n = 0.32$

　a. 5　　　　　　　　**a.** 3　　　　　　　**a.** 20　　　　　　　**a.** 40

　b. 0.5　　　　　　　**b.** 0.3　　　　　　**b.** 2　　　　　　　　**b.** 4

　c. 0.05　　　　　　　**c.** 30　　　　　　　**c.** 0.2　　　　　　　**c.** 0.4

APLICACIÓN

33. Mientras está sentada en clase, Ellen usa 1.33 calorías por minuto. ¿Cuántas calorías usa durante una clase de matemáticas de 45 minutos?

★**34.** Mientras Gary está durmiendo, usa 0.92 calorías por minuto. ¿Cuántas calorías usó anoche si durmió 7.5 horas?

RAZONAMIENTO LÓGICO

Pon los puntos decimales en los factores de forma que cada multiplicación sea diferente y cada producto sea igual a 31.62. Donde sea necesario, puedes anexar ceros al principio o al final de un número.

1. 51	**2.** 51	**3.** 51	**4.** 51	**5.** 51
$\times\ 62$	$\times\ 62$	$\times\ 62$	$\times\ 62$	$\times\ 62$

Ceros en el producto

El agua genera 0.14 de toda la electricidad producida en Estados Unidos. La región noroeste del Pacífico produce 0.48 de esta cantidad. ¿Qué parte de la electricidad producida en Estados Unidos es generada por el agua de esta región?

ELECTRICIDAD PRODUCIDA EN ESTADOS UNIDOS

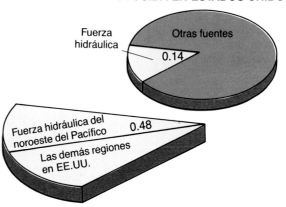

$0.48 \times 0.14 = n$

Paso 1	**Paso 2**	**Paso 3**
Multiplica como si fueran números enteros.	Halla el número de posiciones decimales en el producto.	Escribe ceros en el producto para poner el punto decimal correctamente.

Paso 1:
$$
\begin{array}{r}
0.14 \\
\times\ 0.48 \\
\hline
112 \\
56 \\
\hline
672
\end{array}
$$

Paso 2:
$$
\begin{array}{r}
0.14 \quad\longleftarrow \text{2 posiciones}\\
\times\ 0.48 \quad\longleftarrow \text{2 posiciones}\\
\hline
112 \\
56 \\
\hline
672 \quad\longleftarrow \text{4 posiciones}
\end{array}
$$

Paso 3:
$$
\begin{array}{r}
0.14 \\
\times\ 0.48 \\
\hline
112 \\
56 \\
\hline
0.0672
\end{array}
$$

En Estados Unidos 0.0672 de la electricidad producida es generada por el agua del noroeste del Pacífico.

Más ejemplos

a.
$$
\begin{array}{r}
0.046 \quad\longleftarrow \text{3 posiciones}\\
\times\ 0.04 \quad\longleftarrow \text{2 posiciones}\\
\hline
0.00184 \quad\longleftarrow \text{5 posiciones}
\end{array}
$$

b.
$$
\begin{array}{r}
0.003 \quad\longleftarrow \text{3 posiciones}\\
\times\ 4 \quad\longleftarrow \text{0 posiciones}\\
\hline
0.012 \quad\longleftarrow \text{3 posiciones}
\end{array}
$$

c.
$$
\begin{array}{r}
0.006 \quad\longleftarrow \text{3 posiciones}\\
\times\ 0.03 \quad\longleftarrow \text{2 posiciones}\\
\hline
0.00018 \quad\longleftarrow \text{5 posiciones}
\end{array}
$$

TRABAJO EN CLASE

Multiplica.

1.
$$
\begin{array}{r}
0.07 \\
\times\ 0.8 \\
\hline
\end{array}
$$

2.
$$
\begin{array}{r}
0.05 \\
\times\ 0.03 \\
\hline
\end{array}
$$

3.
$$
\begin{array}{r}
0.125 \\
\times\ 0.04 \\
\hline
\end{array}
$$

4.
$$
\begin{array}{r}
0.003 \\
\times\ 0.002 \\
\hline
\end{array}
$$

5.
$$
\begin{array}{r}
0.976 \\
\times\ 0.04 \\
\hline
\end{array}
$$

6. 0.06×7

7. 0.05×0.463

8. 0.037×0.59

9. 1.07×0.008

Multiplica.

1.	2.	3.	4.	5.
0.148	0.0472	0.0056	0.093	0.35
× 0.07	× 0.3	× 0.4	× 0.07	× 0.006

6.	7.	8.	9.	10.
0.16	0.031	0.012	0.034	0.0015
× 0.09	× 0.05	× 0.008	× 0.002	× 0.19

11.	12.	13.	14.	15.
0.088	0.845	0.083	0.0007	0.0098
× 0.8	× 0.005	× 0.24	× 0.09	× 3.6

16. 0.02×0.09 17. 0.08×0.549 18. 1.2×0.0075 19. 0.006×0.097

20. 0.04×0.05 21. 0.6×0.018 22. 0.03×0.0012 23. 0.005×0.011

24. 0.3×0.015 25. 0.11×0.032 26. 2.3×0.006 27. 3.1×0.0014

Usa ceros y pon un punto decimal para que cada producto sea correcto.

28.	29.	30.	31.	32.
0.147	0.31	0.36	0.74	0.008
× 0.07	× 0.06	× 0.07	× 0.08	× 0.031
1029	186	252	592	248

Halla el patrón en cada secuencia para completar los próximos tres decimales.

★ 33. 7, 0.7, 0.07, 0.007, □, □, □   ★ 34. 1, 0.5, 0.25, 0.125, □, □, □

★ 35. 0.9, 0.18, 0.036, 0.0072, □, □, □

APLICACIÓN

36. En 1978, aproximadamente 0.73 de la energía mundial provino del petróleo y del carbón. El petróleo sólo constituyó 0.63 de esta cantidad. ¿Qué parte de la energía mundial provino del petróleo?

★ 37. ¿Qué parte de la energía mundial provino del carbón en 1978?

HAZLO MENTALMENTE

Usa la propiedad distributiva para computar rápidamente cada producto.

Ejemplo $5 \times 2.3 = 5 \times (2 + 0.3) = (5 \times 2) + (5 \times 0.3)$
$$= 10 + 1.5 = 11.5$$

1. 6×2.4 2. 3×4.2 3. 7×6.2 4. 5×4.8
5. 40×2.6 6. 3×4.05 7. 30×2.5 8. 4×2.05

Problemas para resolver

TRABAJAR HACIA ATRÁS

La mayoría de problemas te piden que halles el resultado final de una acción. Sin embargo, a veces te dan el resultado final y te piden información sobre el comienzo. Para resolver estos problemas, *trabaja hacia atrás*.

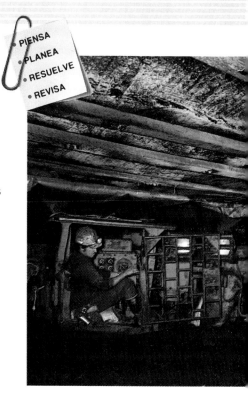

Un grupo de mineros carga carbón en un vagón que sube a la superficie de la mina. Al final de cada día, una balanza marca cuánto carbón han minado desde el comienzo del mes. El lunes 15 de julio el grupo minó 34.3 toneladas de carbón. El martes minó dos veces la cantidad del lunes. El miércoles minó 48 toneladas. El jueves minó 0.6 de la cantidad del miércoles. El viernes minó 50 toneladas. Al final de la jornada del viernes, la balanza marcó 688 toneladas. ¿Cuánto marcaba la balanza al comenzar la jornada del lunes 15 de julio?

¿Cuál es la pregunta?

¿Cuánto marcaba la balanza al comenzar la jornada del lunes?

¿Cuáles son los datos?

Lectura final	688 toneladas	el miércoles	48 toneladas
el lunes	34.3 toneladas	el jueves	0.6 × 48 toneladas
el martes	2 × 34.3 toneladas	el viernes	50 toneladas

¿Cómo se puede hallar la respuesta?

Haz los cálculos para hallar las cantidades del martes y del jueves. Suma para hallar las toneladas minadas en total durante la semana. Después trabaja hacia atrás para hallar la lectura de la balanza el lunes por la mañana.

el martes   **el jueves**

2 × 34.3 = 68.6   0.6 × 48 = 28.8

Total de la semana 34.3 + 68.6 + 48 + 28.8 + 50 = 229.7

La lectura del lunes   688 − 229.7 = 458.3

La balanza marcó 458.3 toneladas cuando empezó la jornada del lunes.

¿Cómo se puede comprobar la respuesta?

Suma la producción de cada día más las 458.3 toneladas. ¿Es la respuesta 688? Sí, lo es.

Resuelve.

1. Ava Mongillo trabaja 5 días a la semana en la Compañía Eléctrica del Sur. Cada semana compra pan para sus almuerzos. En una semana comió $1\frac{1}{2}$ sandwiches cada día que llevó su almuerzo al trabajo. Sólo un día compró almuerzo. Al final de la semana le sobraron 6 rodajas de pan. ¿Cuántas rodajas tenía el pan cuando ella lo compró?

2. La Compañía Eléctrica del Sur tiene un programa de ejercicios para sus empleados. Algunos corrieron 9.65 millas en una semana. El lunes corrieron 1.7 millas. El martes corrieron 1.5 veces esa distancia. El miércoles, jueves y viernes corrieron distancias iguales. ¿Cuánto corrieron cada día?

3. La Compañía Eléctrica del Sur patrocina un programa de preguntas en la radio llamado *Multiplique su dinero.* En la primera parte un concursante tiene que contestar cuatro preguntas. Cada una después de la primera vale el doble de la anterior. La cuarta pregunta vale $32. ¿Cuánto vale la primera?

4. En la segunda parte de *Multiplique su dinero,* cada pregunta tiene tres veces el valor de la pregunta anterior. La cuarta pregunta vale $405. ¿Cuánto vale la primera pregunta?

El Instituto de Investigación Simian lleva a cabo un experimento con monos y elevadores. Cada mono ha sido enseñado a marcar el botón del elevador y a esperar hasta que pare antes de marcar otro botón. Los récords de viaje de tres monos aparecen abajo. Halla el piso en el cuál cada mono comenzó su viaje en el elevador.

5. *Sampson*
   subió 3 pisos
   subió 4 pisos
   bajó 6 pisos
   terminó en el 8° piso

6. *Griselda*
   bajó 4 pisos
   subió 3 pisos
   bajó 6 pisos
   subió 2 pisos
   terminó en el 4° piso

7. *Hércules*
   bajó 3 pisos
   subió 4 pisos
   subió 5
   bajó 6 pisos
   subió 3 pisos
   terminó en el 6° piso

=== CREA TU PROPIO PROBLEMA ===

Anota el dinero que gastas en diferentes actividades durante una semana típica. Después escribe un problema para resolver trabajando hacia atrás. Pídele a un compañero que lo resuelva.

Multiplicar y dividir por potencias de diez

Si la energía de las ondas de sonido pudiera convertirse en electricidad, se necesitaría la energía de 100,000 zumbidos de mosquitos para encender una linterna.

$100,000 = 10 \times 10 \times 10 \times 10 \times 10$

100,000 es una potencia de 10.

▶ Para multiplicar por una potencia de 10, mueve el punto decimal a la derecha. El número de ceros en la potencia de diez indica cuántas posiciones.

4.16×10	$= 41.6$	1 posición
4.16×100	$= 416$	2 posiciones
$4.16 \times 1,000$	$= 4160$	3 posiciones ←—— A veces es necesario escribir ceros en el producto.
$4.16 \times 10,000$	$= 41,600$	4 posiciones

▶ Para dividir por una potencia de 10, mueve el punto decimal a la izquierda. El número de ceros en la potencia de 10 indica cuántas posiciones.

$84.2 \div 10$	$= 8.42$	1 posición
$84.2 \div 100$	$= 0.842$	2 posiciones ←—— A veces es necesario escribir ceros en el producto.
$84.2 \div 1,000$	$= 0.0842$	3 posiciones
$84.2 \div 10,000$	$= 0.00842$	4 posiciones

Puedes usar exponentes para escribir las potencias de 10.

$100,000 = 10 \times 10 \times 10 \times 10 \times 10 = 10^5$ ←—— 10 usado como factor 5 veces

$10^1 = 10$	$10^2 = 100$	$10^3 = 1,000$	$10^4 = 10,000$	$10^5 = 100,000$
↑ 1 cero	↑ 2 ceros	↑ 3 ceros	↑ 4 ceros	↑ 5 ceros

Trabajo en clase

Multiplica o divide.

1. 3.845×100

2. $0.0481 \times 1,000$

3. $64.9 \times 10,000$

4. $64.94 \div 10$

5. $479.2 \div 10,000$

6. $0.4 \div 100$

7. $0.5 \div 10^2$

8. 3.2×10^3

9. $56 \div 10^2$

Multiplica o divide.

1. 1.94 × 10

2. 0.063 × 1,000

3. 23.5 × 100

4. 8.9 × 10,000

5. 16 ÷ 10,000

6. 65.3 ÷ 100

7. 1.96 ÷ 10

8. 75.8 ÷ 1,000

9. 36.42 × 10

10. 264 × 10,000

11. 0.37 × 100

12. 7.4 × 1,000,000

13. 0.876 ÷ 10

14. $0.07 ÷ 10^2$

15. 85.4 ÷ 100,000

16. 135.3 × 10,000

17. $0.00036 × 10^3$

18. 6.48 × 100,000

19. 6,040.7 ÷ 10,000

20. 193 ÷ 1,000,000

Escribe cada potencia de 10 usando exponentes.

21. 100,000

22. 10,000,000

23. 100

24. 10

Completa. Sigue la regla para cada número que falta.

Regla: Multiplica la entrada por 100.

	Entrada	Salida
25.	87.5	
26.	0.09	
27.	0.6	
28.	1.0073	

Regla: Divide la entrada por 1,000.

	Entrada	Salida
29.	423	
30.	32.5	
31.		0.1
32.		3.62

Halla el factor que falta.

★**33.** 14.6 × n = 146

★**34.** 0.631 × n = 63.1

★**35.** 52.9 ÷ n = 5.29

★**36.** 123 ÷ n = 0.0123

★**37.** 972 ÷ n = 0.00972

★**38.** 0.0865 × n = 86,500

APLICACIÓN

39. La energía consumida en Estados Unidos en un día alcanzaría para que un carro fuera alrededor del mundo $3.6 × 10^4$ veces. Escribe el número en la forma usual.

★**40.** Un faro en la costa de Francia produce una luz igual a la de 6,250,000 linternas. Escribe este número como 6.25 veces una potencia de 10.

Práctica mixta

1. 1.085
    + 2.679

2. 3.69
    − 0.758

3. 4.27 + 15.3

4. 15.379 − 4.8

5. 70 − 42.6

6. 23
   × 75

7. 80 × 500

8. 150 ÷ 25

9. 456 ÷ 30

10. 342$)\overline{19,836}$

11. 58$)\overline{116,464}$

12. n ÷ 3 = 18

13. n + 13 = 75

14. n − 18 = 103

15. 10n = 150

Estima.

16. 67 × 19

17. 458 ÷ 46

18. 1.5 + 2.3

19. 16.9 − 7.6

Dividir decimales por números enteros

Ésta es una copia del recibo de electricidad de Jan por un período de 31 días. ¿Cuál es el promedio de la cantidad de electricidad usada cada día?

Divide la cantidad de electricidad usada por el número de días en el período de servicio.

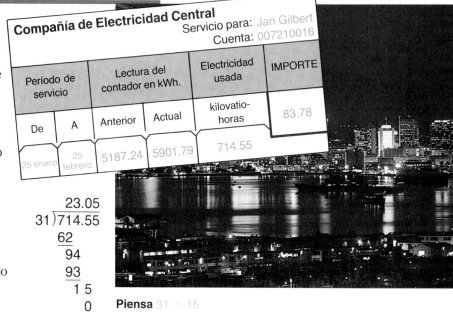

Compañía de Electricidad Central
Servicio para: Jan Gilbert
Cuenta: 007210016

Período de servicio		Lectura del contador en kWh.		Electricidad usada	IMPORTE
De	A	Anterior	Actual	kilovatio-horas	83.78
25 enero	25 febrero	5187.24	5901.79	714.55	

▷ Divide con decimales igual que lo haces con números enteros. Pon el punto decimal en el cociente directamente sobre el punto decimal en el dividendo.

Jan usó un promedio de 23.05 kilovatios-hora (kWh) de electricidad cada día.

```
         23.05
  31)714.55
      62
      ──
       94
       93
       ──
        1 5
          0
        ────
        1 55
        1 55
        ────
           0
```

Piensa 31 > 15
Pon un cero en el cociente para mantener la posición.

Estima para asegurarte de que la respuesta tiene sentido.

Paso 1

Redondea el divisor.

```
30
31)714.55
```

Paso 2

Pon el punto decimal en el cociente.

```
30      .
31)714.55
```

Paso 3

Halla el primer dígito del cociente.

```
30     2 .
31)714.55
```

Paso 4

Escribe ceros para todos los demás dígitos del cociente.

```
30    20.00
   31)714.55
```

La respuesta 23.05 es razonable porque está cerca de 20.

▷ A veces es necesario anexar ceros al dividendo para completar la división.

```
      0.62
  8)5.02
    4 8
    ──
     22
     16
     ──
      6
```

```
      0.6275
  8)5.0200   ← Anexa ceros
    4 8        para continuar
    ──
     22
     16
     ──
      60
      56
      ──
       40
       40
       ──
        0
```

TRABAJO EN CLASE

Divide hasta que el residuo sea cero. Estima para asegurarte de que cada respuesta tiene sentido.

1. 8)2.88
2. 7)21.623
3. 25)100.15
4. 18)0.0468
5. 12)3.75

PRÁCTICA

Divide hasta que el residuo sea cero. Estima para asegurarte de que cada respuesta tiene sentido.

1. $6\overline{)0.618}$ 2. $7\overline{)7.056}$ 3. $8\overline{)\$9.12}$ 4. $6\overline{)28.95}$

5. $15\overline{)594}$ 6. $12\overline{)83.4}$ 7. $16\overline{)0.41008}$ 8. $24\overline{)147.6}$

9. $32\overline{)\$402.88}$ 10. $36\overline{)126.882}$ 11. $35\overline{)1,401.75}$ 12. $44\overline{)68.2}$

13. $5.2 \div 8$ 14. $3.0 \div 8$ 15. $5.0 \div 16$ 16. $6.2 \div 5$

Halla cada dividendo o divisor que falta.

★ 17. $5\overline{)\blacksquare\blacksquare\blacksquare\blacksquare}$ cociente 21.86 ★ 18. $\blacksquare\blacksquare\overline{)10.8}$ cociente $1\,2$ ★ 19. $6\overline{)\blacksquare\blacksquare\blacksquare\blacksquare}$ cociente 0.974 ★ 20. $\blacksquare\blacksquare\overline{)37.5}$ cociente 1.5

Sigue la regla para hallar el número que falta.

Regla: Divide la entrada por 32.

Entrada	Salida
17.92	0.56
21. 14.4416	
22. 117.1872	

Regla: Divide la entrada por 19.

	Entrada	Salida
23.	16.15	
24.		0.325
25.		4.675

Regla: Divide la entrada por 0.8

	Entrada	Salida
★ 26.		19.3125
★ 27.		0.44
★ 28.		3.0625

APLICACIÓN

29. Los Gilbert quieren comprar un refrigerador que consuma poca electricidad. Averiguaron cuántos kilovatios-hora de electricidad se supone que usan al año varias marcas. Completa la tabla hallando el promedio mensual de kilovatios-hora usados por cada marca.

Modelo de refrigerador	Kilovatios-hora por año	Kilovatios-hora por mes
Maxi Space 410	122.4	
Maxi Space 510	160.8	
Deep Freeze II	149.4	

★ 30. Si la tarifa eléctrica en el área donde viven los Gilbert es 7.5¢ por kilovatio-hora, ¿cuánto podrán economizar cada mes comprando el modelo Maxi Space 410 en lugar del Deep Freeze II? Redondea al centavo más cercano.

Dividir decimales

Los robots generalmente operan con baterías. Este robot, que se usa para entregar el correo, tiene que ser recargado cada 9.75 horas. Si cubre una ruta en 1.5 horas, ¿cuántas rutas puede completar antes de ser recargado?

$9.75 \div 1.5 = n$

Usa esta regla para dividir por un decimal.

▶ Cuando el dividendo y el divisor se multiplican por la misma potencia de 10, el valor del cociente no cambia.

Paso 1

Multiplica el divisor por una potencia de 10 para convertirlo en un número entero.

$1.5\overline{)9.75}$

$1.5 \times 10 = 15$

Multiplica para comprobar.

$$\begin{array}{r} 1.5 \\ \times\ 6.5 \\ \hline 7\ 5 \\ 9\ 0 \\ \hline 9.7\ 5 \end{array}$$

Paso 2

Multiplica el dividendo por la misma potencia de 10. Pon el punto decimal en el cociente.

$1.5\overline{)9.75}$

$9.75 \times 10 = 97.5$

Paso 3

Divide.

$$\begin{array}{r} 6.5 \\ 1.5\overline{)9.7\,5} \\ 9\ 0 \\ \hline 7\ 5 \\ 7\ 5 \\ \hline 0 \end{array}$$

El robot puede completar 6.5 rutas.

Más ejemplos

a. Halla $2.59 + 0.14$.

$$\times 100 \quad 0.14\overline{)2.59\,0} \times 100$$

$$\begin{array}{r} 18.5 \\ 1\ 4 \\ \hline 1\ 19 \\ 1\ 12 \\ \hline 7\ 0 \\ 7\ 0 \\ \hline 0 \end{array}$$

Comprueba

$$\begin{array}{r} 18.5 \\ \times\ 0.14 \\ \hline 740 \\ 185 \\ \hline 2.590 \end{array}$$

b. Halla $0.9 + 0.006$.

$$\times 1,000 \quad 0.006\overline{)0.900} \times 1,000$$

$$\begin{array}{r} 150. \\ 6 \\ \hline 30 \\ 30 \\ \hline 00 \\ 0 \\ \hline 0 \end{array}$$

Comprueba

$$\begin{array}{r} 150 \\ \times\ 0.006 \\ \hline 0.900 \end{array}$$

TRABAJO EN CLASE

Pon el punto decimal en cada cociente.

1. $0.4\overline{)1.28}^{\;32}$

2. $0.86\overline{)2.15}^{\;25}$

3. $0.125\overline{)6.775}^{\;542}$

4. $4.8\overline{)5.76}^{\;12}$

Divide. Multiplica para comprobar.

5. $0.9\overline{)0.333}$

6. $2.5\overline{)0.38}$

7. $0.004\overline{)3.68}$

8. $0.09\overline{)0.459}$

Pon el punto decimal en cada cociente.

1. $\overset{72}{0.6\overline{)4.32}}$ 2. $\overset{6\ 15}{2.3\ \overline{)141.45}}$ 3. $\overset{39975}{0.08\overline{)3.198}}$ 4. $\overset{548}{0.012\overline{)0.6576}}$

Divide. Multiplica para comprobar.

5. $0.8\overline{)1.064}$ 6. $0.02\overline{)4.6}$ 7. $0.08\overline{)9.04}$ 8. $0.9\overline{)0.432}$

9. $0.02\overline{)7.1}$ 10. $0.05\overline{)25}$ 11. $0.7\overline{)4.354}$ 12. $0.13\overline{)0.364}$

13. $0.004\overline{)0.6}$ 14. $0.34\overline{)0.884}$ 15. $1.6\overline{)1.36}$ 16. $0.073\overline{)0.1387}$

17. $13.5 \div 0.75$ 18. $1.281 \div 0.021$ 19. $132 \div 0.06$ 20. $7.50 \div 0.025$

21. $1.328 \div 8.3$ 22. $0.0481 \div 0.037$ 23. $39.48 \div 4.8$ 24. $53.95 \div 2.6$

Estima para escoger el cociente correcto.

25. $0.92\overline{)6.256}$ 26. $5.02\overline{)417.162}$ 27. $16.7\overline{)868.4}$ 28. $3.92\overline{)490}$

  a. 0.68   a. 8.31   a. 520   a. 125

  b. 68   b. 83.1   b. 52   b. 12.5

  c. 6.8   c. 830   c. 5.2   c. 1.25

Compara. Usa >, < ó = en lugar de ⬤.

★29. $192.4 \div 3.7$ ⬤ $192.4 \div 0.37$ ★30. $0.091 \div 0.035$ ⬤ $0.0702 \div 0.027$

APLICACIÓN

31. Un robot hace 6 tareas y le toma el siguiente número de minutos completarlas: 1.4, 6.5, 3.0, 0.2, 1.4 y 2.8. ¿Cuál es su promedio de tiempo para hacer cada tarea?

★32. Un robot volvió a la oficina a las 3:30 P.M. Ya había hecho 10 entregas de correo. Cada una le tomó 8 minutos. ¿A qué hora había salió a entregar el correo?

HAZLO MENTALMENTE

Usa patrones para hallar cada cociente.

1. $347.2 \div 56 = 6.2$
$34.72 \div 56 = \square$
$3.472 \div 56 = \square$
$0.3472 \div 56 = \square$

2. $280 \div 35 = 8$
$28.0 \div 35 = \square$
$2.80 \div 35 = \square$
$0.280 \div 35 = \square$

3. $24.6 \div 0.024 = 1{,}025$
$24.6 \div 0.24 = \square$
$24.6 \div 2.4 = \square$
$24.6 \div 24 = \square$

Redondear cocientes

Los García recibieron una entrega de petróleo el lunes pasado. El repartidor olvidó escribir el precio por galón. Usando la información que aparece en el recibo, halla el precio por galón.

Redondea la respuesta al centavo más cercano.

$113.75 \div 96.4 = n$

Para redondear un cociente, sigue estos pasos.

Compañía Petrolera Canco				
Cobrar a: J. García				
Camión	Fecha	Galones entregados	Precio por galón (con impuesto)	Importe de la entrega
#15	8/12	96.4		$113.75

Paso 1

Divide. Anexa ceros al dividendo cuando sea necesario.

```
           $1.1 7
96.4 )$ 1 1 3.7 5 0
        9 6 4
        1 7 3 5
        9 6 4
        7 7 1 0
        6 7 4 8
          9 6 2
```

El precio por galón fue $1.18.

Paso 2

Divide hasta un lugar después del lugar a redondear.

```
           $1.1 7 9
96.4 )$ 1 1 3.7 5 0 0
        9 6 4
        1 7 3 5
        9 6 4
        7 7 1 0
        6 7 4 8
          9 6 2 0   ← Para redondear a centésimas,
          8 6 7 6      divide hasta milésimas
            9 4 4
```

Paso 3

Redondea el cociente.

$1.1 7 9   se redondea a $1.18

Más ejemplos

a. Halla $3 \div 11$ a la centésima más cercana.

```
    0.272      se redondea a   0.27
11)3.000
   2 2
    80
    77
    30   ← Para redondear a
    22      centésimas, divide hasta
     8      milésimas.
```

b. Halla $52.48 \div 13$ a la milésima más cercana.

```
      4.0369     se redondea a   4.037
13)52.4800
   52
    4
    0
    48
    39
    90
    78
    120   ← Para redondear a
    117      milésimas, divide hasta
      3      diez milésimas.
```

TRABAJO EN CLASE

Divide. Redondea cada cociente al lugar nombrado.

1. $83.24 \div 4$
   décima más cercana

2. $6.17 \div 8.4$
   centésima más cercana

3. $0.07 \div 0.3$
   milésima más cercana

4. $75.67 \div 11$
   centavo más cercano

Divide. Redondea cada cociente al lugar nombrado.

décima más cercana	**1.** $9\overline{)4.32}$	**2.** $1.1\overline{)23.94}$	**3.** $0.19\overline{)0.459}$
	4. $4.67 \div 0.2$	**5.** $1.252 \div 0.003$	**6.** $12 \div 14$
centésima más cercana	**7.** $8\overline{)37.65}$	**8.** $1.2\overline{)39.39}$	**9.** $0.15\overline{)1.376}$
	10. $15.1 \div 6$	**11.** $5.42 \div 0.7$	**12.** $4 \div 9$
milésima más cercana	**13.** $3.6\overline{)4.615}$	**14.** $0.37\overline{)0.6516}$	**15.** $74\overline{)22.65}$
	16. $3.057 \div 63$	**17.** $1 \div 6$	**18.** $130.6 \div 0.87$
centavo más cercano	**19.** $2\overline{)\$7.89}$	**20.** $8\overline{)\$129.02}$	**21.** $0.15\overline{)\$71.80}$
	22. $\$9 \div 8$	**23.** $\$2.43 \div 0.29$	**24.** $\$215 \div 19$

**¿Qué division da el cociente dado? Cada cociente está
redondeado a la centésima más cercana.**

★ **25.** cociente: 7.82

a. $9.4\overline{)73.5684}$

b. $6\overline{)46.917}$

c. $0.23\overline{)1.65186}$

★ **26.** cociente: 0.56

a. $64\overline{)37.6}$

b. $50\overline{)2.81}$

c. $0.9\overline{)0.5022}$

★ **27.** cociente 2.88

a. $12\overline{)26.166}$

b. $18\overline{)51.843}$

c. $0.5\overline{)1.392}$

★ **28.** cociente 12.32

a. $5.8\overline{)71.459}$

b. $6.2\overline{)76.818}$

c. $0.7\overline{)8.421}$

APLICACIÓN

29. La última entrega de la Compañía Petrolera Canco a Roberto costó $125.32. Se entregó un total de 80.5 galones. ¿Cuál fue el precio por galón al centavo más cercano?

★ **30.** El mes pasado el recibo de la electricidad que recibió Michelle sumó $32.59. ¿Cuál fue la tarifa cobrada por kilovatio-hora si Michelle usó 643 kilovatios-hora de electricidad? Las tarifas de electricidad se dan hasta la cien milésima de dólar.

LA CALCULADORA

Divide para hallar el precio por unidad de cada artículo. Después redondea cada precio por unidad al centavo más cercano.

Detergente
64 oz por $7.89
Precio por onza
_____

Sopa
3 latas por $2.00
Precio por lata
_____

Carne Picada
$7.95 por un paquete de 4 lb
Precio por libra (lb)
_____

Lápices
15 por $1.00
Precio por lápiz
_____

Notación científica

Resulta difícil imaginar la tremenda energía producida por el sol. Gran parte de ella se pierde camino a la Tierra. Aún así, en un segundo promedio 22,000,000,000 (22 mil millones) kilovatios-hora de energía llegan a la superficie de la Tierra.

22,000,000,000 puede ser escrito en notación científica.

número en la forma usual   notación científica

$$22{,}000{,}000{,}000 = 2.2 \times 10^{10}$$

un número   una potencia
del 1 al 10 $\times$ de 10

▶ Para expresar un número en notación científica, escríbelo como el producto de dos factores (un número del 1 al 10) $\times$ (una potencia de 10).

Divide por una potencia de 10 para nombrar un número entre 1 y 10.

$2{,}500{,}000. = 2.5 \times 10^{6}$ $186{,}000. = 1.86 \times 10^{5}$

6 posiciones   **Piensa** $2{,}500{,}000 \div 10^{6}$ 5 posiciones
Mueve el punto decimal 6 posiciones a la izquierda.

$40{,}300{,}000. = 4.03 \times 10^{7}$ $7{,}000. = 7 \times 10^{3}$

7 posiciones   3 posiciones

▶ Multiplica por una potencia de 10 para cambiar un número de notación científica a la forma usual.

$3.6 \times 10^{4} = 36{,}000.$ $2.8615 \times 10^{9} = 2{,}861{,}500{,}000.$

4 posiciones   **Piensa** 3.6×10^{4} 9 posiciones
Mueve el punto decimal 4 posiciones a la derecha.

TRABAJO EN CLASE

Escribe cada exponente que falta.

1. $37{,}000 = 3.7 \times 10^{\square}$ **2.** $700{,}000 = 7 \times 10^{\square}$

Escribe cada uno en notación científica.

3. 8,500   **4.** 2,853,000,000   **5.** 154,000,000

Escribe cada uno en la forma usual.

6. 3.9×10^{3} **7.** 2.76×10^{5} **8.** 8.123×10^{7}

Escribe cada exponente que falta.

1. $6,300 = 6.3 \times 10^{\square}$

2. $2,850,000 = 2.85 \times 10^{\square}$

3. $43,920,000 = 4.392 \times 10^{\square}$

4. $518,000,000 = 5.18 \times 10^{\square}$

Escribe cada uno en notación científica.

5. 2,300

6. 9,510

7. 44,000

8. 67,800

9. 160,000

10. 374,100

11. 7,900,000,000

12. 99,000,000,000

13. 4,513,000,000

★14. 31 millones

★15. 2 mil millones, 500 millones

★16. 5 millones, 621 mil

Escribe cada uno en la forma usual.

17. 8.1×10^2

18. 7.5×10^4

19. 6.66×10^6

20. 1.98×10^8

21. 5.731×10^5

22. 1.11×10^9

23. 4.52×10^5

24. 6.145×10^7

APLICACIÓN

Escribe cada uno en notación científica.

25. El diámetro del sol es 1,392,000 kilómetros.

26. En el sol, 596,000,000 toneladas métricas de hidrógeno se convierten en 592,000,000 toneladas métricas de helio.

27. En esta reacción atómica, 3,600,000 toneladas métricas de materia se transforman en energía solar.

★28. Los científicos creen que el sol continuará supliendo energía durante los próximos 15 mil millones de años.

LA CALCULADORA

Un producto con demasiados dígitos para la capacidad de la calculadora hace que muestre una señal de error.

$615,000 \times 27,290 =$ 〔 167.83350^E 〕 ←quiere decir error

Evita pasarte de la capacidad de la calculadora eliminando los ceros finales en los factores. Después añade los ceros a la respuesta.

Entra $615 \times 2729 = 1678335.$

Elimina los 4 ceros finales.

$16,783,350,000$ ←Reemplaza los 4 ceros finales.

ó

1.678335×10^{10} ←Escribe en notación científica.

Escribe cada respuesta en la forma usual y en notación científica.

1. $92,000 \times 467,000$

2. $345,600 \times 95,000$

3. $86,780 \times 105,000$

Problemas para resolver

REPASO DE DESTREZAS Y ESTRATEGIAS La energía

Lee y resuelve cada problema si hay suficiente información.

1. La Escuela Hilton organizó una Feria de Fuentes de Energía. Darlene hizo un proyecto sobre la energía solar. Gastó $26.70 en materiales y le sobraron $4.30. ¿Cuánto esperaba gastar?

2. El proyecto de Sven necesitaba 3 baterías y 2.55 m de alambre. Al terminar le sobraron 5 baterías, 3.5 m del alambre y 0.25 m de alambre en pedacitos. ¿Cuánto material compró originalmente?

3. El Club Hurleyville Boosters organizó una competencia especial de carreras para reunir dinero. Avi corrió los 200 metros en 23.2 segundos, ¿Cuál fue su velocidad por segundo al 0.1 de metro más cercano?

4. El Club quiere comprar calentadores solares a $265. ¿Cuántos puede comprar el club con el dinero que ganaron en la competencia especial de carreras?

5. Eduardo puede lograr un promedio de 9.4 m por segundo en una carrera corta. ¿Cuánto puede correr en 15 segundos?

6. Pablo tiene un promedio de 9.2 m por segundo en una carrera. ¿Cuántos metros menos de 100 corre en 9.5 segundos?

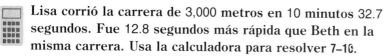 **Lisa corrió la carrera de 3,000 metros en 10 minutos 32.7 segundos. Fue 12.8 segundos más rápida que Beth en la misma carrera. Usa la calculadora para resolver 7–10.**

7. ¿Cuál fue la velocidad de Lisa por segundo? Da tu respuesta al 0.1 de metro más cercano.

8. ¿Cuál fue la velocidad de Beth por segundo? Da tu respuesta al 0.1 de metro más cercano.

★ **9.** Mario corrió los 3,000 metros. Tuvo un promedio de 6.6 m por segundo en los primeros 4.5 minutos y de 5.4 m por segundo en los próximos 3.5 minutos. ¿Cuántos corrió después de 8.0 minutos?

★ **10.** ¿Cuál fue el promedio de su velocidad por minuto durante el total de los 8.0 minutos que corrió? Da tu respuesta al 0.1 de metro más cercano.

Problemas para resolver

¿QUÉ HARÍAS . . . ?

Acabas de comprar unos peces tropicales caros. Necesitan una temperatura de agua constante para vivir. Para mantener el tanque a una temperatura constante, una serie de focos deben generar exactamente 350 vatios de energía. Los focos vienen en tamaños de 40 vatios, 60 vatios y 75 vatios.

Piensa en la situación y contesta las preguntas para ayudarte a decidir qué hacer.

1. ¿Pueden usarse focos del mismo vatiaje para generar el calor requerido?

2. Haz un cuadro para hallar todas las posibles combinaciones de focos que se pueden usar.

3. ¿Pueden los 350 vatios ser generados por más de una combinación de focos?

4. ¿Cuál es el número menor de focos que se pueden usar?

Los focos se venden a diferente precio, según el vatiaje. Cada foco de 40 vatios cuesta 60¢; cada foco de 60 cuesta 80¢; cada foco de 75 cuesta $1. Tienes que comprar los focos y quieres gastar lo menos posible. ¿Qué harías?

Estás instalando un sistema de calefacción. La tabla muestra los costos de tres sistemas diferentes. La casa usará calefacción sólo durante 6 meses al año.

5. ¿Cuál sería el costo de comprar, instalar y operar cada sistema por seis meses?

6. ¿Qué sistema costaría menos durante el primer año?

7. El costo del aparato de calefacción y su instalación se paga solamente una vez. Para calentar la casa por 2 años, ¿cuál sería el sistema menos costoso?

8. Tú esperas calentar la casa por lo menos durante 17 años. Es importante mantener los costos a un mínimo. ¿Qué harías?

COSTOS DE CALEFACCIÓN			
Artículo	Solar	Combustible	Gas
Equipo	$2,000	$1,200	$1,700
Instalación	$500	$300	$300
Costo mensual	$10	$75	$100

REPASO DEL CAPÍTULO

Estima cada producto. págs. 90–91

1.	2.	3.	4.	5.
4.16 × 1.9	98.4 × 6.83	1.845 × 2.39	49.67 × 22.67	516.32 × 2.91

Multiplica. págs. 92–95

6.	7.	8.	9.	10.
82.9 × 4.68	61.78 × 2.67	42.53 × 56.8	$100.15 × 24	7.005 × 0.914

11.	12.	13.	14.	15.
0.008 × 0.04	0.015 × 0.6	0.03 × 0.04	0.12 × 0.6	1.3 × 0.02

16. $28 \times \$56.30 = n$

17. $0.02 \times 0.0025 = n$

18. $3.24 \times 73.61 = n$

Multiplica o divide. págs. 98–99

19. 2.35×100 **20.** $78.9 \div 10$ **21.** $0.899 \times 1{,}000$ **22.** 4.25×10^2

23. 8.6×10^5 **24.** $16.98 \div 10^2$ **25.** $3.2 \div 1{,}000$ **26.** $0.4 \div 100$

Divide. págs. 100–103

27. $4\overline{)8.98}$ **28.** $33\overline{)\$282.15}$ **29.** $5\overline{)24.12}$ **30.** $11\overline{)0.638}$

31. $0.3\overline{)8.34}$ **32.** $2.4\overline{)0.222}$ **33.** $0.34\overline{)95.2}$ **34.** $1.2\overline{)0.03}$

Divide. Redondea cada cociente al lugar nombrado. págs. 104–105

35. centavo más cercano

$3\overline{)\$45.65}$

36. décima más cercana

$44\overline{)98.3}$

37. milésima más cercana

$0.7\overline{)6.60}$

Escribe cada uno en la forma usual. págs. 106–107

38. 1.23×10^4 **39.** 4.6×10^5 **40.** 1.2×10^6 **41.** 7.23×10^8

Resuelve. págs. 96–97, 108–109

42. Melanie empieza su trabajo en la central de energía a las 8:30 A.M. De su casa a la parada del autobús, tiene una caminata de 5 minutos. Luego tiene un trayecto de 20 minutos en autobús y otra caminata de 10 minutos hasta su trabajo. ¿A qué hora tiene que salir de casa?

43. Janice estimó que usaba 1,083 kilovatios-hora de electricidad para alumbrar su casa el año pasado. ¿Cuál es el promedio de kilovatios-hora por mes? Halla la respuesta a la centésima más cercana.

Estima cada producto.

1. $\begin{array}{r} 9.2 \\ \times\ 1.2 \\ \hline \end{array}$	**2.** $\begin{array}{r} 98.04 \\ \times\ 22.3 \\ \hline \end{array}$	**3.** $\begin{array}{r} 1.763 \\ \times\ 1.8 \\ \hline \end{array}$	

Multiplica.

4. $\begin{array}{r} 90.45 \\ \times\ 1.272 \\ \hline \end{array}$	**5.** $\begin{array}{r} 3.55 \\ \times\ 12.4 \\ \hline \end{array}$	**6.** $\begin{array}{r} 1.8 \\ \times\ 0.004 \\ \hline \end{array}$	**7.** $\begin{array}{r} \$11.99 \\ \times\ 62 \\ \hline \end{array}$

Divide.

8. $9\overline{)56.25}$ **9.** $4\overline{)0.088}$ **10.** $3.2\overline{)\$87.68}$ **11.** $0.4\overline{)0.022}$

Divide. Redondea cada cociente al lugar nombrado.

12. centavo más cercano

$6\overline{)\$7.16}$

13. décima más cercana

$0.8\overline{)0.29}$

14. milésima más cercana

$1.1\overline{)91.11}$

Multiplica o divide.

15. $8.9 \times 1{,}000$

16. $4.56 \div 10$

17. 0.098×100

18. 2.24×10^2

19. $234 \div 10^3$

20. 98.6×10^4

Escribe cada uno en notación científica.

21. $14{,}900$

22. $4{,}500{,}000$

23. $61{,}500{,}000{,}000$

Resuelve.

24. El televisor a colores de los Johnson gasta un promedio de 26.12 kilovatios-hora cada mes. ¿Cuántos kilovatios-hora es por año?

25. Un robot programado para apretar tornillos en las máquinas puede completar una tarea en 1.5 minutos. Consigió completar 60 tareas para las 11:30 A.M. ¿Cuándo empezó?

Jim corrió 4 días esta semana. Sigío su ruta usual de 3.2 millas los primeros días. El tercer día sigió una ruta más larga de 4.6 millas. Halla la distancia de su ruta el cuarto día si el promedio de su millaje diario durante le semana es de 4.05 millas.

USO DE ENERGÍA

Un **vatio** es una unidad usada para medir energía eléctrica. Un **kilovatio** es igual a 1,000 vatios. Las facturas mensuales indican el número total de kilovatios-hora usados. Un **kilovatio-hora (kWh)** es la cantidad de energía usado por un aparato de un kilovatio en una hora.

quiere decir 1,000 vatios

Una lámpara que usa un foco de 100 vatios consume 1 kilovatio-hora en 10 horas de uso.

100 vatios × 10 horas = 1,000 vatios-hora = 1 kilovatio-hora

100 vatios = 0.1 de kilovatio

0.1 kW × 10 h = 1 kWh

Contesta estas preguntas sobre el uso de energía.

1. La mayoría de los secadores de pelo usan entre 1,000 y 1,400 vatios de energía. Suponte que usas un secador de 1,200 vatios. Si te cuesta 12 minutos para secarte el pelo, ¿cuántos kilovatios-hora de energía usas? (Expresa 1,200 vatios como kilovatios. 12 minutos = 0.2 de hora)

2. Si usas tu secador de pelo durante un total de una hora por semana y el promedio del costo de electricidad es $.08 por kWh, aproximadamente, ¿cuánto cuesta operar tu secador de pelo durante un año?

3. Un televisor portátil pequeño usa 415 vatios. ¿Cuántos kilovatios usa en 6 horas?

4. Compara el costo de usar un foco de 100 vatios con el costo de usar dos focos de 60 vatios. (Usa $.08 como el costo de electricidad por kWh y calcula 10 horas de uso.) Aproximadamente, ¿cuánto podrías ahorrar usando una sóla lámpara con un foco de 100 vatios en lugar de dos lámparas con focos de 60 vatios?

5. Entérate del costo de la electricidad en tu ciudad o pueblo. Anota el tiempo que empleas cuando usas un secador de pelo, un televisor u otro aparato eléctrico. Después completa la gráfica. La mayoría de los aparatos eléctricos tienen una etiqueta que indica los vatios que usan.

Aparato eléctrico _____	Vatios _____	
	Por día	Por año
Tiempo usado		
Costo		

MULTIPLICACIÓN Y NOTACÍON CIENTÍFICA

Fíjate en la siguiente relación.

$$100 \times 10{,}000 = 1{,}000{,}000$$
$$10^2 \times 10^4 = 10^6$$

▶ Para multiplicar por una potencia de 10, suma los exponentes.

$$10^a \times 10^b = 10^{a+b}$$

Usa este dato y notación científica para multiplicar números grandes.
Para calcular $4{,}200{,}000 \times 350{,}000$ sigue estos pasos.

- Escribe cada factor en notación científica. $\qquad 4.2 \times 10^6 \times 3.5 \times 10^5$

- Usando la propiedad conmutativa de la $\qquad 4.2 \times 3.5 \times 10^6 \times 10^5$
  multiplicación cambia el orden de factores.

- Multiplica los decimales. Después multiplica $\qquad 14.7 \times 10^{11}$
  las potencias de 10.

- Para dar la respuesta en notación científica, $\qquad 14.7 = 1.47 \times 10^1$
  escribe de nuevo el producto para que el
  primer factor sea un número del 1 al 10. $\qquad 14.7 \times 10^{11} = 1.47 \times 10^1 \times 10^{11}$
  $\qquad\qquad\qquad\qquad\qquad\quad = 1.47 \times 10^{12}$

Multiplica. Escribe cada producto en notación científica.

1. $(2.3 \times 10^4) \times (3.7 \times 10^2)$

2. $(6.5 \times 10^5) \times (1.7 \times 10^6)$

3. $(4.6 \times 10^6) \times (3.8 \times 10^6)$

4. $(5 \times 10^3) \times (4.1 \times 10^7)$

5. $48{,}000 \times 1{,}400$

6. $93{,}000{,}000 \times 600$

7. $7{,}200 \times 18{,}000$

8. $150{,}000{,}000 \times 4{,}000$

9. $140{,}000 \times 12{,}400{,}000$

10. $1{,}300{,}000 \times 15{,}500{,}000$

11. $3{,}200{,}000 \times 52{,}000$

12. $51{,}000{,}000{,}000 \times 800{,}000$

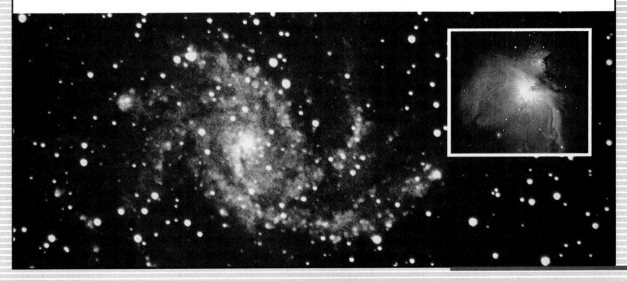

REPASO ACUMULATIVO

Escoge las respuestas correctas. Escribe A, B, C ó D.

1. Redondea 5,816,393 a la diez milésima más cercana.

   A 5,800,000   C 5,820,000

   B 5,810,000   D no se da

2. Redondea 5,816,393 al millón más cercano.

   A 6,000,000   C 5,800,000

   B 5,000,000   D no se da

3. 37,109 + 3,904 + 390 + 6,724

   A 48,127   C 48,117

   B 38,127   D no se da

4.
$$\begin{array}{r} 20,685 \\ -\ 18,391 \\ \hline \end{array}$$

   A 2,314   C 2,394

   B 2,294   D no se da

5. $31.46 − $7.71

   A $23.75   C $24.75

   B $24.35   D no se da

6. ¿Qué propiedad de la multiplicación ha sido usada? $3 \times (9 + 4) = (3 \times 9) + (3 \times 4)$

   A de identidad   C asociativa

   B distributiva   D no se da

7. Estima. 311×49

   A 12,000   C 15,000

   B 14,000   D no se da

8. Estima. $8,130 \div 21$

   A 4,000   C 300

   B 400   D no se da

9. ¿Qué propiedad de la multiplicación ha sido usada? $1 \times 6 = 6$

   A del cero   C de identidad

   B conmutativa   D no se da

10. 27.39×203

    A $5,560.17   C $629.97

    B $556.01   D no se da

11. $95,431 \div 43$

    A 2,219   C 2,218 R57

    B 2,219 R14   D no se da

12. ¿Cuál es el promedio de 90, 100, 90, 60, 80?

    A 70   C 80

    B 90   D no se da

13. ¿Cuál es la forma usual de 3^5?

    A 15   C 125

    B 81   D no se da

14. ¿Cuál es la ecuación relacionada para $n \times 3 = 30$?

    A $n = 30 \div 3$ C $n \times 30 = 3$

    B $n = 30 \times 3$ D no se da

15. ¿Cuál es el decimal para $\frac{71}{1,000}$?

    A 7.1   C 0.071

    B 0.71   D no se da

16. ¿Cuál es el decimal para 21 millonésimas?

    A 0.21   C 0.00021

    B 21,000,000   D no se da

REPASO ACUMULATIVO

Escoge las respuestas correctas. Escribe A, B, C ó D.

17. Compara. 9.90760 ⬭ 9.9076

    A >   **C** =

    B <   **D** no se da

18. Redondea 4.79013 a la centésima más cercana.

    A 4.79   **C** 4.789

    B 4.80   **D** no se da

19. Estima.
$$\begin{array}{r} 42.235 \\ + 58.603 \\ \hline \end{array}$$

    A 90   **C** 110

    B 100   **D** no se da

20. 7.16 + 8.062

    A 15.222   **C** 1.512

    B 15.122   **D** no se da

21. Estima.
$$\begin{array}{r} \$9.53 \\ - \quad .75 \\ \hline \end{array}$$

    A $10.00   **C** $9.00

    B $8.00   **D** no se da

22. 21.641 − 8.704

    A 12.937   **C** 12.837

    B 12.947   **D** no se da

23. Estima. 6.5 × 1.3

    A 14   **C** 7

    B 12   **D** no se da

24.
$$\begin{array}{r} 34.11 \\ \times \quad 0.36 \\ \hline \end{array}$$

    A 12.28   **C** 12.2796

    B 122.796   **D** no se da

25. 0.003 × 0.7

    A 0.21   **C** 0.0021

    B 2.1   **D** no se da

26. 2.601×10^3

    A 2,601   **C** 26,010

    B 260.1   **D** no se da

27. $7.5 \div 10^4$

    A 0.00075   **C** 7,500

    B 0.75   **D** no se da

28. $7\overline{)6.3}$

    A 9   **C** 0.9

    B 90   **D** no se da

29. $0.6\overline{)4.8}$

    A 0.08   **C** 80

    B 0.8   **D** no se da

30. 1.344 ÷ 0.21

    A 0.64   **C** 64

    B 6.4   **D** no se da

31. ¿Cuál es el cociente al centavo más cercano? $119.96 ÷ 34

    A $3.52   **C** $3.60

    B $3.53   **D** no se da

32. ¿Cuál es el exponente que falta? $5{,}796{,}000 = 5.796 \times 10^{\square}$

    A 3   **C** 6

    B 5   **D** no se da

Escoge las respuestas correctas. Escribe A, B, C ó D.

Usa la ilustración para 33 y 34.

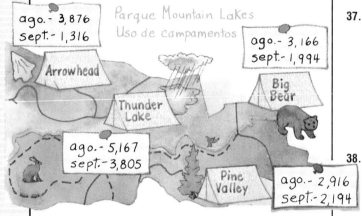

Parque Mountain Lakes
Uso de campamentos

ago.- 3,876
sept.- 1,316

Arrowhead

ago.- 3,166
sept.- 1,994

Big Bear

Thunder Lake

ago.- 5,167
sept.- 3,805

Pine Valley

ago.- 2,916
sept.- 2,194

33. ¿Cuál fue la asistencia total en Pine Valley durante agosto y septiembre?

A 5,192   C 722

B 5,110   D no se da

34. ¿Cuántas personas menos había en Big Bear en septiembre que en agosto?

A 5,160   C 1,172

B 1,994   D no se da

Resuelve.

35. Larry gana $4.50 la hora. Trabajó 7 horas el lunes, 5 el martes y 8 el miércoles. ¿Cuánto más ganó el lunes que el martes?

A $9.00   C $31.50

B $22.50   D no se da

36. Un cohete de 2,100 k de peso completó 510 órbitas alrededor de la Tierra. Completó 39,170 km por órbita. ¿Qué distancia viajó en total?

A 1,071,000 km   C 82,257,000 km

B 19,976,700 km   D no se da

Resuelve. Puedes hacer un dibujo como modelo.

37. Judy, Ken, Luisa y Manolo están esquiando en el lago. Manolo ve a dos esquiadores delante de él. Judy está entre Luisa y Manolo. Ken está detrás de Manolo. ¿En qué orden van?

A L, K, M, J   C L, J, M, K

B M, J, L, K   D no se da

38. Nina rema 1.2 km al sur, luego 6.4 km al este. Entonces rema 0.8 km al norte, después 6.4 km al oeste. ¿Qué lejos está de su punto de partida?

A 2 km   C 0.4 km

B 5.2 km   D no se da

Resuelve.

39. En sus experimentos de ciencias, Yoko usó 4 L de agua y 4 cubetas vacías. Virtió 0.6 de L en la primera cubeta y el doble de esa cantidad en la segunda. Usó 0.4 L menos en la tercera que en la segunda. ¿Cuánta agua virtió en la cuarta cubeta?

A 2.6 L   C 1.4 L

B 2.4 L   D no se da

40. Si Yoko llenó la tercera cubeta 0.6 de L, ¿cuánta agua vertería en la cuarta cubeta?

A 1.6 L   C 2.4 L

B 0.2 L   D no se da

41. Yoko combinó el agua de las últimas dos cubetas como se describe en **39**. Entonces añadió más agua hasta llegar a 2.5 L en total. ¿Cuánta agua añadió?

A 0.3 L   C 1.7 L

B 0.7 L   D no se da

Unidades de longitud

► El **metro (m)** es una unidad de longitud (largo) del sistema métrico.

La bicicleta de Pat mide 1 m de alto.

► El **kilómetro (km)** se usa para medir distancias largas

1 km = 1,000 m

La distancia del Monte St. Elías en el Yukón al Cabo Spear en Terranova es 5,187 km.

Pat lista para comenzar su viaje en bicicleta por Canadá

► El **centímetro (cm)** se usa para medir longitudes cortas.

1 cm = 0.01 m

La moneda de diez centavos canadiense mide un poco menos de 2 cm de ancho.

► El **milímetro (mm)** se usa para medir longitudes muy cortas.

1 mm = 0.001 m

La moneda de diez ¢ mide 1 mm de grueso.

10 mm = 1 cm	1,000 mm = 1 m
100 cm = 1 m	1,000 m = 1 km

‌ABAJO EN CLASE

‌ge kilómetro (km), metro (m), centímetro (cm) o ‌metro (mm) para medir cada uno.

‌rgo de un cordón de zapatos

2. la longitud del Río Yukón

‌maño de la cabeza de un alfiler

4. el largo de una tendedera

‌da largo. Despúes mide al centímetro más cercano ‌tro más cercano.

6.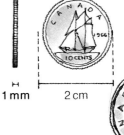

 m

8. 5 cm = _____ mm

9. 40 m = _____ cm

Escoge kilómetro (km), metro (m), centímetro (cm) o milímetro (mm) para medir cada uno.

1. el alto del pizarrón
2. la distancia de Montreal a Toronto
3. el largo de tu dedo pulgar
4. el grueso de un pedazo de cartulina

Escoge el mejor estimado.

5. la altura de tu salón de clase   **a.** 4 mm   **b.** 4 cm   **c.** 4 m

6. la distancia de una carrera a campo traviesa **a.** 10 m   **b.** 10 km   **c.** 1,000 km

7. el largo de una tarjeta postal   **a.** 12 cm   **b.** 1.2 m   **c.** 12 m

Estima cada largo. Después mide al centímetro y milímetro más cercanos.

8. |————————————————|
9. |————|

10. el largo de tu pluma
11. el grueso de tu libro de matemáticas

Completa.

12. 6 m = ___ cm
13. 4 km = ___ km
14. 5,000 mm = ___ m
15. 70 cm = ___ mm
16. 31 m = ___ cm
17. 18,000 m = ___ km
★18. 36 mm = ___ cm ___ mm
★19. 450 cm = ___ m ___ cm
★20. 5,300 m = ___ km ___ m

APLICACIÓN

21. En lacrosse, un juego popular en Canadá, la meta está aproximadamente a 180 cm de altura. ¿Cuántos milímetros es esto?

22. El Río Yukón tiene 3,220 kilómetros de largo. ¿Cuántos metros es esto?

★23. Ana mide 157 cm de alto. ¿Es esto más o menos de 2 metros? ¿Cuánto más o menos?

★24. Una mañana Pat recorrió 63.8 km en su bicicleta. Esa tarde ella recorrió 52,000 metros. ¿Cuál fue la distancia mayor? ¿Cuánto mayor?

RAZONAMIENTO VISUAL

Hemos arreglado 16 palitos para formar 8 triángulos pequeños. Quita 4 de los palitos para dejar 4 triángulos pequeños.

Relacionar unidades de longitud

El milímetro, centímetro, metro y kilómetro son las unidades métricas de longitud (largo) usadas con mayor frecuencia. Otras unidades menos usadas son el **decímetro (dm),** el **decámetro (dam)** y el **hectómetro (hm).**

Esta tabla muestra el significado de cada prefijo.

Prefijo	Símbolo	Significado	Unidad de longitud
kiló-	k	1,000	1 km = 1,000 m
hectó-	h	100	1 hm = 100 m
decá-	da	10	1 dam = 10 m
decí-	d	0.1	1 dm = 0.1 m
centí-	c	0.01	1 cm = 0.01 m
milí-	m	0.001	1 mm = 0.001 m

Para convertir unidades métricas, multiplica o divide por una potencia de 10. Usa esta tabla.

	× 10		× 10		× 10		× 10		× 10		× 10	
km 1,000 m		**hm** 100 m		**dam** 10 m		**m** 1 m		**dm** 0.1 m		**cm** 0.01 m		**mm** 0.001 m

÷ 10   ÷ 10   ÷ 10   ÷ 10   ÷ 10   ÷ 10

▷ Para cambiar de una unidad mayor a una unidad menor, multiplica. Habrá más unidades menores.

12 m = ____ cm

12 × 100 = 1,200   **Piensa** Multiplicar por 100 mueve el punto decimal 2 posiciones a la derecha.

12 m = 1,200 cm

▷ Para cambiar de una unidad menor a una unidad mayor, divide. Habrá menos unidades mayores.

50 cm = ____ dam

50 ÷ 1,000 = 0.05   **Piensa** Dividir por 1,000 mueve el punto decimal 3 posiciones a la izquierda.

50 cm = 0.05 dam

Más ejemplos

a. 7.2 km = ____ hm   **Piensa** unidad mayor a menor: multiplica

7.2 × 10 = 72

7.2 km = 72 hm

b. 35 mm = ____ dm   **Piensa** unidad menor a mayor: divide

35 ÷ 100 = 0.35

35 mm = 0.35 dm

Trabajo en clase

Completa.

1. 13 m = ____ dm

2. 24 dam = ____ dm

3. 1.6 dam = ____ hm

4. ____ cm = 7 mm

5. 5.2 km = 5,200 ____

6. 72 cm = ____ dam

PRÁCTICA

Completa.

1. 4 km = ___ m   2. 600 cm = ___ m

3. 9 m = ___ cm   4. 8 dm = ___ cm

5. 6 km = ___ hm   6. 3,000 m = ___ km

7. 2,500 mm = ___ m   8. 40 cm = ___ mm

9. 15,000 m = 15 ___   10. ___ m = 6 km

11. 200 mm = ___ dm   12. ___ m = 1.2 km

13. ___ mm = 8.3 cm   14. 240 ___ = 0.24 km

15. 15 cm = 150 ___   16. 1.4 hm = ___ cm

17. 0.3 m = ___ km   18. 0.3 dam = ___ dm

Compara. Usa >, < ó = en lugar de ⬤.

19. 1 m ⬤ 1 hm   20. 5 m ⬤ 50 mm

21. 200 cm ⬤ 20 dm   22. 200 dm ⬤ 2 hm

23. 0.21 m ⬤ 2.1 cm   24. 600 cm ⬤ 0.06 km

APLICACIÓN

25. El Monte Logan, el pico más alto de Canadá, tiene 6,050 metros de altura. ¿Cuánto más de 6 kilómetros es esto?

26. El caribú de bosque, que habita las provincias del este de Canadá, puede tener cuernos de 120 cm de ancho. ¿Cuántos decímetros es esto?

★ 27. Marie hizo un viaje en autobús de 224 km de la ciudad de Quebec a Montreal. El próximo día viajó 160 km de Montreal a Ottawa. ¿Cuántos hectómetros viajó en total?

★ 28. En el Zoológico de Vancouver, Pierre vio un pelícano con alas de 221 cm y un cisne con alas de 28.4 dm. ¿Cuál de las dos aves tiene las alas más grandes? ¿Cuánto más grande?

HAZLO MENTALMENTE

Computa cada producto o cociente mentalmente.

1. 3.4 × 1,000   2. 9.1 ÷ 10   3. 852 ÷ 100   4. 9.2 × 1,000

5. 35,000 ÷ 10,000   6. 8.123 × 10,000   7. 0.816 × 100   8. 81 ÷ 1,000

9. 43.15 × 1,000   10. 386 ÷ 100,000   11. 0.012 ÷ 10   12. 43 × 1,000,000

Gramo y kilogramo

▶ El **gramo (g)** es una unidad de masa del sistema métrico.

Es común fuera del campo científico usar peso para significar masa.

Una mora pesa más o menos 1 g.

▶ Se usa el **miligramo (mg)** para medir objetos muy livianos.
1 mg = 0.001 g

Unos cuantos granos de sal pesan 1 mg.

▶ El **kilogramo (kg)** se usa para medir objetos más pesados.

1 kg = 1,000 g

El pez pesa aproximadamente 1 kg. El gato siamés pesa aproximadamente 5 kg.

▶ La **tonelada métrica (t)** se usa para medir objetos muy pesados.

Un auto pequeño pesa aproximadamente 1 t.

1,000 mg = 1 g	1,000 g = 1 kg	1,000 kg = 1 t

TRABAJO EN CLASE

Estima cada peso. Pesa al gramo o kilogramo más cercano para comprobar tus estimados.

1. una naranja
2. un cuaderno
3. un pedazo de tiza
4. un libro de matemáticas
5. un bate de béisbol
6. un niño de 13 años

Completa.

7. 6 kg = ___ g
8. 15,000 kg = ___ t
9. 21 g = ___ mg
10. ___ mg = 12 g
11. 2,000 mg = 2 ___
12. 8 kg = 8,000 ___

PRÁCTICA

Escoge miligramo (mg), gramo (g), kilogramo (kg) o tonelada métrica (t) para pesar cada uno.

1. una piedrecita
2. una rodaja de pan
3. una bola de bolear
4. un grano de arena
5. una hoja de arce
★ 6. 10 jugadores de hockey

Escoge el mejor estimado para cada uno.

7. una pelota de tenis
   a. 60 mg
   b. 60 g
   c. 60 kg

8. una ballena
   a. 90 g
   b. 90 t
   c. 90 kg

9. una tableta de vitamina C
   a. 160 mg
   b. 60 g
   c. 60 kg

10. una pastilla de jabón
    a. 100 mg
    b. 100 g
    c. 100 kg

Completa.

11. 3 g = ___ mg
12. 7 kg = ___ g
13. 15,000 kg = ___ t
14. ___ t = 9,000 kg
15. 5,000 g = ___ kg
16. 2,000 mg = ___ g
17. ___ g = 15 kg
18. ___ g = 12,000 mg
19. 27 t = ___ kg
20. ___ mg = 18 g
21. ___ kg = 6,000 g
★ 22. 10 g = ___ kg
★ 23. 1,000,000 g = ___ t
★ 24. 6 kg = ___ mg

APLICACIÓN

25. El perro de cacería cargó un palo que pesaba 1 kg. Después cargó un hueso de 600 g. ¿Cuál era más liviano? ¿Cuánto más liviano?

26. El bull terrier se encontró con un oso que pesaba 680 kg. ¿Cuántos menos de 1 t pesa el oso?

★ 27. Dos libros de bolsillo pesan 330 g y 410 g. ¿Cuántos kilogramos pesan ambos libros juntos?

Práctica mixta

1. $72{,}957 + 8{,}652$

2. $8{,}008 - 989$

3. $\begin{array}{r} 156{,}174 \\ -\ \ 29{,}897 \end{array}$

4. 816×72

5. $\begin{array}{r} 92{,}385 \\ \times\ \ \ \ \ 37 \end{array}$

6. $64\overline{)56{,}132}$

7. $29\overline{)117{,}479}$

8. $42.6 + 1.095$

9. $73 + 6.7 + 0.8$

10. $52.17 - 6.3$

11. $81 - 5.23$

12. $\begin{array}{r} 86.31 \\ \times\ \ \ \ 18 \end{array}$

13. 0.4×0.02

14. $6\overline{)94.8}$

15. $0.4\overline{)3.8}$

16. $1.2\overline{)0.768}$

17. 5.6×10^3

18. $320 \div 10^5$

19. 0.251×10^4

20. $14.8 \div 100$

21. $6.31 \times 10{,}000$

Mililitro y litro

▶ El **litro (L)** es una unidad de capacidad del sistema métrico.

Un recipiente que mide 10 cm de largo, 10 cm de ancho y 10 cm de alto tiene una capacidad de 1 L.

▶ El **mililitro (mL)** se usa para medir capacidades muy pequeñas.

1 **mL** = 0.001 **L**

Un recipiente que mide 1 cm de largo, 1 cm de ancho y 1 cm de alto tiene una capacidad de 1 mL.

Un vaso de leche contiene aproximadamente 250 mL.

▶ El **kilolitro (kL)** se usa para medir capacidades grandes.

Un envase de 1 m de largo, 1 m de ancho y 1 m de alto tiene una capacidad de 1 kL.

Una alberca contiene 100 kL.

1,000 mL = 1 L   1,000 L = 1 kL

Más ejemplos

a. La botella contiene aproximadamente 1 L de jugo.

b. La taza contiene 180 mL de jugo.

c. El lago contiene 450,000 kL de agua.

Trabajo en clase

Completa. Escoge litro (L) o mililitro (mL).

1. Un balde contiene 20 ____.
2. Un tazón contiene 375 ____.
3. Un gotero contiene 1 ____.

Completa.

4. 2,000 mL = ____ L
5. 5 L = ____ mL
6. 2 kL = ____ L

PRÁCTICA

Completa. Escoge litro (L) o mililitro (mL).

1. La botella contiene 360 ___ de champú.
2. Juan usó 110 ___ de agua para lavar su carro.
3. La naranja contenía 30 ___ de jugo.
4. María hizo 8 ___ de ponche para la fiesta.
5. La ensalada tiene 5 ___ de aliño.
6. Una alberca para niños contiene 50 ___ de agua.

Escoge el mejor estimado para cada uno.

7. un vaso de jugo
   a. 240 mL
   b. 24 L
   c. 240 L

8. un frasco de gotas para los ojos
   a. 0.5 mL
   b. 50 mL
   c. 50 L

9. agua en una pecera
   a. 20 mL
   b. 2 L
   c. 20 L

10. una cucharadita de té
    a. 5 mL
    b. 5 L
    c. 50 mL

11. agua en un lago
    a. 5,000 mL
    b. 5,000 L
    c. 500,000 kL

12. sopa en una olla grande
    a. 6 mL
    b. 6 L
    c. 600 L

Completa.

13. 4 L = ___ mL
14. 6,000 mL = ___ L
15. ___ L = 9,000 mL
16. 8 kL = ___ L
17. ___ L = 9 kL
18. ___ L = 12,000 mL
19. 5,500 mL = ___ L
20. 250 mL = ___ L
21. ___ kL = 7,100 L
★ 22. 1 kL = ___ mL
★ 23. 3,250 mL = ___ L ___ mL
★ 24. 2 L 100 mL = ___ mL

APLICACIÓN

Los protectores del ambiente en Canadá y en Estados Unidos están interesados en la conservación del agua. Las respuestas a estas preguntas sugieren formas de conservar agua.

25. ¿Cuántos litros de agua se ahorran si se toma una ducha en vez de un baño de tina?
26. ¿Cuánta agua se gasta en total al usar la lavadora de platos y la lavadora de ropa una vez?
★ 27. ¿Qué requiere más agua: lavar platos a mano tres veces al día, o usar la lavadora de platos 1 vez? ¿Cuánto más?
★ 28. ¿Cuántos mililitros de agua usas al cepillarte los dientes 3 veces al día durante 1 semana?

PROMEDIO DE AGUA QUE SE USA	
Ducharse durante 5 minutos	150 L
Tomar un baño	250 L
Cepillarse los dientes	1 L
Lavarse las manos o la cara	3 L
Lavar ropa a máquina	150 L
Lavar platos a mano	30 L
Lavar platos a máquina	50 L

Relacionar unidades

La Estampida de Calgary es un evento hípico que se lleva a cabo cada julio en Alberta. En la carrera de barriles, Sue Ellen cabalgó 240 metros en una pista alrededor de tres barriles. La pista de Cathy fue de 0.25 kilómetros. ¿Qué pista es más corta?

Convierte 0.25 kilómetros a metros para comparar.

Para convertir unidades métricas, multiplica o divide por una potencia de diez.

▶ Para cambiar una unidad mayor a una unidad menor, multiplica.

0.25 km = ____ m   **Piensa** Para cambiar km a m multiplica por 1,000.
0.25 × 1,000 = 250   Mueve el punto decimal
0.25 km = 250 m   3 posiciones a la derecha.

La pista de Sue Ellen fue más corta que la de Cathy porque 240 m < 250 m.

▶ Para cambiar una unidad menor a una unidad mayor, divide.

5 L = ____ hL   **Piensa** Para cambiar L a hL divide por 100.
5 ÷ 100 = 0.05   Mueve el punto decimal
5 L = 0.05 hL   2 posiciones a la izquierda.

Usa los prefijos métricos de esta tabla con metro, gramo y litro para nombrar otras unidades de medida.

	× 10	× 10	× 10	× 10	× 10	× 10

kilo- (k) 1,000	hecto- (h) 100	deca- (da) 10	unidad 1	deci- (d) 0.1	centi- (c) 0.01	mili- (m) 0.001

	÷ 10	÷ 10	÷ 10	÷ 10	÷ 10	÷ 10

1 kilolitro (kL) = 1,000 L   1 decilitro (dL) = 0.1 L
1 hectómetro (hm) = 100 m   1 centímetro (cm) = 0.01 m
1 decagramo (dag) = 10 g   1 miligramo (mg) = 0.001 g

TRABAJO EN CLASE

Completa.

1. 2.1 hm = ____ dam

2. 6 mg = ____ dg

3. 0.5 daL = ____ cL

4. 1.4 kg = ____ g

5. 250 mL = ____ L

6. 245 g = ____ kg

7. 92 kL = 92,000 ____

8. 150 mm = 15 ____

9. ____ hL = 125 L

Completa.

1. 720 g = ____ kg

2. 17 dL = ____ L

3. 1 mm = ____ m

4. 10 cm = ____ dm

5. 20 dg = ____ g

6. 7.2 m = ____ cm

7. 34 dag = ____ g

8. 6.4 m = 6,400 ____

9. 300 dL = ____ hL

10. 0.056 km = ____ dm

11. 63.1 cm = 0.631 ____

12. 1 hL = 100 ____

★**13.** 0.7 kL = ____ cL

★**14.** 1,200 mg = 0.0012 ____

★**15.** 0.03 mL = ____ L

Compara. Usa >, < ó = en lugar de ⬤.

16. 1 kL ⬤ 100 daL

17. 15 cm ⬤ 0.15 m

18. 450 g ⬤ 45 kg

19. 5 L ⬤ 500 mL

20. 5.2 km ⬤ 520 m

21. 75 cL ⬤ 7.5 L

Completa. En cada gráfica la entrada es igual a la salida.

Entrada	Salida
31 g	31,000 mg
22. 4.5 g	mg
23. g	500 mg

	Entrada	Salida
24.	1.7 kg	g
25.	3.18 kg	g
26.	kg	750 g

	Entrada	Salida
27.	800 kg	t
28.	kg	0.45 t
29.	9,250 kg	t

APLICACIÓN

30. En una competencia de lazo Sue Ellen usó una cuerda que pesaba 1.3 kg. La cuerda de Nina pesaba 1,250 g. ¿Cuál cuerda era más pesada?

★**31.** Antes de una competencia hubo que pesar el caballo de Raúl. La montura que pesaba 123 hg había sido colocada antes. Caballo y montura juntos pesaron 712.3 kg. ¿Cuánto pesa el caballo?

RAZONAMIENTO LÓGICO

Glenda tiene que mezclar tres recipientes de nueces para una fiesta.

Si ella usa solamente nueces de marañón y cacahuates, habrá 1,000 gramos de mezcla. Si usa sólo pacanas y cacahuates, habrá 700 gramos de mezcla. Si combina los tres, habrá 1,300 gramos de mezcla. ¿Cuántos gramos de cada tipo de nuez hay?

Problemas para resolver

DIVIDE Y CONQUISTA

Cuando un problema es complejo, se debe tratar de dividir en partes. Haz cada parte separadamente, y después únelas de nuevo para la solución final.

Se llevó a cabo una competencia de levantamiento de pesas en el Estadio Olímpico de Montreal. Hubieron tres tandas. La gráfica de barras muestra los resultados de los competidores más destacados. ¿Cuánto mayor fue el promedio del ganador?

¿Cuál es la pregunta?

¿Cuánto mayor fue el promedio del ganador?

¿Cuáles son los hechos?

Lee los puntos en la gráfica de barras.
Luis levantó 212 kg, 216 kg y 241 kg.
Jacques levantó 220 kg, 237 kg y 218 kg.

¿Cómo se puede hallar la respuesta?

Halla el promedio que levantó cada persona.
Después resta el promedio menor del mayor.

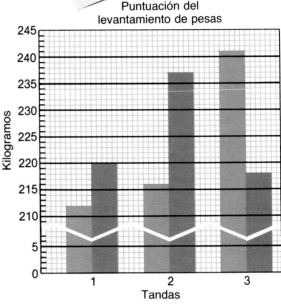

Puntuación del levantamiento de pesas

Jacques Luis

Luis:
212 kg
216 kg
+ 241 kg
——————
669 kg   669 kg ÷ 3 = 223 kg

Jacques:
220 kg
237 kg
+ 218 kg
——————
675 kg   675 kg ÷ 3 = 225 kg

225 kg − 223 kg = 2 kg

El promedio de Jacques fue 2 kg. mayor.

¿Está correcta tu aritmética?

Suma hacia atrás para comprobar.

241 kg
216 kg
+ 212 kg
——————
669 kg

218 kg
237 kg
+ 220 kg
——————
675 kg

Multiplica para comprobar la división.

223 kg
×   3
——————
669 kg

225 kg
×   3
——————
675 kg

¿Tiene sentido tu respuesta?

2 kg + 223 kg = 225 kg   La respuesta es correcta.

DISTANCIAS VIAJADAS

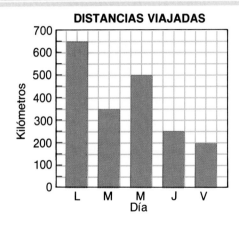

El Club Atlético hizo un recorrido por Canadá la semana pasada. La gráfica de barras muestra la distancia que viajaron cada día. Usa la gráfica para resolver **1** a **4**.

1. ¿Cuál fue el promedio en kilómetros viajado cada día?

2. ¿Cuánto más lejos viajó el club el lunes que el viernes?

3. Joan se unió al club el miércoles. ¿Cuántos kilómetros menos que los otros miembros viajó ella?

4. Los miembros querían manejar un total de 2,000 km. ¿Alcanzaron su meta? ¿Cuántos kilómetros más o menos manejaron?

5. Janet compró una cámara por $425. Pudo haberla comprado con un pago inicial de $135 y 12 pagos mensuales de $30. ¿Cuánto ahorró pagando la cámara al contado?

6. Joan usó 4 rollos de película. Cada rollo costó $6.97. Costó $4.25 revelar cada rollo. ¿Cuánto gastó en total por todas sus fotografías?

7. El Estadio Olímpico de Montreal necesita un césped nuevo para cubrir 900 metros cuadrados. El césped artificial cuesta $15 por metro cuadrado. El regular cuesta $12 por metro cuadrado. ¿Cuánto más costaría cubrir el estadio con césped artificial?

8. El equipo de relevo corrió una carrera de 5 kilómetros en 16 minutos. José corrió los primeros 1,250 m en 4 minutos. Li corrió su trecho en 4 minutos 8 segundos. Lucy corrió el trecho en 3 minutos 57 segundos. ¿Cuál fue el tiempo de Randy en el último trecho?

9. Felipe compra y vende tableros de juegos antiguos. En New Brunswick, compró uno de 1837 por $325 y lo vendió por $450. Luego lo compró de nuevo por $575 y lo revendió por $650. ¿Cuánto perdió o ganó Felipe en este negocio?

★ **10.** Se va a reunir dinero en una feria para comprar 36 uniformes atléticos. Los zapatos de correr cuestan $38.50, las camisas $18.75 y los pantalones $21.50. Cada persona que vaya a la feria producirá una ganancia de $7.50. ¿Cuántas personas deben ir para cubrir el costo de los uniformes?

CREA TU PROPIO PROBLEMA

La familia Mercer se quedó en un hotel en la ciudad de Quebec por dos noches. El cuarto de los padres costó $47.50 por noche. Los tres niños ocuparon una habitación de $54.50 por noche. La familia gastó $71.98 en el restaurante. Usa esta información para crear un problema que pueda ser resuelto dividiéndolo en partes.

Unidades de tiempo

El equipo de esquí a campo traviesa de Juan compitió en el parque nacional Elk Island de Canadá. En la carrera de relevo de 40 km, el equipo completó el recorrido en 150 minutos. ¿Cuántas horas les tomó?

150 min = ___ h

▶ Para cambiar de una unidad menor a una mayor, divide.

60 segundos (s) = 1 minuto (min)	
60 minutos = 1 hora (h)	
24 horas = 1 día (d)	
7 días = 1 semana (sem)	
52 semanas = 1 año	
12 meses (mes) = 1 año	
365 días = 1 año	
100 años = 1 siglo (s)	

Piensa
1 h = 60 min
Divide 150 por 60.

$$60\overline{)150.0} = 2.5$$
$$\begin{array}{r} 2.5 \\ 60\,\overline{)150.0} \\ \underline{120} \\ 30\,0 \\ \underline{30\,0} \\ 0 \end{array}$$

150 min = 2.5 h

El equipo completó el recorrido en 2.5 h.

▶ Para cambiar de una unidad mayor a una menor, multiplica.

2 años 5 sem = ___ sem   **Piensa** 1 año = 52 sem
Multiplica 2 × 52.

2 años = 2 × 52 sem = 104 sem

2 años 5 sem = 104 sem + 5 sem = 109 sem

▶ Para sumar o restar unidades de tiempo puede que tengas que reagrupar.

a.
$$\begin{array}{r} 6\ d\quad 14\ h \\ +\ 5\ d\quad 12\ h \\ \hline 11\ d\quad 26\ h \end{array}$$

Piensa 26 h = 24 h + 2 h
= 1 d 2 h

11 d 26 h = 12 d 2 h

b.
$$\begin{array}{r} \overset{5}{\cancel{6}}\ h\quad \overset{70}{\cancel{10}}\ min \\ -\ 2\ h\quad 40\ min \\ \hline 3\ h\quad 30\ min \end{array}$$

Piensa
Reagrupa 6 h 10 min
como 5 h 70 min.

TRABAJO EN CLASE

Completa.

1. 8 sem = ___ d

2. 200 min = ___ h ___ min

3. 27 mes = ___ años

Suma o resta

4.
$$\begin{array}{r} 4\ sem\quad 5\ d \\ +\ 1\ sem\quad 4\ d \end{array}$$

5.
$$\begin{array}{r} 2\ años\quad 3\ mes \\ +\ 1\ año\quad 9\ mes \end{array}$$

6.
$$\begin{array}{r} 3\ h\quad 15\ min \\ -\ 1\ h\quad 25\ min \end{array}$$

7.
$$\begin{array}{r} 5\ d\quad 18\ h \\ -\ 2\ d\quad 18\ h \end{array}$$

PRÁCTICA

Completa.

1. 4 años = ___ meses   **2.** 9 d = ___ h   **3.** ___ min = 6 h

4. 85 s = ___ min ___ s   **5.** 5 h 42 min = ___ min   **6.** 38 meses = ___ años ___ meses

7. 3 sem 4 d = ___ d   **8.** 7 años 3 meses = ___ meses   **9.** 114 sem = ___ años ___ sem

10. ___ min = 8 h 10 min   **11.** 10 años 6 meses = ___ meses   **12.** 7 d 7 h = ___ h

13. 1 h = ___ s   **14.** 1 d = ___ min   **15.** sem = ___ h

★**16.** 1 año = ___ h   ★**17.** 2 años 5 sem = ___ d   ★**18.** 3 h 20 s = ___ s

Suma o resta.

19.   12 años 5 meses   **20.**   17 h 45 min   **21.**   12 años 5 sem   **22.**   35 sem 3 d
        + 2 años 6 meses   − 5 h 16 min   + 5 años 17 sem   + 17 sem 4 d

23.   13 d 16 h   **24.**   1 s 35 años   **25.**   15 min 17 s   **26.**   54 años 7 meses
        + 7 d 15 h   + 2 s 85 años   − 14 min 20 s   − 46 años 8 meses

★**27.**   7 h 36 min 40 s   ★**28.**   13 sem 7 d 17 h   ★**29.**   22 h 58 min 2 s
         + 3 h 40 min 50 s   − 9 sem 7 d 20 h   + 1 h 1 min 58 s

APLICACIÓN

30. Inga completó el primer evento de una competencia de esquí en 3 min 21 s. El segundo evento le tomó 2 min 47 s. ¿Cuánto tiempo tomaron ambos eventos?

★**31.** En una práctica de carreras de relevo de esquí el equipo de Pablo completó el recorrido en 2 h 30 min. En la competencia real les tomó 135 min 42 s. ¿Hicieron mejor tiempo, en la práctica o en la competencia real? ¿cuánto mejor?

LA CALCULADORA

¿Cuánto aire respiras? Tus pulmones inhalan aproximadamente 0.47 litros de aire cada vez que respiras.

Halla el número de veces que respiras en un minuto. Después usa tu calculadora para hallar cuánto aire respiras en un día.

Aprieta ☐   = ___ .

↑
número de veces que respiras por minuto

Halla cuánto aire respiras.

1. en 1 semana   **2.** en 1 año   **3.** en 5 años   **4.** si vives hasta los 100 años
(Cuidado con el mensaje de error.)

Tiempo transcurrido

Carolina anduvo en bicicleta desde Toronto hasta el Festival de Shakespeare en Stratford, Ontario. Salió de Toronto a las 8:20 A.M. y llegó a Stratford a las 12:10 P.M. ¿Cuánto tiempo le tomó el viaje?

El tiempo que pasó entre las 8:20 A.M. y las 12:10 P.M. se llama tiempo transcurrido.

▶ Usa un reloj para contar el tiempo que transcurre entre las horas A.M. y las P.M.

Cuenta las horas completas. Después cuenta los minutos restantes.

3 h transcurrieron entre las 8:20 A.M. y las 11:20 A.M.

50 min transcurrieron entre las 11:20 A.M. y las 12:10 P.M.

El viaje de Carolina de Toronto a Stratford tomó 3 horas 50 min.

▶ Para hallar el tiempo transcurrido dentro de los límites respectivos de horas A.M. u horas P.M., simplemente suma o resta los tiempos.

a. Halla que hora es 3 h 20 min *antes* del mediodía.

mediodía = 12 h

$$\begin{array}{r} \overset{11}{\cancel{12}}\text{ h} \quad \overset{60}{} \\ -\ 3\text{ h} \quad 20\text{ min} \\ \hline 8\text{ h} \quad 40\text{ min} \end{array}$$

←Reagrupa si es necesario.

Son las 8:40 A.M.

b. Halla que hora es 2 h 35 min *después* de la 1:45 P.M.

1:45 = 1 h 45 min

$$\begin{array}{r} 1\text{ h} \quad 45\text{ min} \\ +\ 2\text{ h} \quad 35\text{ min} \\ \hline 3\text{ h} \quad 80\text{ min} = 4\text{ h } 20\text{ min} \end{array}$$

←Reagrupa si es necesario.

Son las 4:20 P.M.

TRABAJO EN CLASE

Indica cuánto tiempo ha transcurrido.

1. desde las 6:02 P.M. hasta las 9:17 P.M.

2. desde las 4:13 A.M. hasta las 12:09 P.M.

3. desde las 10:30 P.M. hasta las 12:30 A.M.

Indica qué hora es.

4. 35 minutos antes de las 6:15 P.M.

5. 20 minutos pasada la medianoche

PRÁCTICA

Escribe cuánto tiempo ha transcurrido.

1. desde las 5:07 P.M. hasta las 6:20 P.M.

2. desde las 9:37 A.M. hasta las 11:51 A.M.

3. desde la 1:39 P.M. hasta las 5:17 P.M.

4. desde las 9:30 A.M. hasta la 1:30 P.M.

5. desde las 12:05 P.M. hasta las 8:15 P.M.

6. desde las 6:53 A.M. hasta las 11:21 A.M.

7. desde las 7:32 A.M. hasta el mediodía

8. desde las 8:56 P.M. hasta la 1:13 A.M.

9. desde las 10:02 P.M. hasta las 10:02 A.M.

★**10.** desde las 7:00 A.M. hasta las 6:00 A.M.

★**11.** desde las 10:30 P.M. hasta las 8:30 P.M.

★**12.** desde las 11:25 P.M. hasta las 6:00 P.M.

Escribe qué hora es.

13. 3 horas después de las 7:43 P.M.

14. 4 horas antes de las 11:08 A.M.

15. 1 h 30 min después de las 10:30 A.M.

16. 47 minutos antes de la medianoche

17. 6 h 35 min antes de las 11:05 P.M.

18. 11 h 59 min después del mediodía

19. 4 h 20 min después de las 9:00 P.M.

20. 8 horas antes de las 7:00 A.M.

★**21.** 14 horas después de las 2:13 A.M.

★**22.** 20 horas antes de las 7:30 P.M.

APLICACIÓN

Usa el horario del tren para resolver.

23. ¿Cuánto tiempo transcurre entre la salida de Ottawa y la llegada a Chelmsford?

24. ¿A qué ciudad llega el tren 58 minutos después de salir de Azilda?

25. En un viaje el tren llegó a Thunder Bay a las 11:59 A.M. ¿Con cuántos minutos de adelanto llegó?

★**26.** La familia Gómez viajó desde Príncipe Alberto hasta Saskatoon en 3 horas 15 minutos. Continuaron viajando hasta Regina, lo que tomó 4 horas y 50 minutos más. Llegaron a Regina a las 6:20 P.M. ¿A qué hora salieron de Príncipe Alberto?

Estación	Llegada	Salida
Ottawa	—	**11:20**
Sudbury	7:00	8:00
Azilda	8:10	8:12
Chelmsford	8:17	8:19
Levack	8:35	8:38
Cartier	9:10	9:14
Thunder Bay	**12:08**	**12:21**
Ignace	**3:25**	—

Las horas en **negritas** son P.M.

Problemas para resolver

REPASO DE DESTREZAS Y ESTRATEGIAS Canadá

Lee y resuelve cada problema.

1. Leonor es miembro de un equipo ecuestre. En una competencia reciente en Calgary, su caballo saltó un obstáculo de 125 cm de alto. El obstáculo fue elevado 56 cm, pero su caballo no pudo saltarlo. Finalmente, el obstáculo fue bajado 28 cm y el caballo pudo saltarlo. ¿De qué alto era el obstáculo que el caballo finalmente saltó?

2. Leonor estimó que necesitaba 8.25 m de alambre para instalar una luz en el establo donde tiene a su caballo. Cuando la luz fue instalada, se dio cuenta de que había sobreestimado el largo por 0.060 m. ¿Cuánto alambre necesitaba en realidad?

El caballo de Leonor pesa 474 kg. Leonor pesa 48 kg. El caballo, la montura y otros accesorios pesan 506 kg.

3. ¿Cuál es el peso total de Leonor, el caballo, la montura y los otros accesorios?

4. ¿Cuál es el peso total de la montura y de los otros accesorios?

5. Leonor gasta $55 al mes para tener a su caballo en un establo. La comida del caballo cuesta $21.75 a la semana y el promedio anual de las cuentas del veterinario es $300. ¿Cuánto gasta Leonor en el caballo al año?

6. Cuesta $75 inscribir a un caballo en la competencia de salto. Si un concursante no compite, se le devuelven solamente $35. Fueron inscritos 27 caballos, pero 4 no compitieron. ¿Cuánto dinero ganó el rodeo en la competencia de salto?

7. En una competencia ecuestre de salto, los puntos se determinan sumando el número de obstáculos fallados al tiempo que toma completar el recorrido. Leonor completó el recorrido en 46.4 s y falló 5 obstáculos. Bobby terminó en 45.2 s con 4 obstáculos fallados. Kathy terminó en 44.6 s con 5 obstáculos fallados. ¿Quién ganó el concurso con la puntuación más baja?

8. El director del rodeo llamó a un carpintero para construir unos establos. El edificio tiene forma de rectángulo y va a ser dividido en establos usando 6 divisiones de madera. Cada división requiere 22.5 m de madera. ¿Cuántos metros de madera debe pedir el carpintero para hacer los establos?

Resuelve. Usa la gráfica para los problemas 9–12.

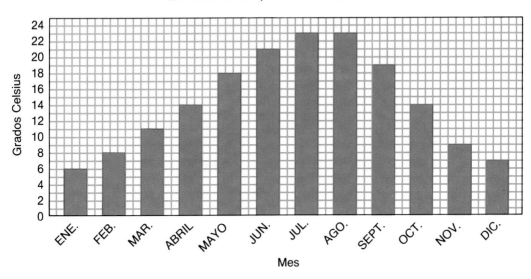

PROMEDIO DE TEMPERATURA MENSUAL
EN VANCOUVER, COLUMBIA BRITÁNICA

9. ¿Entre cuáles dos meses es menor el aumento de temperatura de enero a junio?

10. De julio a diciembre, ¿Entre cuáles meses es igual la disminución?

11. ¿Cuál es la diferencia entre el promedio de temperatura de abril y junio?

12. ¿Qué meses tienen el mismo promedio de temperatura?

13. Un autobús viajó de Buffalo, N.Y. a Toronto y llegó a las 12:40 P.M. El autobús paró en la frontera durante 30 min para pasar la aduana. Si el viaje duró 2 h 15 min, ¿a qué hora salió de Buffalo el autobús?

14. El barco de transbordo que cruza la Bahía de Fundy puede cargar 32,200 kg. Cinco autos ya han sido cargados con un peso total de 13,640 kg. Diez autos más esperan abordar. Si el promedio de peso de cada uno de esos autos es 2,600 kg, ¿cuántos puede cargar sin peligro el barco?

ALGO EXTRA

Averigua.

Canadá tiene 10 provincias y 2 territorios. Halla el nombre y la población de la capital de cada uno. También halla la población total de cada provincia y territorio.

1. ¿Qué provincia tiene la población mayor? ¿la población menor?

2. ¿Qué capital tiene la población mayor? ¿la menor?

REPASO DEL CAPÍTULO

Escoge milímetro (mm), centímetro (cm), metro (m) o kilómetro (km) para medir cada uno. págs. 118–119

1. el largo de una manga

2. la altura de un alce

3. la distancia de la Bahía de Hudson al Lago Superior

4. el grueso de un panqueque

Escoge el mejor estimado para cada peso. pág. 122–123

5. un sofá
   - a. 30 g
   - b. 30 kg
   - c. 3,000 kg

6. un cordón de zapatos
   - a. 0.5 mg
   - b. 5 kg
   - c. 5 g

7. una camioneta
   - a. 900 g
   - b. 900 kg
   - c. 900 t

8. una tarjeta de biblioteca
   - a. 600 mg
   - b. 6 kg
   - c. 600 kg

Escoge mililitro (mL), litro (L) o kilolitro (kL) para medir cada cantidad. págs. 124–125

9. sidra en una jarra

10. sopa en una taza

11. agua en una laguna

12. jarabe para la tos en una cuchara

Completa. págs. 120–121, 126–127, 130–131

13. 8 kg = ___ g

14. 10 L = ___ mL

15. 3,000 m = 3 ___

16. 50 dm = ___ m

17. 2 hg = ___ kg

18. 1.7 cm = ___ mm

19. 0.4 g = ___ mg

20. 3,600 mm = ___ m

21. 200 daL = 2 ___

22. 100 s = ___ min ___ s

23. 2 años = ___ d

24. 2 sem. = ___ h

Suma o resta. págs. 130–131

25.   7 min 20 s
    − 5 min 11 s

26.   3 años 11 meses
    + 7 años 3 meses

27.   7 sem 3 d 12 h
    + 3 sem 4 d 13 h

28.   − 15 h
    − 12 h 24 min

Indica cuánto tiempo ha transcurrido. págs. 132–133

29. desde las 6:30 A.M. al mediodía

30. desde las 11:20 A.M. a la 1:10 P.M.

Indica qué hora es. págs. 132–133

31. 6 h 20 min después de la 1:00 A.M.

32. 3 h 10 min antes de las 4:05 P.M.

Resuelve. págs. 128–129, 134–135

33. ¿Cuántas botellas de 1 litro se necesitan para guardar 2,500 mL de agua?

34. Juan manejó 950 km hasta Toronto. Manejó 175 km al día los primeros 3 días y 180 km al día durante los próximos 2 días. ¿A qué distancia estaba Juan de Toronto después de 5 días?

Escoge milímetro (mm), centímetro (cm), metro (m) o kilómetro (km) para medir.

1. La distancia de Hawaii a Japón

2. La altura de un auto

Escoge el mejor estimado para cada peso.

3. un oso polar

   a. 45 g

   b. 450 kg

   c. 45 t

4. un huevo

   a. 150 g

   b. 1.5 kg

   c. 150 kg

5. una abeja

   a. 100 mg

   b. 1 kg

   c. 100 kg

Escoge mililitro (mL), litro (L), o kilolitro (kL) para medir cada uno.

6. agua en una pecera

7. una gota de agua

Completa.

8. 6 L = ___ mL

9. 600 g = ___ kg

10. 5 kL = ___ L

11. 200 cg = ___ g

12. 35 dm = ___ m

13. 2.1 mm = ___ cm

14. 11 min 30 s = ___ s

15. 427 d = ___ sem

16. 5 h = ___ min

Suma o resta.

17.
$$\begin{array}{r} 8 \text{ d} \quad 17 \text{ h} \\ + 6 \text{ d} \quad 13 \text{ h} \\ \hline \end{array}$$

18.
$$\begin{array}{r} 5 \text{ sem} \\ - 2 \text{ sem } 3 \text{ d} \\ \hline \end{array}$$

19.
$$\begin{array}{r} 14 \text{ min} \quad 18 \text{ s} \\ - 10 \text{ min} \quad 50 \text{ s} \\ \hline \end{array}$$

Halla el tiempo.

20. el tiempo transcurrido entre las 5:45 A.M. y las 11:00 A.M.

21. el tiempo transcurrido entre la 1:40 P.M. y la medianoche

22. 3 h 10 min antes de las 2:00 P.M.

23. 11 h después de las 6:37 A.M.

Resuelve.

24. Albert pesa 44 kg. Jerry pesa 43,995 g. ¿Cuánto más pesa Albert?

25. El reloj despertador de Randi la despertó a las 7:20 A.M. Si ella se acostó a las 10:38 P.M. ¿cuánto tiempo durmió?

Los Kendall regresaron de sus vacaciones a las 2:00 P.M. el 16 de marzo, 150 h 42 min después de haberse ido de vacaciones. ¿En qué fecha y hora se fueron de vacaciones?

ZONAS HORARIAS MUNDIALES

El sistema de tiempo universal (TU) divide al mundo en 24 zonas horarias. El punto de partida es el *meridiano cero,* la línea de longitud (0°) que pasa a través de Greenwich, Inglaterra.

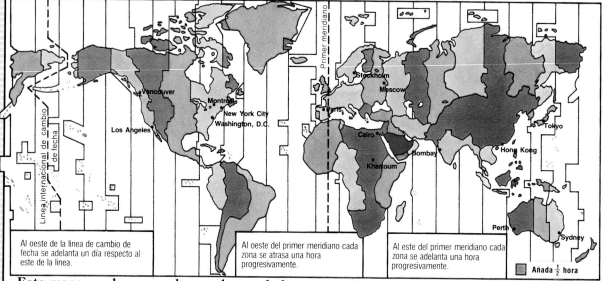

ZONAS HORARIAS MUNDIALES

Al oeste de la línea de cambio de fecha se adelanta un día respecto al este de la línea.

Al oeste del primer meridiano cada zona se atrasa una hora progresivamente.

Al este del primer meridiano cada zona se adelanta una hora progresivamente.

Añada $\frac{1}{2}$ hora

Este mapa puede ser usado para buscar la hora en cualquier lugar del mundo. Halla la hora en cada lugar cuando son las 2 A.M. del domingo en Greenwich, Inglaterra.

New York

Piensa New York está 5 zonas al oeste del meridiano cero.
5 horas más temprano

Son las 9 P.M. del sábado en New York.

Bombay, India

Piensa Bombay está 5 zonas al este del meridiano cero.
5 horas más tarde
Color verde - Añade $\frac{1}{2}$ hora.

Son las 7:30 A.M. del domingo en Bombay.

Halla la hora en cada lugar cuando es el mediodía del domingo en Greenwich, Inglaterra.

1. Khartoum, Sudán   **2.** Washington, D.C.   **3.** Montreal, Canadá   **4.** Vancouver, Canadá

5. París, Francia   **6.** Sydney, Australia   **7.** Los Angeles   **8.** Hong Kong

Completa el horario de la aerolínea que está a la derecha. Llama a una agencia de pasajes o la oficina de una aerolínea para saber el tiempo de vuelo entre una ciudad grande cerca de tí y cada ciudad en el horario. Usa el mapa de zonas horarias para hallar la hora de llegada a cada ciudad.

Lugar de salida	Hora de salida	Tiempo de vuelo	Destino	Hora de llegada
	7 A.M.		Tokío, Japón	
	11 A.M.		Estocolmo, Suecia	
	12 P.M.		Moscú, USSR	
	3 P.M.		Cairo, Egipto	
	5 P.M.		Perth, Australia	

PRECISIÓN EN LAS MEDIDAS.

Steve y Pam están construyendo un modelo de barco. Necesitan medir con exactitud para que todas las piezas se puedan unir.

Steve midió en centímetros la tabla que aparece abajo. Mide 4 cm de largo.

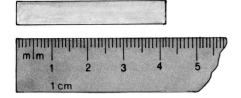

Pam midió en milímetros la misma tabla. Mide 42 mm de largo.

¿Cuál medida es más precisa?

▶ Mientras más pequeña es la unidad, más precisa la medida. El milímetro es una unidad más pequeña que el centímetro, por lo tanto 42 mm es más preciso que 4 cm.

La medida de Pam es más precisa.

¿Qué medida es más precisa—7.8 cm ó 78 mm?

7.8 cm es precisa al 0.1 cm más cercano.

Como 0.1 cm = 1 mm, 7.8 cm y 78 mm tienen la misma precisión.

¿Qué medida es más precisa—8 cm ó 8.0 cm?

8 cm es precisa al cm más cercano.

8.0 cm es precisa al 0.1 cm más cercano.

Por lo tanto, 8.0 cm es una medida más precisa que 8 cm.

Indica que medida es más precisa en cada par.

1. 12 cm ó 121 mm

2. 633 mm ó 63 cm

3. 2 m ó 201 cm

4. 81 cm ó 813 mm

5. 68.7 mm ó 6.9 cm

6. 5.1 m ó 512 mm

7. 13 cm ó 13.0 cm

8. 1,100 mm ó 1.1 m

9. 12.8 cm ó 128 mm

PROGRAMAS PARA COMPUTADORA Y FLUJOGRAMAS

Las instrucciones para la computadora pueden mostrarse en un flujograma y después desarrollarse en un **programa.** Un programa es una serie de instrucciones escritas en un lenguaje especial de computadoras.

Estos enunciados y órdenes en BASIC se usan en la programación.

▶ **NEW** borra la memoria de la computadora para un nuevo programa.

▶ **PRINT** le dice a la computadora que imprima valores o exactamente lo que está dentro de las comillas.

▶ **LET** asigna un valor a una variable.

▶ **GOTO** le dice a la computadora que se bifurque a otra línea del programa.

▶ **REM** es una observación del programador que es ignorada por la computadora.

▶ **INPUT** le dice a la computadora que espere 1 ó más números. Cada número es nombrado por una variable.

▶ **END** le señala a la computadora que pare el programa.

▶ **RUN** le dice a la computadora que ejecute el programa.

▶ **IF . . . THEN** se usa para hacer decisiones. Cuando la expresión después de **IF** es verdadera, la computadora seguirá las instrucciones que están a continuación de **THEN.** Cuando la parte **IF** es falsa, la computadora va a la próxima línea del programa.

Este flujograma y el programa BASIC que vemos más abajo convierten los metros a centímetros.

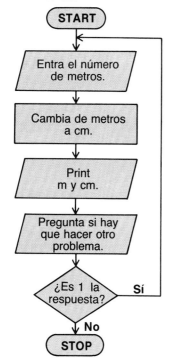

PROGRAMA

```
 10 PROGRAMA REM PARA CAMBIAR M A CM
 20 PRINT "ENTRA EL NUMERO DE
        METROS."
 30 INPUT M
 40 LET C = M * 100
 50 PRINT M; " M = ";C;"CM"
 60 PRINT "¿TIENES OTRO PROBLEMA?"
 70 ESCRIBE 1 PARA SÍ, 2 PARA NO."
 80 INPUT A
 90 IF A = 1 THEN GOTO 20
100 END
```

```
RUN
ENTRA EL NÚMERO DE METROS.
? 6.2
6.2 M = 620 CM
¿TIENES OTRO PROBLEMA?
ESCRIBE 1 PARA SI, 2 PARA NO.
? 1
ENTRA EL NÚMERO DE METROS.
? 3
3 M = 300 CM
¿TIENES OTRO PROBLEMA?
ESCRIBE 1 PARA SI, 2 PARA NO.
? 2
```

Usa el programa y su salida para contestar cada pregunta.

1. Marcos ejecuta el programa y entra 7.3 por M y 2 por A. Escribe la salida de la computadora. ¿Qué hace la computadora cuando llega a la línea 90? ¿Tendrá Marcos oportunidad de ejecutar otro programa?

2. Sally ejecuta el mismo programa. Entra 18.1 por M y 1 por A. ¿Qué se imprimirá en la línea 50? ¿Qué hará la computadora cuando llegue a la línea 90?

3. Cambia las líneas 10, 40 y 50 en el programa para cambiar metros a kilómetros.

Escribe un enunciado IF . . . THEN.

4. Si G es igual a 7, haz que la computadora vaya a la línea 50.

Escribe un programa para el flujograma. Después describe lo que el programa hace.

5.

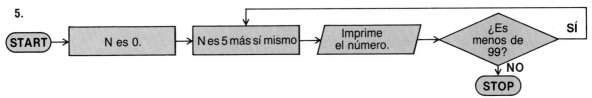

Escribe el programa.

★ 6. Pide un promedio de bateo. Si es más de 300, haz que la computadora imprima un mensaje como «Eso es de grandes ligas».

CON LA COMPUTADORA

Ejecuta el programa que está en la página 140 para hallar cada número que falta.

1. 7.256 m = _____ cm   2. 180 m = _____ cm   3. 93.5 m = _____ cm

Escribe de nuevo el programa de la página 140 para convertir gramos a kilogramos. Ejecuta el programa para hallar cada número que falta.

4. 758 g = _____ kg   5. 2,030 g = _____ kg   6. 76.1 g = _____ kg

Ejecuta los siguientes programas. Escribe la salida.

7. el programa que escribiste para **5**   ★ **8.** el programa que escribiste para ★ **6**

PERFECCIONAMIENTO DE DESTREZAS

Escoge las respuestas correctas. Escribe A, B, C ó D.

1. Compara. 6,421.8 ⬤ 6,422

- **A** >
- **B** <
- **C** =
- **D** no se da

2. Compara. 0.0050 ⬤ 0.005

- **A** >
- **B** <
- **C** =
- **D** no se da

3. Enumera de menor a mayor.
8.39, 8.03, 8.039

- **A** 8.03, 8.39, 8.039
- **B** 8.039, 8.03, 8.39
- **C** 8.39, 8.039, 8.03
- **D** no se da

4. 71.683 + 5.019 + 26.171

- **A** 92.873
- **B** 102.863
- **C** 102.873
- **D** no se da

5. 7 − 6.0012

- **A** 0.9988
- **B** 1.9988
- **C** 0.9998
- **D** no se da

6. 4.302 × 100

- **A** 4,302
- **B** 43.02
- **C** 0.4302
- **D** no se da

7. 6.2)‾18.91‾

- **A** 30.5
- **B** 3.15
- **C** 3.05
- **D** no se da

8. $170.493 \div 10^3$

- **A** 17.0493
- **B** 1.70493
- **C** 0.170493
- **D** no se da

9. ¿Cuál es la notación científica para 789,000?

- **A** 7.89×10^5
- **B** 7.89×10^4
- **C** 7.89×10^3
- **D** no se da

10. Completa. 7 cm = _____ mm

- **A** 7
- **B** 70
- **C** 700
- **D** no se da

11. Completa. 1.64 kL = 1.640 _____

- **A** mL
- **B** L
- **C** cL
- **D** no se da

12. ¿Qué hora es 6 h después de las 11:15 A.M.?

- **A** 5:15 A.M.
- **B** 6:15 P.M.
- **C** 6:15 A.M.
- **D** no se da

13. ¿Qué hora es 30 min antes de las 6:20 P.M.?

- **A** 5:50 P.M.
- **B** 6:50 P.M.
- **C** 5:30 P.M.
- **D** no se da

Resuelve.

14. Pedro tenía $100. Gastó $65 en un saco y 0.4 de esa cantidad en una camisa. ¿Cuánto dinero le quedó?

- **A** $26
- **B** $35
- **C** $9
- **D** no se da

15. Los Wilson manejaron 334.8 km el sábado y el domingo. Viajaron 0.6 de esa distancia el sábado. ¿Cuántos kilómetros manejaron el domingo?

- **A** 200.88 km
- **B** 133.92 km
- **C** 134.08 km
- **D** no se da

Tema: La gente y los animales

Orden de operaciones

Los conejos de Angora se crían por su piel.
Cada conejo produce suficiente piel en un año
para hacer 8 pares de guantes ó 2 sueters.
Marilyn Clark obtuvo suficiente piel de sus
conejos para hacer 720 pares de guantes y
210 sueters. ¿Cuántos conejos tiene Marilyn?

El número de conejos necesario para hacer 720 pares de guantes	+	el número de conejos necesario para hacer 210 sueters	=	el número de conejos que tiene Marilyn.

$$720 \div 8 \quad + \quad 210 \div 2 \text{ es una } \textbf{expresión.}$$

La expresión indica cuantos conejos tiene Marilyn.

▶ Cuando una expresión tiene más de una operación, el orden
en que se hacen las operaciones es importante.

Para hallar el valor de una expresión, sigue el
orden de las operaciones que aparece abajo.

1. Haz todas las operaciones entre paréntesis
   y todas las operaciones que están arriba o
   debajo de una barra de división.
2. Haz todo el trabajo con exponentes.
3. Haz todas las multiplicaciones y divisiones
   de izquierda a derecha.
4. Haz todas las sumas y restas de izquierda
   a derecha.

$$720 \div 8 + 210 \div 2$$
$$90 \quad + \quad 105$$
$$195$$

no hay paréntesis
no hay barras de división
no hay exponentes

Marilyn tiene 195 conejos.

Más ejemplos

a. $(8 - 3) \times 5 + 17$

$5 \quad \times 5 + 17$

$25 \ + 17$

42

b. $5 \times 4 + \dfrac{18 \div 2}{8 - 5}$

$5 \times 4 + \dfrac{9}{3}$

$20 \ + \ 3$

23

c. $4^2 + 3 \times 2$

$16 + 3 \times 2$

$16 + \ \ 6$

22

TRABAJO EN CLASE

Halla el valor de cada expresión.

1. $8 + 3 \times 2$

2. $19 - 36 \div 9$

3. $8 \times 3 + 2 \times 5$

4. $(6 + 4) \times (8 - 3) + 12$

5. $\dfrac{17 - 2}{5} + 6$

6. $5 + \dfrac{6 \times 4}{3} \times 2$

Halla el valor de cada expresión.

1. $9 + 8 - 16$ **2.** $8 \times 4 \div 2$ **3.** $5 + 3 \times 12$

4. $62 \div 2 - 8$ **5.** $8 + 35 \div 7$ **6.** $14 + 3 + 2 \times 5$

7. $8 + (9 \div 3) - 4$ **8.** $26 - (3 + 18) \div 7$ **9.** $26 - 3 + 21 \div 7$

10. $(65 + 15) \div 10 + 2$ **11.** $40 - 50 \div 5$ **12.** $17 \times (5 \times 2)$

13. $(15 - 3) \times (9 - 5)$ **14.** $(8 + 5) \times (45 \div 9)$ **15.** $18 - 9 \div 3 \times 6$

16. $(34 + 11) \div 15 + 10$ **17.** $32 + (15 \div 5) - 3$ **18.** $(45 \div 5) + 3 - (4 \div 2)$

19. $\frac{15 + 9}{8} - 2$ **20.** $\frac{5 \times 6}{10} + \frac{2 \times 9}{3}$ **21.** $3 \times 2 - \frac{(12 - 4)}{2}$

22. $\frac{6 \times 3}{2 \times 1} \div 3$ **23.** $(15 + 12) \div 3^2$ **24.** $8^2 - \frac{8 \times 3}{12}$

Escribe _verdadero_ o _falso_.

25. $(43 - 9) \times 4 + 5 = 43 - 9 \times 4 + 5$ **26.** $8 \times 10 - 8 + 9 = (8 \times 10) - 8 + 9$

27. $5 \times (14 - 8) + 12 = 5 \times 14 - (8 + 12)$ **28.** $96 \div 12 \div 4 = 96 \div (12 \div 4)$

Usa paréntesis para completar cada oración matemática.

★**29.** $8 + 3 \times 4 + 5 = 49$ ★**30.** $4 \times 9 + 6 \div 2 = 30$

★**31.** $8 - 3 \div 5 \times 4 = 4$ ★**32.** $3 + 9 \div 3 + 2 \times 5 = 14$

APLICACIÓN

RAZONAMIENTO LÓGICO

Usa 2, 4, 6 u 8 para completar cada oración.

1. $\square \times \square + (\square + \square) = 8$ **2.** $\square \times \square - (\square + \square) = 24$

3. $\square \times (\square + \square) - \square = 28$ **4.** $\square \times \square - (\square - \square) = 64$

Reemplaza cada ● con +, −, × ó ÷ para completar cada oración.

5. $8 ● 3 ● 4 ● 5 = 20$ **6.** $8 ● 3 ● 4 ● 5 = 33$

7. $8 ● 3 ● 4 ● 5 = 11$ **8.** $8 ● 3 ● 4 ● 5 = 15$

Variables y expresiones

Hay personas en muchos lugares que están tratando de mantener playas seguras donde puedan anidar las tortugas de mar. Una tortuga de mar anida en una playa de 3 a 7 veces cada estación, dejando aproximadamente 100 huevos cada vez. ¿Cuántos huevos produce una tortuga de mar por estación?

v = el número de visitas.
$100 \times v$ = el número de huevos
Otra forma de escribir $100 \times v$ es $100v$.

La letra v se llama una **variable.** Una variable es una letra que representa un número. El valor de una expresión cambia cuando la variable se reemplaza con números diferentes.

▶ Para **evaluar** una expresión, substituye un número por la variable.

$$100 \times v$$

Reemplaza v con cada número del 3 al 7.

$$100 \times 3 = 300$$
$$100 \times 4 = 400$$
$$100 \times 5 = 500$$
$$100 \times 6 = 600$$
$$100 \times 7 = 700$$

La tortuga de mar produce de 300 a 700 huevos por estación.

Más ejemplos

a. Evalúa $a + 5$ si $a = 7$.

$$7 + 5$$
$$12$$

b. Evalúa $\frac{r}{12}$ si $r = 84$.

$$\frac{84}{12}$$
$$84 \div 12$$
$$7$$

c. Evalúa $3b - 2$ si $b = 11$.

$$3 \times 11 - 2$$
$$33 - 2$$
$$31$$

TRABAJO EN CLASE

Evalúa cada expresión si $a = 5$ y $b = 6$.

1. $a + 9$
2. $13 + a$
3. $3b$
4. $\frac{42}{b}$
5. $12 - a$
6. $5b + 8$
7. $5b - 9$
8. $b - 4$
9. $a + b$
10. $3a + b$
11. $b - a$
12. $2 \times (a + 4)$
13. $a \times b$
14. $2a + b$
15. $\frac{3b}{2}$

Evalúa cada expresión si $n = 5$.

1. $3n$ **2.** $3 + n$ **3.** $\frac{25}{n}$ **4.** $18 - n$ **5.** $n - 3$

6. $2n + 3$ **7.** $8n - 10$ **8.** $\frac{35}{n} - 5$ **9.** $3 \times (n + 2)$ **10.** $\frac{n}{5} - 1$

Evalúa cada expresión si $a = 3$, $b = 5$ y $c = 8$.

11. $a + 13$ **12.** $4b$ **13.** $\frac{c}{4} + 10$ **14.** $a + b$ **15.** $3b + 5$

16. $b \times c$ **17.** $a + 6b$ **18.** $30 \div b$ **19.** $70 - 8c$ **20.** $2a + 3b$

★ **21.** $\frac{5a + b}{4}$ ★ **22.** $\frac{bc - 10}{3}$ ★ **23.** $\frac{10b - 5a}{7}$ ★ **24.** $\frac{8a}{6} \times (c - b)$ ★ **25.** $ab - c$

Halla cada salida que falta.

	Entrada	Salida
	n	$3n + 8$
	5	23
26.	13	
27.	20	

	Entrada	Salida
	y	$7y - 12$
	7	37
28.	10	
29.	50	

	Entrada	Salida
	t	$8t + 9$
30.	0	
31.	10	
32.	100	

	Entrada	Salida
	d	$0.1 \times d$
33.	37	
34.	150	
35.	3,300	

	Entrada	Salida
	e	$\frac{e}{2}$
36.	8	
37.	24	
38.	100	

	Entrada	Salida
	f	$6 \times (f + 3)$
★ **39.**	3.1	
★ **40.**	5.3	
★ **41.**	0.8	

APLICACIÓN

42. Los voluntarios recogen los huevos de tortuga y los entierran en nidos nuevos ordenados en filas y columnas. Si la expresión $24r$ corresponde al número de nidos en r filas, ¿cuántos nidos hay en 12 filas?

43. Durante los últimos 9 años, Carla Burke ha estado cuidando a las tortugas de mar en la isla donde vive. La expresión $t \div 9$ representa el promedio de tortugas que cuida cada año. Evalúa esta expresión si $t = 675$ tortugas.

Escribir expresiones

Las palomas mensajeras proveyeron el primer servicio de «correo aéreo.» Hoy en día, aficionados como Glenn entrenan sus palomas para carreras.

El domingo Glenn soltó 6 palomas más que el sábado. Escribe una expresión para mostrar cuantas palomas fueron soltadas el domingo.

Usa una variable para escribir la expresión.

b = el número de palomas soltadas el sábado.

Entonces $b + 6$ representa el número que soltó el domingo.

Suponte que Glenn soltó 8 palomas el sábado. Para hallar cuántas palomas soltó el domingo, evalúa la expresión $b + 6$ si $b = 8$.

$b + 6$
$8 + 6 = 14$ ⟵ Sustituye 8 por b para hallar el valor de $b + 6$.

Glenn soltó 14 palomas el domingo.

Más ejemplos

a. la suma de un número n y 9 $\qquad$ $n + 9$

b. 8 menos que un número y $\qquad$ $y - 8$

c. el producto de 8 y un número s $\qquad$ $8s$

d. 5 más que 3 veces el número p $\qquad$ $3p + 5$

e. un número n dividido por 6 $\qquad$ $n \div 6$, ó $\frac{n}{6}$

f. el cociente cuando 15 está dividido por un número d $\qquad$ $15 \div d$, ó $\frac{15}{d}$

TRABAJO EN CLASE

Escribe una expresión para cada uno. Usa n como la variable.

1. la suma de un número y 3

2. 10 veces un número

3. 5 menos que dos veces el número

4. un número dividido por 15

5. un número disminuído por 12

6. 8 menos que un número dividido por 6

Escribe una expresión para cada uno. Use *b* como una variable.

1. la suma de un número y 3

2. 9 menos que un número

3. 7 veces un número

4. 8 más que 7 veces un número

5. 5 menos que 7 veces un número

6. el cociente de un número y 11

7. 18 más que dos veces un número

8. 21 menos que 3 veces un número

★9. 3 veces la suma de un número y 5

★ 10. dos veces un número dividido por 3 veces el mismo número

Une.

11. 8 veces más que un número *a*

    a. $a - 8$

12. 8 veces un número *a*

    b. $\frac{a}{12}$

13. 8 menos que un número *a*

    c. $12a - 8$

14. 3 más que dos veces un número *a*

    d. $a + 8$

15. un número *a* dividido por 12

    e. $12a + 5$

16. 12 dividido por un número *a*

    f. $\frac{12}{2a}$

17. 5 más que 12 veces un número *a*

    g. $8a$

18. 8 menos que 12 veces un número *a*

    h. $\frac{2a}{12}$

19. dos veces un número *a* dividido por 12

    i. $2a + 3$

20. 12 dividido por dos veces un número *a*

    j. $\frac{12}{a}$

APLICACIÓN

21. En el año 700 B.C. los antiguos griegos ya usaban palomas para llevar noticias de las victorias en los Juegos Olímpicos. El codo era una medida de largo en aquellos tiempos. Escribe una expresión para representar la distancia que una paloma podía volar en 5 horas si volaba *n* codos por hora. Evalúa la expresión si *n* = 10.

22. Una paloma mensajera voló 1,000 millas en *d* días, a través de territorio desconocido, para volver a su casa. Escribe una expresión que represente el número de millas que voló cada día del viaje. Evalúa la expresión si *d* = 2.

23. A Glenn le gusta echar carreras con sus palomas mensajeras. Una de sus palomas voló 600 millas en un día. Escribe una expresión que represente la velocidad de la paloma si viajó durante *h* horas. Evalúa la expresión si *h* = 10.

★ 24. Este año Glenn entrenó 4 veces más del doble de las palomas que entrenó el año pasado. El año pasado entrenó *p* palomas. Escribe una expresión que represente el número de palomas que él entrenó este año. Evalúa la expresión si *p* = 15.

Explorar ecuaciones

Una ecuación es una oración matemática con un signo de igualdad.

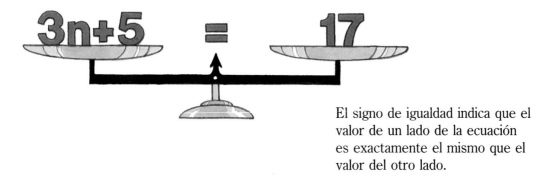

El signo de igualdad indica que el valor de un lado de la ecuación es exactamente el mismo que el valor del otro lado.

TRABAJAR JUNTOS

Si usas un modelo podrás entender mejor cómo se resuelven las ecuaciones.

Trabaja en pareja.

1. Usa vasos y fichas para hacer un modelo de la ecuación $3n + 5 = 17$.

2. Experimenta para hallar cuántas fichas se deben poner en cada vaso para que haya el mismo número de fichas a cada lado de la ecuación.

3. Explica como se puede usar un vaso para representar una variable. ¿Necesitaste poner el mismo número de fichas en cada vaso? ¿Por qué?

4. Usa vasos y fichas para formar las siguientes ecuaciones. Experimenta para hallar el valor de n.

   $n - 6 = 12$ $2n = 16$ $3n + 1 = 16$

   $2n = n + 4$ $3n + 2 = n + 6$

5. Prepara una forma de comprobar tu solución.

6. Usa vasos y fichas para hacer modelos de tus propias ecuaciones. Anota las ecuaciones de las que haces modelos. Intercambia ecuaciones con otros equipos y resuélvelas.

1. Explica tu método para resolver una ecuación cuando la variable aparece a ambos lados de la ecuación.

2. ¿Qué métodos usaste para comprobar las soluciones?

3. Cuando usaste vasos y fichas, ¿pudiste hacer un modelo de ecuaciones usando la suma? ¿la resta? ¿la multiplicación? ¿la división? Comenta por qué sí o por qué no.

4. ¿Qué métodos has aprendido con tus experimentos que te pueden ayudar a resolver los siguientes tipos de ecuaciones? Explica tus ideas. Usa tus métodos para resolver las ecuaciones.

$n - 12 = 176$

$87 + n = 210$

$7n = 8$

$\frac{n}{6} = 113$

━━━━━━━━━━ **RAZONAR A FONDO** ━━━━━━━━━━

1. Sam sabe resolver bien las ecuaciones. Dice que hay que acordarse de mantener siempre un balance en la ecuación. ¿Qué quiere decir? Explica usando vasos y fichas para hacer un modelo de la ecuación.

2. Trabaja en pareja. Comienza con cualquier número y sigue la trayectoria de abajo. ¿Cuál es el resultado? Usa una calculadora y prueba con varios números.

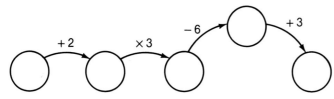

Explica los resultados en palabras. ¿Por qué crees que sucede esto? Usa la variable n para escribir los pasos. ¿Qué muestra esto?

3. Inventa tu propio rompecabezas que parezca al de arriba. Usa las cuatro operaciones. Intercambia rompecabezas con otro equipo para resolverlos.

Ecuaciones de suma y de resta

En una isla en las costas de Maryland y Virginia viven manadas de caballos salvajes. El Dr. Ronald Keiper del Servicio Nacional de Parques halló que los caballos viven en 17 manadas. Si 4 de las manadas viven en la parte alta de la isla, ¿cuántas manadas viven en la parte baja?

Escribe una ecuación y resuélvela.

Supongamos que m = el número de manadas que viven en la parte baja. Entonces $4 + m = 17$.

▶ Para resolver una ecuación de suma, resta el mismo número a ambos lados de la ecuación.

$$4 + m = 17$$ Usa la inversión de sumar 4 para resolver.

$$4 + m - 4 = 17 - 4$$ Resta 4 de ambos lados.

$$m = 13$$ Solución

Comprueba $4 + 13 = 17$ Para comprobar, reemplaza m con 13 en la ecuación original.

De las 17 manadas de caballos que están en la isla, 13 manadas viven en la parte baja.

▶ Para resolver una ecuación de resta, suma el mismo número a ambos lados de la ecuación.

$$d - 5 = 18$$ Usa la inversión de restar 5 para resolver.

$$d + 5 + 5 = 18 + 5$$ Suma 5 a ambos lados.

$$d = 23$$ Solución

Comprueba $23 - 5 = 18$ Para comprobar, reemplaza d con 23 en la ecuación original.

▶ Sumar o restar el mismo número en *ambos* lados de una ecuación mantiene la ecuación balanceada.

Más ejemplos

a.
$$x + 9 = 28$$
$$x + 9 - 9 = 28 - 9$$
$$x = 19$$
Comprueba $19 + 9 = 28$

b.
$$32 = a - 13$$
$$32 + 13 = a - 13 + 13$$
$$45 = a$$
Comprueba $32 = 45 - 13$

TRABAJO EN CLASE

Indica lo que hay que hacer en ambos lados de cada ecuación para resolver.

1. $4 + q = 19$ **2.** $s - 12 = 35$ **3.** $a + 35 = 45$ **4.** $21 = j - 23$

Resuelve y comprueba.

5. $n + 8 = 15$ **6.** $m - 9 = 26$ **7.** $13 + x = 43$ **8.** $42 = y - 18$

PRÁCTICA

Escribe lo que hay que hacer en ambos lados de cada ecuación para resolver.

1. $5 + y = 7$ **2.** $n + 13 = 40$ **3.** $x - 19 = 81$

4. $r - 3 = 3$ **5.** $3 + t = 52$ **6.** $12 = a - 36$

Resuelve y comprueba.

7. $x + 9 = 23$ **8.** $4 + y = 12$ **9.** $m - 7 = 13$

10. $a + 10 = 26$ **11.** $n - 13 = 32$ **12.** $19 + r = 40$

13. $p + 9 = 38$ **14.** $7 + c = 7$ **15.** $k - 10 = 0$

16. $23 + t = 52$ **17.** $j - 11 = 46$ **18.** $l + 37 = 114$

19. $91 + x = 132$ **20.** $q - 103 = 89$ **21.** $d + 21 = 37$

22. $143 = j + 29$ **23.** $200 = x - 97$ **24.** $74 = 26 + w$

★ **25.** $y + 3 + 1 = 9$ ★ **26.** $r - 2 - 1 = 8$

APLICACIÓN

Escribe una ecuación para cada problema. Después resuelve.

27. En una manada de 26 caballos hay 8 yeguas y sus potros. ¿Cuántos potros hay en la manada?

★ **28.** El Dr. Keiper observó una manada de 23 caballos. En esta manada había 1 semental, 15 potros y algunas yeguas. ¿Cuántas yeguas había?

LA CALCULADORA

Usa la calculadora para resolver ecuaciones.

Ejemplo $x + 3 - 4 = 9$

Toca  $\boxed{9}\;\boxed{+}\;\boxed{4}\;\boxed{-}\;\boxed{3}\;\boxed{=}$

Comprueba $10 + 3 - 4 = 9$

¿Por qué funciona ésto? Explica.

Resuelve cada ecuación, usando una calculadora.

1. $y + 7 - 5 + 9 - 6 = 18$ $y = 13$

2. $r + 8 + 3 - 5 + 7 - 2 = 30$ $r = 19$

3. $x + 10 - 13 - 3 - 5 + 7 + 9 = 23$

Práctica mixta

1. $124 + 93 + 1{,}005$

2. $9{,}004 - 967$

3. $93 \times 100 \times 5$

4. $4.5 + 45 + 0.45$

5. 43.8×7

6. $17\overline{)952}$

7. $18.016 - 5.32$

8. $1{,}054 \div 34$

9. $586.2 - 3.819$

10. $15{,}296 \times 19$

11. $18\overline{)1{,}023.12}$

12. $0.08\overline{)0.42}$

13. 0.06×0.014

14. 61.3×0.8

15. $46\overline{)370{,}783}$

Completa.

16. $32 \text{ cm} = \underline{} \text{ mm}$

17. $85 \text{ m} = \underline{} \text{ km}$

18. $7 \text{ cm} = \underline{} \text{ m}$

19. $930 \text{ mg} = \underline{} \text{ kg}$

20. $7.34 \text{ kg} = \underline{} \text{ g}$

21. $1.89 \text{ L} = \underline{} \text{ mL}$

22. $0.06 \text{ kL} = \underline{} \text{ L}$

Ecuaciones de multiplicación y división

Este mono capuchino de 4 libras ayuda a la muchacha a hacer muchas cosas. El mono pesa el doble de lo que pesa el libro. ¿Cuánto pesa el libro?

Escribe una ecuación y resuélvela.

Si b = el peso del libro
entonces $2 \times b = 4$
ó $2b = 4$

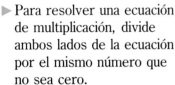

▶ Para resolver una ecuación de multiplicación, divide ambos lados de la ecuación por el mismo número que no sea cero.

$2b = 4$ Usa la inversión de multiplicar por 2 para resolver.

Piensa $2b \div 2 = b$ $\frac{2b}{2} = \frac{4}{2}$ Divide ambos lados de la ecuación por 2.

$b = 2$ Solución

El libro pesa 2 libras.

Comprueba $2 \times 2 = 4$ Reemplaza b con 2 en la ecuación original.

▶ Para resolver una ecuación de división, multiplica ambos lados de la ecuación por el mismo número que no sea cero.

$\frac{m}{3} = 8$ Usa la inversión de dividir por 3 para resolver.

Piensa $\frac{m}{3} = m \div 3$

$\frac{m}{3} \times 3 = 8 \times 3$ Multiplica ambos lados de la ecuación por 3.

$m = 24$ Solución

Comprueba $\frac{24}{3} = 8$ Reemplaza m con 24 en la ecuación original.

▶ Multiplicar o dividir por el mismo número en ambos lados de una ecuación mantiene la ecuación balanceada.

Más ejemplos

a. $y \times 5 = 35$

$y \times 5 \div 5 = 35 \div 5$

$y = 7$

Comprueba $7 \times 5 = 35$

b. $k \div 9 = 4$

$k \div 9 \times 9 = 4 \times 9$

$k = 36$

Comprueba $36 \div 9 = 4$

TRABAJO EN CLASE

Indica lo que hay que hacer en ambos lados de cada ecuación para resolverla. Después resuelve y comprueba.

1. $3a = 12$ **2.** $\frac{b}{4} = 8$ **3.** $72 = 9 \times n$ **4.** $13 = d \div 6$

PRÁCTICA

Escribe lo que hay que hacer en ambos lados de cada ecuación para resolverla.

1. $5b = 30$

2. $48 = 16x$

3. $y \div 5 = 7$

4. $\frac{n}{19} = 1$

5. $15y = 75$

6. $\frac{m}{8} = 60$

7. $100y = 500$

8. $70 = g \div 30$

Resuelve y comprueba.

9. $5a = 15$

10. $7y = 42$

11. $\frac{x}{2} = 4$

12. $9s = 9$

13. $\frac{r}{9} = 5$

14. $6j = 96$

15. $m \div 8 = 21$

16. $72 = 12n$

17. $b \div 8 = 8$

18. $54 = t \times 9$

19. $11z = 77$

20. $\frac{e}{21} = 6$

21. $14 = k \div 6$

22. $12m = 12$

23. $14 = \frac{d}{5}$

24. $f \times 13 = 52$

★ 25. $(9 + 6) \times b = 60$

★ 26. $\frac{c}{(8 - 3)} = 10$

★ 27. $120 \div y = 3$

★ 28. $500 \div x = 5$

Usa una calculadora para resolver cada ecuación.

29. $6c = 2{,}100$

30. $\frac{d}{19} = 15$

31. $36q = 324$

32. $y \div 24 = 110$

APLICACIÓN

Escribe una ecuación para cada uno. Resuelve.

33. Esta pila de libros pesa cinco veces más que el mono. Si el libro pesa 30 lb, ¿cuánto pesa el mono?

34. Un mono capuchino puede completar 8 tareas en 24 min. ¿Cuál es el promedio de tiempo que le toma al mono completar cada tarea?

★ 35. Al mono le toma 2 min 45 s encender todas las luces de un apartamento. Si le toma 15 s cada luz, ¿cuántas luces hay en el apartamento?

★ 36. ¿Cuántos viajes dará un mono de 6 lb para mover una pila de libros de 24 lb si puede cargar la mitad de su peso en cada viaje?

HAZLO MENTALMENTE

Usa las reglas de multiplicar y dividir por potencias de 10 para resolver cada ecuación.

1. $10a = 360$

2. $100x = 420$

3. $\frac{x}{10} = 9$

4. $\frac{y}{1{,}000} = 51$

5. $1{,}000b = 6{,}439$

Hacer Gráficas de pares ordenados

Los científicos marinos usan acuarios para estudiar a los peces y a algunos mamíferos. La gente visita los acuarios por el placer de ver las exhibiciones y los espectáculos.

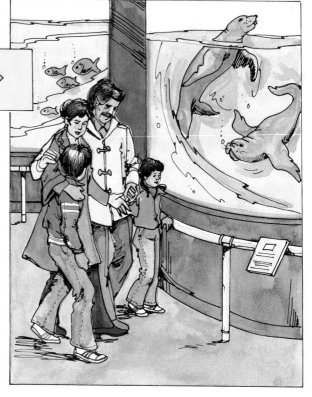

> **ADMISIÓN**
> **$2.00 POR PERSONA**

El costo de la visita de una familia al acuario depende del número de miembros que tiene.

Se puede usar una tabla para mostrar los costos. Para hallar los valores en una tabla, sigue la regla: multiplica el número de miembros por $2.

miembros en una familia	1	2	3	4	5
costo de entrada en dólares	2	4	6	8	10

Se pueden usar pares de números para mostrar el costo.

(1,2) (2,4) (3,6) (4,8) y (5,10) se llaman **pares ordenados.**

El primer número en cada par indica el número de personas. El segundo indica el costo.

Un par ordenado puede mostrarse como un punto en una grafica.

► En un par odenado (x, y) el primer número x, indica cuántas unidades se avanzan a la derecha. El segundo número y, indica cuantas unidades se avanzan hacia arriba.

Para marcar el punto A (1,2), comienza en 0.

Avanza 1 unidad a la derecha y 2 hacia arriba.

B está 3 unidades a la derecha de 0 y 4 hacia arriba. Así que B representa el par ordenado (3,4).

TRABAJO EN CLASE

Escribe el par ordenado para cada punto de la gráfica.

1. T   **2.** U   **3.** W   **4.** P

PRÁCTICA

Escribe el par ordenado para cada punto.

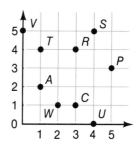

1. A   **2.** C   **3.** S

4. U   **5.** V   **6.** R

7. T   **8.** P   **9.** W

Copia la gráfica que está a la derecha en papel cuadriculado. Después marca cada punto.

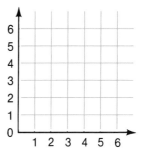

10. N(3,2)   **11.** B(5,4)   **12.** D(1,6)

13. A(5,0)   **14.** G(0,3)   **15.** H(2,5)

16. J(5,2)   **17.** M(2,4)   **18.** R(4,2)

19. F(4,1)   **20.** C(6,3)   **21.** K(3,5)

Sigue la regla para hallar cada número que falta.

Regla: $y = x + 4$

	x	y
22.	0	
23.	2	
24.	4	

Regla: $y = 2x$

	x	y
25.	0	
26.	4	
27.	6	

Regla: $y = x - 1$

	x	y
28.	8	
29.	5	
30.	2	

APLICACIÓN

31. Copia la gráfica a la derecha. Después marca los pares ordenados que muestran los costos de entrada en la tabla que está en la página 156.

★ **32.** Janice Carter trabaja con los delfines en el acuario. Pasa 2 horas cada mañana y 2 horas cada tarde en el tanque de los delfines. Haz una tabla de valores para mostrar cuántas horas en total trabaja Janice con los delfines después de 0, 1, 2, 3, 4 y 5 días. Escribe una regla para la tabla. Después haz una gráfica que muestre los pares ordenados de la tabla.

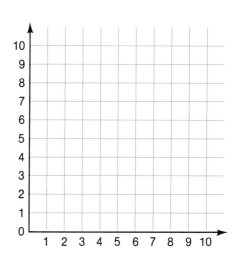

Problemas para resolver

HACER Y USAR DIBUJOS

A veces hacer un dibujo ayuda a comprender como están relacionados los datos de un problema.

1. Richard Martínez es un policía a caballo en Wingdale. Su estación, la escuela y el banco están todos a lo largo de una calle recta. La escuela está a 2.6 km de la estación. El banco está a 1.7 km de la estación. La estación está entre el banco y la escuela. ¿Qué distancia recorre el oficial Martínez de la escuela al banco?

¿Cuál es la pregunta?

¿Qué distancia hay de la escuela al banco?

¿Cuáles son los datos?

La estación, la escuela y el banco están en la misma calle.
Distancia de la estación a la escuela : 2.6 km
Distancia de la estación al banco : 1.7 km
La estación está entre el banco y la escuela.

Haz un plan. Llévalo a cabo.

Dibuja un diagrama para mostrar cómo están relacionados la estación, la escuela y el banco. Usa el hecho de que la estación está entre el banco y la escuela. Después indica las distancias.

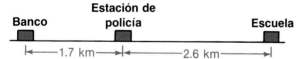

Usa la información del dibujo. ⟶ 1.7 km + 2.6 = 4.3 km

El oficial Martínez recorre 4.3 km de la escuela al banco.

Suma en sentido contrario para comprobar. 2.6 + 1.7 = 4.3

La respuesta es correcta.

Para algunos problemas se da un dibujo. La información necesaria para resolver el problema está en el dibujo.

2. La Sra. López y el Sr. Arce viven en el mismo edificio de apartamentos. Ambos llevan a sus perros al parque cada mañana. La Sra. López toma una ruta recta, mientras que el Sr. Arce toma una ruta en zigzag, según se ve en el dibujo. ¿Cuál de los perros camina más?

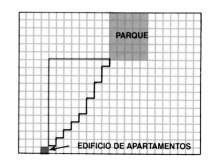

Usa el dibujo. Cuenta el número de cuadras caminadas en cada ruta. Halla la solución.

PRÁCTICA

Haz un dibujo para ilustrar cada una de las siguientes situaciones. Después resuelve el problema.

1. Un trineo tirado por perros compite en una carrera de trayecto triangular. El primer trecho de la carrera tiene 7 km de largo, el segundo 10 km y el tercero 7 km. Hay una bandera verde en la primera vuelta, una azul en la segunda y una roja al final. ¿Entre cuál de las dos banderas estará el trineo cuando haya completado $\frac{1}{2}$ trayecto?

2. María entrena palomas mensajeras. Tres palomas salen volando de su casa. La primera vuela 3 km; la segunda 1.4 km en dirección opuesta. La tercera vuela en la misma dirección que la primera pero 0.5 km más lejos. ¿A qué distancia está la segunda de la tercera?

El barco del Parque de Aventuras de Animales sigue la ruta de 10 kilómetros mostrada en el dibujo. El barco está ahora en el Mundo de los Reptiles.

Usa el dibujo para resolver cada problema.

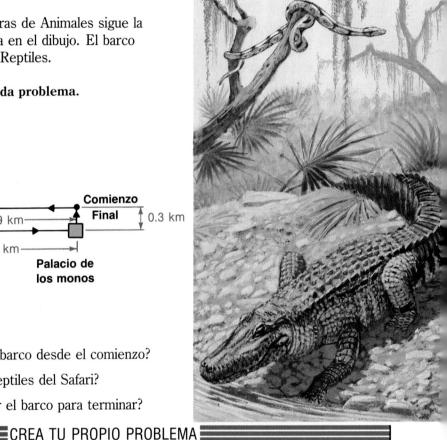

3. ¿Qué distancia ha viajado el barco desde el comienzo?

★4. ¿A qué distancia están los reptiles del Safari?

★5. ¿Qué distancia debe navegar el barco para terminar?

≡CREA TU PROPIO PROBLEMA≡

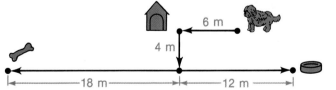

1. Usa los datos de este dibujo para crear un problema sobre el perro pastor.

2. Crea un problema que requiera un dibujo de peces en el mar. Haz el dibujo y después resuelve el problema.

Razonar sobre los factores

En el pasillo del séptimo grado de una escuela hay exactamente 50 lóquers numerados. Todos los lóquers están cerrados. El primer día de clase se reúnen 50 estudiantes fuera del edificio y deciden llevar a cabo el siguiente plan.

- El estudiante #1 abrirá la puerta de todos los lóquers.

- Después, el estudiante #2 cerrará cada segunda puerta, comenzando por el lóquer 2.

- Después, el estudiante #3 deberá cambiar (abrir o cerrar) la puerta de cada tercer lóquer, comenzando por el lóquer 3.

- Después, el estudiante #4 cambiará la posición de la puerta de cada cuarto lóquer, comenzando por el lóquer 4.

Seguirán así hasta que los 50 estudiantes se hayan turnado. Quieren llevar un control sobre cuántas veces se abre o se cierra cada puerta y si están abiertas o cerradas al final.

TRABAJAR JUNTOS

1. Trabaja en grupos de cuatro. Comenta las formas diferentes de hacer un modelo de lo que planean hacer los estudiantes.

2. Basándose en los comentarios, cada miembro del grupo debe escoger un método para hacer un modelo del plan. Después, cada miembro debe hacer su propio modelo. Por cada número de lóquer se debe anotar:

   - el número de veces que se abre y se cierra su puerta.

   - si está abierta o cerrada al final.

3. Compara los resultados de los modelos de los miembros de cada grupo. Resuelve las diferencias.

Comenta las preguntas con tus compañeros.

1. Haz una lista de todos los números de los lóquers que se tocaron exactamente dos veces. ¿Qué nombre reciben dichos números?

2. Haz una lista de los números de los lóquers que estaban abiertos al final. ¿Qué tienen en común estos números? Si hubiera 100 lóquers y 100 estudiantes, predice qué otros lóquers estarían abiertos al final.

3. ¿Puede tocarse solamente una vez otro lóquer además del lóquer 1? Explica por qué sí o por qué no.

RAZONAR A FONDO

1. ¿Qué lóquer fue tocado el mayor número de veces? ¿Qué estudiantes tocaron este lóquer? ¿Por qué tocaron este lóquer el mayor número de veces?

2. Imagínate que hay 100 lóquers y 100 estudiantes. ¿Qué estudiantes tocarían el lóquer 84?

3. Extiende tu investigación a 100 lóquers y 100 estudiantes. Haz una lista de todos los lóquers que se tocaron exactamente dos veces. ¿Qué lóquers están abiertos? ¿Se parece a tu predicción de arriba?

4. Escribe una oración que exprese cómo puedes predecir qué lóquers permanecerán abiertos en una escuela que tiene 1,000 lóquers y 1,000 estudiantes.

Números primos y compuestos

El problema sobre lóquers es una forma de examinar los factores. 6 es un **factor** de 48 porque no queda residuo cuando se divide 48 entre 6. Un **número primo** es un número que tiene exactamente dos factores. Un **número compuesto** es un número que tiene más de dos factores. El número 1 no es ni primo ni compuesto. El siguiente juego te permite explorar los números primos y compuestos.

TRABAJAR JUNTOS

Trabaja en grupos de cuatro para jugar a «Comprimo». Cada vez que se juegue, un miembro de la clase no estará asignado a ningún grupo. Ese estudiante será el cronometrador y mantendrá la Lista de Números Primos para resolve diferencias.

«Comprimo» debe jugarse con cuatro jugadores. Para jugar, sigue estas reglas:

☆ COMPRIMO ☆

1. Se nombra a un jugador como primer «retador». El retador escoge un número entre 999 y 9,999, y se lo da al resto de los jugadores.

2. Los jugadores trabajan juntos para determinar si ese número es primo o compuesto. Pueden usar una calculadora y tienen tres minutos para dar una respuesta. Si la respuesta es correcta, cada uno de ellos recibe 1 punto. Si es incorrecta el retador recibe 2 puntos.

3. Si los jugadores no llegan a un acuerdo para dar una respuesta correcta, el estudiante con la Lista de Números Primos resuelve las diferencias.

4. A medida que continúa el juego, los jugadores se turnan para ser el retador.

5. El juego termina cuando un jugador consigue 10 puntos.

Antes de empezar a anotar la puntuación, practica el juego dos veces para preparar tu estrategia.

1. Cada grupo debe compartir sus métodos para vencer al retador.

2. ¿De qué formas se puede usar una calculadora en este juego? ¿Qué formas hay de dividir el trabajo entre tres compañeros de equipo? ¿Qué estrategias te permiten trabajar más rápidamente?

3. ¿Quiénes fueron los mejores retadores de tu clase? Pídeles que te expliquen cómo escogieron sus números. ¿Tuvieron suerte o usaron una buena estrategia?

4. ¿Cuáles fueron algunos de los números que no lograron vencer a tu equipo? ¿Por qué resultaron fáciles de resolver?

RAZONAR A FONDO

1. Miles Ferd no fue un buen retador. —No lo entiendo—, dijo. —Escogí 8,172, 9,344, 7,305, 9,120 y 8,455, pero ellos dieron sus respuestas inmediatamente—. ¿Cuál es el problema de Miles?

2. A Claire y a su equipo nunca los han vencido. —Tengo dos jugadores que hacen ocho divisiones cada uno en sus calculadoras y yo hago nueve—, dijo Claire muy orgullosa. ¿A que se refiere Claire?

Razonar acerca de números primos

Todavía hay una serie de preguntas sobre los números primos que los matemáticos no han podido contestar. Si pudieras demostrar o refutar cualquiera de estas preguntas, ¡te harías famoso!

TRABAJAR JUNTOS

1. Se ha dicho que todo número par mayor que 2 puede expresarse como la suma de dos números primos. Esta afirmación se conoce como la Conjetura de Goldbach.

Trabaja en pareja.

Haz una lista de los números enteros del 2 al 30.

- Escribe todos los números pares mayores que 2 como la suma de dos números primos.

- Escribe todos los números impares mayores que 5 como la suma de tres números primos.

- Escribe todos los números pares mayores que 6 como la suma de cuatro números primos.

- Anota los resultados en una tabla.

	SUMA DE		
Número	2 Números primos	3 Números primos	4 Números primos
2			
3			
4			

2. Usa la lista de números primos. Haz una gráfica que muestre los números primos del 1 al 500, del 501 al 1,000 y así sucesivamente hasta el 10,000.

Usa los resultados de tus investigaciones para contestar estas preguntas.

1. ¿Es posible comprobar todos los números positivos para verificar la Conjetura de Goldbach? ¿Cuántos ejemplos contrarios necesitarías para refutar una afirmación?

2. Si no pudieras usar el 2 como uno de los números primos, ¿sería todavía válida la Conjetura de Goldbach? Explica.

3. ¿Pueden expresarse como la suma de dos números primos todos los números impares mayores que 3? Explica por qué sí o por qué no.

RAZONAR A FONDO

1. Los números que tienen exactamente dos factores son números primos. ¿Cuáles son los números que tienen un número impar de factores? ¿Qué relación tiene esta información con el problema del lóquer?

2. ¿Qué estrategias has usado en el juego «Comprimo» para decidir si un número es primo o compuesto? ¿Qué estrategia parece ser la más eficiente?

3. ¿De qué forma se relacionan las conjeturas siguientes con la Conjetura de Goldblach?

   • Todos los números impares mayores que 5 pueden expresarse como la suma de tres números primos.
   • Todos los números pares mayores que 6 pueden expresarse como la suma de cuatro números primos.

4. Imagínate que es verdad la Conjetura de Goldbach. ¿Podrías estar seguro de que una o las dos afirmaciones de arriba son verdaderas? Explica por qué sí o por qué no.

5. ¿Qué tienen en común los números que tienen exactamente tres factores? ¿Y cuatro factores? ¿Y cinco factores?

Descomposición en factores primos y máximo común divisor

▶ Cada número compuesto puede ser escrito como el producto de factores primos. Este producto se llama **descomposición en factores primos** del número.

Halla la descomposición en factores primos del 56. Se puede hallar usando un arbol de factores.

La descomposición en factores primos del 56 es $2 \times 2 \times 2 \times 7$.

Usa exponentes cuando se repita un factor. $56 = 2^3 \times 7$

▶ Cada número compuesto tiene una sola descomposición en factores.

▶ **Factores o divisores comunes** de 2 ó más números son factores que son iguales para cada uno.

factores de 12: 1, 2, 3, 4, 6, 12   factores de 30: 1, 2, 3, 5, 6, 10, 15, 30,

Los factores comunes de 12 y 30 son 1, 2, 3 y 6.

El **máximo común divisor (MCD)** de 12 y 30 es 6.

Se puede usar la descomposición en factores para hallar el MCD de dos o más números. Halla el MCD de 48 y 72. Primero halla la descomposición en factores de cada número.

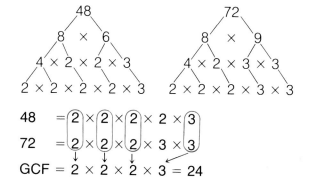

Después halla los factores primos comunes. El producto de los factores primos comunes es el MCD.

$$48 = 2 \times 2 \times 2 \times 2 \times 3$$
$$72 = 2 \times 2 \times 2 \times 3 \times 3$$
$$GCF = 2 \times 2 \times 2 \times 3 = 24$$

TRABAJO EN CLASE

Escribe la descomposición en factores primos de cada uno con o sin exponentes.

1. 27   **2.** 63   **3.** 44   **4.** 72   **5.** 225   **6.** 130

Halla los factores comunes de cada uno. Después halla el MCD.

7. 10, 25   **8.** 6, 18   **9.** 8, 20   **10.** 8, 24, 56   **11.** 24, 32, 48

166

PRÁCTICA

Copia y continúa cada árbol de factores. Después escribe
cada descomposición en factores primos. Usa exponentes.

1.

2.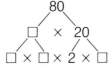

3.

Escribe la descomposición en factores primos de cada uno.
Usa exponentes.

4. 75	**5.** 48	**6.** 68	**7.** 76
8. 99	**9.** 96	**10.** 100	**11.** 120
12. 250	**13.** 336	★**14.** 963	★**15.** 1,024

Nombra el número compuesto para cada descomposición en
factores primos.

16. $5^2 \times 11$ **17.** $2 \times 3^2 \times 5^2$ **18.** $2^2 \times 7^2 \times 13$ **19.** $3^3 \times 7 \times 11$

Halla los factores comunes de cada uno. Después
halla el MCD.

20. 8, 28	**21.** 4, 26	**22.** 15, 36	**23.** 5, 15	**24.** 9, 12
25. 8, 10	**26.** 14, 21	**27.** 5, 8	**28.** 15, 50	**29.** 6, 8
30. 12, 32	**31.** 12, 36, 60	**32.** 10, 15, 30	**33.** 14, 35, 56	**34.** 16, 24, 72

APLICACIÓN

DIVISIBILIDAD

¿Es el número 90 divisible por 2? ¿por 5? ¿por 10?

$$\begin{array}{ccc} 45 & 18 & 9 \\ 2\overline{)90} & 5\overline{)90} & 10\overline{)90} \end{array}$$

Cuando se divide el número 90 por 2, 5 y 10 no queda
residuo.

Por lo tanto es **divisible** por 2, 5 y 10.

Para comprobar la divisibilidad sin dividir usa las reglas siguientes.

Un número es divisible por	si
2	el último dígito es 0, 2, 4, 6 ó 8.
5	el último dígito es 0 ó 5.
10	el último dígito es 0.
3	la suma de los dígitos es divisible por 3.
9	la suma de los dígitos es divisible por 9.

Indica si el número es divisible por 2, 5, 10, 3 ó 9.

1. 75   **2.** 138   **3.** 210   **4.** 234   **5.** 366   **6.** 157

Múltiplos

Las vacas lecheras se ordeñan en una sala de ordeñar. Si 5 vacas pueden ordeñarse en un turno, ¿cuántas vacas pueden ordeñarse en 2, 3, 4 y 5 turnos?
Halla los **múltiplos** de 5 para contestar la pregunta.

▶ Para hallar los múltiplos de un número, multiplica el número por 0, 1, 2, 3, 4, 5, . . . ◂— quiere decir que la lista continúa indefinidamente.

0×5	1×5	2×5	3×5	4×5	5×5 . . .
0	5	10	15	20	25 . . .

Los múltiplos de 5 son 0, 5, 10, 20 . . .
Por lo tanto, 10 vacas pueden ordeñarse en 2 turnos, 15 en 3 turnos, 20 en 4 turnos y 25 en 5 turnos.

▶ Un número que es múltiplo de dos o más números se llama **múltiplo común.**

Halla el múltiplo común de 6 y 8.

Múltiplos de 6: 0, 6, 12, 18, 24, 30, 36, 42, 48 . . .

Múltiplos de 8: 0, 8, 16, 24, 32, 40, 48 . . .

Los múltiplos comunes de 6 y 8 son 0, 24, 48 . . .

▶ El **mínimo común múltiplo (mcm)** de dos o más números es el número más pequeño que no sea cero que es múltiplo de cada uno.

El mcm de 6 y 8 es 24.

Puedes usar la descomposición en factores primos para hallar el mcm.

Halla la descomposición en factores primos de cada número.

$18 = 3^2 \times 2 \qquad 24 = 2^3 \times 3$

Multiplica la potencia más alta de cada factor primo. ⟶ mcm $= 3^2 \times 2^3 = 9 \times 8 = 72$

El mcm de 18 y 24 es 72.

TRABAJO EN CLASE

Escribe los cinco primeros múltiplos de cada uno.

1. 4   **2.** 5   **3.** 7   **4.** 25   **5.** 100

Halla el mcm de cada uno.

6. 4, 5   **7.** 4, 12   **8.** 9, 6   **9.** 8, 12   **10.** 3, 5, 6

PRÁCTICA

Escribe los primeros cinco múltiplos de cada uno.

1. 3   **2.** 10   **3.** 15   **4.** 20   **5.** 8

Halla el mcm de cada uno.

6. 3, 4   **7.** 6, 4   **8.** 3, 15   **9.** 8, 5   **10.** 6, 5

11. 9, 12   **12.** 12, 18   **13.** 10, 12   **14.** 15, 20   **15.** 8, 10

16. 20, 8   **17.** 20, 18   **18.** 12, 21   **19.** 6, 14   **20.** 9, 30

21. 2, 3, 4   **22.** 3, 4, 6   **23.** 6, 8, 12   **24.** 5, 15, 20   **25.** 2, 5, 7

Usa la descomposición en factores primos dada para hallar el mcm de cada par de números.

26. $42 = 2 \times 3 \times 7$
$35 = 5 \times 7$

27. $18 = 2 \times 3^2$
$12 = 2^2 \times 3$

28. $60 = 2^2 \times 3 \times 5$
$40 = 2^3 \times 5$

29. $36 = 2^2 \times 3^2$
$24 = 2^3 \times 3$

30. 231, 42   **31.** 16, 20   **32.** 15, 18   **33.** 75, 45

Completa la gráfica hallando el MCD y el mcm de cada par. Después compara el producto de los dos números y el producto del MCD y del mcm. ¿Qué observas?

	Números	MCD	mcm	Producto de los números	Producto del mcm y el MCD
34.	6, 10	2	30	$6 \times 10 = \square$	$2 \times 30 = \square$
35.	4.8				
36.	10, 12				
37.	9, 15				
38.	6, 5				

APLICACIÓN

39. Un vaso de leche regular de 8 onzas contiene 150 calorías. El mismo tamaño de vaso lleno de leche baja en grasa contiene 100 calorías. ¿Cuál es el número mínimo de vasos de cada tipo de leche que hay que beber para consumir igual número de calorías?

★ **40.** La Finca Lechera García tiene dos máquinas cargadoras de leche. Una carga una caja en 18 segundos y la otra carga una caja en 24 segundos. Si ambas comienzan al mismo tiempo, ¿cuántos segundos pasarán antes de que ambas terminen una caja a la vez?

Problemas para resolver

REPASO DE DESTREZAS Y ESTRATEGIAS Cúpula futura

El Pacíficus es un parque de diversiones submarino del futuro cubierto por una cúpula. Exhibe animales marinos y está a 1,500 m bajo la superficie del océano. Se bombea oxígeno adentro de la cúpula.

Resuelve cada problema. Si no hay suficiente información indica que datos son necesarios.

1. El Pacíficus tuvo 21,487 visitantes el día de su inaguración. De éstos, 5,625 eran hombres, 5,687 mujeres y el resto niños. ¿Cuántos niños visitaron el Pacíficus ese día?

2. El Pacíficus tiene una agencia de excursiones. La excursión regular dura 1 hora. Los adultos pagan $5, los niños menores de 12 años pagan $3. ¿Cuánto le cuesta a una familiar tomar la excursión?

3. Cara y Lago salen del Pacíficus a las 10:00 A.M. vistiendo sus trajes submarinos con oxígeno. Llegan a la Cueva de los Misterios a las 11:15 A.M. Cada traje tiene oxígeno para 4 horas. ¿Cuánto tiempo tienen para explorar la cueva y regresar al Pacíficus?

4. La cueva tiene 27 m de alto en un pasadizo estrecho donde cuelgan varias estalactitas que miden aproximadamente 9.7 m. Abajo hay estalagmitas que miden 10.7 m de alto. ¿Cuánto espacio le queda a Cara y Lago para nadar?

5. Cara mira a dos caballitos de mar que estan jugando. Estos se mantienen suspendidos en el agua por 2 minutos. El caballito mayor salta 12 cm, baja 6 cm, salta 3 cm, baja 2 cm y salta 7 cm. El caballito más pequeño baja 11 cm, salta 12 cm, salta 6 cm, baja 3 cm y salta 2 cm. ¿Cuánto más alto está el caballito mayor?

★6. Los animales del Pacíficus tienen que ser alimentados cada día. Cuesta $15 diarios alimentar cada delfín. El costo diario de alimentar cada ballena es $25. El Pacíficus tiene 20 delfines y 10 ballenas. ¿Cuánto cuesta alimentar los delfines y las ballenas diariamente? ¿Cuál cuesta más alimentar cada día?

La gráfica muestra el promedio de asistencia diaria al Pacíficus.

7. ¿Cuántas más mujeres que hombres visitan el Pacíficus diariamente?

8. ¿Cuántas personas en total visitan el Pacíficus diariamente?

9. ¿Cuántos adultos van al Pacíficus a diario?

10. ¿Cuál es la diferencia entre el promedio de asistencia diaria de adultos y de niños?

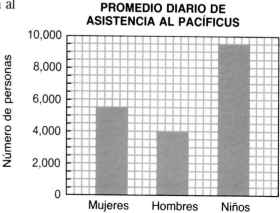

PROMEDIO DIARIO DE ASISTENCIA AL PACÍFICUS

170

Resuelve.

11. La cúpula del Pacíficus tiene 24 secciones de cristal. Cada una es de 45,200 metros cuadrados. ¿Cuánto cristal lleva la cúpula?

12. Los 21,000 metros cúbicos de oxígeno dentro de la cúpula deben renovarse cada hora. Los respiraderos A pueden renovar 2,000 metros cúbicos por hora. Los respiraderos B pueden renovar 3,000 metros cúbicos por hora. Si 6 respiraderos A están funcionando, ¿cuántos B deben funcionar también para renovar los 21,000 metros cúbicos de oxígeno?

El Sendero para Exploradores Submarinos tiene varias atracciones principales.

Usa el dibujo para contestar las siguientes preguntas.

13. ¿De qué largo es el sendero completo?

14. ¿Qué distancia hay de la Almeja Gigante al Campo de Recreo de Ballenas?

15. La distancia desde la Exhibición de Coral a la Almeja Gigante es la misma que la distancia desde el Campo de Recreo de Ballenas a la entrada de la Cueva de los Misterios. ¿Qué distancia hay desde la Exhibición de Coral a la Almeja Gigante?

16. Mientras nadaba en el Sendero para Exploradores Submarinos, Cara nadó directamente de la Exhibición de Coral al Naufragio. Lago siguió la ruta regular. ¿Cuánto más corta fue la ruta de Cara que la de Lago?

REPASO DEL CAPÍTULO

Evalúa. págs. 144–145

1. $19 + (8 + 4 \div 2) \times 3$ **2.** $19 + 8 + 4 \div 2 \times 3$ **3.** $19 + 8 + (4 \div 2 \times 3)$

Evalúa cada expresión si $a = 4$, $b = 3$ y $c = 7$. págs. 146–147

4. $a + 5 - b$ **5.** $2a - 2b$ **6.** $a + b + c$ **7.** $(a + b) + 2c$

Escribe una expresión para cada frase. Usa la n como variable. págs. 148–149

8. 7 más que un número

9. un número disminuido por 5

10. 3 veces un número más 10

11. 14 menos que un número dividido por 12

Escribe una ecuación para cada uno. págs. 148–149

12. Nueve más un número x es igual a 35.

13. Un número r dividido por 11 es igual a 12.

Resuelve y comprueba. págs. 152–155

14. $x + 8 = 21$ **15.** $y - 10 = 17$ **16.** $18 + m = 35$ **17.** $r - 83 = 109$

18. $15b = 75$ **19.** $54 = 9a$ **20.** $\frac{n}{9} = 14$ **21.** $y \div 7 = 13$

Sigue la regla para hallar el valor de y en cada uno. págs. 156–157

22. $y = 2x$, $x = 8$ **23.** $y = x + 4$, $x = 7$

Indica si cada número es divisible por 2, 3, 5, 9 ó 10. págs. 166–167

24. 963   **25.** 4,130   **26.** 590   **27.** 75,576

Halla el MCD y el mcm de cada uno. págs. 166–169

28. 8, 20   **29.** 9, 16   **30.** 4, 26   **31.** 11, 44   **32.** 2, 4, 8

Indica si cada número es primo o compuesto. Si es compuesto, escribe el número como el producto de factores primos usando exponentes cuando sea posible. págs. 162–167

33. 68   **34.** 225   **35.** 103   **36.** 550   **37.** 270

Resuelve. págs. 158–159, 170–171

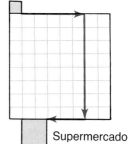

Apartamento de Mel

Supermercado

38. Mel y su perro guía caminaron 16 cuadras de la casa al supermercado como aparece en el dibujo a la derecha. ¿Cuántas cuadras caminarán si toman la ruta más corta a casa?

39. En una exhibición de perros hay 140 concursantes. ¿Pueden los perros y sus entrenadores desfilar en grupos de 2? ¿de 4? ¿de 6? ¿de 9? ¿de 10?

PRUEBA DEL CAPÍTULO

Evalúa.

1. $25 \div 5 + 20 \times 2$

2. $25 \div (5 + 20) \times 2$

3. $18 + 7 - 6 \div 3 \times 4$

4. $18 + b$, if $b = 7$

5. $3a - 5$, if $a = 9$

6. $n \div 7 + 2$, if $n = 63$

Escribe una expresión o ecuación para cada uno.

7. cuatro veces un número n más ocho

8. 17 aumentado por un número y es igual a 29.

9. 14 es igual a la suma de 6 y el doble del número r.

Resuelve y comprueba.

10. $y + 10 = 32$

11. $7m = 84$

12. $x - 7 = 13$

13. $\frac{n}{13} = 9$

Halla el MCD y el mcm de cada uno.

14. 9, 15

15. 8, 30

16. 21, 63

Indica si el número es primo o compuesto. Si es compuesto, escríbelo como el producto de factores primos.

17. 151

18. 57

19. 210

Indica si el número es divisible por 2, 3, 5, 9 ó 10.

20. 420

21. 13,485

Sigue la regla para hallar el valor de y en cada uno.

22. $y = 3x$, $x = 5$

23. $y = x + 5$, $x = 8$

Resuelve.

24. Una paloma mensajera voló una distancia de 120 millas en 3 días. Si voló 75 millas en los primeros 2 días, ¿cuántas millas voló el último día?

25. Sam y Terry viven a 12 km de distancia. Salieron de sus casas montados a caballo para reunirse a mitad de camino. Sam cubrió 3.5 km y Terry cubrió 3.6 km. ¿A qué distancia están uno del otro?

El MCD de dos números es 7 y el mcm es 210. Si uno de esos números es 35, ¿cuál es el otro número?

ARITMÉTICA DE RELOJ

Cuando usas un reloj de 12 horas, con frecuencia haces un tipo especial de aritmética. Estás trabajando con un sistema de números que usa solamente los números de la esfera del reloj: 1, 2, 3, 4, 5, 6, 7, 8, 9, 10, 11, 12.

¿Qué hora es 5 horas *después* de las 11:00?   ¿Qué hora es 6 horas *antes* de las 2:00?

5 horas después de las 11:00 son las 4:00.   6 horas antes de las 2:00 son las 8:00.

Usando un sistema de aritmética con números de reloj, escribe:

$$11 + 5 = 4 \qquad\qquad 2 - 6 = 8$$

Para sumar, piensa en mover la manecilla de las horas en el sentido del reloj. Para restar, piensa en mover la manecilla de las horas en el sentido inverso.

Usa la arithmética de reloj para sumar o restar.

1. $7 + 3 = n$ **2.** $7 + 8 = n$ **3.** $10 + 2 = n$ **4.** $4 + 12 = n$

5. $12 + 6 = n$ **6.** $5 + 9 = n$ **7.** $3 + 11 = n$ **8.** $10 + 9 = n$

9. $9 - 4 = n$ **10.** $4 - 3 = n$ **11.** $5 - 9 = n$ **12.** $3 - 12 = n$

13. $2 - 3 = n$ **14.** $12 - 4 = n$ **15.** $2 - 10 = n$ **16.** $1 - 4 = n$

También puedes hacer multiplicación de reloj.

Para multiplicar 3×5, piensa $5 + 5 + 5$.

Comienza en 12.

Mueve la manecilla de las horas 5 horas en el sentido del reloj. Haz ésto un total de 3 veces.

En este sistema de números escribe: $3 \times 5 = 3$

Usa aritmética de reloj para multiplicar.

17. $7 \times 4 = n$ **18.** $10 \times 2 = n$ **19.** $5 \times 5 = n$ **20.** $12 \times 3 = n$

21. $3 \times 4 = n$ **22.** $6 \times 3 = n$ **23.** $8 \times 2 = n$ **24.** $1 \times 11 = n$

NÚMEROS TRIANGULARES Y CUADRADOS

Los antiguos griegos creían que los números y la geometría estaban relacionados. Representaban los números enteros con puntos que formaban un triángulo o un cuadrado.

Estos son los primeros cuatro números triangulares.

1   3   6   10

Estos son los primeros cuatro números cuadrados.

1   4   9   16

Los números triangulares y cuadrados resultan interestantes por sus patrones.

1. Dibuja los tres próximos números triangulares y nómbralos.

2. Escribe la secuencia de números triangulares formada hasta ahora.

3. Escribe la secuencia formada por las diferencias entre números triangulares consecutivos.

4. Dibuja los tres próximos números cuadrados y nómbralos.

Puedes demostrar que un número cuadrado es la suma de dos números triangulares consecutivos.

3 + 6 = 9   6 + 10 = 16

5. Muestra que los números cuadrados que dibujaste en el **4** son cada uno la suma de dos números triangulares consecutivos.

PERFECCIONAMIENTO DE DESTREZAS

Escoge las respuestas correctas. Escribe A, B, C o D.

1. ¿Cuál es la propiedad de multiplicación usada? $(10 \times 4) + (10 \times 3) = 10(3 + 4)$

   A asociativa   **C** distributiva

   B conmutativa   **D** no se da

9. Completa. 0.75 cm $= 0.0075$ _____

   A mm   **C** km

   B m   **D** no se da

2. Redondea 1.7854 a la decena más cercana.

   A 1.7   **C** 2.0

   B 1.8   **D** no se da

10. ¿Cuál es el valor de $16 + 32 \div 4 - 1$?

    A 11   **C** 16

    B 23   **D** no se da

3. Estima. $6.9 - 2.3$

   A 3   **C** 5

   B 4   **D** no se da

11. Evalúa $\frac{n}{4}$ si $n = 20$.

    A 1   **C** 9

    B 4   **D** no se da

4. 81.2×7.35

   A 596.82   **C** 5.9682

   B 59.682   **D** no se da

12. Resuelve. $p - 17 = 39$

    A 22   **C** 56

    B 46   **D** no se da

5. $6.37 \div 10^2$

   A 0.00637   **C** 637

   B 0.637   **D** no se da

13. Resuelve $\frac{11}{12} = 30$

    A 2.5   **C** 350

    B 36   **D** no se da

6. $24\overline{)86.4}$

   A 36   **C** 3.6

   B 0.36   **D** no se da

Resuelve.

14. En Montreal, Olga hizo un recorrido por un museo que duró 2 h 10 min. Más tarde hizo un recorrido en autobús que duró 90 min más. ¿ Cuánto tiempo pasó en ambos recorridos?

    A 2 h 50 min   **C** 5 h 50 min

    B 3 h 40 min   **D** no se da

7. Completa. 8.5 mL $=$ _____ L

   A 0.85   **C** 8,500

   B 0.085   **D** no se da

8. $\begin{array}{r} 4 \text{ h } 35 \text{ min} \\ + 3 \text{ h } 43 \text{ min} \\ \hline \end{array}$

   A 7 h 18 min   **C** 8 h 18 min

   B 8 h 8 min   **D** no se da

15. Un equipo de béisbol compró bates y guantes nuevos para sus 12 miembros. Cada bate costó $12.50 y cada guante costó $9.85. ¿Cuánto gastó en total el equipo?

    A $268.20   **C** $31.80

    B $150.00   **D** no se da

Tema: El mar

Fracciones

¿Por qué es azul la Tierra? Desde el espacio, nuestro planeta es azul por el color de los océanos. Éstos cubren $\frac{7}{10}$ de la Tierra.

La fracción $\frac{7}{10}$ indica qué parte de la Tierra está cubierta por agua.

Una **fracción** nombra parte de una región o parte de un grupo.

$$\begin{array}{l} \text{numerador} \rightarrow 7 \\ \text{denominador} \rightarrow 10 \end{array} \quad \text{lee siete décimas.}$$

Las fracciones nombran puntos en la recta numérica.

$\frac{8}{8}$ nombra el número entero 1.

Las fracciones expresan cocientes.

$4 \div 7 = \frac{4}{7} \qquad 9 \div 9 = \frac{9}{9} = 1$

En una **fracción propia** el numerador es menor que el denominador.

$\frac{4}{7}$ y $\frac{7}{10}$ son fracciones propias.

En una **fracción impropia** el numerador es mayor que o igual al denominador.

$\frac{8}{8}$ y $\frac{9}{3}$ son fracciones impropias.

TRABAJO EN CLASE

Escribe una fracción para la parte sombreada de cada uno.

1.

2.

3.
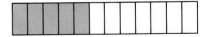

Escribe cada uno como fracción.

4. $8 \div 15$

5. $7 \div 5$

6. $21\overline{)9}$

7. $6\overline{)6}$

Escribe una fracción para la parte sombreada.

1.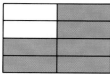

2.

3.

4.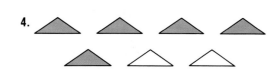

Escribe cada uno como fracción.

5. $3 \div 18$ **6.** $15 \div 27$ **7.** $6 \div 10$ **8.** $3 \div 7$

9. $3\overline{)2}$ **10.** $6\overline{)5}$ **11.** $11\overline{)5}$ **12.** $7\overline{)7}$

Escribe una fracción para cada punto identificado como A, B, C ó D en las rectas numéricas. Después escribe una fracción para cada punto nombrado por 1.

13.

14.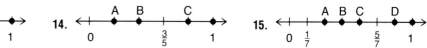

15.

Escribe una fracción para cada uno.

16. las conchas que *no* son beige

17. las conchas que *no* son rosadas

★**18.** las conchas que *no* son ni rosadas ni negras

★**19.** las conchas que son rosadas o beige

★**20.** las conchas que son rosadas o beige o negras

APLICACIÓN

21. Ryan recogió 24 conchas durante sus vacaciones en La Florida. Cinco de las conchas eran caracolas y 19 eran almejas. ¿Qué fracción de las conchas eran caracolas? ¿Qué fracción eran almejas?

★**22.** Ryan cambió conchas con su hermano Paul. Le dió a Paul 3 de sus almejas por una caracola. Después del cambio, ¿qué fracción de la colección de Ryan eran caracolas?

Fracciones equivalentes

¿Cuál está ganando?

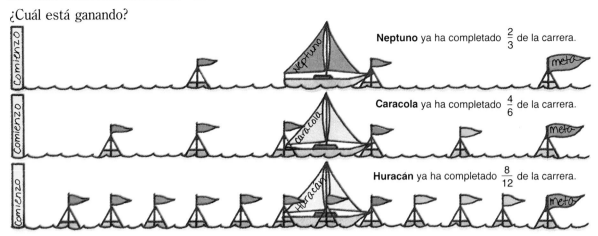

Neptuno ya ha completado $\frac{2}{3}$ de la carrera.

Caracola ya ha completado $\frac{4}{6}$ de la carrera.

Huracán ya ha completado $\frac{8}{12}$ de la carrera.

$\frac{2}{3}$, $\frac{4}{6}$ y $\frac{8}{12}$ nombran el mismo número. Son **fracciones equivalentes.**

Ninguno de los barcos está ganando. Los tres barcos han completado la misma fracción de la carrera.

▶ Para hallar fracciones equivalentes, multiplica o divide el numerador y el denominador por el mismo número, excepto 0.

$$\frac{1}{2} = \frac{1 \times 3}{2 \times 3} = \frac{3}{6} \qquad\qquad \frac{15}{25} = \frac{15 \div 5}{25 \div 5} = \frac{3}{5}$$

$\frac{1}{2}$ y $\frac{3}{6}$ son equivalentes. $\qquad \frac{15}{25}$ y $\frac{3}{5}$ son equivalentes.

Más ejemplos

Halla el valor de n para hacer fracciones equivalentes.

a. $\frac{3}{4} = \frac{n}{24}$ **Piensa** $4 \times 6 = 24$

$\frac{3}{4} = \frac{3 \times 6}{4 \times 6} = \frac{18}{24}$

$n = 18$

$\frac{3}{4} = \frac{18}{24}$

b. $\frac{12}{15} = \frac{4}{n}$ **Piensa** $12 \div 3 = 4$

$\frac{12}{15} = \frac{12 \div 3}{15 \div 3} = \frac{4}{5}$

$n = 5$

$\frac{12}{15} = \frac{4}{5}$

TRABAJO EN CLASE

Escribe tres fracciones equivalentes para cada uno.

1. $\frac{1}{3}$　　2. $\frac{3}{4}$　　3. $\frac{20}{30}$　　4. $\frac{36}{45}$　　5. $\frac{3}{11}$　　6. $\frac{14}{56}$

Halla el valor de n en cada uno.

7. $\frac{1}{4} = \frac{1 \times 3}{4 \times n} = \frac{3}{12}$　　8. $\frac{8}{14} = \frac{8 \div n}{14 \div n} = \frac{4}{7}$　　9. $\frac{2}{5} = \frac{n}{10}$　　10. $\frac{20}{36} = \frac{5}{n}$

Escribe tres fracciones equivalentes para cada uno.

1. $\frac{1}{4}$
2. $\frac{12}{36}$
3. $\frac{1}{5}$
4. $\frac{5}{9}$
5. $\frac{75}{100}$
6. $\frac{16}{96}$

Halla el valor de _n_ en cada uno.

7. $\frac{1}{2} = \frac{1 \times n}{2 \times n} = \frac{5}{10}$

8. $\frac{3}{8} = \frac{3 \times n}{8 \times n} = \frac{9}{24}$

9. $\frac{24}{30} = \frac{24 \div n}{30 \div n} = \frac{4}{5}$

10. $\frac{11}{25} = \frac{n}{50}$

11. $\frac{4}{8} = \frac{n}{32}$

12. $\frac{32}{48} = \frac{n}{3}$

13. $\frac{6}{3} = \frac{n}{18}$

14. $\frac{88}{32} = \frac{n}{4}$

15. $\frac{65}{100} = \frac{n}{20}$

16. $\frac{16}{7} = \frac{64}{n}$

17. $\frac{13}{20} = \frac{26}{n}$

★ 18. $\frac{9}{9} = \frac{n}{10}$

★ 19. $\frac{15}{15} = \frac{20}{n}$

APLICACIÓN

20. En otra carrera, _Gaviota_ compitió contra _Neptuno_, _Caracola_ y _Huracán_. Cuando _Gaviota_ había completado $\frac{10}{24}$ de la carrera, _Huracán_ había completado $\frac{5}{12}$, _Caracola_ $\frac{2}{6}$, y _Neptuno_ $\frac{1}{3}$. Usa las rectas numéricas para hallar sus posiciones. ¿Cuáles son los veleros que van delante? ¿Cuáles son fracciones equivalentes?

★ 21. Un velero ha completado $\frac{3}{8}$ de la carrera. ¿Qué fracción del trayecto le falta para completar $\frac{13}{24}$ de la carrera?

0   1
Gaviota

0   1
Huracán

0   1
Caracola

0   1
Neptuno

FRACCIONES EQUIVALENTES Y PRODUCTOS CRUZADOS

Si dos fracciones son equivalentes, sus productos cruzados son iguales. Si los productos cruzados son iguales, las fracciones son equivalentes.

¿Son $\frac{3}{5}$ y $\frac{7}{10}$ fracciones equivalentes?

$\frac{2}{3} = \frac{8}{12}$ productos cruzados

$2 \times 12 = 3 \times 8$
$24 = 24$

$\frac{3}{5} \ \bullet \ \frac{7}{10}$

$3 \times 10 \neq 5 \times 7$ ← Los productos cruzados no son iguales.
$30 \neq 35$ Las fracciones no son equivalentes.

Usa productos cruzados para indicar si las fracciones son equivalentes. Escribe _sí_ o _no_.

1. $\frac{3}{4}, \frac{9}{12}$
2. $\frac{6}{11}, \frac{2}{5}$
3. $\frac{8}{6}, \frac{20}{15}$
4. $\frac{14}{6}, \frac{21}{9}$
5. $\frac{5}{8}, \frac{20}{35}$

Expresión mínima

Herman Melville escribió sobre una ballena llamada Moby Dick. La llamó la Gran Ballena Blanca, pero Moby Dick ¡era sólo $\frac{6}{10}$ el tamaño de una ballena azul!

▶ Una fracción está en su **expresión mínima** o forma más simple cuando el máximo común divisor (MCD) del numerador y del denominador es 1.

Para escribir $\frac{6}{10}$ en su expresión mínima, primero halla el MCD del numerador y del denominador.

Factores de 6: 1, 2, 3, 6
Factores de 10: 1, 2, 5, 10
MCD: 2

Después divide el numerador y el denominador, por el MCD.

$\frac{6}{10} = \frac{6 \div 2}{10 \div 2} = \frac{3}{5}$ El MCD de 3 y 5 es 1.
Por lo tanto $\frac{3}{5}$ es la expresión mínima.

$\frac{6}{10}$ en su expresión mínima es $\frac{3}{5}$.

Moby Dick era $\frac{3}{5}$ el tamaño de la ballena azul.

▶ A veces es más fácil dividir el numerador y el denominador por cualquier factor común. Continúa dividiendo hasta que la fracción esté en su expresión mínima.

$$\frac{30}{45} = \frac{30 \div 3}{45 \div 3} = \frac{10}{15} \quad \text{y} \quad \frac{10 \div 5}{15 \div 5} = \frac{2}{3} \quad \text{ó} \quad \frac{30}{45} = \frac{30 \div 15}{45 \div 15} = \frac{2}{3}$$

TRABAJO EN CLASE

Indica si cada fracción está en su expresión mínima. Escribe *sí* o *no*.

1. $\frac{3}{4}$ 2. $\frac{20}{100}$ 3. $\frac{6}{8}$ 4. $\frac{8}{9}$ 5. $\frac{14}{49}$ 6. $\frac{10}{11}$

Escribe cada fracción en su expresión mínima.

7. $\frac{10}{30}$ 8. $\frac{6}{8}$ 9. $\frac{9}{15}$ 10. $\frac{8}{32}$ 11. $\frac{15}{35}$ 12. $\frac{12}{120}$

PRÁCTICA

Di si cada fracción está en su expresión mínima. Escribe *sí* o *no*.

1. $\frac{2}{3}$ **2.** $\frac{1}{5}$ **3.** $\frac{4}{12}$ **4.** $\frac{7}{9}$

5. $\frac{3}{15}$ **6.** $\frac{9}{20}$ **7.** $\frac{35}{63}$ **8.** $\frac{50}{125}$

Escribe cada fracción en su expresión mínima.

9. $\frac{4}{6}$ **10.** $\frac{10}{15}$ **11.** $\frac{16}{32}$ **12.** $\frac{10}{30}$

13. $\frac{25}{30}$ **14.** $\frac{10}{40}$ **15.** $\frac{6}{24}$ **16.** $\frac{12}{16}$

17. $\frac{18}{24}$ **18.** $\frac{35}{50}$ **19.** $\frac{75}{100}$ **20.** $\frac{20}{40}$

21. $\frac{14}{16}$ **22.** $\frac{80}{100}$ **23.** $\frac{4}{16}$ **24.** $\frac{16}{36}$

25. $\frac{25}{45}$ **26.** $\frac{40}{75}$ **27.** $\frac{16}{44}$ **28.** $\frac{22}{55}$

29. $\frac{110}{880}$ **30.** $\frac{100}{250}$ ★ **31.** $\frac{78}{195}$ ★ **32.** $\frac{875}{1,000}$

Resuelve. Escribe cada fracción en su expresión mínima.

33. ¿Qué fracción de un año son 30 días?

34. ¿Qué fracción de un día son 10 horas?

★ **35.** ¿Qué fracción de un día son 20 minutos?

★ **36.** ¿Qué fracción de una hora son 45 segundos?

APLICACIÓN

37. Un día, el Capitán Ahab persiguió a Moby Dick durante 9 horas. ¿Qué fracción de un día es esto? Escribe la respuesta en su expresión mínima.

★ **38.** El viejo barco ballenero *Portsmouth* tenía 180 pies de largo. El aceite de ballena se almacenaba en un área de 50 pies. ¿Qué fracción del barco no se usaba para almacenar aceite de ballena? Escribe la fracción en su expresión mínima.

Práctica mixta

1. $72,108 + 596$

2. $91,076 - 987$

3. $16,000 - 8,968$

4. $5,291 \times 78$

5. $78,235 \times 12$

6. $34 \overline{)222,428}$

7. $57 \overline{)17,556}$

8. $9.81 + 15$

9. $16 + 3.125 + 98.7$

10. $87.63 - 9.157$

11. $52 - 7.09$

12. 9.2×5.6

13. 0.012×0.4

14. $12 \overline{)789.6}$

15. $0.5 \overline{)13.22}$

Escribe una expresión para cada uno.

16. 6 veces n

17. 5 más que q

18. 7 menos que m

19. el producto de 9 y r

20. n aumentado por 2

21. b dividido por 8

22. 5 dividido por a

Fracciones y números mixtos

Luis está recogiendo muestras del agua de mar para un experimento de ciencias. Tiene que echar $2\frac{1}{2}$ galones de agua en recipientes de medio galón. ¿Cuántos necesita?

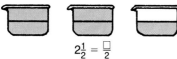

$$2\frac{1}{2} = \frac{\square}{2}$$

$2\frac{1}{2}$ es un **número mixto.** Un número mixto puede ser escrito como una **fracción impropia.** En una fracción impropia el numerador es mayor que o igual al denominador.

Para escribir un número mixto como una fracción impropia, sigue estos pasos.

Paso 1

Multiplica el número entero por el denominador. Después suma el numerador.

$$2\frac{1}{2} \longrightarrow (2 \times 2) + 1 = 5$$

Paso 2

Escribe la suma sobre el denominador.

$$2\frac{1}{2} = \frac{5}{2}$$

Luis necesita 5 recipientes de medio galón.

Puedes escribir una fracción impropia como un número mixto o un número entero.

Paso 1

Primero divide el numerador por el denominador.

$$\frac{21}{9} \rightarrow 9\overline{)21} \quad \begin{array}{r} 2\ R3 \\ 18 \\ \hline 3 \end{array}$$

Paso 2

Escribe el cociente como un número entero. Escribe el residuo como el numerador.

$$\frac{3}{9} \begin{array}{l} \leftarrow \text{residuo} \\ \leftarrow \text{divisor} \end{array} \qquad \frac{21}{9} = 2\frac{1}{3}$$

TRABAJO EN CLASE

Escribe cada uno como una fracción impropia.

1. $1\frac{2}{5}$ 2. $2\frac{1}{4}$ 3. $5\frac{4}{7}$ 4. $10\frac{1}{9}$ 5. $1\frac{2}{3}$ 6. $4\frac{1}{2}$

Escribe cada uno como un número entero o un número mixto en su expresión mínima.

7. $\frac{10}{4}$ 8. $\frac{22}{7}$ 9. $\frac{27}{3}$ 10. $\frac{13}{5}$ 11. $\frac{34}{8}$ 12. $\frac{45}{9}$

Escribe cada uno como fracción impropia.

1. $4\frac{1}{4}$
2. $12\frac{2}{3}$
3. $2\frac{4}{7}$
4. $3\frac{1}{2}$
5. $9\frac{1}{6}$
6. 2

7. $3\frac{2}{5}$
8. $6\frac{1}{4}$
9. $1\frac{3}{6}$
10. $3\frac{3}{4}$
11. $3\frac{5}{6}$
12. $4\frac{7}{12}$

13. $1\frac{7}{9}$
14. $3\frac{15}{16}$
15. $5\frac{3}{8}$
16. $2\frac{3}{5}$
17. $10\frac{2}{9}$
18. $6\frac{4}{15}$

Escribe cada uno como número entero o como número mixto en su expresión mínima.

19. $\frac{17}{3}$
20. $\frac{12}{6}$
21. $\frac{10}{4}$
22. $\frac{7}{3}$
23. $\frac{5}{4}$
24. $\frac{17}{2}$
25. $\frac{15}{4}$

26. $\frac{22}{4}$
27. $\frac{40}{8}$
28. $\frac{33}{16}$
29. $\frac{15}{12}$
★ 30. $\frac{56}{18}$
★ 31. $\frac{76}{24}$
★ 32. $\frac{36}{16}$

Usa tu calculadora para nombrar cada uno como fracción impropia.

33. $15\frac{3}{20}$
34. $27\frac{11}{17}$
35. $35\frac{13}{32}$
36. $86\frac{21}{40}$
37. $142\frac{43}{61}$
38. $205\frac{17}{190}$

Nombra cada punto como número mixto y como fracción impropia en su expresión mínima.

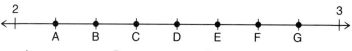

39. A
40. B
41. C
42. D
43. E
44. F
45. G

APLICACIÓN

46. Para trabajar en su experimento, Luis tiene que verter muestras del agua de mar de cubetas a tubos de ensayo. Cada tubo de ensayo contiene $\frac{1}{5}$ de cubeta de agua. ¿Cuántos tubos de ensayo necesita Luis para almacenar 4 cubetas de agua?

★ 47. Carol Reilly es una científica que trabaja en la compañía Agua Pura, S. A. Carol almacena muestras de agua en botellas de un cuarto de galón. ¿Cuántas botellas necesita Carol para almacenar $10\frac{1}{2}$ galones de agua?

===== LA CALCULADORA =====

Así se entra un número mixto en una calculadora.

Entra $30\frac{7}{8}$. ÷ + = `30.875`

Usa la calculadora para hallar el valor en dólares y centavos de cada acción.

Acciones	Precio por acción	en dólares
Mar Puro, S.A.	$77\frac{1}{4}$	
Agualimpia	$177\frac{5}{8}$	
Agua Clara, S.A.	$76\frac{3}{8}$	
Separadores de SAL	$19\frac{3}{4}$	

Comparar Fracciones

Ann y Paul están pintando su lancha, el *Delfín Azul*.
Ann usa $\frac{3}{4}$ de galón de pintura para el babor y Paul
usa $\frac{4}{5}$ de galón para el estribor. ¿Quién usa más pintura?

Compara $\frac{3}{4}$ y $\frac{4}{5}$.

Las fracciones que tienen diferentes denominadores
se llaman fracciones heterogéneas. Para comparar
fracciones heterogéneas, sigue estos pasos.

Paso 1 Halla el mínimo común denominador
(mcd) de las fracciones.

$\frac{3}{4} \rightarrow$ 4, 8, 12, 16, 20, . . . **Piensa.** El mínimo común múltiplo de los denominadores
es el **mcd.**

$\frac{4}{5} \rightarrow$ 5, 10, 15, 20, . . .

El mcd de $\frac{3}{4}$ y $\frac{4}{5}$ es 20.

Paso 2 Escribe las fracciones equivalentes.   **Paso 3** Compara los numeradores.

$\frac{3}{4} = \frac{3 \times 5}{4 \times 5} = \frac{15}{20}$ $\frac{15}{20}$ 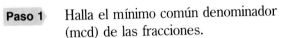 $\frac{16}{20}$

$\frac{4}{5} = \frac{4 \times 4}{5 \times 4} = \frac{16}{20}$ $15 < 16$, **por lo tanto** $\frac{15}{20} < \frac{16}{20}$

y $\frac{3}{4} < \frac{4}{5}$.

Paul usa más pintura porque $\frac{4}{5}$ de galón es más que $\frac{3}{4}$ de galón.

Más ejemplos

a. Compara $3\frac{3}{8}$ y $3\frac{1}{6}$.
Como los números enteros son iguales,
compara las fracciones.

Piensa El mcd de $\frac{3}{8}$ y $\frac{1}{6}$ es 24.

$\frac{3}{8} = \frac{3 \times 3}{8 \times 3} = \frac{9}{24}$

$\frac{1}{6} = \frac{1 \times 4}{6 \times 4} = \frac{4}{24}$

$\frac{9}{24} > \frac{4}{24}$, por lo tanto $3\frac{9}{24} > 3\frac{4}{24}$ y $3\frac{3}{8} > 3\frac{1}{6}$.

b. Compara $\frac{5}{6}$, $\frac{4}{5}$ y $\frac{7}{10}$.

Piensa El mcd de $\frac{5}{6}$, $\frac{4}{5}$ y $\frac{7}{10}$ es 30.

$\frac{5}{6} = \frac{5 \times 5}{6 \times 5} = \frac{25}{30}$

$\frac{4}{5} = \frac{4 \times 6}{5 \times 6} = \frac{24}{30}$

$\frac{7}{10} = \frac{7 \times 3}{10 \times 3} = \frac{21}{30}$

$\frac{21}{30} < \frac{24}{30} < \frac{25}{30}$, por lo tanto $\frac{7}{10} < \frac{4}{5} < \frac{5}{6}$.

TRABAJO EN CLASE

Compara. Usa $>$, $<$ ó $=$ en lugar de 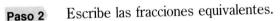.

1. $\frac{1}{2}$ 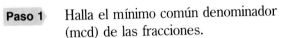 $\frac{3}{10}$ **2.** $\frac{1}{4}$ 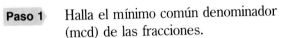 $\frac{2}{6}$ **3.** $\frac{2}{3}$ 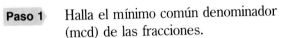 $\frac{5}{8}$ **4.** $2\frac{1}{6}$ 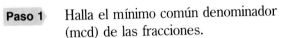 $2\frac{2}{9}$ **5.** $\frac{2}{5}$ 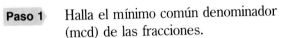 $\frac{3}{8}$

6. $\frac{2}{3}$ 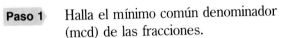 $\frac{5}{9}$ **7.** $\frac{2}{3}$ 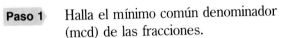 $\frac{3}{4}$ **8.** $1\frac{1}{4}$ 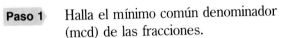 $1\frac{3}{16}$ **9.** $\frac{1}{2}$ 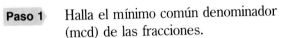 $\frac{5}{10}$ **10.** $8\frac{3}{4}$ 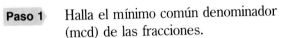 $8\frac{7}{24}$

PRÁCTICA

Compara. Usa >, < ó = en lugar de ⬤.

1. $\frac{2}{5}$ ⬤ $\frac{4}{15}$
   2. $\frac{3}{4}$ ⬤ $\frac{7}{8}$
   3. $\frac{3}{5}$ ⬤ $\frac{6}{10}$
   4. $\frac{3}{4}$ ⬤ $\frac{5}{6}$
   5. $\frac{1}{2}$ ⬤ $\frac{4}{9}$

6. $\frac{7}{8}$ ⬤ $\frac{3}{4}$
   7. $\frac{1}{3}$ ⬤ $\frac{2}{5}$
   8. $\frac{2}{3}$ ⬤ $\frac{3}{4}$
   9. $\frac{3}{8}$ ⬤ $\frac{6}{20}$
   10. $\frac{4}{6}$ ⬤ $\frac{2}{3}$

11. $\frac{3}{5}$ ⬤ $\frac{4}{7}$
   12. $\frac{4}{5}$ ⬤ $\frac{7}{9}$
   13. $\frac{7}{10}$ ⬤ $\frac{11}{16}$
   14. $\frac{3}{4}$ ⬤ $\frac{6}{9}$
   15. $\frac{5}{10}$ ⬤ $\frac{5}{6}$

16. $1\frac{1}{10}$ ⬤ $1\frac{3}{5}$
   17. $3\frac{3}{9}$ ⬤ $3\frac{1}{3}$
   18. $6\frac{4}{5}$ ⬤ $6\frac{7}{8}$
   19. $4\frac{1}{2}$ ⬤ $4\frac{7}{9}$
   20. $5\frac{1}{5}$ ⬤ $5\frac{2}{4}$

Ordena de menor a mayor.

21. $\frac{1}{2}, \frac{1}{3}, \frac{1}{6}$
   22. $\frac{1}{4}, \frac{3}{8}, \frac{1}{16}$
   23. $\frac{2}{3}, \frac{4}{9}, \frac{1}{4}$
   24. $1\frac{3}{4}, 1\frac{5}{6}, 1\frac{3}{8}$
   25. $\frac{4}{5}, \frac{3}{4}, \frac{5}{6}$

Halla una fracción entre cada par de fracciones.

26. $\frac{1}{2}, \frac{6}{8}$
   27. $\frac{1}{3}, \frac{5}{6}$
   ★28. $\frac{5}{12}, \frac{5}{8}$
   ★29. $\frac{4}{9}, \frac{1}{2}$
   ★30. $\frac{3}{4}, \frac{4}{5}$

APLICACIÓN

31. En una carrera de hidroplanos, el *Neblina* logró una velocidad máxima de $57\frac{7}{8}$ nudos por hora. Su rival, el *Mercurio,* alcanzó una velocidad máxima de $57\frac{5}{8}$ nudos por hora. ¿Cuál fue el barco más rápido?

32. El barco mercante *Cometa* lleva $\frac{3}{4}$ de su carga dentro de la bodega debajo de la cubierta y $\frac{6}{24}$ de su carga en la cubierta. ¿Lleva más carga sobre cubierta o bajo cubierta?

33. El barco de vapor transatlántico *Ruritania* hace un viaje de New York a Liverpool en Inglaterra con $\frac{5}{6}$ de los camarotes a babor y $\frac{3}{4}$ de los camarotes a estribor ocupados. ¿Qué lado tiene más pasajeros?

★34. El buque tanque *Príncipe del Petróleo* usa $\frac{2}{3}$ de su combustible en un viaje de Rotterdam a Philadelphia. Llena su deposito y al final del viaje de vuelta tiene una reserva de $\frac{2}{7}$ del tanque. ¿Usa el barco más combustible en el viaje de ida o el de vuelta?

HAZLO MENTALMENTE

Para comparar fracciones cuando los numeradores son iguales, compara los denominadores. La fracción con el denominador menor es la mayor.

Ejemplo Compara $\frac{1}{5}$ y $\frac{1}{4}$. Como $4 < 5$, $\frac{1}{4} > \frac{1}{5}$.

Ordena cada grupo de fracciones de menor a mayor.

1. $\frac{1}{8}, \frac{1}{9}$
   2. $\frac{2}{5}, \frac{2}{3}$
   3. $\frac{1}{12}, \frac{1}{10}$
   4. $\frac{4}{7}, \frac{4}{9}$
   5. $\frac{5}{34}, \frac{5}{33}, \frac{5}{35}$

Problemas para resolver

ADIVINA Y COMPRUEBA

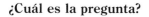

Algunos problemas se resuelven adivinando la respuesta inteligentemente. Sin embargo, tienes que comprobar lo que adivinaste. Si la respuesta no es correcta, ¡tienes que volver a adivinar y comprobarla!

1. Jorge compró anzuelos y plomos en la exhibición de pesca. Pagó $.10 por anzuelo y $.12 por plomo. Gastó exactamente $1. ¿Cuántos anzuelos y plomos compró?

¿Cuál es la pregunta?

¿Cuántos de cada uno compró?

¿Cuáles son los datos?

Los plomas costaron $.12 y los anzuelos $.10 cada uno. Jorge gastó exactamente $1.

Haz un plan.

Adivina varias respuestas y comprueba cada una. Lleva un récord e intenta que cada vez tu respuesta sea mejor que la anterior.

Sigue el plan.

Primera suposición		Segunda suposición		Tercera suposición		Cuarta suposición	
8 plomas	$.96	7 plomos	$.84	6 plomos	$.72	5 plomos	$.60
0 anzuelos	.00	1 anzuelo	.10	2 anzuelos	.20	4 anzuelos	$.40
	$.96		$.94		$.92		$1.00
no = $1		no = $1		no = $1		¡Esto es correcto!	

Jorge compró 5 plomos y 4 anzuelos.

Comprueba la respuesta. ¿Tiene sentido?

$5 \times \$.12 = \$.60 \qquad 4 \times \$.10 = \$.40 \qquad \$.60 + \$.40 = \$1.00$ La respuesta es correcta.

Adivina y comprueba para resolver.

2. Michelle compró sedal de pesca en la exhibición de pesca. Compró la $\frac{1}{2}$ de la cantidad de sedal rojo que del blanco. En total compró 27 yardas de sedal. ¿Qué porción era rojo?

Pregunta: ¿Qué porción del sedal era rojo?

Datos: Ella compró 27 yardas en total. Había la $\frac{1}{2}$ de la cantidad de sedal rojo que del blanco.

PRÁCTICA

Adivina y comprueba para resolver cada uno.

1. Bobbi y Mitch pescaron 18 peces desde el muelle. Bobbi pescó la $\frac{1}{2}$ de lo que pescó Mitch. ¿Cuánto pescó Mitch?

2. Roger participó en una competencia de tirar anzuelo desde el muelle. Tiró 4 veces a las cámaras de aire ilustradas. Obtuvo 52 puntos. ¿En cuáles le dio al blanco?

3. Lucy vende caracolas pintadas. Hoy vendió 30 caracolas. Vendió 8 más de las caracolas azules que de las rojas. ¿Cuántas caracolas azules vendió?

4. Luisa compró suministros para pulir su barco. Seleccionó 3 de los artículos ilustrados. Gastó exactamente $21.95. ¿Qué compró?

5. Gary gastó $41.10 por algunos de los artículos ilustrados para reparar su barco. Compró 2 de 1 artículo y de otros 2 uno de cada uno. ¿Qué compró?

6. El Sr. Raft colecciona hélices de buques antiguos. Algunas tienen 2 aspas y otras tienen 3. Tiene 35 hélices con un total de 81 aspas. ¿Cuántas hélices de cada tipo tiene?

7. Nancy hizo un largo crucero por mar. Envió un total de 130 cartas y tarjetas postales. Costaba 22¢ enviar una carta y 14¢ enviar una tarjeta postal. Nancy pagó $26.20 por los sellos. ¿Cuántas envió de cada tipo?

Un hotel a la orilla del mar tiene un juego donde los participantes pescan un pez de juguete de cada uno de tres baldes en este orden: *A, B, C.* Una forma de ganar es pescar peces marcados con fracciones de valores crecientes.

8. Nancy pescó el pez marcado con $\frac{1}{2}$ del balde *A.* ¿Qué peces debe pescar de los baldes *B* y *C* para ganar?

★9. Mitch pescó el pez marcado con $\frac{1}{2}$ del balde *C.* ¿Podría ser el ganador?

================ CREA TU PROPIO PROBLEMA ================

Larry y Susan tienen 250 conchas entre los dos. Escribe un problema cuya respuesta sea: «Larry tiene 100 y Susan tiene 150».

Sumar y restar fracciones homogéneas

Sheila puede obtener oxígeno de cualquiera de sus tanques. Si uno tiene aire para $\frac{1}{6}$ de hora y el otro para $\frac{4}{6}$ de hora ¿cuánto tiempo puede nadar bajo agua?

$$\frac{1}{6} + \frac{4}{6} = n$$

▶ Para sumar fracciones homogéneas suma los numeradores. Usa el denominador común. Escribe la suma en su expresión mínima.

$$\frac{1}{6} + \frac{4}{6} = \frac{1+4}{6} = \frac{5}{6}$$ El MCD de 5 y 6 es 1. Por lo tanto, $\frac{5}{6}$ está en su expresión mínima.

Sheila puede nadar bajo el agua durante $\frac{5}{6}$ de hora.

▶ Para restar fracciones homogéneas resta los numeradores. Usa el denominador común. Escribe la diferencia en su expresión mínima.

$$\frac{7}{8} - \frac{3}{8} = \frac{7-3}{8} = \frac{4}{8} = \frac{1}{2}$$

Más ejemplos

a.
$$\begin{array}{r} \frac{1}{4} \\ \frac{2}{4} \\ + \frac{3}{4} \\ \hline \frac{6}{4} = 1\frac{2}{4} = 1\frac{1}{2} \end{array}$$

b.
$$\begin{array}{r} \frac{15}{16} \\ - \frac{9}{16} \\ \hline \frac{6}{16} = \frac{3}{8} \end{array}$$

c.
$$\begin{array}{r} \frac{5}{8} \\ \frac{7}{8} \\ + \frac{4}{8} \\ \hline \frac{16}{8} = 2 \end{array}$$

TRABAJO EN CLASE

Suma o resta. Escribe cada respuesta en su expresión mínima.

1. $\begin{array}{r} \frac{7}{8} \\ - \frac{2}{8} \\ \hline \end{array}$

2. $\begin{array}{r} \frac{5}{9} \\ + \frac{2}{9} \\ \hline \end{array}$

3. $\begin{array}{r} \frac{2}{3} \\ + \frac{2}{3} \\ \hline \end{array}$

4. $\begin{array}{r} \frac{3}{6} \\ + \frac{5}{6} \\ \hline \end{array}$

5. $\begin{array}{r} \frac{11}{15} \\ - \frac{6}{15} \\ \hline \end{array}$

6. $\begin{array}{r} \frac{4}{10} \\ + \frac{3}{10} \\ \hline \end{array}$

7. $\frac{12}{10} - \frac{6}{10}$

8. $\frac{5}{6} - \frac{1}{6}$

9. $\frac{7}{12} + \frac{2}{12}$

10. $\frac{11}{16} + \frac{3}{16} + \frac{9}{16}$

Suma o resta. Escribe cada respuesta en su expresión mínima.

1. $\dfrac{3}{7}$ $+\dfrac{2}{7}$

2. $\dfrac{3}{5}$ $+\dfrac{1}{5}$

3. $\dfrac{7}{8}$ $-\dfrac{3}{8}$

4. $\dfrac{9}{7}$ $-\dfrac{5}{7}$

5. $\dfrac{7}{16}$ $-\dfrac{5}{16}$

6. $\dfrac{2}{11}$ $+\dfrac{7}{11}$

7. $\dfrac{3}{7}$ $+\dfrac{4}{7}$

8. $\dfrac{7}{15}$ $+\dfrac{11}{15}$

9. $\dfrac{7}{12}$ $-\dfrac{1}{12}$

10. $\dfrac{1}{10} + \dfrac{7}{10}$

11. $\dfrac{6}{8} - \dfrac{1}{8}$

12. $\dfrac{19}{20} - \dfrac{11}{20}$

13. $\dfrac{1}{16} + \dfrac{3}{16} + \dfrac{4}{16}$

14. $\dfrac{5}{6} + \dfrac{4}{6} + \dfrac{5}{6}$

15. $\dfrac{3}{4} + \dfrac{7}{4} + \dfrac{4}{4}$

16. $\dfrac{13}{50} + \dfrac{12}{50} + \dfrac{23}{50}$

17. $\dfrac{13}{15} + \dfrac{11}{15} + \dfrac{14}{15}$

18. $\dfrac{1}{8} + \dfrac{3}{8} + \dfrac{3}{8}$

19. $\dfrac{9}{15} + \dfrac{7}{15} + \dfrac{3}{15}$

20. $\dfrac{7}{6} + \dfrac{9}{6} + \dfrac{1}{6}$

21. $\dfrac{12}{8} - \dfrac{5}{8} - \dfrac{3}{8}$

Escribe los próximos 3 números en cada sucesión.

★ **22.** $\dfrac{1}{8}, \dfrac{3}{8}, \dfrac{5}{8},$ ☐, ☐, ☐

★ **23.** $\dfrac{1}{10}, \dfrac{2}{5}, \dfrac{7}{10},$ ☐, ☐, ☐

★ **24.** $\dfrac{15}{16}, \dfrac{3}{4}, \dfrac{9}{16},$ ☐, ☐, ☐

APLICACIÓN

25. Un buzo que estaba explorando un viejo naufragio halló una botella antigua que pesaba $\dfrac{3}{7}$ de libra y 6 monedas de oro que pesaban un total de $\dfrac{2}{7}$ de libra. ¿Cuál es el peso total de los objetos traídos a la superficie por el buzo?

26. Para localizar un naufragio, un buzo estuvo en el agua $\dfrac{4}{5}$ de hora. Si le tomó $\dfrac{1}{5}$ de hora hallar el naufragio, ¿cuánto tiempo le tomó a bajar y volver a la superficie?

Práctica mixta

1. 52,863 9,521 + 18,394

2. $673.29 − 198.57

3. 53,219 × 26

4. $52\overline{)408{,}410}$

5. $3.185 + 92.3$

6. $18.45 − 9.063$

7. $25 − 6.08$

8. 4.3 × 18

9. 0.05×0.2

10. 5.2 ×0.04

11. $0.2\overline{)15.67}$

12. $85\overline{)2.295}$

¿Es cada número primo o compuesto?

13. 9

14. 21

15. 23

16. 18

17. 11

18. 19

Sumar y restar números mixtos homogéneos

En varios cuadros Roberta usó $1\frac{1}{4}$ tubos de pintura amarilla, $2\frac{1}{4}$ tubos de pintura blanca y $1\frac{3}{4}$ tubos de pintura azul. ¿Cuántos tubos de pintura usó en total?

$$1\frac{1}{4} + 2\frac{1}{4} + 1\frac{3}{4} = n$$

Paso 1

Suma las fracciones.

$$
\begin{aligned}
1&\tfrac{1}{4}\\
2&\tfrac{1}{4}\\
+\ 1&\tfrac{3}{4}\\
\hline
&\tfrac{5}{4}
\end{aligned}
$$

Paso 2

Suma los números enteros.

$$
\begin{aligned}
1&\tfrac{1}{4}\\
2&\tfrac{1}{4}\\
+\ 1&\tfrac{3}{4}\\
\hline
4&\tfrac{5}{4}
\end{aligned}
$$

Paso 3

Escribe la suma en su expresión mínima.

$$
\begin{aligned}
1&\tfrac{1}{4}\\
2&\tfrac{1}{4}\\
+\ 1&\tfrac{3}{4}\\
\hline
4&\tfrac{5}{4} = 5\tfrac{1}{4}
\end{aligned}
$$

Roberta usó $5\frac{1}{4}$ tubos de pintura.

Halla $8\frac{5}{9} - 3\frac{2}{9}$.

Paso 1

Resta las fracciones.

$$
\begin{aligned}
8&\tfrac{5}{9}\\
-\ 3&\tfrac{2}{9}\\
\hline
&\tfrac{3}{9}
\end{aligned}
$$

Paso 2

Resta los números enteros.

$$
\begin{aligned}
8&\tfrac{5}{9}\\
-\ 3&\tfrac{2}{9}\\
\hline
5&\tfrac{3}{9}
\end{aligned}
$$

Paso 3

Escribe la diferencia en su expresión mínima.

$$
\begin{aligned}
8&\tfrac{5}{9}\\
-\ 3&\tfrac{2}{9}\\
\hline
5&\tfrac{3}{9} = 5\tfrac{1}{3}
\end{aligned}
$$

TRABAJO EN CLASE

Suma o resta. Escribe cada respuesta en su expresión mínima.

1. $\begin{aligned} 6&\tfrac{5}{8} \\ +\ 4&\tfrac{1}{8} \end{aligned}$

2. $\begin{aligned} 5&\tfrac{3}{4} \\ -\ 3&\tfrac{1}{4} \end{aligned}$

3. $\begin{aligned} 8&\tfrac{2}{3} \\ -\ 4&\tfrac{2}{3} \end{aligned}$

4. $\begin{aligned} 9&\tfrac{4}{7} \\ +\ 5\phantom{\tfrac{4}{7}} \end{aligned}$

5. $\begin{aligned} 13&\tfrac{7}{12} \\ -\ 5\phantom{\tfrac{7}{12}} \end{aligned}$

6. $3\frac{11}{12} - 1\frac{7}{12}$

7. $10\frac{5}{7} - 8$

8. $12\frac{2}{3} - 3\frac{2}{3}$

9. $7\frac{2}{9} + 5\frac{6}{9} + 1\frac{4}{9}$

PRÁCTICA

Suma o resta. Escribe cada respuesta en su expresión mínima.

1. $6\frac{1}{5}$
   $+ 2\frac{4}{5}$

2. $7\frac{1}{8}$
   $+ 9\frac{3}{8}$

3. $4\frac{5}{7}$
   $+ 1\frac{3}{7}$

4. $10\frac{5}{12}$
   $+ 4\frac{11}{12}$

5. $9\frac{5}{12}$
   $+ 4\frac{1}{12}$

6. $6\frac{5}{12}$
   $- 4\frac{5}{12}$

7. $18\frac{7}{10}$
   $- 4\frac{3}{10}$

8. $9\frac{7}{8}$
   $- 3\frac{6}{8}$

9. $15\frac{3}{4}$
   $- 9$

10. $15\frac{7}{8}$
    $- 10\frac{5}{8}$

11. $25\frac{17}{20}$
    $- 16\frac{9}{20}$

12. $13\frac{7}{8}$
    $- 6\frac{1}{8}$

13. $13\frac{7}{9}$
    $- 7\frac{3}{9}$

14. $17\frac{6}{7}$
    $- 9\frac{5}{7}$

15. $14\frac{1}{4}$
    $- 6$

16. $5\frac{3}{5}$
    $8\frac{3}{5}$
    $+ 2$

17. $13\frac{11}{15}$
    $6\frac{13}{15}$
    $+ 9\frac{14}{15}$

18. $17\frac{5}{8}$
    $14\frac{5}{8}$
    $+ 9\frac{7}{8}$

19. $15\frac{7}{9}$
    $8\frac{5}{9}$
    $+ 6\frac{7}{9}$

20. $11\frac{7}{9}$
    $4\frac{1}{9}$
    $+ 20\frac{4}{9}$

21. $14\frac{2}{3} - 6\frac{1}{3}$

22. $7\frac{2}{9} + 5\frac{8}{9}$

23. $16\frac{5}{8} - 12\frac{1}{8}$

24. $50\frac{3}{8} - 30\frac{3}{8}$

25. $12\frac{19}{24} - 6\frac{5}{24}$

26. $15 + 19\frac{1}{2}$

27. $3\frac{5}{9} - 1\frac{1}{9}$

28. $(3\frac{1}{2} - 2) + 4\frac{1}{2}$

Compara. Usa >, < ó = en lugar de ⬤.

★29. $18\frac{7}{8} - 12\frac{3}{8}$ ⬤ $1\frac{7}{8} + 3\frac{6}{8}$

★30. $7\frac{9}{20} + 8\frac{19}{20}$ ⬤ $24\frac{16}{20} - 8\frac{6}{20}$

★31. $4\frac{5}{8} - 2\frac{1}{8}$ ⬤ $7\frac{5}{6} - 5\frac{2}{6}$

Sigue la regla, si se da, para completar cada uno.

Regla: Suma $2\frac{3}{8}$ a la entrada.

	Entrada	Salida
	$1\frac{1}{8}$	$3\frac{1}{2}$
32.	$2\frac{3}{8}$	
33.	5	
34.	$3\frac{5}{8}$	

Regla: Resta 6 de la entrada.

	Entrada	Salida
	$9\frac{2}{3}$	$3\frac{2}{3}$
35.	$6\frac{7}{8}$	
36.		$4\frac{1}{2}$
37.		$2\frac{3}{4}$

★38. Adivina la regla.

Entrada	Salida
$4\frac{3}{4}$	8
$2\frac{1}{4}$	$5\frac{1}{2}$
6	$9\frac{1}{4}$
$1\frac{2}{4}$	$4\frac{3}{4}$

APLICACIÓN

RAZONAMIENTO VISUAL

¿Qué fracción de cada figura es amarilla; blanca; azul?

 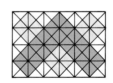 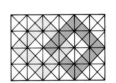

Sumar y restar fracciones heterogéneas

El cangrejo chícharo es el cangrejo más pequeño del mundo. Un biólogo marino anotó las medidas dadas. ¿Qué es el largo total de este cangrejo chícaro?

Suma $\frac{2}{5} + \frac{1}{4} + \frac{2}{5}$ para hallar el largo total.

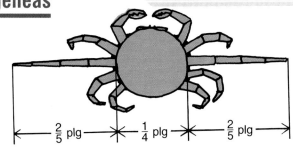

$\frac{2}{5}$ plg $\frac{1}{4}$ plg $\frac{2}{5}$ plg

Paso 1

Halla el mínimo común denominador. Escribe las fracciones equivalentes.

$$\frac{2}{5} = \frac{8}{20}$$
$$\frac{1}{4} = \frac{5}{20}$$
$$+ \frac{2}{5} = \frac{8}{20}$$

Piensa
El mcd es 20.

El cangrejo chícharo tiene $1\frac{1}{20}$ plg de largo.

Halla $\frac{5}{6} - \frac{1}{3}$.

Paso 2

Suma. Escribe la suma en su expresión mínima.

$$\frac{2}{5} = \frac{8}{20}$$
$$\frac{1}{4} = \frac{5}{20}$$
$$+ \frac{2}{5} = \frac{8}{20}$$
$$\frac{21}{20} = 1\frac{1}{20}$$

Paso 1

Halla el mínimo común denominador. Escribe las fracciones equivalentes.

$$\frac{5}{6} = \frac{5}{6}$$
$$- \frac{1}{3} = \frac{2}{6}$$

Piensa
El mcd es 6.

Paso 2

Resta. Escribe la diferencia en su expresión mínima.

$$\frac{5}{6} = \frac{5}{6}$$
$$- \frac{1}{3} = \frac{2}{6}$$
$$\frac{3}{6} = \frac{1}{2}$$

Más ejemplos

a. $\frac{5}{6} + \frac{1}{4} + \frac{1}{2}$

Piensa
El mcd es 12.

$$\frac{10}{12} + \frac{3}{12} + \frac{6}{12} = \frac{10 + 3 + 6}{12}$$
$$= \frac{19}{12} = 1\frac{7}{12}$$

b. $\frac{9}{10} - \frac{3}{4}$

Piensa
El mcd es 20.

$$\frac{18}{20} - \frac{15}{20} = \frac{18 - 15}{20} = \frac{3}{20}$$

TRABAJO EN CLASE

Suma o resta. Escribe cada respuesta en su expresión mínima.

1. $\frac{11}{16}$
$+ \frac{7}{8}$

2. $\frac{3}{4}$
$- \frac{2}{3}$

3. $\frac{1}{2}$
$- \frac{1}{6}$

4. $\frac{3}{8}$
$+ \frac{1}{4}$

5. $\frac{5}{6}$
$- \frac{3}{8}$

6. $\frac{2}{5}$
$+ \frac{1}{10}$

Suma o resta. Escribe cada respuesta en su expresión mínima.

1. $\frac{3}{5}$
   $-\frac{4}{10}$

2. $\frac{5}{9}$
   $+\frac{1}{3}$

3. $\frac{3}{10}$
   $-\frac{1}{5}$

4. $\frac{9}{20}$
   $+\frac{9}{10}$

5. $\frac{7}{12}$
   $+\frac{1}{4}$

6. $\frac{5}{6}$
   $-\frac{1}{12}$

7. $\frac{1}{12}$
   $+\frac{1}{8}$

8. $\frac{3}{4}$
   $+\frac{1}{5}$

9. $\frac{4}{5}$
   $-\frac{1}{3}$

10. $\frac{2}{9}$
    $+\frac{1}{4}$

11. $\frac{3}{4}$
    $-\frac{5}{12}$

12. $\frac{5}{6}$
    $-\frac{3}{10}$

13. $\frac{1}{6}$
    $+\frac{2}{9}$

14. $\frac{4}{5}$
    $-\frac{1}{2}$

15. $\frac{4}{5}$
    $-\frac{2}{3}$

16. $\frac{5}{6}$
    $+\frac{3}{4}$

17. $\frac{9}{10}$
    $-\frac{4}{15}$

18. $\frac{5}{12}$
    $+\frac{5}{8}$

19. $\frac{1}{4}$
    $+\frac{1}{3}$

20. $\frac{5}{6}$
    $-\frac{3}{4}$

21. $\frac{5}{6}$
    $-\frac{1}{2}$

22. $\frac{5}{8}$
    $\frac{3}{4}$
    $+\frac{8}{12}$

23. $\frac{13}{15}$
    $\frac{7}{10}$
    $+\frac{2}{5}$

24. $\frac{5}{8}$
    $\frac{5}{12}$
    $+\frac{5}{6}$

25. $\frac{3}{5}+\frac{4}{6}+\frac{1}{3}$

26. $\frac{4}{5}-\frac{1}{4}$

27. $\frac{3}{8}+\frac{2}{6}$

28. $\frac{7}{8}+\frac{5}{12}+\frac{1}{6}$

29. $\frac{17}{20}-\frac{3}{8}$

30. $\frac{5}{12}+\frac{3}{4}+\frac{7}{8}$

31. $\frac{2}{3}-\frac{1}{5}$

32. $\frac{17}{25}-\frac{3}{10}$

Evalúa cada expresión si $a=\frac{2}{3}$, $b=\frac{1}{5}$, $c=\frac{5}{6}$ **y** $d=\frac{1}{2}$.

★ 33. $a+c$

★ 34. $a-b$

★ 35. $a+b+d$

★ 36. $d-b$

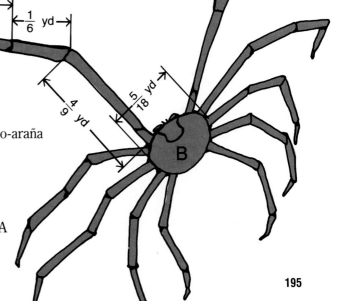

APLICACIÓN

La ilustración muestra las medidas de un típico cangrejo-araña gigantesco del Japón, el cangrejo mayor del mundo.

37. ¿Qué largo tiene una pinza de este cangrejo-araña gigantesco?

★ 38. La extensión de la punta de una pinza a la punta de la otra medía $12\frac{3}{4}$ pies. ¿Es esta medida mayor o menor que la del típico cangrejo-araña gigantesco (la distancia de A a B a C)?

195

Sumar y restar números mixtos heterogéneos

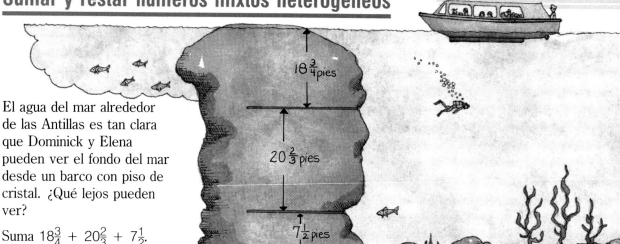

El agua del mar alrededor de las Antillas es tan clara que Dominick y Elena pueden ver el fondo del mar desde un barco con piso de cristal. ¿Qué lejos pueden ver?

Suma $18\frac{3}{4} + 20\frac{2}{3} + 7\frac{1}{2}$.

Paso 1

Halla el mínimo común denominador. Escribe las fracciones equivalentes.

$$18\frac{3}{4} = 18\frac{9}{12}$$
$$20\frac{2}{3} = 20\frac{8}{12}$$
$$+\ \ 7\frac{1}{2} = \ \ 7\frac{6}{12}$$

Piensa
El mcd es 12.

Paso 2

Suma las fracciones. Después suma los números enteros.

$$18\frac{3}{4} = 18\frac{9}{12}$$
$$20\frac{2}{3} = 20\frac{8}{12}$$
$$+\ \ 7\frac{1}{2} = \ \ 7\frac{6}{12}$$
$$\overline{\qquad\qquad 45\frac{23}{12}}$$

Paso 3

Escribe la suma en su expresión mínima.

$$18\frac{9}{12}$$
$$20\frac{8}{12}$$
$$+\ \ 7\frac{6}{12}$$
$$\overline{45\frac{23}{12} = 46\frac{11}{12}}$$

Pueden ver $46\frac{11}{12}$ pies hasta el fondo del mar.

¿Qué lejos tiene que nadar el buzo para llegar al fondo del mar?

Halla $46\frac{11}{12} - 18\frac{3}{4}$.

Paso 1

Halla el mínimo común denominador. Escribe las fracciones equivalentes.

$$46\frac{11}{12} = 46\frac{11}{12}$$
$$-\ 18\frac{3}{4} = 18\frac{9}{12}$$

Piensa
El mcd es 12.

Paso 2

Resta las fracciones. Después resta los números enteros.

$$46\frac{11}{12} = 46\frac{11}{12}$$
$$-\ 18\frac{3}{4} = 18\frac{9}{12}$$
$$\overline{\qquad\qquad 28\frac{2}{12}}$$

Paso 3

Escribe la diferencia en su expresión mínima.

$$46\frac{11}{12}$$
$$-\ 18\frac{9}{12}$$
$$\overline{28\frac{2}{12} = 28\frac{1}{6}}$$

El buzo tiene que nadar $28\frac{1}{6}$ pies.

TRABAJO EN CLASE

Suma o resta. Escribe cada respuesta en su expresión mínima.

1. $11\frac{1}{6}$
$+\ 5\frac{4}{9}$

2. $10\frac{9}{10}$
$-\ 6\frac{2}{5}$

3. $18\frac{1}{3}$
$+\ 2\frac{4}{5}$

4. $18\frac{5}{6}$
$-\ 6\frac{1}{3}$

5. $14\frac{2}{5}$
$2\frac{1}{4}$
$+\ 3\frac{7}{10}$

Suma o resta. Escribe cada respuesta en su expresión mínima.

1. $2\frac{2}{3}$
   $+ 4\frac{1}{6}$

2. $7\frac{7}{8}$
   $+ 3\frac{3}{4}$

3. $4\frac{3}{14}$
   $+ 10\frac{2}{7}$

4. $10\frac{9}{20}$
   $+ 8\frac{3}{4}$

5. $5\frac{3}{4}$
   $- 2\frac{1}{2}$

6. $7\frac{11}{12}$
   $- 3$

7. $12\frac{2}{3}$
   $- 8\frac{2}{9}$

8. $7\frac{3}{8}$
   $- 2\frac{1}{4}$

9. $12\frac{3}{4}$
   $+ 19\frac{5}{6}$

10. $7\frac{2}{3}$
    $- 3\frac{2}{5}$

11. $37\frac{5}{8}$
    $- 16\frac{1}{2}$

12. $35\frac{5}{12}$
    $+ 16\frac{1}{8}$

13. $21\frac{7}{10}$
    $18\frac{4}{15}$
    $+ 5\frac{2}{5}$

14. $15\frac{5}{6}$
    $13\frac{3}{8}$
    $+ 5$

15. $16\frac{2}{3}$
    $5\frac{3}{4}$
    $+ 10\frac{5}{6}$

16. $60\frac{3}{10} + 35\frac{8}{15}$

17. $25\frac{19}{30} - 9\frac{5}{12}$

18. $54\frac{7}{9} + 10\frac{5}{6}$

19. $12\frac{7}{10} - 7\frac{5}{12}$

20. $18\frac{5}{6} - 9\frac{7}{10}$

21. $17\frac{3}{4} + 11\frac{2}{3} + 8\frac{1}{2}$

22. $26\frac{1}{2} - 14\frac{4}{15}$

23. $15\frac{5}{6} + 12\frac{7}{9}$

Compara. Usa >, < ó = en lugar de ⬤.

★24. $5\frac{1}{2} + 7\frac{3}{4}$ ⬤ $18\frac{5}{8} - 5\frac{3}{24}$

★25. $14\frac{4}{5} - 7\frac{1}{3}$ ⬤ $4\frac{7}{10} + 2\frac{5}{6}$

★26. $6\frac{7}{8} + 9\frac{1}{2}$ ⬤ $20\frac{3}{4} - 4\frac{3}{16}$

★27. $14\frac{5}{6} - 11\frac{1}{3}$ ⬤ $9\frac{7}{8} - 6\frac{3}{8}$

APLICACIÓN

28. Un pez en el diagrama de la página 196 está a $7\frac{1}{2}$ pies del fondo del mar. ¿Qué lejos de la superficie está el pez?

★29. Cada año el Club de Buceo Catalina tiene una competencia de aguantar la respiración. ¿Qué buzo consiguió el mejor récord en las 3 zambullidas finales de la competencia? ¿Cuánto mejor?

Buzo	Minutos
Alberto	$1\frac{1}{3}$, $\frac{1}{2}$, $1\frac{3}{10}$
Marta	$1\frac{3}{5}$, $1\frac{3}{4}$, $\frac{5}{6}$

RAZONAMIENTO LÓGICO

A un sabio le pidieron que dividiera 17 dólares entre 3 estudiantes de forma que J recibiera $\frac{1}{2}$, M recibiera $\frac{1}{3}$ y V recibiera $\frac{1}{9}$. Nadie había podido hacerlo. El sabio tomó uno de sus dólares y lo añadió a los $17, haciendo un total de $18. Le dio a J $9; M recibió $6; V recibió $2. El sabio entonces retiró su dólar y ¡todos quedaron contentos! ¿Cómo se logró esto?

Reagrupar antes de restar

El *Mayflower II* es una réplica del *Mayflower* original. En 1957 cruzó el Océano Atlántico en $7\frac{5}{7}$ semanas. En 1620 le tomó al primer *Mayflower* 9 semanas cruzarlo. ¿Cuánto más tiempo estuvieron en el mar los peregrinos?

$$9 - 7\frac{5}{7} = n$$

Paso 1

Trata de restar.
Reagrupa si no puedes.

$$\begin{array}{r} 9 \ = 8\frac{7}{7} \\ - 7\frac{5}{7} = 7\frac{5}{7} \\ \hline \end{array}$$

Piensa

$\frac{5}{7} > \frac{0}{7}$. Por lo tanto, cámbialo.

$9 = 8 + 1$
   $= 8 + \frac{7}{7}$

Paso 2

Resta. Escribe la diferencia en su expresión mínima.

$$\begin{array}{r} 9 \ = 8\frac{7}{7} \\ - 7\frac{5}{7} = 7\frac{5}{7} \\ \hline 1\frac{2}{7} \end{array}$$

Los peregrinos estuvieron $1\frac{2}{7}$ semanas más en el mar.

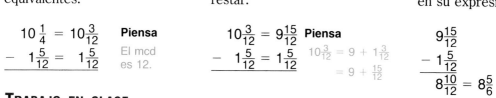

Halla $10\frac{1}{4} - 1\frac{5}{12}$.

Paso 1

Escribe las fracciones equivalentes.

$$\begin{array}{r} 10\frac{1}{4} = 10\frac{3}{12} \\ - \ 1\frac{5}{12} = \ 1\frac{5}{12} \\ \hline \end{array}$$

Piensa

El mcd es 12.

Paso 2

Reagrupa si no puedes restar.

$$\begin{array}{r} 10\frac{3}{12} = 9\frac{15}{12} \\ - \ 1\frac{5}{12} = 1\frac{5}{12} \\ \hline \end{array}$$

Piensa

$10\frac{3}{12} = 9 + 1\frac{3}{12}$
    $= 9 + \frac{15}{12}$

Paso 3

Resta. Escribe la diferencia en su expresión mínima.

$$\begin{array}{r} 9\frac{15}{12} \\ - 1\frac{5}{12} \\ \hline 8\frac{10}{12} = 8\frac{5}{6} \end{array}$$

TRABAJO EN CLASE

Resta. Escribe cada respuesta en su expresión mínima.

1. $\begin{array}{r} 18 \\ - \ 7\frac{3}{8} \\ \hline \end{array}$

2. $\begin{array}{r} 9 \\ - 2\frac{5}{6} \\ \hline \end{array}$

3. $\begin{array}{r} 6\frac{1}{3} \\ - 4\frac{5}{9} \\ \hline \end{array}$

4. $\begin{array}{r} 5\frac{1}{4} \\ - 2\frac{3}{4} \\ \hline \end{array}$

5. $\begin{array}{r} 14\frac{1}{2} \\ - \ 6\frac{9}{10} \\ \hline \end{array}$

PRÁCTICA

Resta. Escribe cada respuesta en su expresión mínima.

1. 13
$- 7\frac{3}{8}$

2. $12\frac{1}{6}$
$- 5\frac{5}{6}$

3. 7
$- 3\frac{5}{8}$

4. $13\frac{2}{9}$
$- 7\frac{8}{9}$

5. $15\frac{1}{12}$
$- 9\frac{11}{12}$

6. 17
$- 6\frac{5}{12}$

7. $14\frac{3}{16}$
$- 9\frac{13}{16}$

8. 10
$- 6\frac{17}{20}$

9. $9\frac{1}{3}$
$- 1\frac{5}{6}$

10. $13\frac{1}{5}$
$- 7\frac{14}{15}$

11. $15\frac{1}{3}$
$- 12\frac{7}{8}$

12. $25\frac{3}{8}$
$- 17\frac{1}{2}$

13. $16\frac{2}{5}$
$- 13\frac{7}{8}$

14. $17\frac{1}{2}$
$- 11\frac{8}{9}$

15. $21\frac{1}{5}$
$- 15\frac{2}{3}$

16. $25\frac{1}{4} - 16\frac{3}{5}$

17. $13\frac{1}{4} - 6\frac{5}{6}$

18. $12\frac{1}{2} - 7\frac{11}{15}$

19. $14\frac{1}{5} - 10\frac{5}{8}$

20. $17\frac{4}{25} - 13\frac{7}{10}$

21. $13\frac{1}{6} - 9\frac{3}{4}$

Completa cada cadena.

★ **22.** Comienzo

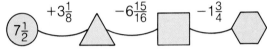

Fin

★ **23.** Comienzo

Fin

Sigue la regla para hallar cada número que falta.

Regla: Resta $5\frac{2}{3}$
de la entrada.

Entrada	Salida
10	$4\frac{1}{3}$
24. 7	
25. $6\frac{1}{3}$	
26. $8\frac{1}{6}$	

Regla: Resta $2\frac{1}{2}$
de la entrada.

Entrada	Salida
9	$6\frac{1}{2}$
27. 5	
28. $11\frac{2}{5}$	
29. $7\frac{1}{8}$	

Regla: Resta $3\frac{4}{5}$
de la entrada.

Entrada	Salida
★ **30.** 7	
★ **31.**	$5\frac{2}{3}$
★ **32.**	$6\frac{3}{5}$
★ **33.**	$8\frac{1}{5}$

APLICACIÓN

34. Vicente vende modelos de barcos. Un fin de semana vendió 15 de la *Santa María*. El sábado vendió la $\frac{1}{2}$ de los que vendió el domingo. ¿Cuántos vendió el domingo?

★ **35.** Hay que hacer un estante de exhibición para un modelo del *Mayflower II* de $6\frac{5}{6}$ pulgadas de largo, usando una tabla de roble de $17\frac{1}{8}$ plg de largo. El estante tiene que ser 5 plg más largo que el modelo. ¿Cuánto roble sobrará?

Estimar con fracciones

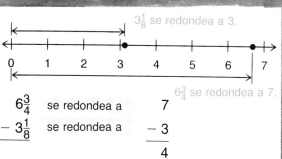

Aproximadamente, ¿cuánto más profundo fue el descenso de 1960 que el de 1972?

Estima la diferencia entre $6\frac{3}{4}$ y $3\frac{1}{8}$.

▶ Para estimar con fracciones, redondea cada número mixto al número entero más cercano. Si la fracción es $\frac{1}{2}$ ó mayor, redondea al próximo número entero. Si la fracción es menos de $\frac{1}{2}$, no cambies el número entero. Después suma o resta.

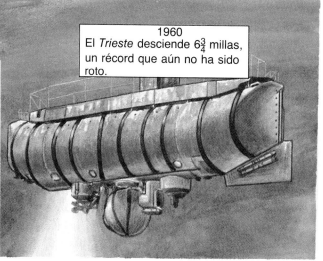

$3\frac{1}{8}$ se redondea a 3.

$6\frac{3}{4}$ se redondea a 7.

$$
\begin{array}{ll}
6\frac{3}{4} & \text{se redondea a} \quad 7 \\
-\,3\frac{1}{8} & \text{se redondea a} \quad -3 \\
\hline
& \qquad\qquad\qquad 4
\end{array}
$$

El *Trieste* descendió aproximadamente 4 millas más en 1960 que el *Trieste II* en 1972.

Más ejemplos

a. Estima $9\frac{1}{5} + 5\frac{5}{8}$.

$$
\begin{array}{ll}
9\frac{1}{5} & \text{se redondea a} \quad 9 \\
+\,5\frac{5}{8} & \text{se redondea a} \quad +6 \\
\hline
& \qquad\qquad\qquad 15
\end{array}
$$

b. Estima $4\frac{3}{8} - \frac{1}{5}$.

$$
\begin{array}{ll}
4\frac{3}{8} & \text{se redondea a} \quad 4 \\
-\,\frac{1}{5} & \text{se redondea a} \quad -0 \\
\hline
& \qquad\qquad\qquad 4
\end{array}
$$

c. Estima $8\frac{1}{5} + 3\frac{7}{8} + 6\frac{2}{3}$.

$$
\begin{array}{ll}
8\frac{1}{5} & \text{se redondea a} \quad 8 \\
3\frac{7}{8} & \text{se redondea a} \quad 4 \\
+\,6\frac{2}{3} & \text{se redondea a} \quad +7 \\
\hline
& \qquad\qquad\qquad 19
\end{array}
$$

Trabajo en clase

Estima cada suma o diferencia.

1. $\begin{array}{r} \frac{8}{9} \\ +\,\frac{2}{3} \\ \hline \end{array}$

2. $\begin{array}{r} 2\frac{1}{3} \\ +\,1\frac{1}{2} \\ \hline \end{array}$

3. $\begin{array}{r} 7\frac{5}{8} \\ -\,1\frac{1}{5} \\ \hline \end{array}$

4. $\begin{array}{r} 9\frac{11}{12} \\ -\,2\frac{1}{2} \\ \hline \end{array}$

5. $\begin{array}{r} 1\frac{3}{8} \\ 2\frac{5}{8} \\ +\,3\frac{9}{15} \\ \hline \end{array}$

6. $\frac{9}{15} + \frac{7}{8}$

7. $4\frac{2}{3} - \frac{5}{6}$

8. $14\frac{5}{9} - 5\frac{2}{5}$

9. $10\frac{15}{16} + 9\frac{2}{7}$

PRÁCTICA

Estima cada suma o diferencia.

1. $5\frac{3}{5}$
    $+ 6\frac{2}{5}$

2. $7\frac{2}{3}$
    $- 5\frac{1}{6}$

3. $6\frac{2}{3}$
    $+ 4\frac{7}{12}$

4. $5\frac{4}{5}$
    $+ 5\frac{1}{6}$

5. $9\frac{1}{4}$
    $- 3\frac{1}{12}$

6. $13\frac{5}{6}$
    $- 8\frac{1}{2}$

7. $7\frac{1}{12}$
    $+ 13\frac{11}{12}$

8. $6\frac{5}{9}$
    $+ 8$

9. $1\frac{2}{3}$
    $+ \frac{1}{3}$

10. $8\frac{11}{12}$
    $- 4\frac{1}{5}$

11. $\frac{4}{5} + \frac{1}{8}$

12. $\frac{2}{3} + \frac{9}{10}$

13. $\frac{7}{12} - \frac{1}{2}$

14. $\frac{4}{5} + \frac{1}{15}$

15. $9\frac{1}{6} - 5\frac{1}{3}$

16. $5\frac{2}{3} + 7\frac{2}{5} + 8\frac{1}{12}$

17. $\frac{7}{8} + 1\frac{6}{7} + 2\frac{2}{9}$

18. $9\frac{3}{7} + 8 + 4\frac{4}{7}$

★ 19. $(\frac{47}{60} - \frac{1}{28}) + (\frac{7}{8} - \frac{2}{19})$

★ 20. $\frac{11}{12} - (\frac{4}{5} + \frac{1}{15})$

Estima para escoger la respuesta.

★ 21. $5\frac{7}{9} + 7\frac{5}{12}$

    a. $12\frac{5}{36}$

    b. $12\frac{1}{12}$

    c. $13\frac{7}{36}$

★ 22. $27\frac{7}{16} - 14\frac{1}{3}$

    a. $12\frac{7}{48}$

    b. $13\frac{5}{48}$

    c. $14\frac{1}{16}$

★ 23. $\frac{3}{4} + \frac{1}{9} + \frac{1}{8}$

    a. $\frac{71}{72}$

    b. $1\frac{11}{12}$

    c. $3\frac{3}{8}$

★ 24. $5\frac{7}{8} - 1\frac{1}{6} + 3\frac{1}{5}$

    a. $8\frac{23}{24}$

    b. $8\frac{1}{24}$

    c. $9\frac{1}{12}$

APLICACIÓN

25. Al *Trieste* le tomó $4\frac{4}{5}$ horas descender $6\frac{3}{4}$ millas. El ascenso le tomó $3\frac{1}{3}$ horas. Aproximadamente, ¿qué largo fue el viaje?

26. Naomi James de New Zealand tiene el récord femenino por atravesar el Océano Atlántico sola en velero. En 1980 hizo el viaje en $25\frac{5}{6}$ días. En 1981 Annick y Martin de Francia establecieron el récord para una tripulación femenina de 2 al cruzar el Atlántico en $21\frac{3}{16}$ días. Aproximadamente, ¿cuántos días menos que James navegaron ellas?

═══════ HAZLO MENTALMENTE ═══════

Ésta es una forma rápida de saber si una fracción es mayor que $\frac{1}{2}$.

Dobla el numerador. Si el resultado es mayor que el denominador, la fracción es mayor que $\frac{1}{2}$.

Ejemplo ¿Es $\frac{4}{7} > \frac{1}{2}$? **Piensa** El doble del numerador es 8. 8 > 7. Por lo tanto, $\frac{4}{7} > \frac{1}{2}$.

Indica si cada fracción es mayor que $\frac{1}{2}$. Escribe *sí* o *no*.

1. $\frac{5}{9}$ 2. $\frac{3}{5}$ 3. $\frac{3}{10}$ 4. $\frac{6}{7}$ 5. $\frac{1}{3}$ 6. $\frac{11}{18}$ 7. $\frac{7}{15}$

Problemas para resolver

REPASO DE DESTREZAS Y ESTRATEGIAS Alimentos marinos

Resuelve. Indica si no hay suficiente información.

1. El Sr. Cassidy tiene viveros de ostras y almejas que cubren $\frac{3}{4}$ de acre. Usa $\frac{2}{3}$ de los viveros para ostras y $\frac{1}{6}$ para almejas. El resto no está en uso. ¿Qué parte de un acre usa para ostras?

2. Juan trabaja 8 horas diarias con el Sr. Cassidy. El sábado pasado estuvo $4\frac{1}{2}$ horas sacando ostras. Se tomó 1 hora para almorzar y pasó $\frac{3}{4}$ de hora en el criadero. El resto del tiempo sacó ostras. ¿Cuánto tiempo pasó sacando ostras?

3. El Sr. Cassidy prepara una sustancia para que no haya algas en sus viveros. Mezcla los productos químicos con agua siguiendo la tabla que aparece a la derecha. ¿Cuántas tazas de productos químicos usa con 10 galones de agua?

Tazas de productos químicos	$\frac{1}{3}$	$\frac{2}{3}$	1	$1\frac{1}{3}$	. . .
Galones de agua	1	2	3	4	. . .

4. El Sr. Cassidy está metiendo 50 libras de ostras en bolsas para embarque. Tiene que llenar bolsas de 5, 10 y 15 libras. ¿De cuántas maneras diferentes puede distribuir las ostras si tiene que llenar por lo menos una bolsa de cada tamaño?

5. Juan está mezclando 480 libras de comida para los viveros de ostras. Mezcla 1 parte de calcio, 2 partes de hierro y 3 partes de carbón de leña. ¿Cuántas libras usa de cada producto?

La Sra. Locke provee comidas a domicilio. Ahora prepara una cena para servir a las 8:00 P.M. El plato principal son ostras servidas con ensalada y papas asadas. La receta requiere 40 ostras y tiene que estar en el horno durante $1\frac{1}{2}$ horas. Las papas se hacen en 45 minutos.

6. ¿A qué hora debe meter las ostras en el horno?

7. ¿Cuántas papas debe preparar la Sra. Locke?

8. ¿A qué hora debe meter las papas en el horno?

9. Si la comida se demora 45 minutos, ¿a qué hora se servirá?

El Sr. Cassidy está preparando un vivero de ostras en la forma ilustrada. Comienza colocando una estaca en cada esquina. Después coloca estacas de forma que haya 5 estacas en cada lado.

★10. ¿Cuántas estacas usará el Sr. Cassidy en total?

★11. Las estacas están colocadas a 3 pies una de otra. ¿Qué largo tendrá el vivero de ostras?

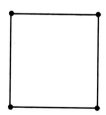

Problemas para resolver

¿QUÉ PASARÍA SI . . . ?

El transatlántico de lujo *Princess Patti* está navegando hacia el Caribe. Hay 850 pasajeros a bordo, incluyendo 175 niños. La tripulación consta de 200 personas. La tabla muestra el número de personas asignadas a cada uno de los comedores.

Comedor	Adultos	Niños
A	315	70
B	210	65
C	150	40

1. ¿Cuántos adultos más han sido asignados al Comedor A que al Comedor C?

2. ¿Cuántos niños menos que adultos han sido asignados al Comedor B?

3. ¿Cuántas personas han sido asignadas al Comedor C?

¿Qué pasaría si el Comedor C estuviera cerrado y los niños y adultos se dividieran igualmente entre los otros dos?

4. ¿Cuántos adultos hay ahora en el Comedor A?

5. ¿Cuántos niños hay ahora en el Comedor B?

6. ¿Cuántas personas hay en el Comedor A?

El *Princess Patti* salió de Miami a las 8:00 A.M. para llegar a Santo Domingo a las 6:30 P.M. del mismo día. Iba a parar en el camino en las Bahamas durante 3 horas.

7. ¿Cuántas horas dura el viaje de Miami a Santo Domingo?

8. ¿Cuántas horas se navega?

9. ¿A qué hora iba a llegar el crucero a las Bahamas?

¿Qué pasaría si el crucero llegara a las Bahamas a las 11:15 A.M.?

10. ¿A qué hora debería salir de las Bahamas?

¿Qué pasaría si hubiera 1 hora y 15 minutos de atraso?

11. ¿Cuándo llegaría a Santo Domingo?

¿Qué pasaría si el pasaje costara $350 por cada adulto y $200 por cada niño?

12. ¿Cuánto en pasajes sería el dinero cobrado?

Escribe una fracción para cada uno. págs. 178–179

1.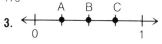

   Sombreado = ☐

2. $7 \div 11$

3. A = ☐ B = ☐ C = ☐

4. denominador: 5
   numerador: 3

Escribe dos fracciones equivalentes para cada uno. págs. 180–181

5. $\frac{4}{9}$ 6. $\frac{5}{11}$ 7. $\frac{36}{40}$ 8. $\frac{85}{90}$ 9. $\frac{250}{400}$

Escribe cada fracción como número mixto o número entero.
Escribe cada número mixto o entero como fracción. págs. 184–185

10. $\frac{32}{7}$ 11. $\frac{14}{2}$ 12. $4\frac{3}{8}$ 13. $5\frac{5}{7}$ 14. $\frac{55}{15}$ 15. $10\frac{3}{16}$ 16. $15 = \frac{n}{10}$

Compara. Usa >, < ó = en lugar de ⬤. págs. 186–187

17. $\frac{3}{8}$ ⬤ $\frac{5}{6}$ 18. $\frac{2}{3}$ ⬤ $\frac{5}{12}$ 19. $2\frac{8}{9}$ ⬤ $2\frac{1}{6}$ 20. $\frac{3}{25}$ ⬤ $\frac{6}{50}$

Suma o resta. Escribe cada respuesta en su expresión mínima. págs. 182–183, 190–197

21. $\frac{3}{5} + \frac{4}{5}$ $\frac{7}{5} =$ 22. $\frac{22}{16} - \frac{14}{16}$ 23. $16\frac{3}{7} - 9\frac{2}{7}$ 24. $11\frac{7}{9} + 4\frac{1}{9} + 20\frac{4}{9}$

25. $\frac{2}{9} + \frac{2}{3}$ 26. $\frac{4}{5} - \frac{1}{2}$ 27. $3\frac{4}{5} - 1\frac{3}{10}$ 28. $1\frac{3}{4} + 3\frac{1}{3} + 2\frac{1}{6}$

Resta. págs. 198–199

29. $13\frac{2}{3} - 10\frac{8}{9}$ 30. $10\frac{2}{15} - 6\frac{4}{5}$ 31. $18\frac{5}{6} - 9\frac{9}{10}$ 32. $11\frac{1}{4} - 6\frac{2}{3}$

Estima cada suma o diferencia. págs. 200–201

33. $7\frac{1}{3} + 3\frac{1}{8}$ 34. $10\frac{8}{9} - 9\frac{2}{3}$ 35. $\frac{2}{3} + 1\frac{1}{4} + 3\frac{4}{5}$ 36. $14\frac{7}{16} - 3\frac{3}{8}$

Resuelve. págs. 188–189, 202–203

37. Una tempestad interrumpió una carrera de veleros entre
    tres amigos. María completó $\frac{7}{9}$ de la carrera, Juana
    completó $\frac{13}{18}$ de la carrera y Paco completó $\frac{5}{6}$ de la carrera.
    Ordena sus posiciones de primera a última al momento de
    la interrupción.

38. Mike trabaja $12\frac{1}{2}$ horas los fines de semana en la marina.
    Trabaja $2\frac{1}{2}$ horas más el sábado que el domingo. ¿Cuántas
    horas trabaja el sábado?

Escribe una fracción para la parte sombreada. Después escribe dos fracciones equivalentes.

1.

2.

3.

Halla el valor de cada *n*.

4. $\frac{n}{48} = \frac{5}{12}$

5. $\frac{8}{11} = \frac{48}{n}$

Escribe cada fracción como número entero o número mixto. Escribe cada número mixto como fracción.

6. $\frac{44}{7}$

7. $2\frac{4}{13}$

8. $\frac{122}{12}$

9. $13\frac{3}{4}$

10. $5\frac{5}{9}$

11. $\frac{93}{11}$

Compara. Usa >, < ó = en lugar de ⬤.

12. $\frac{4}{9}$ ⬤ $\frac{11}{18}$

13. $1\frac{7}{8}$ ⬤ $1\frac{21}{24}$

14. $4\frac{3}{10}$ ⬤ $4\frac{2}{7}$

Suma o resta. Escribe cada respuesta en su expresión mínima.

15. $4\frac{1}{6} + 5\frac{3}{6}$

16. $\frac{14}{15} - \frac{8}{15}$

17. $\frac{7}{18} + \frac{5}{6}$

18. $\frac{3}{5} - \frac{1}{9}$

19. $5\frac{5}{8} + 3\frac{1}{6} + 2\frac{5}{12}$

20. $12\frac{1}{7} - 9\frac{3}{7}$

21. $10\frac{2}{5} - 3\frac{7}{10}$

Estima cada suma o diferencia.

22. $3\frac{2}{3} + 4\frac{1}{8} + 7\frac{5}{6}$

23. $18\frac{4}{9} - 13\frac{2}{7}$

Resuelve.

24. Dilip y Walt juntos trabajan $15\frac{1}{2}$ horas a la semana en una tienda de avíos de pesca. Walt trabaja $3\frac{1}{2}$ horas menos que Dilip. ¿Cuántas horas trabaja Dilip?

25. Le tomó a Juan $8\frac{5}{6}$ horas pintar un lado de su barco. A María Elena le tomó $5\frac{9}{10}$ horas pintar un lado de su barco. ¿Cuánto más tiempo trabajó Juan?

Brian tiene 5 galones de pintura para su barco. Si usa $1\frac{1}{4}$ galones de rojo, $2\frac{5}{8}$ galones de azul y $\frac{5}{6}$ de galón de blanco, ¿cuánta pintura le sobra?

LABERINTO DE FRACCIONES

Vete desde la ENTRADA hasta la SALIDA usando el
sendero entre los números solamente una vez. Puedes ir
de un número al próximo solamente

- si le sumas $\frac{3}{4}$ al número anterior
- o si le restas $\frac{1}{3}$ al número anterior.

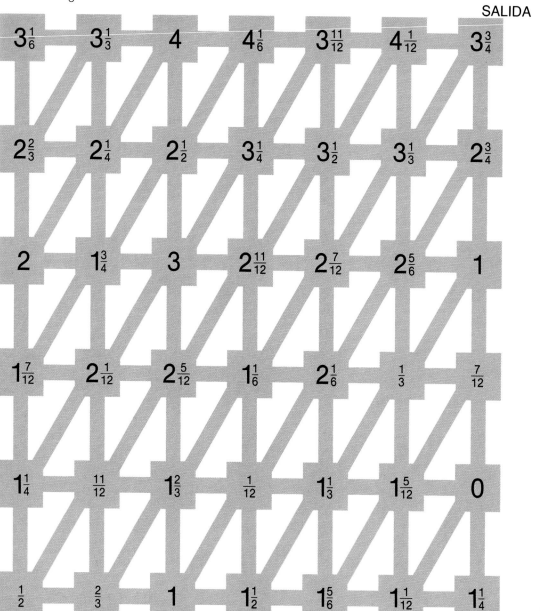

SALIDA

ENTRADA

CADENA DE FRACCIONES

La cadena de oro del Almirante Cobb tiene 24 eslabones. El Almirante va a usar los eslabones para pagar su estancia en un mesón local. Con cada eslabón paga un día. ¿Es posible que el Almirante Cobb pague su cuenta diaria sin cortar los 24 eslabones?

La solución del Almirante Cobb comienza más abajo. Sigue el razonamiento para los días 1–4.

Día 1 - Cortar el eslabón número tres. Sacarlo y entregarlo al mesonero. Guardar los eslabones 1 y 2.

Día 2 - Entregar al mesonero los eslabones número 1 y 2. Recoger el eslabón número 3.

Día 3 - Entregar al mesonero el eslabón número 3.

Día 4 - Cortar el eslabón 7. Dar al mesonero los eslabones 4–7. Recoger los eslabones 1, 2 y 3.

Completa la solución contestando cada pregunta.

1. Explica cómo el Almirante Cobb pagará los días 5, 6 y 7.

2. ¿En qué día hará el Almirante otro corte en la cadena? ¿Qué eslabón cortará?

3. Explica cómo el Almirante Cobb pagará los días 8–15.

4. ¿Cuál es el número menor de cortes posible para pagar una estancia de 24 días?

Contesta cada pregunta. Cada eslabón representa $\frac{1}{24}$ de la cadena?

5. ¿En qué día pagará el Almirante Cobb con $\frac{1}{3}$ de la cadena?

6. ¿En qué día tendrá el mesonero $\frac{1}{6}$ de la cadena y le será entregado $\frac{1}{24}$ más?

7. ¿En qué días devuelve el mesonero $\frac{1}{24}$ de la cadena a cambio de $\frac{1}{12}$ de la cadena?

FACTORES

BASIC tiene varias funciones útiles.

La función de enteros, **INT(X),** da el mayor número entero que es igual o menor que X.

Ejemplos
```
INT (2.43) = 2      INT (7.98) = 7
INT (6/2)  = 3      INT (9/2)  = 4
```

INT(X) puede usarse para determinar si un número es un número entero.

```
10 IF N = INT(N) THEN PRINT
   "NUMERO ENTERO"
```

Si A/B = INT(*A/B*) entonces B divide a A y B es un factor de A.

```
20 IF A/B = INT(A/B) THEN PRINT
   B; "ES FACTOR DE" ;A
```

Este programa usa la función de enteros para hallar todos los factores de un número.

PROGRAMA

```
10 REM FACTORES DE UN NÚMERO

20 PRINT "ENTRA UN NÚMERO"

30 INPUT N

40 PRINT "LOS FACTORES DE ";N;"
   SON:"
```

1 es un factor de cada número. ⟶
```
50 LET F = 1

60 PRINT F
```

Prueba el próximo número. ⟶
```
70 LET F = F + 1
```

El mayor factor posible de N, que no sea N, es la mitad de N. ⟶
```
80 IF F > N/2 THEN GOTO 110
```

Si F divide a N sin residuo, F es un factor. ⟶
```
90 IF N/F = INT(N/F) THEN PRINT F
```

Vuelve a probar el próximo número. ⟶
```
100 GOTO 70
```

Cada número es un factor de sí mismo. ⟶
```
110 PRINT N

120 END
```

Escribe la salida de cada programa.

1. ```
10 LET X = 6.42
20 PRINT INT (X)
30 END
```

2. ```
10 LET A = 9.99
20 PRINT INT (A)
30 END
```

3. ```
10 LET B = 5
20 PRINT INT (B/3)
30 END
```

4. ```
10 PRINT INT (17/5)
20 PRINT INT (27/3)
30 END
```

★5. ```
10 PRINT INT (7.4 + 2.6)
20 PRINT INT (7.4) + INT (2.6)
30 END
```

★6. ```
10 PRINT 6 * INT (3/2)
20 PRINT INT (6 * (3/2))
30 END
```

Usa el programa FACTORES DE UN NÚMERO para hallar los factores de cada número.

7. 12   8. 24   9. 100   10. 37   11. 210

Usa el programa que aparece abajo para hallar el cociente y el residuo cuando se divide un número por 7.

```
10 REM DIVIDE POR 7
20 PRINT "ENTRA UN NUMERO"
30 ENTRA N
40 LET Q = INT(N/7)
50 LET R = N - Q * 7
60 PRINT N;"/7 = ";Q;"R";R
70 END
```

12. 824

13. 717

14. 123

15. 1,206

CON LA COMPUTADORA

Ejecuta (RUN) el programa FACTORES DE UN NÚMERO para hallar los factores de cada número.

1. 30   2. 36   3. 29   4. 72   5. 1,000

Escribe un programa para cada uno. Después prueba cada programa ejecutándolo.

6. Cuenta el número de factores de un número dado. (Comienza con C = 0. Suma 1 a C cada vez que se imprima un factor. Imprime el valor de C al final.)

★7. Un número primo tiene solamente dos factores, 1 y el número mismo. Determina si un número es primo contando sus factores.

PERFECCIONAMIENTO DE DESTREZAS

Escoge la respuesta correcta. Escribe A, B, C ó D.

1. 50,903 − 6,542

  A 56,441   **C** 54,461

  B 44,361   **D** no se da

2. ¿Cuál es el promedio de 15, 43, 27 y 19?

  A 26   **C** 28

  B 24   **D** no se da

3. 1.83 + 0.051 + 6.64 + 0.39

  A 8.911   **C** 9.37

  B 8.711   **D** no se da

4. $67.433 \div 10^3$

  A 0.67433   **C** 0.067433

  B 67,433   **D** no se da

5. $1.6\overline{)3.5}$

  A 2.19   **C** 0.21864

  B 2.1875   **D** no se da

6. Completa. ＿＿＿ km = 7,451 m

  A 74.51   **C** 7.451

  B 0.07451   **D** no se da

7. ¿Qué hora es 8 horas 42 min después de las 8:30 A.M.?

  A 4:12 P.M.   **C** 4:48 P.M.

  B 5:12 P.M.   **D** no se da

8. ¿Qué número es divisible por 2 y por 3?

  A 4,172   **C** 7,431

  B 4,572   **D** no se da

9. ¿Cuál es la descomposicion en factores primos de 40?

  A $2^2 \times 5$ **C** $2^3 \times 5$

  B 2×5^3 **D** no se da

10. ¿Cuál es la fracción impropia de $8\frac{5}{12}$?

  A $\frac{101}{12}$ **C** $\frac{96}{12}$

  B $\frac{91}{12}$ **D** no se da

11. Compara. $2\frac{6}{16}$ ⬭ $2\frac{3}{8}$

  A >   **C** =

  B <   **D** no se da

12. $\frac{7}{10} + \frac{1}{8} + \frac{4}{5}$

  A $1\frac{1}{10}$ **C** $1\frac{3}{5}$

  B $1\frac{3}{8}$ **D** no se da

13. $8\frac{2}{5} - 3\frac{9}{10}$

  A $4\frac{7}{10}$ **C** $4\frac{1}{2}$

  B $5\frac{1}{2}$ **D** no se da

Haz un dibujo para ayudar a resolver 14 y 15.

Sara y Olga viven en la misma calle. Planean encontrarse en cierto banco caminando desde sus casas. La distancia entre sus casas es 27.3 m.

14. ¿A qué distancia están una de la otra después que Olga camina 7 m y Sara camina 6.2 m?

  A 14.1 m   **C** 27.3 m

  B 13.2 m   **D** no se da

15. Si cada niña está ahora a igual distancia del banco, ¿qué distancia tiene que caminar cada una hacia él?

  A 13.25 m   **C** 7.05 m

  B 14.1 m   **D** no se da

Tema: Los museos

Multiplicar fracciones

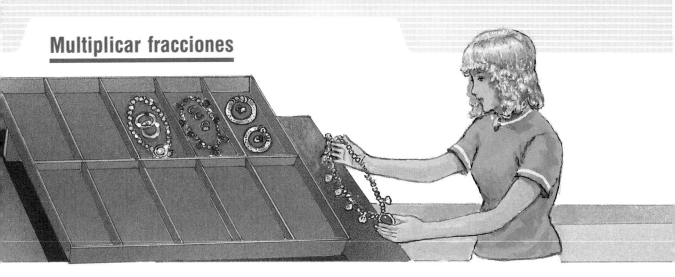

Jane diseñó un estuche para exhibir joyas antiguas en un museo. Los trabajadores del museo han llenado la $\frac{1}{2}$ de la parte superior del estuche. Han llenado $\frac{3}{5}$ de la fila de arriba. ¿Qué parte del estuche entero han llenado?

Para hallar $\frac{3}{5}$ de $\frac{1}{2}$, se multiplica $\frac{3}{5} \times \frac{1}{2}$.

▶ Para multiplicar fracciones, primero multiplica los numeradores. Después multiplica los denominadores. Escribe la respuesta en su expresión mínima.

$$\frac{3}{5} \times \frac{1}{2} = \frac{3 \times 1}{5 \times 2} = \frac{3}{10}$$

Los trabajadores del museo han llenado $\frac{3}{10}$ del estuche completo.

▶ Para hallar el producto de un número entero y una fracción, primero escribe el número entero como fracción. Después multiplica.

$$20 \times \frac{1}{4} = \frac{20}{1} \times \frac{1}{4}$$
$$= \frac{20}{4}$$
$$= \frac{5}{1} = 5 \leftarrow \text{Escribe el producto en su expresión mínima.}$$

Más ejemplos

a. $\frac{1}{3} \times \frac{3}{4} \times \frac{2}{8} = \frac{6}{96}$
$$= \frac{1}{16}$$

b. $\frac{5}{6} \times 8 = \frac{5}{6} \times \frac{8}{1}$
$$= \frac{40}{6}$$
$$= \frac{20}{3} = 6\frac{2}{3}$$

TRABAJO EN CLASE

Multiplica. Escribe cada respuesta en su expresión mínima.

1. $\frac{3}{10} \times \frac{1}{2}$ **2.** $\frac{1}{6} \times \frac{2}{5}$ **3.** $\frac{7}{16} \times 8$ **4.** $\frac{2}{3} \times \frac{4}{5}$ **5.** $\frac{2}{7} \times 21$

6. $\frac{1}{8} \times \frac{4}{5}$ **7.** $20 \times \frac{3}{4}$ **8.** $\frac{1}{6} \times 6$ **9.** $\frac{8}{9} \times \frac{7}{10}$ **10.** $\frac{1}{5} \times \frac{5}{26}$

Multiplica. Escribe cada respuesta en su expresión mínima.

1. $\frac{1}{5} \times \frac{1}{2}$ 2. $9 \times \frac{5}{8}$ 3. $\frac{5}{7} \times 6$ 4. $\frac{2}{3} \times \frac{1}{6}$ 5. $3 \times \frac{4}{5}$

6. $\frac{5}{12} \times \frac{1}{3}$ 7. $\frac{3}{10} \times 5$ 8. $\frac{2}{5} \times \frac{5}{8}$ 9. $16 \times \frac{3}{8}$ 10. $\frac{15}{8} \times \frac{2}{3}$

11. $30 \times \frac{5}{6}$ 12. $\frac{3}{4} \times 28$ 13. $\frac{2}{25} \times \frac{3}{8}$ 14. $\frac{6}{7} \times \frac{1}{4}$ 15. $\frac{11}{16} \times \frac{4}{5}$

16. $\frac{7}{10} \times \frac{4}{9}$ 17. $\frac{2}{3} \times \frac{7}{12}$ 18. $\frac{1}{10} \times \frac{1}{10}$ 19. $\frac{1}{4} \times 4$ 20. $\frac{4}{7} \times 15$

21. $\frac{5}{6} \times \frac{3}{4}$ 22. $\frac{1}{13} \times \frac{2}{3}$ 23. $7 \times \frac{4}{5}$ 24. $\frac{7}{8} \times 5$ 25. $\frac{6}{7} \times \frac{5}{7}$

26. $\frac{3}{10} \times \frac{3}{5}$ 27. $\frac{3}{20} \times 9$ 28. $\frac{1}{5} \times \frac{7}{8}$ 29. $\frac{2}{9} \times 14$ 30. $\frac{9}{15} \times \frac{1}{5}$

31. $\frac{1}{2} \times \frac{3}{4} \times \frac{2}{3}$ 32. $\frac{5}{8} \times 4 \times \frac{2}{5}$ 33. $\frac{3}{10} \times \frac{1}{2} \times 5$ 34. $\frac{1}{5} \times \frac{1}{6} \times \frac{1}{3}$

Sigue la regla para hallar cada número que falta.

Regla: La salida es $\frac{1}{4}$ de la entrada.

Regla: La salida es $\frac{5}{8}$ de la entrada.

Regla: La salida es $\frac{1}{2}$ más que $\frac{1}{3}$ de la entrada.

	Entrada	Salida
	16	4
35.	36	
36.	100	
37.	$\frac{1}{2}$	
38.	9	

	Entrada	Salida
	16	10
39.	24	
40.	40	
41.	72	
42.	$\frac{4}{5}$	

	Entrada	Salida
	$\frac{1}{2}$	$\frac{2}{3}$
★43.	$\frac{1}{3}$	
★44.	$\frac{2}{5}$	
★45.	$\frac{3}{8}$	
★46.	$\frac{1}{10}$	

APLICACIÓN

47. El año pasado, Jane diseñó y completó 15 estuches para museos. De éstos, $\frac{2}{5}$ fueron hechos para un museo local. ¿Cuántos estuches completó Jane para el museo local?

★48. Jane recibió $820 por un estuche. Su ganancia fue $\frac{1}{4}$ de esta cantidad. ¿Cuánto le costó hacer el estuche?

RAZONAMIENTO LÓGICO

Escribe +, − ó x en lugar de ⬤ para que cada oración sea verdadera.

1. $\frac{1}{2} ⬤ \frac{1}{2} ⬤ \frac{1}{2} ⬤ \frac{1}{2} = \frac{1}{2}$ 2. $\frac{1}{2} ⬤ \frac{1}{2} ⬤ \frac{1}{2} ⬤ \frac{1}{2} = 0$

3. $\frac{1}{2} ⬤ \frac{1}{2} ⬤ \frac{1}{2} ⬤ \frac{1}{2} = 1$ 4. $\frac{1}{2} ⬤ \frac{1}{2} ⬤ \frac{1}{2} ⬤ \frac{1}{2} = 1\frac{1}{4}$

Factores comunes

Durante la traducción de esta pictografía antigua para un museo, un arqueólogo completó $\frac{4}{5}$ de la columna de la izquierda en una semana. Si cada columna contiene $\frac{1}{2}$ de la pictografía, ¿qué parte de la traducción había sido completada al final de una semana?

Multiplica $\frac{4}{5} \times \frac{1}{2}$.

Hay una forma corta que facilita la multiplicación. Para simplificar factores antes de multiplicar, se divide el numerador y el denominador por un factor común.

Paso 1

Halla un factor común de cualquier numerador y cualquier denominador.

$\frac{4}{5} \times \frac{1}{2}$ 2 es el MCD de 2 y 4.

Paso 2

Divide el numerador y el denominador por el factor común.

$\frac{\overset{2}{\cancel{4}}}{5} \times \frac{1}{\underset{1}{\cancel{2}}}$

Paso 3

Multiplica los numeradores y denominadores nuevos.

$\frac{\overset{2}{\cancel{4}}}{5} \times \frac{1}{\underset{1}{\cancel{2}}} = \frac{2}{5}$

Al final de una semana, había sido completado $\frac{2}{5}$ de la traducción.

No es necesario dividir por el MCD. Puedes dividir por cualquier factor común y continuar simplificando factores.

$\frac{18}{19} \times \frac{1}{6}$

$\frac{\overset{9}{\cancel{18}}}{19} \times \frac{1}{\underset{3}{\cancel{6}}}$ El factor común de 6 y 18 es 2.

$\frac{\overset{\overset{3}{\cancel{9}}}{\cancel{18}}}{19} \times \frac{1}{\underset{\underset{1}{\cancel{3}}}{\cancel{6}}} = \frac{3}{19}$ El factor común de 9 y 3 es 3.

Otro ejemplo

$\frac{2}{9} \times 54 \times \frac{1}{6}$

$\frac{\overset{1}{\cancel{2}}}{\underset{1}{\cancel{9}}} \times \overset{6}{\cancel{54}} \times \frac{1}{\underset{3}{\cancel{6}}}$

El factor común de 9 y 54 es 9.

El factor común de 2 y 6 es 2.

$\frac{\overset{1}{\cancel{2}}}{\underset{1}{\cancel{9}}} \times \frac{\overset{\overset{2}{\cancel{6}}}{\cancel{54}}}{1} \times \frac{1}{\underset{\underset{1}{\cancel{3}}}{\cancel{6}}} = \frac{2}{1} = 2$

El factor común de 6 y 3 es 3.

TRABAJO EN CLASE

Multiplica. Escribe cada respuesta en su expresión mínima.

1. $\frac{2}{3} \times \frac{7}{8}$

2. $\frac{6}{7} \times \frac{14}{15}$

3. $25 \times \frac{2}{5}$

4. $\frac{3}{10} \times 16$

5. $\frac{16}{15} \times \frac{1}{4}$

6. $\frac{3}{4} \times \frac{10}{9}$

7. $\frac{7}{3} \times \frac{9}{20}$

8. $\frac{2}{3} \times \frac{3}{2}$

9. $\frac{1}{10} \times \frac{15}{21}$

10. $\frac{6}{9} \times \frac{3}{4}$

Multiplica. Escribe cada respuesta en su expresión mínima.

1. $\frac{2}{5} \times \frac{15}{22}$

2. $\frac{7}{9} \times \frac{8}{7}$

3. $10 \times \frac{7}{20}$

4. $\frac{4}{8} \times 20$

5. $\frac{5}{21} \times \frac{14}{25}$

6. $\frac{2}{9} \times \frac{21}{30}$

7. $\frac{24}{9} \times \frac{7}{12}$

8. $\frac{8}{20} \times \frac{5}{24}$

9. $\frac{8}{9} \times 81$

10. $36 \times \frac{5}{10}$

11. $\frac{15}{6} \times \frac{3}{20}$

12. $\frac{9}{16} \times \frac{8}{21}$

13. $\frac{7}{8} \times \frac{12}{21}$

14. $15 \times \frac{7}{12}$

15. $81 \times \frac{4}{9}$

16. $18 \times \frac{5}{8}$

17. $\frac{3}{10} \times \frac{5}{9}$

18. $\frac{5}{24} \times \frac{18}{35}$

19. $\frac{7}{8} \times \frac{5}{14} \times \frac{2}{3}$

20. $\frac{2}{12} \times \frac{5}{8} \times 4$

21. $\frac{12}{7} \times \frac{7}{10} \times \frac{5}{6}$

22. $\frac{2}{3} \times \frac{3}{5} \times \frac{1}{2}$

23. $\frac{8}{9} \times \frac{3}{16} \times 5$

24. $\frac{7}{10} \times \frac{25}{60} \times \frac{6}{35}$

Completa. Ejemplo: $\frac{1}{6}$ h = <u>10 min</u>

    Piensa   1 h = 60 min $\frac{1}{6} \times 60 = 10$

25. $\frac{3}{10}$ h = __ min

26. $\frac{7}{12}$ d = __ h

27. $\frac{7}{6}$ año = __ meses

28. $\frac{3}{5}$ año = __ d

29. $\frac{1}{3}$ d = __ h

★ **30.** $\frac{1}{4}$ sem __ h

Evalúa cada expresión si $a = \frac{1}{2}$, $b = \frac{2}{5}$ **y** $c = \frac{5}{8}$.

31. $a \times b \times c$

★ **32.** $a + b \times c$

★ **33.** $2a + 5b$

APLICACIÓN

34. Un arqueólogo tiene que descifrar 12 pinturas antiguas. Ha completado $\frac{1}{4}$ de ellas. ¿Cuántas pinturas ha descifrado?

★ **35.** Nueve quinceavos de las pinturas del arqueólogo eran de animales. De éstas, $\frac{3}{5}$ eran de ciervos. ¿Qué parte de las pinturas no eran de ciervos?

Práctica mixta

1. $301 + 20 + 5$

2. $500 - 399$

3. 15×631

4. $840 \div 3$

5. $9,500 \div 10$

6. $3.21 + 0.219$

7. $5.6 - 3.001$

8. 0.58×0.65

9. $0.840 \div 0.2$

10. $0.9500 \div 0.01$

11. $\frac{3}{5} + \frac{4}{5}$

12. $2\frac{1}{5} + 3\frac{1}{4}$

13. $\frac{5}{6} - \frac{1}{3}$

14. $9 - 7\frac{3}{8}$

15. $13\frac{2}{3} - 5$

Halla el MCD.

16. 6, 8

17. 12, 20

18. 30, 48

19. 2, 15

20. 6, 15, 24

Multiplicar números mixtos

Susana está jugando un juego matemático en esta máquina en un museo de tecnología. Si un juego le toma $2\frac{1}{2}$ minutos, ¿cuánto tiempo le tomarán 4 juegos?

Multiplica $4 \times 2\frac{1}{2}$.

▶ Para multiplicar números mixtos o enteros, primero escríbelos como fracciones impropias. Después multiplica. Escribe la respuesta en su expresión mínima.

$$4 \times 2\frac{1}{2} = 4 \times \frac{5}{2}$$
$$= \frac{\overset{2}{\cancel{4}}}{1} \times \frac{5}{\underset{1}{\cancel{2}}} \longleftarrow \text{Simplifica los factores}$$
$$= 10$$

Le tomará 4 min jugar 4 juegos.

Más ejemplos

a. $4\frac{2}{5} \times 1\frac{4}{11} = \frac{22}{5} \times \frac{15}{11}$

$$= \frac{\overset{2}{\cancel{22}}}{\underset{1}{\cancel{5}}} \times \frac{\overset{3}{\cancel{15}}}{\underset{1}{\cancel{11}}}$$

$$= 6$$

b. $2\frac{1}{4} \times \frac{7}{15} = \frac{9}{4} \times \frac{7}{15}$

$$= \frac{\overset{3}{\cancel{9}}}{4} \times \frac{7}{\underset{5}{\cancel{15}}}$$

$$= \frac{21}{20} \text{ ó } 1\frac{1}{20}$$

c. $2\frac{2}{3} \times 2\frac{7}{10} = \frac{8}{3} \times \frac{27}{10}$

$$= \frac{\overset{4}{\cancel{8}}}{\underset{1}{\cancel{3}}} \times \frac{\overset{9}{\cancel{27}}}{\underset{5}{\cancel{10}}}$$

$$= \frac{36}{5} \text{ ó } 7\frac{1}{5}$$

d. $3\frac{1}{2} \times 8 \times \frac{1}{2} = \frac{7}{2} \times \frac{8}{1} \times \frac{1}{2}$

$$= \frac{7}{\underset{1}{\cancel{2}}} \times \frac{\overset{\overset{2}{\cancel{4}}}{\cancel{8}}}{1} \times \frac{1}{\underset{1}{\cancel{2}}}$$

$$= 14$$

Trabajo en clase

Multiplica. Escribe cada respuesta en su expresión mínima.

1. $1\frac{1}{9} \times \frac{3}{5}$ **2.** $6 \times 8\frac{2}{3}$ **3.** $4\frac{2}{7} \times 14$ **4.** $3\frac{2}{5} \times 3\frac{3}{4}$ **5.** $3\frac{1}{8} \times 3\frac{1}{5}$

6. $4\frac{1}{2} \times 2\frac{1}{3}$ **7.** $6 \times 8\frac{1}{2}$ **8.** $4\frac{1}{8} \times 1\frac{3}{11}$ **9.** $3\frac{1}{4} \times \frac{1}{3}$ **10.** $\frac{5}{6} \times 7\frac{1}{2}$

Multiplica. Escribe cada respuesta en su expresión mínima.

1. $\frac{5}{12} \times 3\frac{1}{5}$ 2. $\frac{4}{7} \times 10\frac{1}{2}$ 3. $\frac{4}{5} \times 2\frac{1}{10}$ 4. $\frac{1}{3} \times 2\frac{3}{8}$ 5. $\frac{6}{7} \times 3\frac{8}{9}$

6. $2\frac{1}{4} \times \frac{4}{9}$ 7. $4\frac{3}{8} \times \frac{8}{25}$ 8. $2\frac{7}{10} \times \frac{2}{3}$ 9. $5\frac{4}{9} \times \frac{9}{14}$ 10. $1\frac{5}{6} \times 9$

11. $6 \times 4\frac{2}{3}$ 12. $15 \times 5\frac{1}{3}$ 13. $21 \times 6\frac{1}{7}$ 14. $4\frac{1}{8} \times 10$ 15. $8 \times 2\frac{5}{12}$

16. $4\frac{7}{12} \times 2\frac{2}{11}$ 17. $4\frac{1}{8} \times 7\frac{1}{3}$ 18. $2\frac{1}{7} \times 3\frac{1}{2}$ 19. $3\frac{1}{8} \times 1\frac{1}{15}$ 20. $3\frac{3}{4} \times 5\frac{1}{3}$

21. $3\frac{5}{8} \times 2\frac{2}{3}$ 22. $7\frac{2}{4} \times 3\frac{2}{15}$ 23. $8\frac{1}{3} \times 6\frac{1}{5}$ 24. $6\frac{4}{9} \times 10\frac{1}{2}$ 25. $4\frac{1}{6} \times 3\frac{1}{3}$

26. $2\frac{1}{4} \times 2\frac{5}{6} \times 4$ 27. $1\frac{3}{4} \times \frac{2}{5} \times 1\frac{3}{14}$ 28. $3\frac{1}{12} \times 2\frac{1}{2} \times 3\frac{3}{5}$ 29. $7\frac{1}{2} \times \frac{4}{15} \times 1\frac{7}{12}$

Un disco estereofónico gira a $33\frac{1}{3}$ revoluciones por minuto (rpm). Halla el número de revoluciones que el disco hace durante cada canción (2:33 quiere decir 2 min 33 s ó $2\frac{33}{60}$ min)

★ 30. "Cielito lindo" 2:33   ★ 31. "Rock' n' Roll Is Here to Stay" 2:00

★ 32. "Tomorrow" 2:20   ★ 33. "Guantanamera" 2:24

APLICACIÓN

34. A Susana y a una amiga, un juego les tomó $3\frac{3}{4}$ min en el museo de tecnología. ¿Cuánto tiempo les tomaría jugarlo 3 veces?

★ 35. Un juego de Misión Estelar toma $2\frac{1}{2}$ min y un juego de Dardos Espaciales toma $3\frac{1}{4}$ min. ¿Cuánto tomaría jugar ambos dos veces?

HAZLO MENTALMENTE

Puedes hallar ciertos productos rápidamente usando la propiedad distributiva.

$3\frac{1}{8} \times 24 = (3 + \frac{1}{8}) \times 24 = (3 \times 24) + (\frac{1}{8} \times 24) = 72 + 3 = 75$

Multiplica.

1. $2\frac{1}{4} \times 16$ 2. $2\frac{1}{6} \times 42$ 3. $8\frac{1}{10} \times 50$ 4. $7\frac{1}{5} \times 10$

5. $3\frac{1}{4} \times 12$ 6. $1\frac{1}{9} \times 63$ 7. $5\frac{1}{4} \times 20$ 8. $2\frac{1}{8} \times 16$

Dividir fracciones

Dos fracciones cuyo producto es 1 son **recíprocos**.

$$\frac{2}{3} \times \frac{3}{2} = 1 \qquad 5 \times \frac{1}{5} = \frac{5}{1} \times \frac{1}{5} = 1$$

$\frac{2}{3}$ y $\frac{3}{2}$ son recíprocos. 5 y $\frac{1}{5}$ son recíprocos.

Para hallar el recíproco de $4\frac{1}{2}$, sigue estos pasos.

- Escribe $4\frac{1}{2}$ como fracción. $4\frac{1}{2} = \frac{9}{2}$
- Intercambia el numerador y el denominador. $\frac{9}{2} \diagdown \frac{2}{9}$
- Comprueba multiplicando. $4\frac{1}{2} \times \frac{2}{9} = \frac{\overset{1}{\cancel{9}}}{\underset{1}{\cancel{2}}} \times \frac{\overset{1}{\cancel{2}}}{\underset{1}{\cancel{9}}} = 1$

Marisa quiere hacer una copia de este antiguo collar de oro. Si cada cuenta mide $\frac{1}{2}$ pulgada de largo ¿cuántas cuentas son necesarias para hacer un collar de 12 pulgadas?

Halla el número de mitades en 12 ó $12 \div \frac{1}{2}$.

▶ Para dividir fracciones, multiplica por el recíproco del divisor.

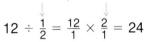

$$12 \div \frac{1}{2} = \frac{12}{1} \times \frac{2}{1} = 24$$

1 plg = 2 cuentas

por lo tanto, 12 plg = 24 cuentas

Se necesitan 24 cuentas para un collar de 12 pulgadas.

Más ejemplos

a. $\dfrac{9}{10} \div 3 = \dfrac{\overset{3}{\cancel{9}}}{10} \times \dfrac{1}{\underset{1}{\cancel{3}}} = \dfrac{3}{10}$ (recíprocos)

b. $\dfrac{3}{4} \div \dfrac{2}{5} = \dfrac{3}{4} \times \dfrac{5}{2} = \dfrac{15}{8} = 1\frac{7}{8}$ (recíprocos)

TRABAJO EN CLASE

Escribe el recíproco de cada uno.

1. 3   **2.** $\frac{3}{4}$ **3.** $\frac{10}{3}$ **4.** $\frac{5}{6}$ **5.** $\frac{1}{7}$ **6.** 10

Divide. Escribe cada respuesta en su expresión mínima.

7. $\frac{1}{3} \div \frac{4}{9}$ **8.** $8 \div \frac{2}{3}$ **9.** $\frac{2}{5} \div \frac{7}{10}$ **10.** $\frac{3}{4} \div 12$ **11.** $\frac{3}{8} \div \frac{1}{6}$

PRÁCTICA

Escribe el recíproco de cada uno.

1. $\frac{5}{8}$ **2.** 4 **3.** $\frac{9}{10}$ **4.** $\frac{1}{5}$ **5.** $\frac{7}{4}$ **6.** $\frac{15}{6}$

Divide. Escribe cada respuesta en su expresión mínima.

7. $\frac{3}{4} \div \frac{1}{2}$ **8.** $\frac{1}{8} \div \frac{1}{4}$ **9.** $\frac{9}{16} \div \frac{3}{4}$ **10.** $\frac{7}{9} \div 2$ **11.** $16 \div \frac{4}{15}$

12. $\frac{6}{7} \div \frac{5}{14}$ **13.** $12 \div \frac{6}{25}$ **14.** $\frac{7}{10} \div 14$ **15.** $20 \div \frac{2}{5}$ **16.** $\frac{1}{6} \div \frac{5}{6}$

17. $15 \div \frac{5}{6}$ **18.** $\frac{9}{10} \div 2$ **19.** $\frac{13}{14} \div \frac{1}{7}$ **20.** $\frac{6}{7} \div \frac{3}{4}$ **21.** $\frac{3}{8} \div \frac{1}{4}$

22. $\frac{11}{15} \div \frac{1}{3}$ **23.** $\frac{2}{3} \div 6$ **24.** $\frac{4}{9} \div \frac{4}{9}$ **25.** $\frac{5}{8} \div \frac{5}{4}$ **26.** $\frac{5}{12} \div \frac{5}{9}$

27. $80 \div \frac{4}{9}$ **28.** $\frac{7}{8} \div \frac{9}{16}$ **29.** $10 \div 25$ **30.** $\frac{7}{15} \div 21$ **31.** $\frac{3}{4} \div \frac{1}{12}$

32. $1 \div \frac{4}{5}$ **33.** $8 \div 36$ **34.** $\frac{7}{15} \div \frac{11}{30}$ **35.** $\frac{1}{4} \div 4$ **36.** $10 \div \frac{2}{5}$

Halla el valor de *n* en cada uno.

37. $\frac{6}{7} \times n = 1$ **38.** $n \times \frac{1}{2} = \frac{1}{2}$ **39.** $\frac{1}{4} \times n = \frac{3}{8}$ **40.** $n \times \frac{1}{9} = 9$

★**41.** $\frac{1}{6} \times n \times \frac{5}{6} = \frac{5}{12}$ ★**42.** $n \times \frac{4}{5} \times \frac{5}{12} = 1\frac{1}{3}$ ★**43.** $\frac{4}{9} \div \frac{4}{9} \times n = \frac{1}{4}$

Sigue la regla, si se da, para completar.

Regla: Divide la entrada por $\frac{2}{3}$.

	Entrada	Salida
44.	$\frac{1}{4}$	
45.	16	
46.	$\frac{5}{7}$	

Regla: Divide la entrada por $\frac{3}{5}$.

	Entrada	Salida
47.	$\frac{3}{10}$	
48.	$\frac{6}{5}$	
49.	$\frac{1}{6}$	

Halla la regla.

★**50.**	Entrada	Salida
	$\frac{3}{4}$	1
	$\frac{1}{2}$	$\frac{2}{3}$
	3	4

APLICACIÓN

51. Marisa está haciendo una copia de una cadena de 15 pulgadas para vender. Cada eslabón mide $\frac{3}{4}$ de pulgada de largo. ¿Cuántos eslabones debe usar?

52. Si cada eslabón en la cadena de 15 pulgadas cuesta $8.90, ¿cuánto costará la cadena? ¿Cuánto costará una cadena de 21 pulgadas del mismo tipo?

Dividir números mixtos

Un arquitecto está dibujando los planos para un museo de historia natural. El edificio tendrá 81 pies de altura. Cada piso tendrá $13\frac{1}{2}$ pies de altura. ¿Cuántos pisos tendrá museo?

Halla $81 \div 13\frac{1}{2}$.

Paso 1

Escribe el número mixto y el número entero como fracciones impropias.

$81 \div 13\frac{1}{2} = \frac{81}{1} \div \frac{27}{2}$

El edificio tendrá 6 pisos.

Paso 2

Cambia el divisor a su recíproco.

$\frac{81}{1} \div \frac{27}{2} = \frac{81}{1} \times \frac{2}{27}$

Paso 3

Multiplica. Escribe la respuesta en su expresión mínima.

$\frac{\overset{3}{\cancel{81}}}{1} \times \frac{2}{\underset{1}{\cancel{27}}} = \frac{6}{1} = 6$

Más ejemplos

a. $24\frac{1}{2} \div 3\frac{1}{2}$

$= \frac{49}{2} \div \frac{7}{2}$

$= \frac{\overset{7}{\cancel{49}}}{\underset{1}{\cancel{2}}} \times \frac{\overset{1}{\cancel{2}}}{\underset{1}{\cancel{7}}}$

$= 7$

b. $7\frac{1}{2} \div 3$

$= \frac{15}{2} \div \frac{3}{1}$

$= \frac{\overset{5}{\cancel{15}}}{2} \times \frac{1}{\underset{1}{\cancel{3}}}$

$= \frac{5}{2} = 2\frac{1}{2}$

c. $\frac{1}{8} \div 1\frac{3}{4}$

$= \frac{1}{8} \div \frac{7}{4}$

$= \frac{1}{\underset{2}{\cancel{8}}} \times \frac{\overset{1}{\cancel{4}}}{7}$

$= \frac{1}{14}$

Trabajo en clase

Escribe el recíproco de cada uno.

1. $2\frac{2}{3}$ **2.** $5\frac{3}{5}$ **3.** $6\frac{2}{3}$ **4.** $1\frac{2}{3}$ **5.** $6\frac{6}{7}$ **6.** $3\frac{3}{10}$

Divide. Escribe cada respuesta en su expresión mínima.

7. $\frac{2}{5} \div 3\frac{3}{5}$ **8.** $3 \div 2\frac{1}{2}$ **9.** $5\frac{1}{2} \div 1\frac{1}{4}$ **10.** $8\frac{2}{3} \div 1\frac{2}{3}$ **11.** $4 \div 6\frac{2}{3}$

Escribe el recíproco de cada uno.

1. $5\frac{1}{3}$ 2. $7\frac{1}{2}$ 3. $4\frac{3}{8}$ 4. $8\frac{3}{11}$ 5. $2\frac{2}{5}$ 6. $1\frac{1}{7}$

Divide. Escribe cada respuesta en su expresión mínima.

7. $\frac{5}{6} \div 2\frac{1}{2}$ 8. $4\frac{2}{3} \div 8$ 9. $32 \div 3\frac{1}{5}$ 10. $\frac{15}{8} \div 2\frac{1}{2}$ 11. $8\frac{1}{2} \div 2\frac{3}{4}$

12. $4 \div 3\frac{1}{2}$ 13. $\frac{1}{3} \div 6\frac{1}{4}$ 14. $2\frac{1}{8} \div 4\frac{1}{8}$ 15. $\frac{11}{3} \div 22$ 16. $1\frac{3}{10} \div \frac{1}{5}$

17. $3\frac{5}{9} \div \frac{4}{10}$ 18. $8\frac{4}{9} \div 2\frac{1}{9}$ 19. $11\frac{1}{4} \div 4\frac{1}{2}$ 20. $7\frac{1}{3} \div 11$ 21. $7\frac{5}{8} \div 7\frac{5}{8}$

22. $3\frac{3}{4} \div 15$ 23. $4\frac{1}{3} \div 3\frac{1}{4}$ 24. $1\frac{3}{5} \div 2\frac{2}{7}$ 25. $2\frac{1}{10} \div \frac{1}{15}$ 26. $\frac{12}{5} \div 4\frac{4}{5}$

Sigue el orden de operaciones para hallar el valor de cada expresión.

★ 27. $\frac{1}{2} + 1\frac{3}{4} \div \frac{5}{8}$ ★ 28. $\frac{5}{6} + \frac{2}{3} \times \frac{3}{4} - \frac{2}{3}$ ★ 29. $\frac{3}{4} \times 1\frac{1}{2} - \frac{1}{4}$

★ 30. $2\frac{5}{6} \div 2\frac{5}{6} - \frac{3}{4} + \frac{7}{8}$ ★ 31. $2\frac{5}{8} + 3 - 1\frac{1}{2} \times 2\frac{2}{3}$ ★ 32. $12 - 2\frac{3}{4} \div \frac{1}{4} + \frac{5}{12}$

APLICACIÓN

33. Para cumplir con los códigos de construcción, el arquitecto redujo la altura del museo a 50 pies y la altura de cada piso a $12\frac{1}{2}$ pies. ¿Cuántos pisos tendrá el museo ahora?

★ 34. Si cada piso del edificio cuesta $3\frac{1}{2}$ veces la cuota de \$30,000.00 del arquitecto. ¿cuánto costará cada piso?

ESTIMAR

Se puede estimar el valor de expresiones que incluyen multiplicación y división de números mixtos.

Ejemplo $7\frac{3}{5} \times 8\frac{1}{4} \div 4\frac{1}{3}$ se redondea a $8 \times 8 \div 4 = 16$.

El estimado es 16.

Estima.

1. $3\frac{7}{8} \div 2\frac{1}{4} \times 9\frac{5}{9}$ 2. $1\frac{2}{3} \times 1\frac{1}{3} \times 1\frac{1}{8}$ 3. $9\frac{5}{8} \div 10\frac{1}{4} \times 4\frac{7}{8}$

4. $20\frac{1}{5} \div 5\frac{1}{3} \times 8\frac{2}{9} \div 15\frac{7}{8}$ 5. $9\frac{1}{6} \div 2\frac{2}{3} \times 2\frac{2}{3} \times 11\frac{1}{4}$

Problemas para resolver

HACER Y USAR TABLAS

Las tablas son útiles para presentar y organizar datos. Ayudan a examinar información importante y a solucionar un problema.

1. De 1980 a 1986 el Museo Marino mantuvo un registro del peso de sus dos delfines, Flynn y Blue. En 1980 Blue pesaba 100 kg y Flynn pesaba 275 kg. El peso de Blue aumentó 50 kg por año y el de Flynn 75 por año. ¿En qué año era el peso de Blue la $\frac{1}{2}$ del peso de Flynn?

Reúne los datos que te ayudarán a hallar el año en el cual el peso de Blue equivalía a la $\frac{1}{2}$ del peso de Flynn.

En 1980 Blue pesaba 100 kg y Flynn pesaba 275 kg.

Aumento anual del peso de Blue = 50 kg

Aumento anual del peso de Flynn = 75 kg

Haz una tabla que muestre el aumento de peso de los delfines hasta 1986.

AUMENTO DE PESO DE LOS DELFINES (en kilogramos)							
Año	1980	1981	1982	1983	1984	1985	1986
Blue	100	150	200	250	300	350	400
Flynn	275	350	425	500	575	650	725

Compara el peso de los dos delfines en cada año.

En 1983, el peso de Blue equivalía a $\frac{1}{2}$ del peso de Flynn.

¿Es razonable tu respuesta?

Sí. 250 es $\frac{1}{2}$ de 500.

2. Hay un delfín llamado Mongo en un tanque adyacente. La tabla que sigue muestra el peso de Mongo desde 1981 hasta su madurez en 1986. ¿En qué año llegó Mongo a $\frac{1}{2}$ de su peso adulto?

Año	1981	1982	1983	1984	1985	1986
Peso (en kilogramos) el 1° de enero	17	35	51	68	90	102

Usa la tabla. Localiza el peso de Mongo en 1986. Halla la $\frac{1}{2}$ del peso de 1986 y localiza ese peso en la tabla. Contesta la pregunta.

PRÁCTICA

Use la tabla de la página 222 para contestar las siguientes preguntas sobre Mongo.

1. ¿En qué año pesó Mongo 68 kg?

2. ¿Cuál fue el aumento de peso total de Mongo entre 1981 y 1986?

3. ¿Cuál fue el año en qué aumentó más de peso?

4. ¿En qué año aumentó Mongo $\frac{1}{3}$ de su peso anterior?

5. ¿Cuántas veces el peso de 1981 es el peso final de Mongo?

★6. ¿Qué parte fraccionaria de su peso final aumentó Mongo en 1981?

Resuelve. Usa la tabla para contestar 7 y 8.

Comida	Porción	Calorías
Manzana	1 mediana	80
Harina de pescado	1 unidad	240
Vegetales	4 unidades	184
Granos	1 unidad	600
Harina de camarón	6 unidades	300
Harina de hígado de bacalao	2 unidades	57
Algas secas	1 unidad	23

7. Los trabajadores del museo le dan a Mongo una dieta diaria que consiste de $2\frac{1}{2}$ unidades de harina de pescado, $2\frac{1}{4}$ unidades de granos, 6 unidades de harina de hígado de bacalao, y $1\frac{1}{2}$ unidades de algas secas. ¿De cuántas calorías es la dieta diaria de Mongo?

8. Mongo recibe una comida especial durante los fines de semana. Come 8 unidades de vegetales, $3\frac{1}{2}$ unidades de harina de pescado, 7 unidades de harina de camarón, $\frac{1}{2}$ unidad de algas secas y 3 manzanas. ¿Cuántas calorías come en su comida de fin de semana?

9. Los trabajadores vacían un tanque de 600 cuartos. Se vacían a razón de 60 ct por minuto y se llenan a razón de 40 ct por minuto. ¿Cuándo tendrán ambos tanques el mismo número de cuartos?

★10. Se van a preparar dos acuarios nuevos. Primero se llenan con 100 ct de agua. El primer tanque se llena a razón de 20 ct por minuto. El segundo se llena a razón de 30 ct por minuto. ¿Cuándo tendrá el primer tanque $\frac{3}{4}$ del agua del segundo tanque?

CREA TU PROPIO PROBLEMA

Escribe un problema sobre el Museo Marino. Usa la información dada en la tabla.

ASISTENCIA DIARIA							
	Lun.	Mar.	Mier.	Jue.	Vie.	Sáb.	Dom.
Adulto	Cerrado	110	205	100	340	800	800
Niño	Cerrado	85	160	200	210	425	800

Fracciones y decimales

La biblioteca pública organizó una excursión especial a la exhibición del Rey Tutankemen en el Museo Metropolitano de Arte. Durante la primera hora de venta, se vendieron 90 de las 100 entradas.

¿Qué parte de las entradas se vendió durante la primera hora? Escribe la respuesta como fracción y como decimal.

$\frac{90}{100} = \frac{9}{10}$ Por lo tanto, se vendieron $\frac{9}{10}$ de las entradas durante la primera hora.

▶ Para escribir una fracción como decimal, divide el numerador por el denominador.

$\frac{9}{10} = 9 \div 10$
$$\begin{array}{r} 0.9 \\ 10\overline{)9.0} \\ \underline{9\,0} \\ 0 \end{array}$$

0.9 es el decimal equivalente a $\frac{9}{10}$.

0.9 es un **decimal finito.** Cuando se divide el residuo es cero.

Escribe $\frac{1}{6}$ como decimal.

$$\begin{array}{r} 0.166\ldots \\ 6\overline{)1.000} \\ \underline{6} \\ 40 \\ \underline{36} \\ 40 \\ \underline{36} \\ 4 \end{array}$$

0.166 … es un **decimal periódico.** En un decimal periódico, un dígito o un grupo de dígitos se repite en un patrón.

$\frac{1}{6} = 0.166\ldots = 0.1\overline{6}$ ← La barra se usa para mostrar los dígitos que se repiten.

▶ Para cambiar un número mixto a un decimal, cambia la parte fraccionaria a un decimal. Después suma el número entero.

$4\frac{1}{2} = \square$ $\frac{1}{2} \rightarrow \begin{array}{r} 0.5 \\ 2\overline{)1.0} \end{array}$ $4\frac{1}{2} = 4 + 0.5$
$= 4.5$

▶ Usa el valor posicional de un decimal para escribirlo como fracción. Después escribe la fracción en su expresión mínima.

$0.55 = \frac{55}{100} = \frac{11}{20}$ $0.128 = \frac{128}{1,000} = \frac{16}{125}$

TRABAJO EN CLASE

Escribe cada fracción o número mixto como decimal. Escribe cada decimal como fracción en su expresión mínima.

1. $\frac{1}{4}$ **2.** 0.75   **3.** $\frac{1}{6}$ **4.** 0.8   **5.** $3\frac{3}{8}$ **6.** 0.012

Escribe cada uno como decimal. Usa la barra en los decimales periódicos.

1. $\frac{3}{5}$ **2.** $\frac{1}{4}$ **3.** $\frac{3}{20}$ **4.** $\frac{1}{8}$ **5.** $\frac{5}{9}$ **6.** $\frac{4}{11}$

7. $\frac{5}{6}$ **8.** $2\frac{2}{5}$ **9.** $\frac{7}{25}$ **10.** $2\frac{2}{9}$ **11.** $\frac{2}{15}$ **12.** $\frac{4}{9}$

13. $5\frac{4}{5}$ **14.** $\frac{19}{25}$ **15.** $\frac{3}{50}$ **16.** $3\frac{3}{4}$ **17.** $5\frac{7}{30}$ ★ **18.** $4\frac{1}{16}$

Escribe cada uno como fracción o número mixto en su expresión mínima.

19. 0.3   **20.** 0.14   **21.** 3.6   **22.** 0.45   **23.** 0.625   ★ **24.** 4.5625

Compara. Usa $>$, $<$ ó $=$ en lugar de ⬤.

25. $\frac{4}{5}$ 0.82   **26.** $\frac{3}{8}$ 0.38   **27.** $\frac{23}{50}$ 0.46   **28.** $\frac{9}{500}$ ⬤ 0.02

29. $2\frac{4}{15}$ ⬤ 2.26   **30.** $3\frac{1}{9}$ ⬤ 3.2   ★ **31.** $\frac{5}{16}$ $0.\overline{31}$ ★ **32.** $\frac{11}{12}$ 0.915

Ordena de menor a mayor.

★ **33.** 0.5, 0.5, 0.05   ★ **34.** 1.2, 1.12, 1.12   ★ **35.** 0.4343. . ., 0.4, 0.43

APLICACIÓN

36. El museo vendió 0.85 de sus entradas el sábado y $\frac{7}{8}$ de sus entradas el domingo. ¿En que día se vendieron más entradas?

37. Había cien entradas disponibles en el museo. Si 0.75 de las entradas se vendieran por $5 cada una, ¿cuánto dinero recibiría el museo?

LA CALCULADORA

Cuando trabajes con fracciones, usa la calculadora de esta forma.

Halla $20 \div \frac{1}{8}$ en tu calculadora.

Aprieta ☐1 ☐÷ ☐8 ☐= ☐M⁺ ☐CE **Después aprieta** ☐2 ☐0 ☐÷ ☐RM ☐= ⟶ ▆ 160.M ▆

Usa la calculadora para resolver cada uno.

1. $17 \div \frac{1}{2}$ **2.** $15 \div \frac{3}{8}$ **3.** $9 \div \frac{4}{5}$ **4.** $26 \times \frac{1}{4}$

5. $7 \div \frac{2}{5}$ **6.** $\frac{3}{4} \times 21$ **7.** $\frac{1}{2} \div 8$ **8.** $18 \div \frac{3}{4}$

Expresar cocientes

Un museo náutico ha adquirido 468 monedas antiguas encontradas en barcos piratas que se hundieron. Las monedas se colocarán en estuches de exhibición especiales. En cada estuche se pueden colocar hasta 20 monedas. ¿Cuántos estuches se necesitarán para exhibir todas las monedas?

```
    23
20)468
    40
    68
    60
     8
```

La división terminada muestra que se llenarán totalmente 23 cajas y que sobrarán 8 monedas. Se necesitará un estuche más para colocar estas 8 monedas. Para exhibir todas las monedas se necesitarán 24 estuches. El cociente se debe aumentar por 1.

Supón que la pregunta fuera: ¿Cuántos estuches se llenarán totalmente? La respuesta sería 23 cajas. Se ignora el residuo.

▶ Para contestar razonablemente un problema de división, puede ser necesario aumentar el cociente o ignorar el residuo. En otros problemas de división, puede ser necesario expresar el residuo de una de tres formas.

• ¿Cuántas monedas hay en el estuche número 24?

  Hay 8 monedas en el estuche número 24.

```
      23 R8  ← residuo como
20)468          número entero
```

• Si 8 monedas juntas le cuestan al museo $26, ¿cuál es el promedio del costo por moneda?

  El promedio del costo por moneda es $3.25.

```
     $ 3.25   ← residuo como
8)$26.00        decimal
  24
   2 0
   1 6
     40
     40
      0
```

• El museo está abierto 45 horas de cada semana de 6 días. ¿Cuál es el promedio de horas que el museo está abierto cada día?

  El museo está abierto un promedio de $7\frac{1}{2}$ h al día.

```
     7 3/6 = 7 1/2 h  ← residuo como
6)45                     fracción
  42
   3
```

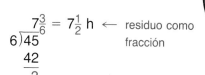

TRABAJO EN CLASE

Divide. Escribe cada cociente de 3 maneras

1. $10 \div 4$ 2. $5)\overline{71}$ 3. $55 \div 44$ 4. $15)\overline{364}$ 5. $\frac{430}{11}$

Divide. Escribe cada cociente de tres maneras.

1. $2\overline{)75}$ 2. $8\overline{)65}$ 3. $4\overline{)73}$ 4. $6\overline{)58}$ 5. $5\overline{)57}$

6. $5\overline{)578}$ 7. $4\overline{)199}$ 8. $11\overline{)204}$ 9. $10\overline{)112}$ 10. $12\overline{)554}$

11. $89 \div 25$ 12. $909 \div 90$ 13. $2{,}145 \div 52$ 14. $5{,}278 \div 112$ 15. $\frac{86}{24}$

16. $\frac{16}{5}$ 17. $\frac{25}{2}$ 18. $\frac{50}{8}$ 19. $\frac{25}{8}$ ★ 20. $8{,}956 \div 360$

APLICACIÓN

Resuelve cada problema. Usa o escribe cada residuo en la forma más razonable.

21. Las monedas de recuerdo cuestan $2.00 cada una en la tienda del museo. ¿Cuántas monedas puede comprar Joanna con $13.00?

22. Joanna tiene un album para exhibir su colección de monedas. En cada página caben 30 monedas. ¿Cuántas páginas necesitará para 105 monedas nuevas?

23. Los grados 7 y 8 de la Escuela Lincoln planean una excursión al Museo de Mystic Seaport. Un total de 184 padres, maestros y estudiantes piensan ir. Cada autobús puede transportar 54 personas. ¿Cuántos autobuses necesitarán?

24. Les tomó 2 horas cubrir los 125 kilómetros de distancia entre la Escuela Lincoln y Mystic Seaport. ¿Cuál fue el promedio de kilómetros por hora viajados en autobús?

25. El costo total del viaje, incluyendo el alquiler de autobuses y las entradas al museo es $1,794. Si el costo se reparte igualmente entre las 184 personas, ¿cuánto debe pagar cada una?

26. En viajes largos, los marineros hacían tallas pequeñas en marfil o madera. Éstas se llaman scrimshaw. Carol tiene una colección de 67 piezas de scrimshaw en estuches de 12 piezas cada uno. ¿Cuántos estuches ha llenado hasta ahora?

Medir el largo

El reto de Robinson Crusoe

Robinson Crusoe perdió la yarda de medir cuando se hundió su barco. Sólo recuerda las dimensiones de sus lentes para leer, su llave y la medalla de valor que ganó.

Robinson Crusoe quiere que Viernes haga una nueva yarda para medir y le ponga las marcas. ¿Puedes ayudar?

TRABAJAR JUNTOS

Trabaja en grupos pequeños para explorar las diferentes formas de hacer la nueva yarda para medir. Corta tiras de cartulina tan largas como los objetos. Haz tu nueva yarda para medir en una tira de papel de máquina de sumar.

1. Experimenta con las tiras de cartulina para hallar las diferentes formas de marcar la yarda para medir.

2. Prepara un plan para marcar tantos puntos como sea posible, usando sólo las medidas de la llave, la medalla y los lentes.

3. Lleva a cabo tu plan, marcando tantos puntos como sea posible.

Compara tu nueva yarda para medir con las de otros grupos.

1. ¿Cuál de los tres objetos de Robinson Crusoe resultó más útil para marcar tu yarda para medir? Explica.

2. Muestra cómo se puede usar la tira de $1\frac{1}{4}$ pulgadas y la tira de 2 pulgadas para hallar todas las marcas de pulgadas.

3. ¿Se pueden hallar todas las marcas de $\frac{1}{4}$ de pulgada? Muestra cómo se puede hacer.

4. ¿Cuáles dos tiras puedes usar para hallar un largo de $\frac{1}{8}$ de pulgada? ¿Cómo puedes hacer una yarda de medir con intervalos de $\frac{1}{8}$ de pulgada? ¿Puedes poner marcas fraccionadas más pequeñas? Explica.

====== RAZONAR A FONDO ======

Trabaja en pareja.

1. Imagínate que Robinson Crusoe hubiera salvado sólo dos objetos: uno de 3 pulgadas y otro de 6 pulgadas de largo. ¿Podrías usar estas dos medidas para poner todas las marcas de pulgadas en una yarda para medir? Explica.

2. Halla dos largos, en pulgadas, que te permitan poner todas las marcas de pulgada. (Asume que no puedes usar un largo de 1 pulgada y que los dos largos no son números de pulgada consecutivos.)

3. Compara el par de números que usaste con el par de números que usaron otros equipos. ¿Qué patrones puedes ver? Escribe una oración que resuma lo que descubriste.

4. Relaciona lo que hallaste arriba con las dimensiones dadas en el problema inicial.

Medir el peso

El museo espacial está instalando un modelo nuevo del sistema solar. Los nueve planetas y sus satélites colgarán de cuerdas que sostienen hasta 260 onzas. El modelo más pesado es de 15 libras. ¿Puede sostener la cuerda este modelo?

$15 \text{ lb} = \underline{} \text{ oz}$

Usa esta tabla para convertir unidades de peso.

16 onzas (oz) = 1 libra (lb)
2,000 libras = 1 tonelada (T)

▶ Para cambiar a una unidad menor, multiplica.

15 lb = oz   **Piensa** 1 lb = 16 oz

$15 \times 16 = 240$

15 lb = 240 oz

Como la cuerda aguanta 260 oz, puede sostener el modelo de 240 oz.

▶ Para cambiar a una unidad mayor, divide.

260 oz = ___ lb   **Piensa** 1 lb = 16 oz

$260 \div 16 = 16\frac{4}{16} = 16\frac{1}{4}$

$260 \text{ oz} = 16\frac{1}{4} \text{ lb}$

▶ A veces es necesario reagrupar para sumar o restar unidades de peso.

```
  4 lb 12 oz
+ 5 lb  5 oz
─────────────
  9 lb 17 oz = 10 lb 1 oz
```

Piensa 17 oz = 1 lb 1 oz

```
  24   17
  2̶5̶ lb 1̶ oz    Piensa  25 lb = 24 lb 16 oz
-  8 lb  4 oz          Por lo tanto 25 lb 1 oz = 24 lb 17 oz
─────────────
 16 lb 13 oz
```

TRABAJO EN CLASE

Completa.

1. $5\frac{1}{2} \text{ lb} = \underline{} \text{ oz}$

2. $3 \text{ T} = \underline{} \text{ lb}$

3. $6 \text{ oz} = \underline{} \text{ lb}$

4. $20 \text{ oz} = \underline{} \text{ lb}$

5. $4 \text{ lb } 3 \text{ oz} = \underline{} \text{ oz}$

6. $2,400 \text{ lb} = \underline{} \text{ T}$

Suma o resta.

7.
```
  5 lb 14 oz
+ 6 lb  7 oz
```

8.
```
  14 lb  2 oz
-  6 lb 10 oz
```

9.
```
  7 T   900 lb
+ 5 T 1,100 lb
```

10.
```
  3 lb
- 2 lb 10 oz
```

Completa.

1. 32 oz = ___ lb

2. 4,000 lb = ___ T

3. 4 lb = ___ oz

4. $\frac{1}{2}$ lb = ___ oz

5. $\frac{3}{5}$ T = ___ lb

6. 52 oz = ___ lb ___ oz

7. 6 lb 7 oz = ___ oz

8. $2\frac{5}{8}$ lb = ___ oz

9. 3,500 lb = ___ T ___ lb

10. $10\frac{3}{4}$ lb = ___ oz

11. 40 oz = ___ lb

12. 4,200 lb = ___ T

13. 4 lb 6 oz = ___ oz

14. 36 oz = ___ lb

15. 69 oz = ___ lb

16. $\frac{5}{8}$ T = ___ lb

17. 4,500 lb = ___ T

★18. 18 oz = ___ lb

Suma o resta.

19.   5 lb 7 oz
    + 3 lb 5 oz

20.   19 lb 13 oz
    − 11 lb 7 oz

21.   3 lb 12 oz
    + 5 lb 10 oz

22.   8 lb 5 oz
    − 4 lb 12 oz

23.   4 T 1,500 lb
    + 3 T   800 lb

24.   7 T   800 lb
    − 3 T 1,200 lb

25.   15 lb
    − 6 lb 13 oz

26.   8 lb 11 oz
    + 9 lb 5 oz

27.   5 T   700 lb
    + 8 T 1,400 lb

28.   10 T 300 lb
    − 6 T 700 lb

★29.   15 lb 12 oz
       12 lb 13 oz
     + 7 lb 14 oz

★30.   1 T 1,800 lb
       7 T 1,500 lb
     + 9 T 1,400 lb

APLICACIÓN

31. Una cadena en un museo puede sostener un objeto que pese hasta 5,000 lb. ¿Sostendrá un objeto que pesa $2\frac{3}{4}$ T?

32. Juan estudia una pintura grande que tiene una serie de rayas verticales. Cada raya es $\frac{3}{4}$ de yd más larga que la raya a la izquierda. Si la raya más corta tiene 1 yd de largo, ¿qué largo tendrá la sexta raya?

=== RAZONAMIENTO VISUAL ===

Supón que se añade una fila a la parte inferior de cada diseño. ¿Cuál será el patrón de color de cada fila añadida?

Medir la capacidad

A María le fascina una exhibición de recetas de los primeros pobladores en un museo colonial. Está copiando esta receta para pudín indio en el estilo de los libros de cocina de hoy. ¿Cuántas tazas de leche debe escribir?

```
PUNDÍN INDIO
        INGREDIENTES:
1 huevo, batido
   tazas de leche
⅓ taza de harina de maíz
1 taza de melaza oscura
¼ taza de mantequilla
1 cucharadita de sal
1 cucharadita de jengibre
3 cucharadas de azúcar     direcciones
½ taza de pasas            al dorso
```

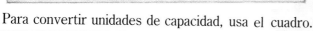

PUDÍN INDIO BATIR bien un huevo. En un caldero hervir dos pintas de leche y añadir un puñado de harina de maíz. Revolver. Tras un rato añadir media pinta de melaza oscura y revolver. Quitar el caldero del fuego. Entonces completar la mezcla con un pedacito de mantequilla y un poquito de sal. El jengibre, el az...

Para convertir unidades de capacidad, usa el cuadro.

8 onzas líquidas (oz líq)	= 1 taza (t)
2 tazas	= 1 pinta (pt)
2 pintas	= 1 cuarto (ct)
4 cuartos	= 1 galón (gal)

▶ Para cambiar a una unidad menor, multiplica.

$2 \text{ pt} = \underline{\hspace{1cm}} \text{ t}$ **Piensa** 1 pt = 2 t

$2 \times 2 = 4$

$2 \text{ pt} = 4 \text{ t}$

▶ Para cambiar a una unidad mayor, divide.

$6 \text{ ct} = \underline{\hspace{1cm}} \text{ gal}$ **Piensa** 1 gal = 4 ct

$6 \div 4 = 1\frac{2}{4} = 1\frac{1}{2}$

$6 \text{ ct} = 1\frac{1}{2} \text{ gal}$

María debe escribir 4 tazas de leche en su receta.

▶ A veces es necesario reagrupar para sumar o restar unidades de capacidad.

$$\begin{array}{r} 2 \text{ ct } 1 \text{ pt} \\ + 1 \text{ ct } 1 \text{ pt} \\ \hline 3 \text{ ct } 2 \text{ pt} = 4 \text{ ct} \end{array}$$ **Piensa** 2 pt = 1 ct

$$\begin{array}{r} \overset{2}{\cancel{3}} \text{ gal } \overset{5}{\cancel{1}} \text{ ct} \\ - 1 \text{ gal } 3 \text{ ct} \\ \hline 1 \text{ gal } 2 \text{ ct} \end{array}$$ **Piensa** 3 gal = 2 gal 4 ct
Por lo tanto 3 gal 1 ct = 2 gal 5 ct.

TRABAJO EN CLASE

Completa.

1. $6 \text{ pt} = \underline{\hspace{1cm}} \text{ ct}$

2. $2 \text{ gal} = \underline{\hspace{1cm}} \text{ ct}$

3. $2\frac{1}{2} \text{ t} = \underline{\hspace{1cm}} \text{ oz líq}$

4. $5 \text{ gal} = \underline{\hspace{1cm}} \text{ pt}$

5. $15 \text{ t} = \underline{\hspace{1cm}} \text{ pt}$

6. $28 \text{ oz líq} = \underline{\hspace{1cm}} \text{ t}$

Suma o resta.

7.
$$\begin{array}{r} 5 \text{ gal } 3 \text{ ct} \\ + 7 \text{ gal } 2 \text{ ct} \\ \hline \end{array}$$

8.
$$\begin{array}{r} 3 \text{ t } 2 \text{ oz líq} \\ - 2 \text{ t } 7 \text{ oz líq} \\ \hline \end{array}$$

9.
$$\begin{array}{r} 2 \text{ t } 1 \text{ oz líq} \\ - 1 \text{ t } 6 \text{ oz líq} \\ \hline \end{array}$$

PRÁCTICA

Completa.

1. 3 pt = ____ t

2. 12 ct = ____ gal

3. 10 pt = ____ ct

4. $3\frac{3}{4}$ gal = ____ ct

5. 35 pt = ____ gal

6. 35 t = ____ ct

7. $10\frac{1}{2}$ ct = ____ gal

8. 50 fl oz = ____ t.

9. $12\frac{1}{2}$ t = ____ ct

10. $5\frac{1}{2}$ pt = ____ oz liq

11. 28 oz = ____ pt

12. $6\frac{1}{4}$ ct = ____ t.

13. 7 ct = ____ pt

14. 18 t = ____ ct

15. 1 ct = ____ oz liq

16. $6\frac{1}{2}$ pt = ____ ct

★**17.** $4\frac{1}{2}$ gal = ____ oz. liq

★**18.** $4\frac{3}{8}$ gal = ____ ct ____ pt

Suma o resta.

19. 1 t 2 oz liq
      + 2 t 5 oz liq

20. 4 ct 3 t
      − 2 ct 1 t

21. 1 gal 5 pt
      + 2 gal 4 pt

22. 5 gal 2 ct
      − 4 gal 3 ct

23. 5 t 6 oz liq
      + 9 t 7 oz liq

24. 4 ct 1 t
      − 2 ct 3 t

★**25.** 7 gal 4 pt 12 oz liq
       + 5 gal 3 pt 4 oz liq

★**26.** 5 ct
       − 4 ct 2 t 6 oz liq

APLICACIÓN

27. María preparó una receta que requería 2 t 3 oz liq de leche. ¿Cuántas onzas de leche necesitó?

28. Usando la lista de ingredientes a la derecha, ¿cuánta harina y azúcar se necesita para duplicar la receta? ¿para tripicarla? ¿para hacer $\frac{1}{2}$ de la receta? ¿para hacer $\frac{1}{4}$ de la receta?

PASTELITOS DE ZANAHORIA
$2\frac{3}{4}$ t harina
1 t azúcar
$\frac{1}{2}$ t zanahorias ralladas
2 huevos
1 chdta. vainilla
1 chda. polvo de hornear

Práctica mixta

1.   6,248
        24.1
     + 31.4

2. 8 − 0.333

3. 4.6 × 3.22

4. 9.009 ÷ 0.9

5. 3,191 + 46

6. 3 − 0.001

7. 3,694 − 999

8. 36 × 342

9. 94,130 ÷ 10

10. 4.65×10^2

11. $0.793 \div 10^3$

12. $n + 9 = 25$

13. $n - 25 = 62$

14. $9n = 72$

15. $n \div 12 = 12$

Escribe la descomposición en factores primos.

16. 12

17. 48

18. 88

19. 51

20. 108

Problemas para resolver

REPASO DE DESTREZAS Y ESTRATEGIAS El Museo de ciencias

Resuelve.

Mort y Dolores trabajan como voluntarios en el Museo de Ciencias Jefferson.

1. Los instrumentos de la estación meteorológica del museo muestran que la temperatura se elevó 2 grados entre las 9:00 A.M. y la 1:00 P.M. Se elevó 3 grados entre la 1:00 P.M. y las 3:00 P.M. Si estaba a 68°F a la 1:00 P.M., ¿qué temperatura anotó Dolores a las 9:00 A.M.?

Al día siguiente, Mort mantuvo un récord de la temperatura cada hora de 8:00 A.M. a 4:00 P.M. A las 8:00 A.M. el termómetro señaló 54°F. A las 9:00 A.M. señaló 58°F. La temperatura continuó subiendo 4 grados por hora hasta la 1:00 P.M. Entonces bajó 3 grados por hora hasta las 4:00 P.M.

2. ¿Cuál fue la temperatura más alta anotada por Mort?

3. ¿A qué hora anotó la temperatura más alta?

4. ¿Qué temperatura hacía a las 4:00 P.M.?

5. Dolores fue a una exhibición lunar especial. Había dos balanzas en la sala. Cuando Dolores se paró en la balanza terrestre, pesó 126 libras. En la luna pesaría $\frac{1}{6}$ de su peso terrestre. ¿Cuántas libras pesó Dolores en la balanza lunar?

6. Dolores pesó la colección de rocas lunares en la balanza terrestre. La balanza indicó $31\frac{1}{2}$ libras. Si el peso lunar es $\frac{1}{6}$ del peso terrestre, ¿cuál sería el peso de las rocas en la balanza lunar?

7. En la exhibición de magnetismo, Mort tiró 3 discos a la tabla magnética ilustrada. Los 3 discos cayeron sobre la tabla, Mort obtuvo 37 puntos. ¿En qué números pudieron haber caído los discos de Mort?

★ 8. Dolores dijo "Saqué 38 puntos con mis tres discos." ¿Cómo pudo hacer esto?

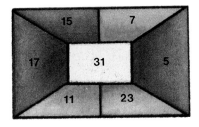

En el cuarto de las computadoras hay una rana mecánica en una jaula de cristal. La rana está a 36 pulgadas de la puerta de la jaula. Cada vez que se toca un botón, la rana salta la mitad de la distancia restante hacia la puerta.

9. ¿A qué distancia de la puerta está la rana después del primer salto?

10. ¿A qué distancia de la puerta está la rana después del tercer salto?

11. ¿A qué distancia ha viajado la rana después del cuarto salto?

★ 12. ¿Después de cuántos saltos llega la rana a la puerta?

Mort está construyendo estantes para el almacén del museo. Tiene una tabla de 9 pies. Cada estante tiene que medir $2\frac{1}{4}$ pies de largo.

13. ¿Cuántos estantes puede sacar de la tabla?

14. ¿Cuántos cortes tiene que hacer?

15. A lo largo de una pared hay unos armarios especiales. Tres costaron un total de $460. Dos tenían el mismo precio y cada uno de ellos costó la $\frac{1}{2}$ del costo del tercero, cuál era el precio de cada armario?

★ 16. Cada armario tiene un largo de 34 pulgadas. La pared mide $9\frac{1}{2}$ pies de largo. Hay 2 pulgadas de espacio entre las unidades y la misma medida a la derecha que a la izquierda de ellos. ¿Cuántas pulgadas de espacio hay al final de cada lado de la pared?

Mort y Dolores trabajan a menudo en el auditorio y en la sala de energía.

17. Hay 950 asientos en el auditorio del museo. El sábado, 432 niños asistieron a una conferencia. ¿Cuántos más adultos que niños había en el auditorio?

★ 18. Tres péndulos están oscilando en la sala de la energía. El primer péndulo va y vuelve cada 5 segundos. El segundo péndulo va y vuelve cada 3 segundos. El tercer péndulo va y vuelve cada 2. Si todos comienzan al mismo tiempo, ¿con qué frecuencia tendrán el mismo punto de partida?

REPASO DEL CAPÍTULO

Multiplica. Escribe cada respuesta en su expresión mínima. págs. 212–217.

1. $\frac{7}{12} \times \frac{3}{4}$ **2.** $\frac{3}{8} \times \frac{16}{9}$ **3.** $\frac{5}{8}$ of 6 **4.** $6 \times \frac{1}{18}$ **5.** $\frac{8}{9} \times 36$

6. $2\frac{1}{2} \times 3$ **7.** $4 \times 1\frac{1}{2}$ **8.** $3\frac{1}{2} \times \frac{4}{7}$ **9.** $4\frac{1}{5} \times 1\frac{3}{5}$ **10.** $2\frac{1}{2} \times 3\frac{1}{2}$

Escribe el recíproco de cada uno. págs. 218–221

11. $\frac{3}{4}$ **12.** $\frac{6}{5}$ **13.** 3 **14.** $5\frac{1}{2}$ **15.** $9\frac{1}{8}$ **16.** $10\frac{1}{3}$

Divide. Escribe cada respuesta en su expresión mínima. págs. 218–221

17. $\frac{3}{4} \div \frac{2}{5}$ **18.** $2 \div 10$ **19.** $5 \div \frac{1}{25}$ **20.** $\frac{3}{6} \div \frac{1}{2}$ **21.** $\frac{1}{2} \div \frac{8}{9}$

22. $\frac{49}{16} \div \frac{7}{8}$ **23.** $\frac{9}{11} \div 3$ **24.** $10 \div 2\frac{2}{5}$ **25.** $2\frac{1}{2} \div \frac{1}{2}$ **26.** $6\frac{1}{5} \div 3\frac{1}{3}$

Escribe cada fracción o número mixto como decimal.
Escribe cada decimal como fracción en su expresión mínima. págs. 224–225

27. $\frac{3}{5}$ **28.** $\frac{3}{4}$ **29.** $\frac{4}{11}$ **30.** $\frac{1}{6}$ **31.** $2\frac{7}{8}$ **32.** $3\frac{7}{9}$

33. 0.72 **34.** 0.625 **35.** 0.16 **36.** 0.009 **37.** 0.3125

Divide. Escribe cada cociente de tres maneras. págs. 226–227

38. $3\overline{)46}$ **39.** $\frac{15}{8}$ **40.** $75 \div 10$ **41.** $\frac{128}{12}$ **42.** $18\overline{)398}$

Completa. págs. 228–233

43. 48 plg. = ____ pies **44.** 72 plg. = ____ yd **45.** 48 oz = ____ lb

46. 4 t = ____ pt **47.** 16 ct = ____ gal **48.** 5,000 lb = ____ T

Suma o resta. págs. 228–233

49. $\begin{aligned} &4 \text{ pies } 10 \text{ plg} \\ &+ 2 \text{ pies } 11 \text{ plg} \end{aligned}$ **50.** $\begin{aligned} &8 \text{ gal } 3 \text{ ct} \\ &+ 7 \text{ gal } 6 \text{ ct} \end{aligned}$ **51.** $\begin{aligned} &16 \text{ lb } 12 \text{ oz} \\ &- 15 \text{ lb } 13 \text{ oz} \end{aligned}$ **52.** $\begin{aligned} &7 \text{ T} \\ &- 3 \text{ T } 1{,}500 \text{ lb} \end{aligned}$

Resuelve. págs. 222–223, 234–235.

53. Cuántas cajas se necesitan para guardar 749 libros si en cada caja caben 25 libros?

54. Una pintura muestra una serie de cuadrados uno dentro de otro. El cuadrado mayor mide 100 plg por lado. El lado de cada cuadrado subsiguiente es $\frac{1}{2}$ de la largo del lado del cuadrado que lo precede. ¿Cuánto tiene de largo el quinto cuadrado? Haz una table.

Halla cada producto o cociente en su expresión mínima.

1. $\frac{3}{4} \times \frac{8}{9}$

2. $\frac{1}{5} \times 40$

3. $1\frac{1}{2} \times 2\frac{2}{3}$

4. $8\frac{1}{2} \times 10$

5. $3 \div 1\frac{1}{2}$

6. $4 \div \frac{1}{4}$

7. $1\frac{3}{5} \div 10\frac{1}{5}$

8. $1\frac{2}{3} \div \frac{3}{8}$

Escribe cada decimal como fracción en su expresión mínima.
Escribe cada fracción como decimal.

9. 0.125

10. $\frac{3}{16}$

11. 0.24

12. $\frac{5}{11}$

Divide. Escribe cada cociente de tres maneras.

13. $147 \div 8$

14. $12\overline{)2,475}$

Completa.

15. $36 \text{ plg} = \underline{\quad} \text{ pies}$

16. $396 \text{ plg} = \underline{\quad} \text{ yd}$

17. $7,000 \text{ lb} = \underline{\quad} \text{ T}$

18. $24 \text{ pt} = \underline{\quad} \text{ gal}$

19. $5\frac{1}{2} \text{ lb} = \underline{\quad} \text{ oz}$

20. $83 \text{ oz} = \underline{\quad} \text{ lb} \underline{\quad} \text{ oz}$

Suma o resta.

21. $\begin{aligned} 10 \text{ lb } 13 \text{ oz} \\ +\ 8 \text{ lb }\ 5 \text{ oz} \end{aligned}$

22. $\begin{aligned} 5 \text{ pt }\ 8 \text{ t} \\ -\ 3 \text{ pt } 10 \text{ t} \end{aligned}$

23. $\begin{aligned} 10 \text{ yd } 28 \text{ plg} \\ -\ 9 \text{ yd } 35 \text{ plg} \end{aligned}$

Resuelve.

24. Sarita quiere triplicar una receta de salsa de queso de la época colonial. La receta requiere $\frac{3}{4}$ t de queso rallado. ¿Cuántas tazas de queso necesita, Sarita?

25. Esteban fue al museo un día de cada semana durante cuatro semanas. Cada semana estuvo $1\frac{1}{2}$ más tiempo que la vez anterior. La primera semana Esteban pasó 80 min en el museo. ¿Cuánto tiempo estuvo en el museo la cuarta semana? Haz una tabla.

El poste eléctrico A mide $5\frac{1}{3}$ yd de altura. El poste eléctrico B mide $\frac{3}{4}$ de la altura del poste eléctrico C, que es $\frac{1}{4}$ más alto que el poste eléctrico A. ¿Cuál es la altura del poste eléctrico B?

LA GRAVEDAD EN OTROS PLANETAS Y EN LA LUNA

Si pesas ...

en la Tierra, entonces pesarías

en la Luna y

en Júpiter.

Tu **peso** depende de la **gravedad.**

La gravedad es la fuerza que hace que los cuerpos caigan hacia la Tierra.

Los científicos usan la gravedad de la Tierra como la norma para medir la fuerza de gravedad en otros planetas y en la Luna.

FUERZAS DE GRAVEDAD

Tierra	Luna	Venus	Marte	Júpiter	Saturno
1	$\frac{1}{6}$	$\frac{9}{10}$	$\frac{2}{5}$	$2\frac{1}{2}$	$1\frac{1}{10}$

Para hallar cuánto pesaría una persona de 100 lb en la Luna, multiplica su peso en la Tierra por la fuerza de gravedad de la Luna.

$$100 \times \frac{1}{6} = \frac{100}{6} = 16\frac{2}{3}$$

$16\frac{2}{3}$ lb   se redondea a   17 lb

Resuelve.

1. Tim pesa 110 lb. Haz una tabla que muestre su peso en la tierra y su peso si estuviera en la Luna o en los planetas nombrados arriba.

2. Supón que puedes tirar una pelota 30 yd. Con menos gravedad puedes tirar la pelota más lejos. ¿Aproximadamente a qué distancia podrías tirar la pelota en la Luna? ¿en Venus? ¿en Júpiter? (Divide por la fuerza de gravedad.)

3. Usa un almanaque o enciclopedia para completar el cuadro.

Evento	Récord olímpico	Año
Salto alto: Hombres		
Mujeres		
Salto largo: Hombres		
Mujeres		
Salto con garrocha		

Imagínate que los mismos eventos tuvieran lugar en Marte o en Júpiter. ¿Cuáles serían los récords allí? Haz una tabla para mostrar tus resultados. Redondea las distancias al pie más cercano para facilitar el cálculo.

IMÁGENES REPETIDAS

La cubierta de la revista *VER* tiene un retrato de una niña sosteniendo una revista *VER* aún más pequeña. Si cada imagen repetida es $\frac{1}{3}$ del tamaño de la anterior, ¿cuánto menor que la cubierta de la revista original sería la quinta imagen repetida?

Usa la tabla para ayudar a contestar la pregunta.

Original $= 1$

IMÁGENES REPETIDAS				
1°	2°	3°	4°	5°
$\frac{1}{3}$	$\frac{1}{9}$	$\frac{1}{27}$	$\frac{1}{81}$	$\frac{1}{243}$

Cada imagen es $\frac{1}{3}$ del tamaño de la imagen, anterior.

La quinta imagen sería $\frac{1}{243}$ del tamaño del original.

Resuelve.

1. Supón que la imagen más pequeña que la imprenta puede imprimir claramente es de un $\frac{1}{16}$ de plg. Si la cubierta de *VER* mide 9 plg por 12 plg, ¿cuántas imágenes repetidas se pueden ver? ¿Cuáles son las dimensiones de la última imagen legible?

2. Las letras de la palabra *VER* miden 3 plg de altura. Si son legibles hasta $\frac{1}{9}$ de plg, ¿en cuántas cubiertas repetidas serían legibles las letras?

3. En un poster que anuncia este número de la revista *VER*, la revista mide 36 plg por 48 plg. ¿Cuáles son las dimensiones de la primera imagen repetida? ¿de la segunda? ¿de la tercera?

4. En un poster el doble del tamaño del poster original, ¿en qué imagen repetida mediría la revista $2\frac{2}{3}$ plg por $3\frac{5}{9}$ plg?

REPASO ACUMULATIVO

Escoge las respuestas correctas. Escribe A, B, C ó D.

1. Redondea 32,845 al millar más cercano.

   A 30,000   C 33,000

   B 32,000   D no se da

2. Completa. $(7 + \square) + 4 = 7 + (3 + 4)$

   A 3   C 10

   B 7   D no se da

3. $40,926 - 23,934$

   A 16,992   C 17,092

   B 23,012   D no se da

4. Estima.   4,027
              $\times$ 885

   A 32,000   C 300,000

   B 4,000,000 D no se da

5. ¿Cuál es el valor de 5^4?

   A 20   C 25

   B 1,024   D no se da

6. $26,503 \div 17$

   A 159   C 1,559

   B 1,627 R14 D no se da

7. ¿Cuál es el valor de 3 en 702.0351?

   A 3 décimos   C 3 centésimos

   B 3 decenas   D no se da

8. $13.05 + 5.6 + 0.008$

   A 18.658   C 18.73

   B 13.69   D no se da

9. Compara. 13.198 ⬤ 13.5

   A $>$ C $=$

   B $<$ D no se da

10. 0.08×0.165

    A 0.132   C 0.0132

    B 13.2   D no se da

11. $74.038 \div 100$

    A 7,403.8   C 74,038

    B 7.4038   D no se da

12. ¿Cómo se escribe 653 en notación científica?

    A 6.53×10^2 C 6.53×10^3

    B 65.3×10^2 D no se da

13. ¿Aproximadamente qué altura tiene un escritorio?

    A 74.3 cm   C 0.06 km

    B 3.5 m   D no se da

14. Completa. 60.5 cm = ___ m

    A 60.5   C 0.605

    B 0.0605   D no se da

15.   3 d 5 h
      $+ 2$ d 20 h

    A 6 d 1 h   C 6 h

    B 5 d 1 h   D no se da

16. ¿Qué hora es 7 h 12 min antes de las 5:05 P.M.?

    A 9:53 A.M.   C 12:17 P.M.

    B 12:17 A.M.   D no se da

Escoge las respuestas correctas. Escribe A, B, C ó D.

17. Completa. $146 \text{ kg} = \underline{\hspace{1cm}} \text{ g}$

   A 146,000   **C** 14.65

   B 1.465   **D** no se da

18. $6 \div 2 \times 4 - 9 \div 3$

   A 1   **C** 9

   B 3   **D** no se da

19. Resuelve. $\frac{b}{7} = 21$

   A $b = 3$ **C** $b = \frac{1}{3}$

   B $b = 147$ **D** no se da

20. ¿Cuál es el MCD de 35 y 14?

   A 5   **C** 1

   B 7   **D** no se da

21. ¿Cuál es la descomposición en factores primos de 2,700?

   A $2^2 \times 3^3 \times 5^2$ **C** $4 \times 3^2 \times 5^2$

   B $2^2 \times 3^2 \times 5 \times 7$ **D** no se da

22. Da el valor de n. $\frac{3}{8} = \frac{15}{n}$

   A 120   **C** 40

   B 24   **D** no se da

23. ¿Cuál es la expresión mínima de $\frac{32}{72}$?

   A $\frac{4}{9}$ **C** $\frac{8}{18}$

   B $\frac{1}{2}$ **D** no se da

24. $15\frac{5}{6} + 3\frac{4}{6}$

   A $18\frac{1}{2}$ **C** $12\frac{1}{6}$

   B $19\frac{1}{2}$ **D** no se da

25. $8\frac{3}{7} + 5\frac{2}{3}$

   A $14\frac{1}{21}$ **C** $3\frac{5}{21}$

   B $13\frac{2}{21}$ **D** no se da

26. $29\frac{2}{5} - 24\frac{9}{10}$

   A $5\frac{1}{2}$ **C** $4\frac{3}{5}$

   B $4\frac{1}{2}$ **D** no se da

27. $8\frac{1}{3} \times \frac{15}{25}$

   A 3   **C** $\frac{17}{25}$

   B 5   **D** no se da

28. $\frac{9}{13} \div \frac{18}{26}$

   A $\frac{81}{169}$ **C** 1

   B $\frac{9}{13}$ **D** no se da

29. ¿Cuál es el decimal correspondiente a $\frac{3}{8}$?

   A 0.375   **C** 0.165

   B 0.25   **D** no se da

30. Completa. $28 \text{ oz} = \underline{\hspace{1cm}} \text{ lb}$

   A $1\frac{1}{2}$ **C** $2\frac{3}{16}$

   B $1\frac{3}{4}$ **D** no se da

Escoge las respuestas correctas. Escribe A, B, C ó D.

Usa la información abajo para resolver 31 y 32.

Patti entrega periódicos. Usualmente entrega 25 periódicos al día de lunes a sábado. La semana pasada entregó un total de 178 periódicos. Cuatro de sus clientes estaban de viaje del jueves al sábado y no quisieron periódicos en esos días. Esta semana un cliente que recibe un periódico cada día estará ausente.

31. ¿Cuántos periódicos entregó Patti el domingo de la semana pasada?

A 21   C 25

B 40   D no se da

32. ¿Cuántos periódicos entregará Patti esta semana?

A 168   C 183

B 178   D no se da

Resuelve.

33. En una excursión al campo de tres días, el club hizo una caminata de 24.6 km. Si el club continuara caminando al mismo paso durante 5 días más, ¿qué distancia cubriría en total?

A 41 km   C 32.8 km

B 65.5 km   D no se da

34. Si Rosa María se unió al grupo al principio del quinto día, ¿qué distancia habría caminado al final de la excursión?

A 41 km   C 32.8 km

B 24.6 km   D no se da

Haz un dibujo para resoler.

35. Dos carteros dejaron la oficina de correos a la misma hora y caminaron en direcciones opuestas. Después de 1 hora estaban a 3.5 km el uno del otro. Si uno caminó 1.26 km, ¿qué distancia caminó el otro?

A 2.24 km   C 11.1 km

B 4.76 km   D no se da

36. En la segunda hora cada uno caminó 0.5 de la distancia que había caminado la primera hora. ¿A qué distancia estaban el uno del otro después de 2 horas?

A 1.75 km   C 5.25 km

B 4.62 km   D no se da

37. Un cartero sale de la oficina de correos y sigue su ruta 7.2 km al norte, 5.4 km al este, 9.8 km al sur y 5.4 km al oeste. ¿Cuántos kilómetros y en qué dirección irá para volver a la oficina?

A 2.6 km al norte   C 5.25 km al norte

B 9.05 km al oeste   D no se da

Resuelve.

38. Bryan tiene 56 piedras negras, blancas y amarillas en su pecera. Hay el doble de piedras negras que de blancas y el doble de piedras blancas que de amarillas. ¿Cuántas amarillas hay?

A 32   C 8

B 16   D no se da

39. Bryan quita 2 piedras a la vez. Cada una es de un color distinto. ¿Cuál es el máximo número de veces que puede hacer lo mismo?

A 24   C 12

B 22   D no se da

Tema: Las bellas artes

Ideas geométricas

Este diseño fue hecho en una microcomputadora usando el lenguaje Logo. El diseño sugiere puntos, segmentos y ángulos.

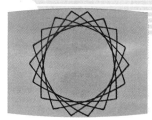

Un **punto** se puede describir como un lugar exacto en el espacio.

• P

- escribe   P
- lee   punto P

Una **recta** se puede describir como una colección de puntos a lo largo de un trayecto recto. No tiene extremos.

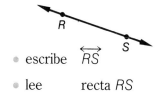

- escribe $\overleftrightarrow{RS}$
- lee   recta RS

Un **rayo** es parte de una recta. Tiene un extremo. Se extiende infinitamente en una dirección.

- escribe $\overrightarrow{PQ}$
- lee   rayo PQ

Un **segmento** de recta es parte de una recta. Un segmento tiene dos extremos.

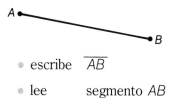

- escribe $\overline{AB}$
- lee   segmento AB

Un **ángulo** se forma por dos rayos que tienen un extremo común. El extremo se llama el **vértice** del ángulo.

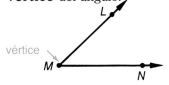

- escribe   ∠LMN o ∠NML
- lee   ángulo LMN o ángulo NML

Un **plano** es una superficie plana que se extiende infinitamente en todas direcciones.

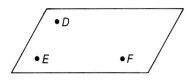

- escribe   plano DEF
- lee   plano DEF

TRABAJO EN CLASE

Usa la figura de la derecha para completar 1–3.

1. Copia y completa el cuadro.

Puntos	
Rectas	
Segmentos	
Ángulos	

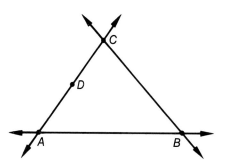

2. Nombra dos rayos que tengan D como extremo.

3. ¿Hay rectas en el diseño Logo ilustrado arriba? Explica tu respuesta.

Copia y completa el cuadro usando la figura de la derecha.

1.	Puntos	
2.	Rectas	
3.	Segmentos	
4.	Rayos	
5.	Ángulos	

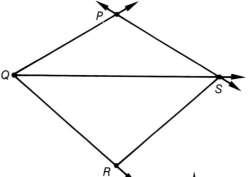

Usa la figura de la derecha para contestar 6–17.

6. Nombra todos los puntos.

7. Nombra los rayos que tienen P como extremo.

8. Nombra el rayo que tiene B como extremo y que pasa a través de D.

9. Nombra todos los segmentos en $\overleftrightarrow{DC}$.

10. Nombra todos los segmentos que tienen E como extremos.

11. Nombra tres ángulos que tienen un vértice en C.

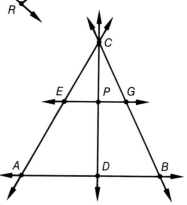

Nombra cada segmento.

12. $\overline{AD} + \overline{DB} = $ _____   **13.** $\overline{CE} + \overline{EA} = $ _____

Contesta *sí* o *no* a cada uno y explica.

★ **14.** ¿Son $\overline{AB}$ y $\overleftrightarrow{AB}$ iguales?

★ **15.** ¿Son $\overleftrightarrow{EP}$ y $\overleftrightarrow{PG}$ la misma recta?

★ **16.** ¿Son $\overrightarrow{DP}$ y $\overrightarrow{DC}$ el mismo rayo?

★ **17.** ¿Son $\overrightarrow{GE}$ y $\overrightarrow{EG}$ el mismo rayo?

APLICACIÓN

18. Dibuja una recta. Marca 5 puntos en ella: A, B, C, D, E. ¿Cuántos segmentos puedes nombrar en $\overleftrightarrow{AE}$? Haz una lista.

19. Nombra los puntos, segmentos de recta y ángulos en el dibujo Logo de la derecha.

★ **20.** En una hoja de papel, dibuja un diseño usando segmentos, ángulos y puntos. Inventa preguntas sobre el diseño para que tus compañeros las contesten.

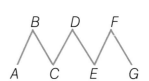

Ángulos

Se aprende a dibujar la figura humana estudiando los ángulos formados por un modelo de madera.

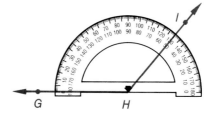

▶ Los ángulos se miden en **grados.** Usa un **transportador** para medir un ángulo.

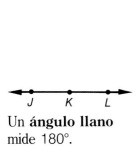

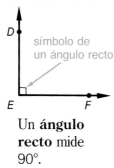

La medida de ∠*RST* es 45 grados.
 ● escribe m∠*RST* = 45°

La medida de ∠*GHI* es 130 grados.
 ● escribe m∠*GHI* = 130°

Los ángulos se clasifican de acuerdo a sus medidas.

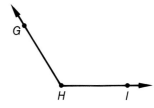

Un **ángulo llano** mide 180°.

Un **ángulo recto** mide 90°.

símbolo de un ángulo recto

Un **ángulo agudo** mide menos de 90°.

Un **ángulo obtuso** mide más de 90° y menos de 180°.

Usa un transportador para dibujar un ángulo.
Sigue los pasos para dibujar ∠*ABC* con m∠*ABC* = 50°.

 ● Dibuja $\overrightarrow{BC}$.

 ● Pon la flecha del transportador en *B* y alinea un cero con $\overrightarrow{BC}$.

 ● Marca el punto *A* en 50°.

 ● Dibuja $\overrightarrow{BA}$.

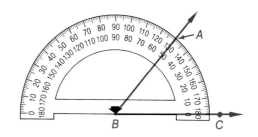

TRABAJO EN CLASE

Mide cada ángulo. Después clasifica cada uno como recto, agudo, obtuso o llano.

1.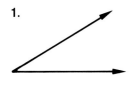

2.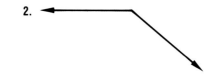

3.

Mide cada ángulo. Después clasifica cada uno como recto, agudo, obtuso o llano.

1. $\angle EAF$
2. $\angle DAF$
3. $\angle DAE$
4. $\angle CAE$
5. $\angle BAE$
6. $\angle CAD$
7. $\angle BAD$
8. $\angle BAF$

Usa un transportador para dibujar cada ángulo.

9. $\angle ABC$ 40°
10. $\angle GHI$ 160°
11. $\angle DEF$ 25°
12. $\angle QRS$ 115°

Clasifica el ángulo formado por las manecillas del reloj en cada hora.

13. 2:00
14. 3:00
15. 5:00
16. 5:15
17. 9:10

★ 18. ¿A través de cuántos grados avanza la manecilla de las horas en una hora?

★ 19. ¿A través de cuántos grados avanza la manecilla de las horas cuando la hora cambia de 12:00 a 1:30?

APLICACIÓN

20. ¿Qué tipos de ángulos están marcados en el modelo de madera de la página 246?

21. Haz un dibujo donde los brazos de un modelo formen un ángulo llano; un ángulo recto.

ÁNGULOS COMPLEMENTARIOS Y SUPLEMENTARIOS

Si la suma de las medidas de dos ángulos es 90°, los ángulos son **complementarios.**

Si la suma de las medidas de dos ángulos es 180°, los ángulos son **suplementarios.**

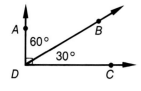

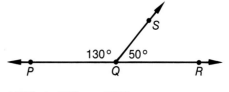

$60° + 30° = 90°$

$130° + 50° = 180°$

$\angle ADB$ es el **complemento** de $\angle BDC$.

$\angle PQS$ es el **suplemento** de $\angle SQR$.

Halla el complemento de cada ángulo.

1. 50°
2. 45°
3. 20°
4. 62°
5. 70°

Halla el suplemento de cada ángulo.

6. 50°
7. 45°
8. 100°
9. 65°
10. 120°

Rectas

Esta pintura moderna de Kenneth Noland tiene muchas rectas
paralelas pero ninguna secante.

▶ Los rectas que se encuentran en un
punto se llaman **rectas secantes.**

$\overleftrightarrow{LM}$ cruza a $\overleftrightarrow{AB}$ en C.

▶ Dos rectas en el mismo plano que no se
cruzan se llaman **rectas paralelas.**

$\overleftrightarrow{PQ}$ es paralela a $\overleftrightarrow{RS}$

● escribe $\overleftrightarrow{PQ} \parallel \overleftrightarrow{RS}$

$\overleftrightarrow{IJ}$ cruza a $\overleftrightarrow{PQ}$ y $\overleftrightarrow{RS}$.

$\overleftrightarrow{IJ}$ se llama **secante.** Cuando una secante
cruza rectas paralelas, se forman pares
de ángulos iguales.

▶ Dos rectas que se cruzan para formar ángulos
rectos se llaman **rectas perpendiculares.**

● escribe $\overleftrightarrow{EF} \parallel \overleftrightarrow{GH}$

● lee $\overleftrightarrow{EF}$ es perpendicular a $\overleftrightarrow{GH}$.

$\angle EJH$, $\angle EJG$, $\angle HJF$ y $\angle GJF$ son ángulos rectos.

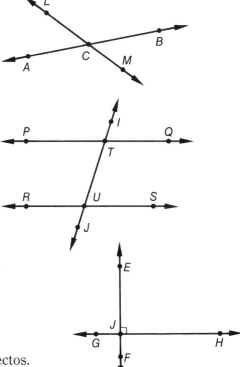

TRABAJO EN CLASE

**Usa la figura de la derecha. Escribe *verdadero* o *falso*
para 1–4.**

1. $\overleftrightarrow{EF} \parallel \overleftrightarrow{GH}$ 2. $\overleftrightarrow{AB} \parallel \overleftrightarrow{CD}$

3. $\overleftrightarrow{CD} \perp \overleftrightarrow{GH}$ 4. $\overleftrightarrow{CD} \perp \overleftrightarrow{EF}$

5. ¿Cuántos ángulos rectos se forman?

6. Nombra una línea que cruza a $\overleftrightarrow{GH}$ sin ser
perpendicular a ella.

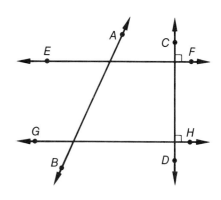

En la figura que aparece a la derecha $\overleftrightarrow{RS} \parallel \overleftrightarrow{QT}$. Estudia las rectas y ángulos para contestar las preguntas. Escribe *verdadero* o *falso* para 1–10.

1. $\overleftrightarrow{VW}$ y $\overleftrightarrow{XR}$ son rectas secantes.

2. $\overleftrightarrow{RS}$ cruza a $\overleftrightarrow{QT}$.

3. $\overleftrightarrow{XR} \perp \overleftrightarrow{ST}$

4. $\overleftrightarrow{XR} \parallel \overleftrightarrow{VW}$

5. $\overleftrightarrow{RS} \perp \overleftrightarrow{VW}$

6. $\overleftrightarrow{XR}$ cruza a $\overleftrightarrow{VW}$ en X.

7. $\overrightarrow{RX}$ cruza a $\overleftrightarrow{QT}$ en R.

8. m∠QXS = m∠RSW

9. m∠VXT = m∠QXU

10. ∠RSX es un ángulo recto.

11. Nombra todas las rectas que se cruzan en el punto S.

★ 12. ¿Es ∠WSY el complemento de ∠YSR? Explica.

★ 13. ¿Es ∠VXQ el suplemento de ∠QXU? Explica.

★ 14. Supón que $\overleftrightarrow{AB}$ ha sido dibujada a través del punto U, paralela a $\overleftrightarrow{QT}$. ¿Cuál es la relación entre $\overleftrightarrow{AB}$ y $\overleftrightarrow{RS}$? ¿entre $\overleftrightarrow{AB}$ y $\overleftrightarrow{VW}$?

APLICACIÓN

15. Dibuja un par de rectas secantes. Usa un transportador para medir los ángulos formados. ¿Qué puedes decir de los ángulos del dibujo?

★ 16. Haz un dibujo que no tenga ningún par de rectas paralelas ni perpendiculares. ¿Qué puedes decir de los ángulos del dibujo?

RAZONAMIENTO LÓGICO

Solamente puede dibujarse una recta que conecte dos puntos cualquiera.

1. Dibuja 3 puntos. Asegúrate de que los 3 puntos no estén en la misma recta. ¿Cuántas rectas pueden dibujarse para conectar los 3 puntos? ¿para conectar 4 puntos? ¿para conectar 5 puntos? Asegúrate de que no haya 3 puntos en una misma recta en cada dibujo.

2. Haz una tabla que muestre el resultado de tus dibujos. ¿Hay un patrón? ¿Se puede predecir el número de rectas que pueden dibujarse para conectar 6 puntos?

Polígonos

Mónica pintó una figura de seis lados para decorar un plato hecho por ella. La figura es un polígono.

▷ Un **polígono** es una figura plana cerrada con lados que son segmentos de recta.

El polígono *ABCD* tiene:
  4 lados: $\overline{AB}$, $\overline{BC}$, $\overline{CD}$ y $\overline{DA}$
  4 vértices: *A*, *B*, *C* y *D*
  4 ángulos: $\angle DAB$, $\angle ABC$, $\angle BCD$ y $\angle CDA$

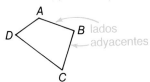
lados adyacentes

Los polígonos se clasifican según el número de lados.

Polígono	Número de lados, ángulos y vértices	Polígono	Número de lados, ángulos y vértices
triángulo	3	heptágono	7
cuadrilátero	4	octágono	8
pentágono	5	nonágono	9
hexágono	6	decágono	10

▷ En un **polígono regular,** todos los lados tienen la misma longitud y todos los ángulos tienen la misma medida.

cuadrilátero regular   pentágono regular   octágono regular

TRABAJO EN CLASE

Clasifica cada polígono. Después enumera los lados y vértices.

1.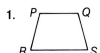

2.

3.

4.

5. ¿Cuáles de los polígonos ilustrados arriba son polígonos regulares?

PRÁCTICA

Clasifica cada polígono. Después enumera los lados y vértices.

1.
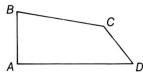

2.

3.

4.
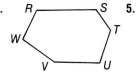

5.
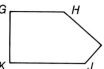

6.

Une.

7. cuadrilátero regular

8. heptágono

9. hexágono regular

10. cuadrilátero

11. triángulo regular

12. hexágono

a.

b.

c.

d.

e.

f.

Escribe *verdadero* o *falso*.

13. Todos los pentágonos tienen 5 vértices.

14. Algunos cuadriláteros tienen ángulos rectos.

15. Todos los cuadriláteros son regulares.

★ 16. Si $ABCDE$ es un pentágono, entonces $\overline{AB}$ y $\overline{CD}$ son lados adyacentes.

★ 17. Si $PQRS$ es un cuadrilátero, entonces $\overline{PQ}$ puede ser paralelo a $\overline{RS}$.

APLICACIÓN

18. ¿Qué tipo de polígono pintó Mónica en el plato de la página 250?

19. Los diseñadores usan polígonos en patrones en telas, pisos, cerámica y otros materiales. Diseña una tela o un piso usando polígonos.

Práctica mixta

1. $86.125 + 0.6543$

2. $492 - 9.38$

3. $\begin{array}{r} 54.1 \\ -\ \ 8.725 \end{array}$

4. 0.72×81.91

5. $\begin{array}{r} 1.632 \\ \times\ \ \ 0.5 \end{array}$

6. 0.02×0.004

7. $1.5 \overline{)108.9}$

8. $0.04 \overline{)0.268}$

9. $\frac{2}{3} + \frac{5}{6}$

10. $11\frac{3}{8} - 5\frac{1}{3}$

11. $15\frac{3}{4} - 6\frac{1}{5}$

12. $9 - 3\frac{5}{12}$

13. $3\frac{1}{3} \times 4\frac{4}{5}$

14. $\frac{2}{3} \times \frac{9}{14}$

15. $5 \div 2\frac{1}{3}$

Enumera los factores.

16. 8

17. 24

18. 12

19. 15

20. 36

Figuras congruentes

Muchos triángulos de esta pintura de arena navajo son congruentes. Son **congruentes** las figuras con el mismo tamaño y forma.

Dos segmentos son congruentes si tienen la misma longitud.

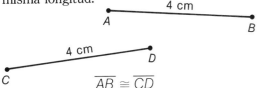

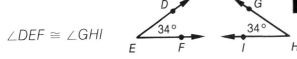

$$\overline{AB} \cong \overline{CD}$$

↑quiere decir es congruente con

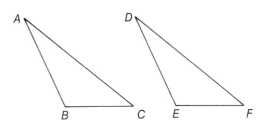

Dos ángulos son congruentes si tienen la misma medida.

$$\angle DEF \cong \angle GHI$$

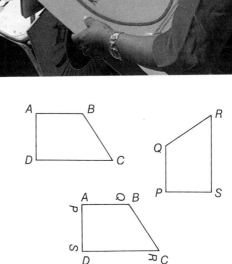

Dos polígonos son congruentes si sus lados y ángulos correspondientes son congruentes.

El cuadrilátero $ABCD \cong$ el cuadrilátero $PQRS$.

Cuando el calcado de $PQRS$ se coloca sobre $ABCD$, los lados y ángulos son iguales.

Las partes exactamente iguales se llaman **partes correspondientes.**

▶ Las partes correspondientes de figuras congruentes son congruentes.

$ABCD \cong PQRS$

lados correspondientes

$$\overline{AB} \cong \overline{PQ} \qquad \overline{BC} \cong \overline{QR}$$

$$\overline{AD} \cong \overline{PS} \qquad \overline{DC} \cong \overline{SR}$$

Si $\overline{AB}$ mide 3 cm de largo, entonces $\overline{PQ}$ mide 3 cm de largo.

ángulos correspondientes

$$\angle BAD \cong \angle QPS \qquad \angle ABC \cong \angle PQR$$

$$\angle ADC \cong \angle PSR \qquad \angle BCD \cong \angle QRS$$

Si m$\angle ADC = 90°$, entonces m$\angle PSR = 90°$.

TRABAJO EN CLASE

Los triángulos ABC y DEF son congruentes. Completa.

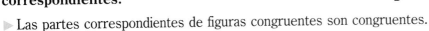

1. $\overline{AB} \cong$ ____

2. $\overline{BC} \cong$ ____

3. $\overline{DF} \cong$ ____

4. $\angle B \cong$ ____

5. $\angle D \cong$ ____

6. $\angle C \cong$ ____

7. Si m$\angle B = 110°$, entonces m$\angle E =$ ____.

8. Si $\overline{DF}$ mide 35 mm, entonces $\overline{AC}$ mide ____ mm.

Escribe qué par de figuras es congruente en cada uno. Usa papel de calcar para comprobar.

1.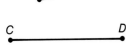

2.

3.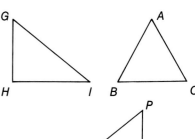

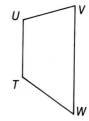

Completa. Los cuadriláteros *ABCD* y *TUVW* son congruentes.

4. $\overline{AB} \cong$ _____

5. $\angle A \cong$ _____

6. $\overline{BC} \cong$ _____

7. $\angle T \cong$ _____

8. $\overline{UV} \cong$ _____

9. $\angle C \cong$ _____

10. $\overline{DA} \cong$ _____

11. $\angle D \cong$ _____

Los triángulos *JKL* y *PQR* son congruentes. Completa.

12. Si m$\angle K$ = 75°, ¿qué es m$\angle Q$?

13. Si m$\angle P$ = 66°, ¿qué es m$\angle J$?

14. ¿Qué lado del triángulo *PQR* corresponde a $\overline{JK}$?

15. Si $\overline{KL}$ mide 3 cm de largo, ¿cuánto mide $\overline{QR}$?

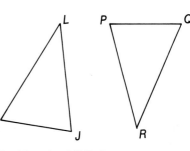

Escribe *verdadero* o *falso*.

16. Si los triángulos *ABC* y *DEF* son congruentes y el triángulo *ABC* tiene 1 ángulo recto, entonces el triángulo *DEF* tiene 1 ángulo recto.

17. Si $\angle GHI \cong \angle PQR$ y $\angle GHI$ es agudo, entonces $\angle PQR$ es agudo.

★ 18. Si *ABCD* es en cuadrado y *PQRS* es un cuadrado, entonces *ABCD* $\cong$ *PQRS*.

★ 19. *DEFG* y *LMNO* son cuadrados. Si $\overline{DE}$ = 4 cm y $\overline{LM}$ = 4 cm, entonces *DEFG* $\cong$ *LMNO*.

APLICACIÓN

20. ¿Cuántos pares de triángulos congruentes ves en la pintura de arena navajo de la página 252?

21. Este diseño está hecho de cuadriláteros. ¿Tienen la misma forma? ¿Son del mismo tamaño? ¿Son congruentes?

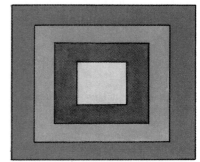

Simetría

Los caleidoscopios usan espejos para producir diseños simétricos.

▶ Una figura es **simétrica** por un eje si las partes de la figura en los lados opuestos al eje son congruentes.

Si esta figura se dobla a lo largo del **eje de simetría,** las partes serán iguales. La figura a un lado del eje es la imagen exacta de la figura al otro lado.

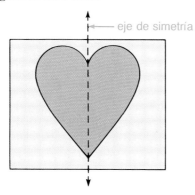

eje de simetría

Una figura puede tener un eje de simetría, muchos ejes de simetría o ningún eje de simetría.

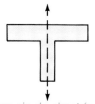

un eje de simetría

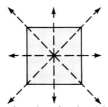

cuatro ejes de simetría

ningún eje de simetría

Si volteas una figura por el eje a una posición nueva, el eje actúa como un eje de simetría.

Cada triángulo es la imagen exacta o **reflejo** del otro.

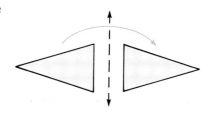

TRABAJO EN CLASE

Indica si cada línea de rayas es un eje de simetría.

1.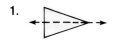

2.

3.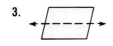

4.

PRÁCTICA

¿Es cada línea de rayas un eje de simetría? Escribe *sí* o *no*.

1.

2.

3.

4.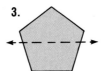

Cada figura tiene uno o más ejes de simetría. Calca cada figura. Después dibuja los ejes de simetría.

5.

6.

7.

8.

Calca cada figura. Dibuja la imagen exacta de cada una.

9.

10.

11.

APLICACIÓN

12. Une dos espejos con cinta adhesiva para hacer un caleidoscopio. Dibuja un segmento de recta de aproximadamente 10 cm de largo. Coloca los espejos en el segmento según la ilustración. Mueve los espejos uno hacia el otro hasta que se vea un triángulo. Continúa moviendo los espejos uno hacia otro. ¿Qué otros polígonos ves?

Segmento

═══ RAZONAMIENTO VISUAL ═══

La estrella de seis puntas tiene 6 ejes de simetría. ¿Cuántos ejes de simetría tiene cada una de estas figuras?

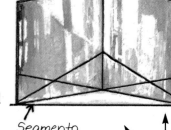

1.

2.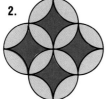

3.

4.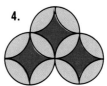

255

Problemas para resolver

PATRONES

La habilidad de reconocer un patrón es una destreza crítica para resolver problemas. A veces el patrón lleva a la respuesta. A veces el patrón *es* la respuesta.

1. Esta pintura moderna cuelga de la pared de un museo. Está formada por seis secciones. Describe la sección que falta.

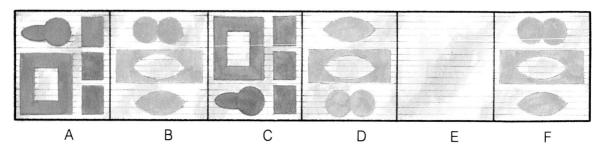

¿Cómo es la sección que falta?

Hay seis secciones con varias formas en cada una. Cada sección es azul o amarilla.

Busca un patrón.

En realidad hay dos patrones. Uno usa formas. El otro usa colores. Las secciones B, D y F usan las mismas formas, invirtiendo las formas de arriba y de abajo. Estas secciones son amarillas. Las secciones A y C también usan las mismas formas, invirtiendo las formas de arriba y de abajo en el lado izquierdo. Estas secciones son azules.

La sección que falta, E, es azul. Usa las mismas formas que A y C. Las formas están colocadas igual que en la sección A.

¿Encaja el patrón con las secciones ilustradas?

Observa que la sección E es igual a la sección A y que la sección F es igual a la sección B. El patrón se repite.

2. Esto es parte de un diseño en el cual los cuadrados y rectángulos forman un patrón. La fila 5 no ha sido completada. Continúa el patrón para describir la fila 5.

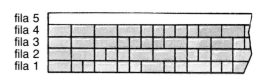

Busca el patrón.

Fila 1:   1 rectángulo, 2 cuadrados, 1 rectángulo, 2 cuadrados . . .

Continúa la lista de las filas 2–4.

Completa la solución con la fila 5.

Halla los números o figuras que faltan para completar cada patrón.

1.

2.
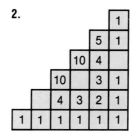

3.
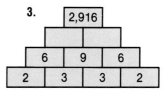

4.
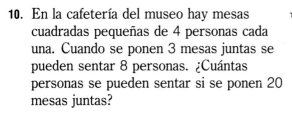

5.
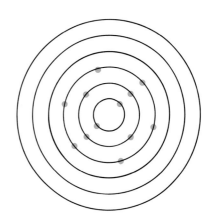

6. 1, 1, 2, 3, 5, 8, _____, 21

7. 3, 4, 7, 11, 18, _____, _____, 76

8. 17, $10\frac{1}{2}$, $6\frac{1}{2}$, 4, _____, $1\frac{1}{2}$, 1

Usa patrones para resolver.

9. La fuente del patio de un museo está diseñada en una serie de círculos, como se ilustra. El primer círculo tiene 2 chorros. El círculo que sigue tiene 4 chorros. El tercer círculo tiene 6 chorros, y así sucesivamente. Hay 6 círculos en la fuente. Si el patrón continúa, ¿cuántos chorros habrá en el sexto círculo? ¿Cuántos habrá en total? Dibuja un bosquejo de la fuente terminada.

10. En la cafetería del museo hay mesas cuadradas pequeñas de 4 personas cada una. Cuando se ponen 3 mesas juntas se pueden sentar 8 personas. ¿Cuántas personas se pueden sentar si se ponen 20 mesas juntas?

★ 11. El museo exhibe una colección de piedras preciosas en una vitrina. La fila de arriba tiene 10 piedras. Las próximas 3 filas tienen 13, 11 y 14 piedras. El patrón continúa hasta la fila de abajo, que tiene 16 piedras. ¿Cuántas filas hay en la vitrina?

=== CREA TU PROPIO PROBLEMA ===

Dibuja un diseño que ilustre este patrón. 1, 2, 4, 8, 16, . . .

Triángulos

Los triángulos pueden clasificarse
según sus lados.

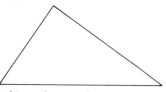

quiere decir que
los lados son del
mismo largo

triángulo escaleno
sin lados congruentes

triángulo isósceles
dos lados congruentes

triángulo equilátero
tres lados congruentes

Los triángulos pueden clasificarse según sus ángulos.

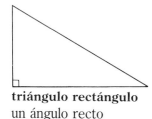

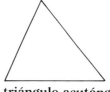

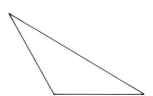

triángulo rectángulo
un ángulo recto

triángulo acutángulo
todos los ángulos son agudos

triángulo obtusángulo
un ángulo obtuso

▶ La suma de las medidas de los ángulos de cualquier triángulo es 180°.

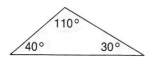

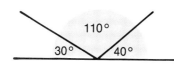

$$30° + 40° + 110° = 180°$$

Si conoces las medidas de dos de los ángulos
de un triángulo, se puede hallar la medida del
tercer ángulo.

Halla m∠A en △ABC

↑
lee triángulo ABC

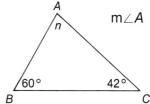

$$m\angle A + m\angle B + m\angle C = 180°$$
$$n + 60° + 42° = 180°$$
$$n + 102° = 180°$$
$$n = 78°$$
$$m\angle A = 78°$$

TRABAJO EN CLASE

**Mide los lados y ángulos para clasificar cada triángulo de
dos formas.**

1.

2.

3.

Mide los lados y ángulos para clasificar cada triángulo de dos formas.

1.    **2.** 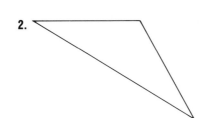   **3.**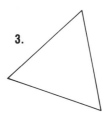

Halla la medida del tercer ángulo de cada triángulo.

4. 35°, 45°   **5.** 25°, 120°   **6.** 30°, 90°   **7.** 65°, 105°

8. 114°, 29°   **9.** 100°, 21°   **10.** 57°, 63°   **11.** 60°, 60°

Escribe *verdadero* o *falso.*

12. Todos los triángulos equiláteros son acutángulos.

13. Todos los triángulos isósceles son equiláteros.

14. Algunos triángulos rectángulos son escalenos.

15. Algunos triángulos isósceles son obtusángulos.

★ **16.** Todos los triángulos equiláteros son congruentes.

★ **17.** Algunos triángulos obtusángulos contienen un ángulo recto.

APLICACIÓN

18. Usa la figura de la derecha para identificar y nombrar por lo menos uno de cada tipo de triángulo.

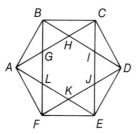

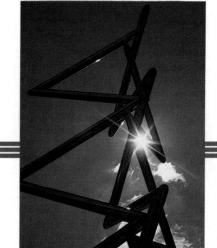

LA CALCULADORA

Las medidas de dos ángulos de un triángulo son 72° y 37°. Puedes hallar fácilmente la medida del tercer ángulo con tu calculadora.

Entra 180. Después resta las medidas dadas.

| 1 | 8 | 0 | − | 7 | 2 | − | 3 | 7 | = | 71. |

El tercer ángulo mide 71°.

Usa la calculadora para hallar la medida del tercer ángulo de cada triángulo.

1. 22°, 67°   **2.** 55°, 106°   **3.** 31°, 72°   **4.** 17.5°, 72.5°

Cuadriláteros

Esta pintura moderna alemana tiene muchos **cuadriláteros.**

Un cuadrilátero es un polígono con cuatro lados.

Estos son cuadriláteros especiales.

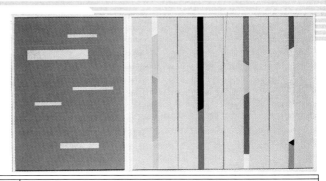

Cuadrilátero		Propiedades
	trapecio	un par de lados opuestos paralelos
	paralelogramo	cada par de lados opuestos paralelos cada par de lados opuestos y de ángulos opuestos congruentes
	rombo	un paralelogramo con todos los lados congruentes
	rectángulo	un paralelogramo con cuatro ángulos rectos
	cuadrado	un rectángulo con todos los lados congruentes

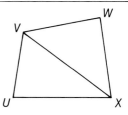

$\overline{VX}$ es una **diagonal** del cuadrilátero *UVWX*.
$\overline{VX}$ divide al cuadrilátero en dos triángulos.
La suma de los ángulos de cada triángulo es 180°.

$$2 \times 180° = 360°$$

▶ La suma de las medidas de los ángulos de un cuadrilátero es 360°.

TRABAJO EN CLASE

Clasifica cada cuadrilátero. Después nombra los lados congruentes y los lados paralelos.

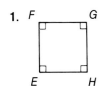

1.

2.

3.

4.

Clasifica cada cuadrilátero. Después nombra los lados congruentes y los lados paralelos.

1.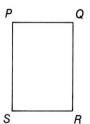
P   Q
S   R

2.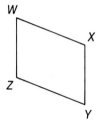
W
X
Z
Y

3.
E   F
H   G

4.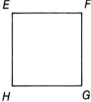
M
L
K   N

Escribe *verdadero* o *falso*.

5. Cada rectángulo es un cuadrado.

6. Cada cuadrado es un rectángulo.

7. Cada trapecio es un cuadrilátero.

8. Cada cuadrilátero es un trapecio.

9. Cada rombo es un paralelogramo.

10. Cada paralelogramo es un rombo.

 Halla la medida del cuarto ángulo de cada cuadrilátero.

11. 65°, 44°, 108° **143°** 12. 90°, 90°, 90° **90°** 13. 80°, 39°, 127° **114°** 14. 45°, 135°, 45° **135°**

Usa lo que ya sabes acerca de los paralelogramos para hallar las medidas que faltan.

15.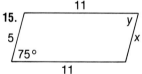
11
5   y
75°   x
11

16.
7
7   x
y

★17.
y   100°
x
50° 40°

★18.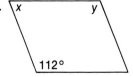
x   y
112°

19. Clasifica los cuadriláteros en la pintura de la página 260.

═══ RAZONAMIENTO LÓGICO ═══

Si todos los paralelogramos son azules o rojos, todos los triángulos verdes, todos los rectángulos rojos y todos los trapecios amarillos, ¿de qué color son los cuadrados?

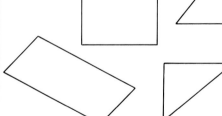

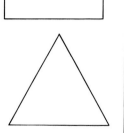

Círculos

Este ornamento de cuentas indio forma un círculo decorativo en un tepee de lona.

El diagrama que aparece abajo muestra un **círculo** con un **centro** C. Un círculo es una figura plana cerrada. Cada punto en el círculo está a la misma distancia del centro. Se puede usar un **compás** para dibujar un círculo.

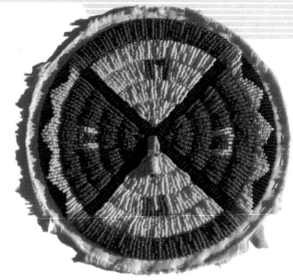

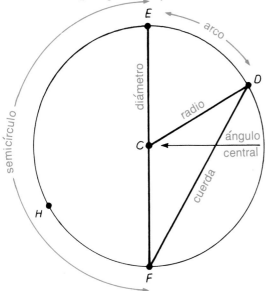

- Se nombra un círculo por su centro.
- Un **arco** es parte de un círculo.
- Un **radio** es un segmento de recta que une el centro con cualquier punto del círculo.
- Una **cuerda** es un segmento cuyos puntos finales están en el círculo.
- Un **diámetro** es una cuerda que pasa a través del centro del círculo. La longitud del diámetro es el doble de la longitud del radio.
- Un **semicírculo** es la mitad de un círculo.
- Un **ángulo central** es un ángulo con su vértice en el centro del círculo.

Círculo: C Arco: $\overarc{ED}$ Radio: $\overline{CD}$ Cuerda $\overline{DF}$
Diámetro: $\overline{EF}$ Semicírculo: $\overarc{EHF}$ Ángulo central: $\angle DCF$

▶Todos los radios del mismo círculo son congruentes. En el círculo C ilustrado arriba, $\overline{CE} \cong \overline{CD} \cong \overline{CF}$.

TRABAJO EN CLASE

Usa el diagrama para 1–7.

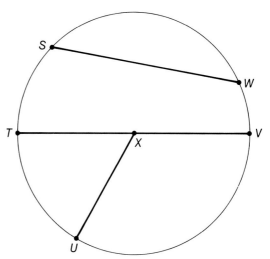

1. Nombra el círculo.

2. Nombra tres radios.

3. Nombra dos cuerdas.

4. Nombra un diámetro.

5. Nombra cuatro arcos.

6. Nombra dos ángulos centrales.

7. Nombra dos semicírculos.

PRÁCTICA

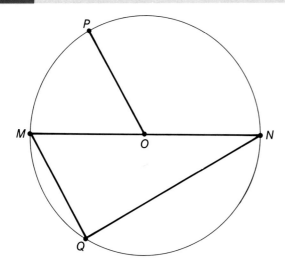

Usa el diagrama para 1–9.

1. Nombra el círculo.

2. Nombra tres radios.

3. Nombra un diámetro.

4. Nombra tres cuerdas.

5. Nombra cuatro arcos.

6. Nombra dos ángulos centrales.

7. Nombra dos semicírculos.

8. ¿Si $\overline{OM}$ mide 5 cm de largo, ¿cuánto mide $\overline{MN}$?

9. Si $\overline{MN}$ mide 14 cm de largo, ¿cuánto mide $\overline{OP}$?

Escribe *verdadero* o *falso.*

10. Todos los diámetros son cuerdas.

11. Todas las cuerdas son diámetros.

12. Algunos radios son cuerdas.

13. Todos los ángulos centrales son agudos.

★ 14. Si $\overline{OP}$ es un radio del círculo O, y B es un punto en el círculo O, entonces $\overline{PB}$ es un diámetro.

APLICACIÓN

15. Usa un compás. Dibuja un círculo con un radio de 5 cm. Dibuja otro círculo con un radio de 5 cm. ¿Son congruentes los dos círculos? ¿Son congruentes todos los círculos con un radio de 5 cm?

★ 16. Dibuja 2 círculos que se crucen en un punto; en 2 puntos; en ningún punto. ¿Puedes dibujar 2 círculos que se crucen solamente en 3 puntos?

Práctica mixta

1. $\frac{3}{8} \times \frac{5}{7}$

2. $\frac{12}{21} \times \frac{7}{40}$

3. $6 \times 1\frac{2}{3} \times 2\frac{1}{10}$

4. $3\frac{1}{5} \times 4\frac{3}{8}$

5. $\frac{2}{3} \div \frac{1}{6}$

6. $\frac{5}{8} \div 20$

7. $10 \div 1\frac{2}{9}$

8. $18\frac{1}{2} \div 1\frac{1}{2} \times \frac{1}{4}$

9. $4\frac{1}{2} + 8\frac{1}{3}$

10. $2\frac{1}{4} - \frac{3}{8}$

11. $10 - 5\frac{1}{6}$

12. $\begin{array}{r} 4 \text{ yd } 2 \text{ pies} \\ + 7 \text{ yd } 2 \text{ pies} \end{array}$

13. $\begin{array}{r} 5 \text{ lb } 14 \text{ oz} \\ + 6 \text{ lb } 11 \text{ oz} \end{array}$

14. $\begin{array}{r} 7 \text{ gal } 1 \text{ ct} \\ - 2 \text{ gal } 3 \text{ ct} \end{array}$

15. $\begin{array}{r} 27 \text{ pies} \\ - 10 \text{ pies } 9 \text{ plg} \end{array}$

Compara. Usa >, < ó =.

16. $\frac{1}{2}$ ⬭ $\frac{2}{3}$

17. $\frac{5}{6}$ ⬭ $\frac{5}{8}$

18. $\frac{3}{4}$ ⬭ $\frac{5}{6}$

19. $1\frac{7}{8}$ ⬭ $1\frac{14}{16}$

263

Construir segmentos y ángulos

Se pueden construir segmentos congruentes y ángulos
congruentes usando solamente un compás y una regla.

Construye un segmento congruente con un segmento dado, $\overline{AB}$.

Paso 1

Dibuja cualquier rayo más largo que $\overline{AB}$. Marca el extremo del rayo con una C.

Paso 2

Pon la punta del compás en A y dibuja un arco a través de B.

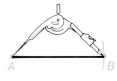

Paso 3

Usa la misma apertura del compás. Pon la punta en C y dibuja un arco que cruce el rayo. Marca el cruce con D.

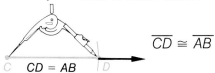

Construye un ángulo congruente con un ángulo dado, $\angle MNO$.

Paso 1

Dibuja cualquier rayo, $\overrightarrow{XY}$.

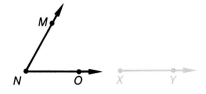

Paso 2

Pon la punta del compás en N y dibuja un arco que cruce $\overrightarrow{NM}$ y $\overrightarrow{NO}$.

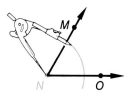

Paso 3

Usando la misma apertura del compás, pon la punta en X, y dibuja un arco que cruce $\overrightarrow{XY}$ en Q.

Paso 4

Ajusta el compás para medir la apertura de $\angle MNO$.

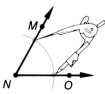

Paso 5

Usando el punto Q como centro, dibuja un arco que cruce al primer arco en el punto R.

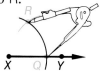

Paso 6

Dibuja $\overrightarrow{XR}$.

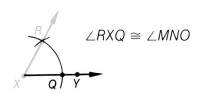

$\angle RXQ \cong \angle MNO$

TRABAJO EN CLASE

Calca cada figura. Después construye una figura congruente con cada uno.

1.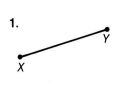

2.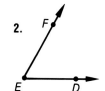

3.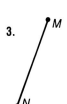

4.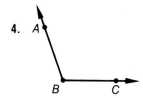

264

PRÁCTICA

Calca cada figura. Después construye una figura congruente con cada uno.

1.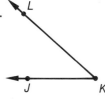

2.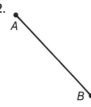

3.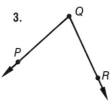

4.

Usa la regla para dibujar un segmento con la longitud dada.
Después construye un segmento congruente con cada uno.

5. 8 cm

6. 5 cm

7. 7 cm

8. 9 cm

★9. 4.6 cm

Usa un transportador para dibujar un ángulo con la medida dada.
Después construye un ángulo congruente con cada uno.

10. 45°

11. 135°

12. 90°

13. 20°

14. 157°

Construye.

★15. Dibuja un segmento, $\overline{AB}$. Después construye un segmento $\overline{LM}$ de forma que $\overline{LM}$ tenga el doble de la longitud de $\overline{AB}$.

APLICACIÓN

16. Elena Marinas, una diseñadora de decorados para películas, está trabajando en los planos de una escena. Usa tu compás y regla para construir un ángulo y un segmento congruente con el ángulo y el segmento que aparecen en el plano de Elena.

ESTIMACIÓN

Puedes usar ángulos rectos para estimar medidas de ángulos.

Piensa un tercio de un ángulo recto

aproximadamente 30°

Piensa un ángulo recto más la mitad de un ángulo recto

aproximadamente 90° + 45° ó aproximadamente 135°

Estima las medidas de los ángulos, usando ángulos rectos.

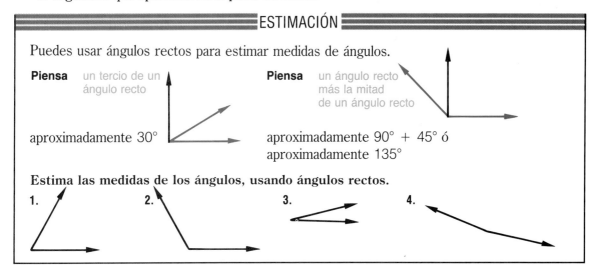

1.

2.

3.

4.

Bisecar segmentos y ángulos

Al dibujar los planos de este jardín, el arquitecto de jardines bisecó segmentos y ángulos. **Bisecar** quiere decir dividir en dos partes congruentes.

Usa un compás y una regla para bisecar un segmento dado, $\overline{XY}$.

Paso 1

Abre el compás a más de la mitad de la longitud de $\overline{XY}$. Con la punta en X, dibuja un arco.

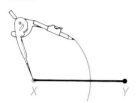

Paso 2

Usa la misma apertura del compás. Con la punta en Y, dibuja otro arco. Marca los puntos de intersección V y W.

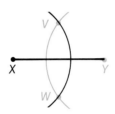

Paso 3

Dibuja $\overleftrightarrow{VW}$. Marca el punto Z en la intersección de $\overleftrightarrow{VW}$ y $\overleftrightarrow{XY}$.

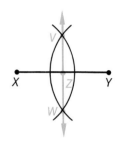

$\overleftrightarrow{VW}$ biseca a $\overline{XY}$. $\overline{XZ} \cong \overline{ZY}$. Z es el punto medio de $\overline{XY}$.

$\overleftrightarrow{VW} \perp \overline{XY}$. $\overleftrightarrow{VW}$ es el **bisector perpendicular** de $\overline{XY}$.

Biseca un ángulo dado, $\angle BAC$, usando compás y regla.

Paso 1

Con la punta del compás en A, dibuja un arco. Marca los puntos D y E.

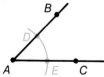

Paso 2

Usa la misma apertura del compás. Dibuja arcos con la punta en D y E. Marca el punto de intersección F.

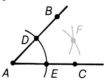

Paso 3

Dibuja $\overrightarrow{AF}$. Este rayo biseca a $\angle BAC$.

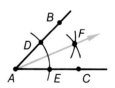

$\overrightarrow{AF}$ es el **bisector del ángulo.** $\angle BAF \cong \angle FAC$

TRABAJO EN CLASE

Calca. Después construye el bisector de cada figura.

1.

2.

3.

4.
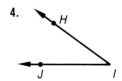

266

Calca. Después construye el bisector de cada figura.

1. *K* *L*

2. *M* *N* *O*

3. *P* *Q*

4. *R* *S* *T*

Dibuja un segmento de 8 centímetros de largo y un ángulo de 100°. Después construye las siguientes figuras.

5. dos segmentos de 4 cm   **6.** cuatro segmentos de 2 cm   ★ **7.** un segmento de 12 cm

8. dos ángulos de 50°   **9.** cuatro ángulos de 25°   ★ **10.** un ángulo de 150°

APLICACIÓN

11. Un arquitecto de jardines desea colocar una fuente en el centro de un jardín rectangular y ha dibujado las diagonales. Halla los puntos medios de cada lado para demostrar que *C* es el centro. Dibuja líneas para conectar los puntos medios a los lados opuestos. ¿Se cruzan todas las líneas en *C*?

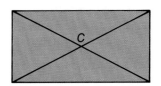

★ **12.** El arquitecto trabaja con un dibujo de un arriate de flores triangular y biseca cada ángulo del triángulo. ¿En cuántos puntos se cruzan los bisectores de los ángulos? Dibuja un triángulo para construir los tres bisectores de los ángulos.

CONSTRUIR UNA RECTA PERPENDICULAR A UNA RECTA DADA

Usa la construcción de bisección para construir una línea perpendicular a $\overleftrightarrow{AB}$ en *P*.

- Con la punta del compás en *P*, dibuja 2 arcos. Marca los puntos *C* y *D*.

- Biseca $\overline{CD}$. Marca los puntos *E* y *F*.

- Dibuja $\overleftrightarrow{EF}$. $\overleftrightarrow{EF} \perp \overleftrightarrow{AB}$ en *P*.

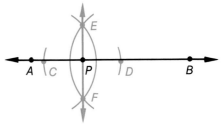

Usa esta construcción para hacer cada uno.

1. Copia. Construye un ángulo recto con el vértice *A*.

2. Copia. Construye $\overleftrightarrow{PQ}$ perpendicular a $\overleftrightarrow{XY}$ a través de *Q*.

3. Supón que construyes $\overleftrightarrow{SR}$ perpendicular a $\overleftrightarrow{XY}$. ¿Cuál sería la relación entre $\overleftrightarrow{SR}$ y $\overleftrightarrow{PQ}$?

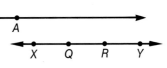

Problemas para resolver

REPASO DE DESTREZAS Y ESTRATEGIAS   El Museo de Arte

Resuelve.

1. Alice Conway es una artista que preparó un conjunto de cuatro pinturas para una galería nueva. Juntas, las pinturas forman un patrón. Cada pintura tiene un círculo, un triángulo, un hexágono y un cuadrado. Tres pinturas aparecen a la derecha. Dibuja la pintura que falta.

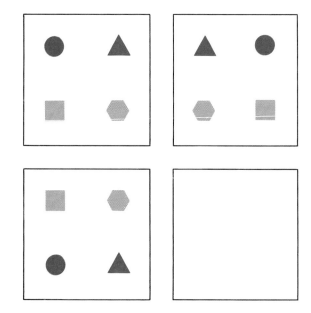

2. Alice hace un marco para otra pintura. Quiere que el marco tenga forma de cuadrado. ¿Cuál debe ser la medida de cada ángulo?

3. El museo de arte va a colgar tres pinturas de la Srta. Conway en un arreglo horizontal. Las pinturas serán colgadas en línea recta. ¿De cuántas formas se pueden colgar las pinturas?

4. La Srta. Conway quiere pintar un cuadro de una luna llena con rayos saliéndole del centro. Los rayos deben formar ángulos agudos iguales. ¿Cuál es el número menor de rayos que debe incluir en su cuadro?

5. La galería compró tres vitrinas por $520. Dos de ellas eran rectangulares y una circular. La circular costó $70 más que cada una de las rectangulares. ¿Cuánto costó cada vitrina?

6. Paul Yanker está haciendo un collage usando tiras rectangulares de telas de colores. Usa 24 tiras rojas y 56 tiras amarillas. En cada collage usa 3 tiras rojas. ¿Cuántas tiras amarillas usará si usa un número igual en cada uno?

7. Claire está trabajando en una colección de collages hechos de figuras geométricas. Los círculos plásticos precortados costaron $1.25 cada uno y los polígonos costaron $.65 cada uno. Gastó $71 en 36 figuras. ¿Cuántos círculos y polígonos compró?

8. Durante su exhibición en la galería nueva, Maxine vendió tres cuadros en $550 cada uno. Vendió un cuarto cuadro en $750. ¿Cuánto dinero ganó?

9. Barry quiere hacer marcos de madera para cuatro cuadros. Cada cuadro es un rectángulo de 48 pulgadas × 60 pulgadas. ¿Cuántos pies de madera necesita?

10. Ana comienza un mural con 1 azulejo cuadrado. Añade 3 más para formar un cuadrado de 2 × 2 y después añade 5 más para formar un cuadrado de 3 × 3. Continúa así. Al final añade 17 azulejos. ¿Cuál es el tamaño del mural?

11. En otro mural, Ana comienza colocando azulejos azules en una fila. En cada fila subsiguiente duplica el número de azulejos azules. La sexta y última fila tiene 192 azulejos azules. ¿Cuántos azulejos azules usó Ana en la primera fila?

Problemas para resolver

¿QUÉ HARÍAS . . . ?

Estás a cargo de colocar exhibiciones en la exposición de arte de la escuela. Éstas son las especificaciones:

Tamaño del área de exhibición: 45 yd por 35 yd
Tamaño de los espacios de exhibición: **A.** 3 yd por 4 yd,
 B. 5 yd por 4 yd, **C.** 7 yd por 4 yd, **D.** 10 yd por 4 yd

Número de espacios de exhibición: por lo menos 6 espacios de cada tamaño

Puertas: 2 puertas de por lo menos 3 yd de ancho en lados opuestos del área de exhibición; ninguna exhibición puede ser colocada a 2 yd de las puertas

Pasillos: por lo menos de 3 yd de ancho

Contesta cada pregunta y explica.

1. ¿Puedes adivinar y comprobar para disponer cada espacio en la exhibición?

2. ¿Puedes alternar cada espacio de tamaño diferente hasta que se llene el área?

3. ¿Puedes usar el plano del año pasado y hacer los cambios necesarios?

4. ¿Puedes hallar otra forma?

¿Qué harías?

Si usas el plano del año pasado como guía, ¿cómo diseñarías tu nuevo plano? Usa papel cuadriculado y una regla:

1 lado de un cuadrado en el papel = 1 yd

Dibuja un largo de 45 cuadrados con un ancho de 35 cuadrados. Estudia el plano del año pasado. Pon las puertas de forma que haya exhibiciones a ambos lados de ellas. Asegúrate de que haya por lo menos 6 espacios de cada tamaño.

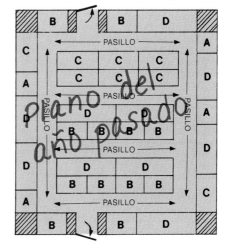

¿Qué harías?

Muchas personas vendrán a esta exhibición de arte. Pon una de las puertas en una esquina para que las personas puedan moverse con mayor facilidad.

5. ¿Cómo dispones el área de exhibición ahora que una puerta tiene que estar en una esquina?

Usa la figura para nombrar cada uno. págs. 244–249

1. el punto de intersección de $\overleftrightarrow{FE}$ y $\overleftrightarrow{DH}$

2. dos rayos en $\overleftrightarrow{AE}$

3. dos segmentos con el punto final C

4. una recta perpendicular a $\overleftrightarrow{AG}$

5. una recta paralela a $\overleftrightarrow{AG}$

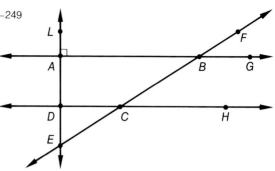

$\triangle ABC \cong \triangle FED$. **Completa.** págs. 252–253

6. $\overline{AB} \cong$ _____

7. $\overline{BC} \cong$ _____

8. $\angle A \cong$ _____

9. $\angle B \cong$ _____

Mide los lados y los ángulos. Después clasifica cada triángulo de dos formas. págs. 258–259

10.

11.

12.

Clasifica cada cuadrilátero. págs. 260–261

13.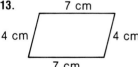
7 cm
4 cm   4 cm
7 cm

14.

15.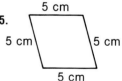
5 cm
5 cm   5 cm
5 cm

Calca. Después construye una figura congruente con cada uno. págs. 264–265

16.

17.

Resuelve. págs. 256–257, 268–269

18. Debra corta círculos para un diseño. Cada círculo tiene un radio de 3 cm. ¿Cuántos círculos puede cortar a lo ancho de una hoja de papel de 25 cm de ancho?

19. Charles está poniendo su colección de rocas en una caja de exhibición. Pone 7 rocas en la primera fila, 11 en la segunda y 15 en la tercera. Si el patrón continúa, ¿cuántas rocas habrá en la sexta?

Usa la figura para nombrar cada uno.

1. el punto de intersección de $\overleftrightarrow{LP}$ y $\overleftrightarrow{MQ}$

2. dos rayos en $\overleftrightarrow{LN}$

3. dos segmentos con punto final P

4. una recta perpendicular a $\overleftrightarrow{NR}$

5. una recta paralela a $\overleftrightarrow{NR}$

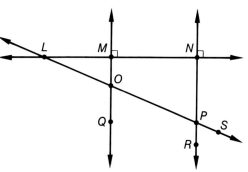

Nombra cada polígono. Halla el número de ejes de simetría.

6.

7.

8.

Clasifica cada triángulo de dos formas.

9.

3 cm 5 cm 4 cm

10.
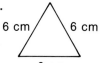
6 cm 6 cm 6 cm

11.
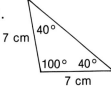
7 cm 40° 100° 40° 7 cm

Nombra el par de figuras congruentes en cada uno.

12.

B A C E D F H G I

13.

D E G F M N P O Q R T S

Usa la figura a la derecha para completar 14–17.

14. Nombra el círculo.

15. Nombra dos radios.

16. Nombra el diámetro.

17. Nombra dos cuerdas.

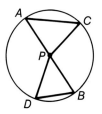

Usa un compás y una regla.

18. Dibuja un segmento de recta. Después biseca el segmento.

Resuelve.

19. El huerto de Juan tiene forma de rombo. ¿Cuántos metros de cerca necesita si cada lado tiene 3 m de largo?

20. Halla los tres próximos números que completan el patrón: 1, 3, 7, 15, ___, ___, ___.

En $\triangle ABC$, m$\angle A$ es el doble de m$\angle B$. m$\angle C$ es 20° más que m$\angle B$ y m$\angle C = 60°$. Halla las medidas de $\angle A$ y B.

DISEÑOS CON COMPÁS

Puedes usar el compás para hacer diferentes diseños.

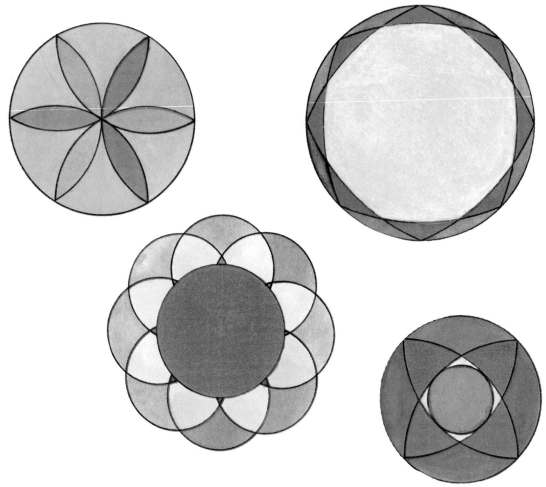

1. Haz copias del mismo tamaño que estos diseños.

2. Haz versiones mayores de estos diseños.

3. Experimenta con diseños tuyos. Colorea los que te gusten más y móntalos en papel de construcción para hacer un collage.

Para construir este diseño, necesitas bisecar ángulos.

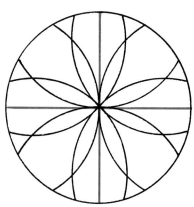

4. Haz una versión mayor de este diseño.

5. Usa un compás y una regla. Construye un diseño propio que requiera bisección de ángulo. Colorea tu diseño.

TESELACIONES

Con frecuencia se usan patrones interesantes en pisos, papeles para pared y telas. Una **teselación** es un diseño en el cual copias congruentes de una figura llenan un plano de forma que ninguna figura se superponga, ni haya vacíos.

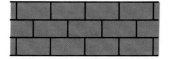 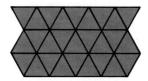  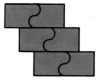

Puedes decidir si una figura teselará un plano colocando papel de calcar sobre la misma y calcándola repetidamente.

Trata de hacer una teselación para cada figura.

1.   **2.**   **3.**   **4.**   **5.**   **6.**   **7.**

paralelogramo   trapecio   cuadrilátero   triángulo escaleno   pentágono regular   hexágono regular   heptágono regular

8. ¿Cuáles de las figuras ilustradas arriba no se pueden usar para una teselación?

También se pueden combinar figuras para crear teselaciones.

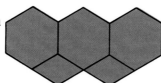

Para hacer un patrón original para una teselación, comienza con un paralelogramo. Haz cambios congruentes en dos o en cuatro lados.

 → → →

9. Crea una o más teselaciones usando combinaciones de figuras. Colorea tus teselaciones en forma interesante.

10. Crea una teselación usando un pátron original. Muestra cómo se formó tu patrón. Coloréalo.

11. Halla ejemplos de teselaciones en las obras del artista holandés M.C. Escher. Trae los ejemplos a clase para comentarlos.

DIAGONALES DE UN POLÍGONO

Los enunciados **FOR** y **NEXT** se usan
siempre juntos para crear un «loop» o
secuencia de órdenes que se repiten.

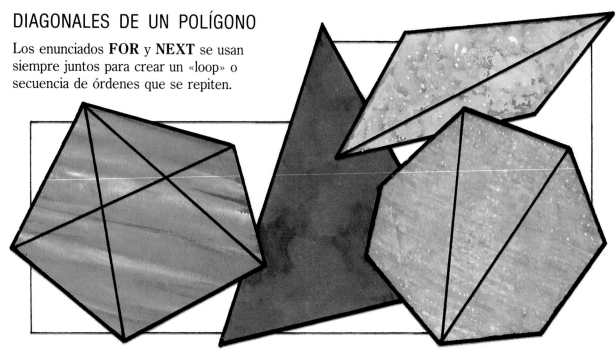

Ejemplo

```
10 FOR X = 1 TO 5
20 PRINT "HOLA"
30 NEXT X
```

⟵ a X se la asigna el valor 1.

⟵ X se aumenta por 1 y el loop se repite hasta que el valor
de X sea *mayor que* 5.

Salida

```
HOLA
HOLA
HOLA
HOLA
HOLA
```

El programa que aparece abajo usa enunciados FOR y NEXT
para hallar e imprimir el número de diagonales en polígonos de
3 lados, 4 lados, . . . , 12 lados. La **diagonal** de un polígono
es un segmento que une dos vértices no adyacentes.

PROGRAMA

Las comas hacen que la salida se imprima en
columnas o «zonas de impresión».

⟶

En un polígono de N lados hay N vértices y
N − 3 diagonales dibujadas desde cada
vértice. El producto de N por N − 3 cuenta
cada diagonal dos veces. Por lo tanto, la
fórmula para encontrar el número de
diagonales es

$$d = \frac{n \times (n - 3)}{2}$$

⟶

```
10 REM DIAGONALES DE UN POLÍGONO
20 PRINT "LADOS", "DIAGONALES"
30 FOR N = 3 TO 12
40 LET D = N * (N - 3)/2
50 PRINT N, D
60 NEXT N
70 END
```

Escribe la salida para cada programa.

1.
```
10 FOR A = 1 TO 8
20 PRINT A
30 NEXT A
40 END
```

2.
```
10 FOR I = 1 TO 4
20 PRINT "ADIOS"
30 NEXT I
40 END
```

3.
```
10 FOR B = 1 TO 6
20 PRINT B, B * B, B * B * B
30 NEXT B
40 END
```

4.
```
10 FOR K = 19 TO 24
20 PRINT "+-";
30 NEXT K
40 END
```

★ 5.
```
10 FOR S = 1 TO 5
20 PRINT 10 * S
30 NEXT S
40 END
```

★ 6.
```
10 FOR J = 1 TO 10
20 PRINT 11-J
30 NEXT J
40 END
```

Escribe un programa usando enunciados FOR y NEXT para imprimir los siguientes.

7. la palabra MATEMÁTICAS 25 veces

8. los números enteros del 7 al 19

★ 9. los números pares del 0 al 100

★ 10. los números impares del 49 al 67

CON LA COMPUTADORA

Ejecuta (RUN) cada programa y comprueba la salida.

1. para los números **7–10** mencionados arriba.

Escribe un programa para cada uno. Después ejecuta el programa y comprueba la salida.

2. Representa visualmente los cuadrados de los números del 1 al 30.

3. Imprime tu nombre 100 veces.

★ 4. Cuenta hacia atrás del 100 al 1.

★ 5. Halla la suma de los números del 1 al 10.
(Empieza con S = 0. Cada vez que atraviese el lazo, suma ese número a S.)

PERFECCIONAMIENTO DE DESTREZAS

Escoge la respuestas correctas. Escribe A, B, C ó D.

1. ¿Cuál es el promedio de 86, 72, 53, 27 y 32?

A 90   **C** 270

B 54   **D** no se da

2. Redondea 4.0864 a la centésima más cercana.

A 4.086   **C** 4.09

B 4.08   **D** no se da

3. $\begin{array}{r} 1.06 \\ \times\ 0.08 \\ \hline \end{array}$

A 0.848   **C** 8.48

B 1.48   **D** no se da

4. Completa. 6.5 kL = ____ L

A 6,500   **C** 6.5

B 0.0065   **D** no se da

5. ¿Cuál es el MCM de 18 y 12?

A 3   **C** 0

B 36   **D** no se da

6. ¿Cuál es la expresión mínima de $\frac{12}{32}$?

A $\frac{3}{8}$ **C** $\frac{1}{4}$

B $\frac{1}{2}$ **D** no se da

7. $9\frac{1}{3} - 8\frac{5}{7}$

A $1\frac{8}{21}$ **C** $\frac{13}{21}$

B $1\frac{13}{21}$ **D** no se da

8. $\begin{array}{r} 2\ \text{pies}\ 8\ \text{plg} \\ +\ 4\ \text{pies}\ 9\ \text{plg} \\ \hline \end{array}$

A 6 pies 5 plg   **C** 7 pies 17 plg

B 7 pies 5 plg   **D** no se da

9. $3\frac{3}{5} \div \frac{4}{15}$

A $13\frac{1}{2}$ **C** $1\frac{11}{25}$

B $14\frac{1}{2}$ **D** no se da

10. ¿Cuál es la medida de $\angle C$ en $\triangle ABC$ si m$\angle A$ = 65° y m$\angle B$ = 73°?

A 52°   **C** 138°

B 42°   **D** no se da

11. ¿Cómo se llama un polígono de 8 lados?

A octágono   **C** hexágono

B pentágono   **D** no se da

12. ¿Cuál es un radio del círculo?

A $\overline{BD}$ **C** $\overline{AC}$

B $\overline{BD}$ **D** no se da

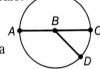

Usa esta tabla para contestar 13 y 14.

	L	M	M	J	V
Sam	3 mg	4 mg	6.2 mg	9.2 mg	13.5 mg
Ned	1.2 mg	2.1 mg	3.1 mg	5.9 mg	9.4 mg

13. Sam y Ned cultivaron cristales para la clase de ciencias. La tabla muestra el peso de los cristales cada día durante cinco días. ¿En qué día pesaron los cristales de Ned 0.5 veces tanto como los cristales de Sam?

A miércoles   **C** viernes

B lunes   **D** no se da

14. ¿Cuántas veces más grandes eran los cristales de Sam el viernes que el lunes?

A 3   **C** 4.5

B 10.5   **D** no se da

Tema: Las comunicaciones

Razones

La mayoría de los periódicos tiene una columna de cartas al editor. En *The New York Times,* se publican 1 de cada 21 cartas.

Una **razón** es un par de números que comparan dos cantidades.

La razón de cartas publicadas a cartas recibidas es 1 a 21.

Las razones pueden escribirse de tres formas.

- escribe   1 a 21 ó 1:21 ó $\frac{1}{21}$

- lee   uno a veintiuno

Los números 1 y 21 son los **términos** de la razón.

Una razón compara diferentes clases de cantidades.

La razón $\frac{\$.30}{1}$ ⟵ centavos
                       ⟵ número de periódicos

describe la relación \$.30 por periódico.

Las **razones iguales** hacen la misma comparación o describen la misma relación.

▶ Para hallar razones iguales, multiplica o divide ambos términos de la razón por el mismo número que no sea cero.

$$\frac{1}{21} = \frac{1 \times 2}{21 \times 2} = \frac{2}{42} \qquad\qquad \frac{16}{24} = \frac{16 \div 8}{24 \div 8} = \frac{2}{3}$$

$\frac{1}{21}$ y $\frac{2}{42}$ **son razones iguales.** $\frac{16}{24}$ y $\frac{2}{3}$ **son razones iguales.**

Las razones $\frac{1}{21}$ y $\frac{2}{3}$ están en su expresión mínima.

EL NUEVO IMPUESTO LE QUITA 6¢ DE CADA DÓLAR

Estimado Sr. Editor:
Tengo entendido que el nuevo impuesto ...

¿ AÑO ESCOLAR MÁS LARGO?

Al Editor:
  En nuestro estado los estudiantes asisten a clases durante 38 de las 52 semanas que hay en el año. Cuando el Sr. Jack Reynolds sugirió ...

TRABAJO EN CLASE

Hay 9 periódicos y 11 revistas. Escribe cada razón de tres formas.

1. periódicos a revistas
2. revistas a periódicos
3. periódicos a publicaciones en total
4. revistas a publicaciones en total

Escribe cada razón como fracción.

5. 6 a 7
6. 10:15
7. 12 de 15
8. 9:11

Escribe dos razones iguales para cada uno. Las respuestas varían.

9. 5:12
10. 6 a 8
11. 18:9
12. 1 de 4

Usa los dibujos para escribir cada razón de tres formas.

1. triángulos a cuadrados

2. cuadrados a triángulos

3. triángulos a todas las figuras

4. todas las figuras a cuadrados

Escribe una razón para cada uno.

5. 3 libros por $2.00	**6.** 55 millas por hora	**7.** 4 columnas por página
8. 2 pares por $25.00	**9.** 5 lb por $1.89	**10.** 8 sombreros a 5 abrigos
11. 5 entradas por $3.00	**12.** 45 letras en 1 línea	**13.** 10 estudiantes en cada grupo

Escribe cada razón como fracción.

14. 3:9	**15.** 7 de 35	**16.** 12 a 30	**17.** 25:90
18. 18 a 48	**19.** 15:200	**20.** 4 de 72	**21.** 36:120

Escribe dos razones iguales para cada uno.

22. 5:8	**23.** 4 a 9	**24.** 7 de 11	**25.** 6:10
26. 30 de 40	**27.** 13:26	**28.** 42 a 16	**29.** 18:1

APLICACIÓN

30. En el *Diario Central,* la razón de cartas publicadas a cartas recibidas es 2:16. Escribe esta razón en su expresión mínima.

★ **31.** Lee el comienzo de la carta al editor que discute alargar el año escolar. Si se añaden 2 semanas al año escolar, ¿cuál sería la razón de semanas escolares a semanas en el año? Escribe la razón en su expresión mínima.

RAZONAMIENTO LÓGICO

Usa los números dados para hacer razones iguales.

1. $\frac{\square}{\square} = \frac{\square}{\square}$ 3, 5, 9, 15

2. $\frac{\square}{\square} = \frac{\square}{\square}$ 1, 4, 16, 64

3. $\frac{\square}{\square} = \frac{\square}{\square}$ 2, 8, 12, 48

4. $\frac{\square}{\square} = \frac{\square}{\square}$ 1, 5, 5, 25

5. $\frac{\square}{\square} = \frac{\square}{\square}$ 20, 30, 40, 60

6. $\frac{\square}{\square} = \frac{\square}{\square}$ 9, 12, 30, 40

Proporciones

La televisión no ha reemplazado la radio. En Estados Unidos hay 12 radios por cada 6 personas. Esto quiere decir que hay 2 radios para cada persona.

La razón $\frac{12}{6}$ es igual a la razón $\frac{2}{1}$.   **Piensa** $\frac{12}{6} = \frac{12 \div 6}{6 \div 6} = \frac{2}{1}$

Una **proporción** es una oración que expresa que dos razones son iguales.

$\frac{12}{6} = \frac{2}{1}$ es una proporción.

• lee   12 es a 6 como 2 es a 1.

▶ En una proporción los productos cruzados de las razones son iguales.

Productos cruzados

 productos cruzados

$12 \times 1 = 6 \times 2$

$12 = 12$

Los productos cruzados son iguales, por lo tanto $\frac{12}{6} = \frac{2}{1}$ es una proporción.

¿Es $\frac{4}{32} = \frac{2}{16}$ una proporción?

4×16 ⬤ 2×32

$64 = 64$

Los productos cruzados son iguales. Por lo tanto las razones son iguales.

$\frac{4}{32} = \frac{2}{16}$ es una proporción.

¿Es $\frac{2}{3} = \frac{8}{9}$ una proporción?

2×9 ⬤ 3×8

$18 \neq 24$

Los productos cruzados no son iguales. Por lo tanto las razones *no* son iguales.

$\frac{2}{3} = \frac{8}{9}$ *no* es una proporción.

TRABAJO EN CLASE

Indica si cada uno es una proporción o no. Escribe *sí* o *no*.

1. $\frac{2}{3} = \frac{8}{12}$ 2. $\frac{12}{15} = \frac{4}{3}$ 3. $\frac{16}{6} = \frac{24}{9}$ 4. $\frac{6}{8} = \frac{9}{12}$ 5. $\frac{3}{8} = \frac{4}{10}$

Usa = o ≠ por cada ⬤ **.**

6. $\frac{5}{8}$ ⬤ $\frac{15}{24}$ 7. $\frac{3}{5}$ ⬤ $\frac{15}{20}$ 8. $\frac{5}{10}$ ⬤ $\frac{9}{18}$ 9. $\frac{15}{10}$ ⬤ $\frac{12}{8}$ 10. $\frac{5}{6}$ ⬤ $\frac{7}{8}$

Indica si cada uno es una proporción o no. Escribe *sí* o *no.*

1. $\dfrac{3}{10} = \dfrac{4}{40}$ 2. $\dfrac{3}{5} = \dfrac{1}{2}$ 3. $\dfrac{14}{16} = \dfrac{49}{56}$ 4. $\dfrac{24}{36} = \dfrac{2}{3}$ 5. $\dfrac{5}{12} = \dfrac{25}{72}$

6. $\dfrac{15}{16} = \dfrac{120}{128}$ 7. $\dfrac{2}{9} = \dfrac{27}{130}$ 8. $\dfrac{20}{5} = \dfrac{4}{1}$ 9. $\dfrac{12}{18} = \dfrac{56}{84}$ 10. $\dfrac{21}{75} = \dfrac{3}{5}$

11. $\dfrac{3.6}{1.2} = \dfrac{3}{1}$ 12. $\dfrac{0.1}{0.1} = \dfrac{2.4}{2.4}$ ★13. $\dfrac{1.2}{3.2} = \dfrac{3}{8}$ ★14. $\dfrac{0.9}{3} = \dfrac{5.4}{18}$ ★15. $\dfrac{1.5}{6.5} = \dfrac{5}{1.3}$

Usa = o ≠ para cada ⬤.

16. $\dfrac{1}{5}$ ⬤ $\dfrac{4}{20}$ 17. $\dfrac{3}{4}$ ⬤ $\dfrac{16}{20}$ 18. $\dfrac{45}{35}$ ⬤ $\dfrac{7}{5}$ 19. $\dfrac{5}{6}$ ⬤ $\dfrac{30}{34}$ 20. $\dfrac{3}{5}$ ⬤ $\dfrac{9}{16}$

21. $\dfrac{7}{10}$ ⬤ $\dfrac{28}{40}$ 22. $\dfrac{6}{9}$ ⬤ $\dfrac{18}{27}$ 23. $\dfrac{4}{5}$ ⬤ $\dfrac{20}{25}$ 24. $\dfrac{5}{2}$ ⬤ $\dfrac{50}{22}$ 25. $\dfrac{11}{3}$ ⬤ $\dfrac{44}{9}$

26. $\dfrac{24}{7}$ ⬤ $\dfrac{96}{28}$ ★27. $\dfrac{9}{4}$ ⬤ $\dfrac{108}{56}$ ★28. $\dfrac{56}{231}$ ⬤ $\dfrac{8}{33}$ ★29. $\dfrac{1.5}{4}$ ⬤ $\dfrac{4.5}{12}$ ★30. $\dfrac{4.2}{0.6}$ ⬤ $\dfrac{42}{60}$

APLICACIÓN

31. Una hora de programación en la radio usa 13 minutos para anuncios comerciales. Jorge dice que eso es igual a una razón de 1 a 5. ¿Tiene razón?

★32. Jorge hizo una encuesta en su clase e informó que, como promedio, cada familia tenía 5 radios. Si hubieran 28 estudiantes en la clase, cada uno de una familia diferente, ¿Qué razón expresa el número de radios a estudiantes?

LA CALCULADORA

Puedes usar la calculadora para saber si dos razones forman una proporción.

¿Es $\dfrac{15}{17} = \dfrac{75}{85}$ una proporción?   **Piensa**   Si $\dfrac{15}{17} = \dfrac{75}{85}$, entonces $15 \times 85 = 17 \times 75$ ó $\dfrac{15 \times 85}{17} = 75$.

Aprieta ⬚1⬚ ⬚5⬚ ⬚×⬚ ⬚8⬚ ⬚5⬚ ⬚÷⬚ ⬚1⬚ ⬚7⬚ ⬚=⬚   `75.`

Usa el método mencionado arriba para indicar si éstas son proporciones. Escribe *sí* o *no* para cada uno.

1. $\dfrac{21}{18} = \dfrac{189}{162}$ 2. $\dfrac{14}{25} = \dfrac{154}{300}$ 3. $\dfrac{15}{19} = \dfrac{180}{228}$ 4. $\dfrac{35}{43} = \dfrac{490}{602}$

5. $\dfrac{17}{39} = \dfrac{289}{663}$ 6. $\dfrac{23}{52} = \dfrac{414}{988}$ 7. $\dfrac{4.3}{9.6} = \dfrac{1.075}{2.4}$ 8. $\dfrac{0.81}{0.73} = \dfrac{2.025}{0.1825}$

Resolver proporciones

Cuando se marca un número telefónico, el teléfono suena una vez cada 5 segundos hasta que contestan. Si contestaron el teléfono después de 30 segundos, ¿cuántas veces pudo sonar?

Como la razón de timbres a segundos permanece igual, usa razones iguales para resolver el problema.

Escribe una proporción.

n = el número de timbres en 30 segundos.

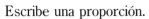
$$\begin{array}{l} \text{timbres} \longrightarrow \\ \text{segundos} \longrightarrow \end{array} \frac{1}{5} = \frac{n}{30}$$

El teléfono suena 6 veces en 30 segundos.

Usa productos cruzados para resolver la proporción.

$$\frac{1}{5} = \frac{n}{30}$$
$$1 \times 30 = 5 \times n$$
$$30 = 5n$$
$$\frac{30}{5} = \frac{5n}{5}$$
$$6 = n$$

▶ Algunas proporciones pueden resolverse con razones iguales.

$$\frac{n}{36} = \frac{5}{9}$$
$$\frac{n}{36} = \frac{5 \times 4}{9 \times 4}$$
$$n = 20$$

Más ejemplos

a. $\frac{3}{4} = \frac{21}{n}$

$3 \times n = 4 \times 21$

$3n = 84$

$\frac{3n}{3} = \frac{84}{3}$

$n = 28$

b. $\frac{n}{12} = \frac{5}{15}$

$n \times 15 = 12 \times 5$

$15n = 60$

$\frac{15n}{15} = \frac{60}{15}$

$n = 4$

c. $\frac{6}{n} = \frac{2}{0.8}$

$6 \times 0.8 = n \times 2$

$4.8 = 2n$

$\frac{4.8}{2} = \frac{2n}{2}$

$2.4 = n$

TRABAJO EN CLASE

Resuelve cada proporción.

1. $\frac{n}{9} = \frac{18}{27}$

2. $\frac{4}{5} = \frac{16}{n}$

3. $\frac{42}{48} = \frac{n}{8}$

4. $\frac{7}{35} = \frac{8}{n}$

5. $\frac{2}{n} = \frac{5}{20}$

PRÁCTICA

Resuelve cada proporción.

1. $\frac{3}{4} = \frac{n}{28}$ 2. $\frac{9}{15} = \frac{21}{n}$ 3. $\frac{11}{33} = \frac{n}{18}$ 4. $\frac{6}{24} = \frac{8}{n}$ 5. $\frac{n}{18} = \frac{3}{2}$

6. $\frac{3}{18} = \frac{11}{n}$ 7. $\frac{16}{20} = \frac{36}{n}$ 8. $\frac{n}{35} = \frac{4}{7}$ 9. $\frac{25}{40} = \frac{n}{8}$ 10. $\frac{45}{9} = \frac{20}{n}$

11. $\frac{7}{9} = \frac{n}{54}$ 12. $\frac{4}{100} = \frac{1}{n}$ 13. $\frac{n}{3} = \frac{100}{10}$ 14. $\frac{n}{9} = \frac{32}{144}$ 15. $\frac{7}{n} = \frac{8}{40}$

16. $\frac{n}{3} = \frac{8}{48}$ 17. $\frac{8}{16} = \frac{n}{10}$ 18. $\frac{600}{3,000} = \frac{n}{20}$ 19. $\frac{8}{32} = \frac{n}{20}$ 20. $\frac{10}{n} = \frac{24}{9}$

21. $\frac{n}{3} = \frac{3}{9}$ 22. $\frac{2}{n} = \frac{14}{35}$ 23. $\frac{8}{28} = \frac{n}{0.7}$ 24. $\frac{3}{n} = \frac{14}{2.8}$ 25. $\frac{6}{15} = \frac{2.4}{n}$

26. $\frac{130}{50} = \frac{n}{2.5}$ ★27. $\frac{2.4}{n} = \frac{2}{0.3}$ ★28. $\frac{n}{5.6} = \frac{0.5}{14}$ ★29. $\frac{1.1}{6} = \frac{5.5}{n}$ ★30. $\frac{5.2}{n} = \frac{1.3}{1.6}$

Resuelve.

★31. Escribe una proporción para estos productos cruzados: $12 \times n = 8 \times 18$.

★32. Cada producto cruzado de una proporción es 48. Una razón es 6:16. ¿Cuál es la otra razón?

APLICACIÓN

Escribe y resuelve una proporción para cada uno.

33. Algunos negocios tienen teléfonos nuevos que producen 2 timbres cortos cada 5 segundos cuando hay una llamada de afuera. ¿Cuántos timbres se pueden contar en 35 segundos?

★34. Dos teléfonos de oficina comienzan a sonar al mismo tiempo. Uno suena una vez cada 5 segundos para indicar que hay una llamada interna. El otro suena dos veces cada 5 segundos para indicar que hay una llamada de afuera. ¿Cuántos timbres se oyeron después de 30 segundos?

ESTIMAR

Puedes usar una estimación para comprobar la solución de una proporción.

Usa productos cruzados para resolver.

$$\frac{2}{5} = \frac{n}{21}$$
$$2 \times 21 = 5 \times n$$
$$42 = 5n$$
$$8.4 = n$$

Estima para comprobar.

$$\frac{n}{21} = \frac{2}{5}$$

21 es aproximadamente 5×4. Por lo tanto n debe ser aproximadamente $2 \times 4 = 8$. La respuesta 8.4 tiene sentido, porque es aproximadamente 8.

Resuelve cada proporción. Después estima para asegurarte de que la respuesta tiene sentido.

1. $\frac{3}{8} = \frac{n}{25}$ 2. $\frac{5}{6} = \frac{32}{n}$ 3. $\frac{3}{2} = \frac{n}{21}$ 4. $\frac{n}{10} = \frac{7}{3}$ 5. $\frac{17}{n} = \frac{3}{4}$

Dibujo a escala

Un **dibujo a escala** es un dibujo agrandado o reducido de un objeto real. La **escala** es la razón de las distancias en el dibujo a las distancias verdaderas.

Usa este dibujo a escala para hallar el largo verdadero de la sala.

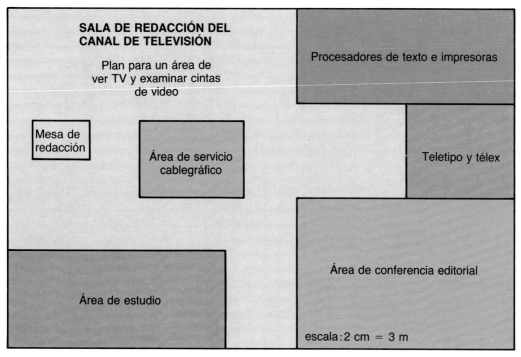

SALA DE REDACCIÓN DEL
CANAL DE TELEVISIÓN

Plan para un área de
ver TV y examinar cintas
de video

Procesadores de texto e impresoras

Mesa de
redacción

Área de servicio
cablegráfico

Teletipo y télex

Área de conferencia editorial

Área de estudio

escala:2 cm = 3 m

El dibujo usa una escala de 2 cm:3 m. Cada 2 cm en el dibujo representan 3 m de la sala de redacción. Para calcular el largo verdadero de la sala, usa una proporción.

$$\frac{2}{3} = \frac{14}{n} \quad \leftarrow \text{largo del dibujo}$$
$$\leftarrow \text{largo verdadero}$$
$$2 \times n = 3 \times 14$$
$$2n = 42$$
$$n = 21 \quad \text{La sala de redacción tiene 21 m de largo.}$$

Otro ejemplo

¿Cuál es el ancho verdadero del área de estudio?

$$\frac{2}{3} = \frac{2.5}{n} \quad \leftarrow \text{ancho del dibujo}$$
$$\leftarrow \text{ancho verdadero}$$
$$2 \times n = 3 \times 2.5$$
$$2n = 7.5$$
$$n = 3.75 \quad \text{El ancho verdadero del estudio es 3.75 m.}$$

TRABAJO EN CLASE

Completa.

1. escala 1 cm:15 m
dibujo: 4 cm
tamaño real _____

2. escala 1 cm:4.5 km
dibujo: 6 cm
tamaño real _____

3. escala 1 cm:1 m
dibujo: 7.2 cm
tamaño real _____

Completa.

1. escala: 1 cm:3 km
dibujo: 6 cm
tamaño real _____

2. escala: 1 cm:4.5 km
dibujo: 3 cm
tamaño real _____

3. escala: 4 cm:3 m
dibujo: 20 cm
tamaño real _____

4. escala: 1 cm:1 m
dibujo: 5.5 cm
tamaño real _____

5. escala: 5 mm:10 m
dibujo: 15 mm
tamaño real _____

6. escala: 2 cm:5 km
dibujo: 5 cm
tamaño real _____

7. escala: 5 cm:120 km
dibujo: 25 cm
tamaño real _____

8. escala: 3 cm:35 m
dibujo: 10.5 cm
tamaño real _____

9. escala: 2 cm:1 km
dibujo: 17 cm
tamaño real _____

Copia y completa esta tabla. Usa una regla en centímetros para medir cada tamaño en el dibujo a escala de la sala de redacción. Después usa una proporción para calcular los tamaños verdaderos.

		TAMAÑOS EN EL DIBUJO		TAMAÑO VERDADERO	
	Sección	Largo	Ancho	Largo	Ancho
10.	Conferencia editorial				
11.	Teletipo y télex				
12.	Procesadores de texto e impresoras				
13.	Servicio cablegráfico				
14.	Mesa de redacción				

APLICACIÓN

Jack trabaja en la estación de televisión. Para ir de su casa en Union a su oficina en Riverton, toma la ruta 17 hasta la carretera 24. Después toma la ruta 30 hasta Riverton.

15. ¿Qué distancia viaja Jack en la Ruta 17?

16. ¿Cuántos kilómetros viaja Jack desde su casa hasta su oficina?

★**17.** Si hubiera una carretera en línea recta desde Union hasta Riverton ¿cuántos kilómetros menos viajaría Jack en cada viaje?

★**18.** Parte del trabajo de Jack es planear un área nueva en la sala de redacción para ver TV y examinar cintas de video. Esta área tendrá 11.1 m de largo y 2.25 m de ancho. ¿Cuál será el largo y el ancho del área en el dibujo?

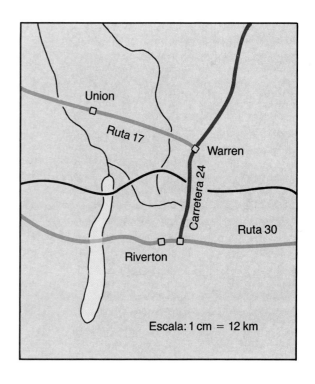

Union

Ruta 17

Warren

Carretera 24

Ruta 30

Riverton

Escala: 1 cm = 12 km

Precio por unidad

Joyce y sus amigos publican una revista llamada *CompuJuegos* 3 veces al año. Cobran $1.25 al año por subscripción. ¿Cuánto cuesta cada revista?

Halla el **precio por unidad** de la revista.

► El precio por unidad de un artículo es una razón: *precio* por *unidad de medida*.

Para hallar el precio por unidad puedes usar una proporción.

Paso 1

Escribe las cantidades como razón.

$\dfrac{\$1.25}{3}$ precio
   ←— unidades

Paso 2

Escribe una proporción. Usa 1 para el número de unidades en la segunda razón.

$\dfrac{\$1.25}{3} = \dfrac{n}{1}$

Paso 3

Resuelve la proporción.

$\$1.25 \times 1 = 3 \times n$
$\$1.25 = 3n$
$\$.416 = n$
$\$.42 = n$ redondeado al centavo más cercano

Un ejemplar de *CompuJuegos* cuesta $.42.

► Para hallar la mejor compra entre artículos, compara los precios por unidad.

¿Cuál es la mejor compra: una caja con 5 resmas de papel por $48 ó una caja con 12 resmas por $113.40?

Halla el precio por unidad de cada una.

5 resmas por $48

$\dfrac{48}{5} = \dfrac{n}{1}$ ←— precio
   ←— unidades
$\$48 \times 1 = 5 \times n$
$\$48 = 5n$
$\$9.60 = n$

12 resmas por $113.40

$\dfrac{\$113.40}{12} = \dfrac{n}{1}$
$\$113.40 \times 1 = 12 \times n$
$\$113.40 = 12n$
$\$9.45 = n$

El precio por unidad de 5 resmas de papel es $9.60 por resma.
El precio por unidad de 12 resmas de papel es $9.45 por resma.
La caja de 12 resmas es la mejor compra.

TRABAJO EN CLASE

Halla el precio por unidad de cada uno.

1. 13 revistas por $7.02

2. 12 meses por $132

3. 7 latas por $2.45

4. 4 sillas por $99

5. 12 naranjas por $4.50

6. 20 horas por $71

PRÁCTICA

Calcula cada precio por unidad al centavo más cercano.

1. 1 docena de donuts por $2.88
2. 52 semanas de *TVGuía* por $15.08
3. bolsa de 4 raciones por $1.28
4. 12 barras de granola por $4.45
5. 2 ct de jugo por $1.89
6. 3 barras de jabón por $1.29
7. 4 ct de detergente por $1.99
8. 48 latas por $11.40
9. 2 toronjas por $.89
10. 3 lb de papas por $.98

Completa. Halla cada precio por unidad al centavo más cercano.

★ **11.** 0.25 lb por $1.79
1 lb por _____

★ **12.** 0.45 lb por $2.25
1 lb por _____

★ **13.** 2.5 lb por $1.25
1 oz por _____

APLICACIÓN

¿Cuál es la mejor compra?

14. arroz
    a. 3 lb por $2.79
    b. 2 lb por $1.89

15. galletas
    a. 8 oz por $1.09
    b. 12 oz por $1.59

16. detergente
    a. 24 oz por $2.49
    b. 64 oz por $5.29

17. sopa enlatada
    a. 11 oz por $.31
    b. 18 oz por $.40

18. líquido de lavar platos
    a. 32 oz por $2.09
    b. 22 oz por $1.65

19. bolsas de papel
    a. 25 por $1.00
    b. 48 por $2.40

20. mantequilla de cacahuate
    a. 18 oz por $1.89
    b. 28 oz por $2.69

21. jamón
    a. 8 lb por $6.32
    b. 12 lb por $8.79

22. papel de aluminio
    a. 50 pies por $2.79
    b. 75 pies por $3.47

★ 23. ejotes
    a. 2 lb 8 oz por $2.09
    b. 3 lb 12 oz por $3.48

★ 24. leche
    a. 1 gal por $1.97
    b. 32 oz por $.63

★ 25. papas
    a. 5 lb por $2.59
    b. 9 oz por $.38

ESTIMACIÓN

Estima el precio por unidad de cada artículo.

4.1 lb por $1.95   **Piensa**   4 lb por $2.00
1 lb por $.50

1. 2.9 lb por $5.85
2. 6 latas por $2.69
3. 3 pares por $5.75
4. 9 ct por $5.29
5. 8 manzanas por $.79
6. 7 h por $26.95
7. 4 peras por $.99
8. 11 cajas por $14.75
9. 9 docenas por $40.16

Figuras semejantes

Mario diseñó esta invitación e hizo que *Copiarápida* hiciera copias reducidas de 15 cm de largo cada una. ¿Cabrá una copia en un sobre de16 cm de largo y 8 cm de altura?

La invitación y la copia son **figuras semejantes.**

Las figuras semejantes tienen la misma forma.

▶ Cuando dos figuras son semejantes, las razones de las longitudes de los lados correspondientes son iguales. Es decir, los lados correspondientes están en proporción.

Usa este dato para hallar la altura de la copia.

Escribe la proporción.

Resuelve la proporción. $25 \times n = 15 \times 20$

$$25n = 300$$

$$n = 12$$

La copia tiene 12 cm de altura. *No* cabrá dentro de un sobre de 8 cm de altura.

Cuando dos triángulos son semejantes, los ángulos correspondientes son congruentes y los lados correspondientes están en proporción.

△ABC y △*DEF* son semejantes.

Halla la longitud de $\overline{AC}$.

$\overline{AC}$ corresponde a $\overline{DF}$. $\overline{BC}$ corresponde a $\overline{EF}$.

Los lados correspondientes de figuras semejantes están en proporción.

$$\frac{AC}{DF} = \frac{BC}{EF}$$

$$\frac{n}{5} = \frac{36}{12}$$

$$12n = 180$$

$$n = 15$$ El largo de $\overline{AC}$ es 15 cm.

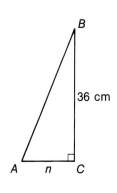

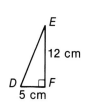

Trabajo en clase

ABCD es semejante a *PQRS*. Completa.

1. $\overline{AB}$ corresponde a _____.

2. $\overline{QR}$ corresponde a _____.

3. El largo de $\overline{AD}$ es _____.

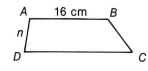

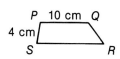

288

PRÁCTICA

ABCD es semejante a LMNO. Completa.

1. $\overline{AB}$ corresponde a _____.

2. $\overline{CD}$ corresponde a _____.

3. $\overline{LO}$ corresponde a _____.

4. El largo de $\overline{AD}$ es _____.

5. El Largo de $\overline{NM}$ es _____.

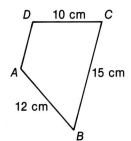
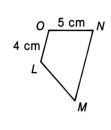

Cada par de figuras es semejante. Halla el largo _n_ en cada uno.

6.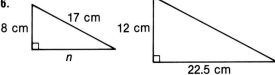

7.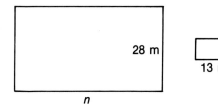

8.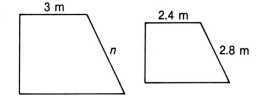

9.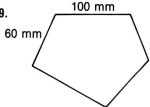

10.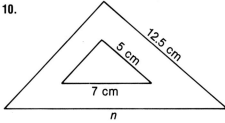

★11.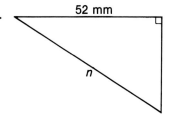

APLICACIÓN

12. Una fotografía de 10 cm de altura y 16 cm de ancho se reduce para ser usada en un libro. La fotografía reducida debe ser de 8 cm de ancho. ¿Qué altura tendrá?

★13. Una máquina de fotocopiar reduce la copia a $\frac{9}{10}$ del original. Si una fotografía que mide 12 cm × 8 cm se copia con ese ajuste, ¿qué espacio ocupará la nueva copia?

289

Problemas para resolver

RESOLVER UN PROBLEMA MÁS SIMPLE

Algunos problemas son complicados porque tienen números grandes o varias partes. Para planear una solución piensa en un problema más sencillo, con números reducidos o menos partes.

1. Una oficina de correos procesó 3,103,968 piezas de correspondencia en una semana. Hay 168 horas en una semana. ¿Cuál fue el promedio de piezas cada hora?

¿Cuál fue el promedio de piezas de correspondencia procesadas cada hora?

3,103,968 piezas por semana   168 horas en una semana

Resuelve un problema más simple. Reduce números.

Reemplaza 3,103,968 por 30. Reemplaza 168 por 10. Plantea de nuevo el problema: Si se procesan 30 piezas de correspondencia en 10 horas, ¿cuántas se procesan cada hora?

Claramente el problema se puede resolver con división.
$30 \div 10 = 3$

Usa esta operación para resolver el problema original.

$3,103,968 \div 168 = 18,476$

El promedio de piezas de correspondencia procesadas cada hora es 18,476.

¿Tiene sentido esta respuesta?

Comprueba multiplicando: $18,476 \times 168 = 3,103,968$.

2. Hay juegos que siempre puedes ganar si conoces una estrategia. Halla la estrategia de este juego.

Reglas

- Dos jugadores se turnan dibujando líneas para conectar 2 puntos.

- No se pueden dibujar líneas diagonales.

- Sólo se puede conectar un punto a otro.

- El jugador que dibuja la última línea de conexión gana.

Prueba el juego con solamente 4 puntos. El segundo jugador es siempre el ganador.

Prueba 6 puntos y después 8. ¿Ves un patrón? ¿Debes ir primero o segundo para ganar el juego original?

Usa un problema más simple para resolver cada uno.

1. Un actor parece tener 12 plg de alto en una pantalla de televisión. La razón de la altura en la imagen a la altura verdadera del actor es 4:23. ¿Cuánto mide el actor?

2. El Sr. Johnson estimó que había repartido la correspondencia por 48,000 horas durante su carrera. Hay 1,920 horas de trabajo en un año. ¿Cuántos años repartió la correspondencia el Sr. Johnson?

3. El director de transporte de una ciudad grande quiere poner un semáforo en cada intersección de la ciudad. Hay 769 calles que van de este a oeste y 184 calles de norte a sur que se cruzan. ¿Cuántos semáforos necesita?

4. En una ciudad hay 57,800 casas con teléfonos. Entre éstas, 0.16 tienen teléfonos fabricados por Bestphone. De las que los tienen, 1 de cada 8 tiene 2 teléfonos. ¿Cuántas casas tienen 2 teléfonos de Bestphone?

5. Diez ciudades tienen equipos de Fútbol Continental del Sur. Cada año los equipos de cada ciudad deben tener una línea de teléfono directa a cada una de las otras ciudades para reclutar jugadores. ¿Cuántas líneas directas tienen que instalar para conectar las ciudades?

6. En julio, los camiones del correo usaron 21,875 galones de gasolina regular sin plomo y 15,281 galones de gasolina regular con plomo. Los camiones promediaron 12.5 millas por galón. ¿Cuántas millas recorrieron los camiones en julio?

★ 7. Los trabajadores están probando las luces en las 50 oficinas de un edificio nuevo de telecomunicaciones. Comienzan conectando todos los interruptores. A la hora desconectan todos los interruptores en todas las oficinas con número par (2, 4, 6 . . . 50). Después de otra hora invierten la posición de los interruptores en cada oficina cuyo número es divisible por 3. (Es decir, si el interruptor está conectado, lo desconectan; si está desconectado, lo conectan.) Después de otra hora invierten la posición de los interruptores en cada oficina cuyo número es divisible por 4. Si continúan en esta manera, ¿cuáles oficinas tendrán las luces encendidas después de 50 horas?

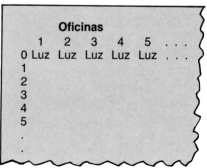

Haz una tabla como la que aparece a la derecha. Comienza con 10 oficinas. ¿Qué luces están encendidas después de 10 horas? ¿Ves un patrón en las respuestas? Si no, añade más oficinas y más horas a la tabla hasta que encuentres un patrón.

═══ CREA TU PROPIO PROBLEMA ═══

La Compañía Mensajera Veloz vendió su camión de 1976 por $1,200. El odómetro mostraba 207,000 millas. Escribe un problema sobre el camión.

Razones y por cientos

Lilah Shea es una reportera del periódico *El Mundo*. Usa una computadora portátil para transmitir reportajes a la oficina central. Un modem envía los mensajes a través de las líneas telefónicas a la computadora de la oficina. Un 35% de los reporteros del periódico *El Mundo* transmiten sus reportajes de esta forma desde la escena del hecho.

Una razón cuyo segundo término es 100 es un **por ciento. Por ciento** quiere decir **por cien.** El símbolo de por ciento es **%.**

En el ejemplo anterior, 35% quiere decir que la razón de reporteros que usan computadoras portátiles al número total de reporteros es 35 a 100, ó $\frac{35}{100}$. O sea que 35 de cada 100 reporteros transmiten reportajes de esta forma.

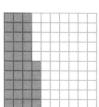 razón: $\frac{35}{100}$

por ciento: 35%

 razón: $\frac{4}{100}$

por ciento: 4%

 razón: $\frac{100}{100}$

por ciento: 100%

▶ Para escribir un por ciento como razón, divide por 100. $3\% = \frac{3}{100}$.

▶ Para escribir una razón como por ciento, halla una razón igual con un segundo término de 100.

Escribe $\frac{3}{4}$ como por ciento.

$$\frac{3}{4} = \frac{n}{100}$$

$$\frac{3 \times 25}{4 \times 25} = \frac{75}{100}$$

$$\frac{3}{4} = \frac{75}{100} = 75\%$$

Escribe $\frac{9}{50}$ como por ciento.

$$\frac{9}{50} = \frac{n}{100}$$

$$\frac{9 \times 2}{50 \times 2} = \frac{18}{100}$$

$$\frac{9}{50} = \frac{18}{100} = 18\%$$

Escribe $\frac{6}{200}$ como por ciento

$$\frac{6}{200} = \frac{n}{100}$$

$$\frac{6 \div 2}{200 \div 2} = \frac{3}{100}$$

$$\frac{6}{200} = \frac{3}{100} = 3\%$$

TRABAJO EN CLASE

Escribe cada por ciento como razón.

1. 15%   **2.** 24%   **3.** 41%   **4.** 125%   **5.** 2%   **6.** 5.25%

Escribe cada razón como por ciento.

7. $\frac{13}{100}$ **8.** 6:100   **9.** $\frac{16.6}{100}$ **10.** $\frac{1}{2}$ **11.** $\frac{4}{5}$ **12.** $\frac{7}{25}$

PRÁCTICA

¿Qué por ciento de cada uno está sombreado?

1. 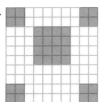 **2.** 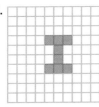 **3.** 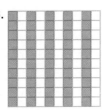 **4.**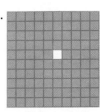

Escribe cada por ciento como razón.

5. 25% **6.** 31% **7.** 7% **8.** 1% **9.** 100% **10.** 6.5%

Escribe cada razón como por ciento.

11. 9 de 100 **12.** 21 de 100 **13.** 99 por 100 **14.** 72:100 **15.** 1:100

16. $\frac{2}{100}$ **17.** $\frac{19}{100}$ **18.** $\frac{71}{100}$ **19.** $\frac{90}{100}$ **20.** $\frac{85}{100}$

21. $\frac{1}{4}$ **22.** $\frac{4}{5}$ **23.** $\frac{7}{10}$ **24.** $\frac{13}{20}$ **25.** $\frac{4}{25}$

26. $\frac{1}{2}$ **27.** $\frac{1}{5}$ **28.** $\frac{3}{10}$ **29.** $\frac{7}{20}$ **30.** $\frac{21}{25}$

31. $\frac{8}{10}$ **32.** $\frac{8}{200}$ **33.** $\frac{700}{1,000}$ **34.** $\frac{16}{20}$ **35.** $\frac{9}{25}$

36. $\frac{10}{500}$ **37.** $\frac{950}{1,000}$ ★ **38.** $\frac{2}{400}$ ★ **39.** $\frac{1}{1,000}$ ★ **40.** $\frac{1}{200}$

APLICACIÓN

41. Hace algunos años, solamente 2% de los reporteros del periódico *El Mundo* usaba computadoras. Escribe este por ciento como razón.

42. Tres de cada 5 páginas del periódico están compuestas de anuncios. ¿Qué por ciento del periódico es anuncios?

RAZONAMIENTO VISUAL

¿Qué por ciento de cada uno está sombreado?

1. 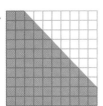 **2.** 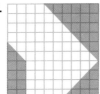 **3.**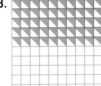

Decimales y por cientos

De cada 100 libros vendidos en Estados Unidos, 25 son libros escolares.

25% de los libros vendidos son libros escolares.

25% puede escribirse como decimal.

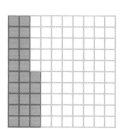

25 centésimas están sombreadas

25 centésimas = 0.25

0.25 = 25%

▶ Para escribir un por ciento en forma decimal, mueve el punto decimal 2 posiciones a la izquierda.

▶ Para escribir un decimal como por ciento, mueve el punto decimal 2 posiciones a la derecha.

18.% = 0.18   ⟳4.% = 0.04   0.15 = 15%   0.9⟳ = 90%

62.5% = 0.625 $5\frac{1}{2}$% = ⟳5.5% = 0.055   0.08 = 8%   0.0525 = 5.25%, ó $5\frac{1}{4}$%

Trabajo en clase

Escribe cada por ciento en forma decimal.

1. 16%   **2.** 35%   **3.** 7%   **4.** 90%   **5.** 14.5%   **6.** $6\frac{3}{4}$%

Escribe cada decimal como por ciento.

7. 0.29   **8.** 0.125   **9.** 0.04   **10.** 0.8   **11.** 0.085   **12.** 0.6

PRÁCTICA

Escribe cada por ciento en forma decimal.

1. 33%   **2.** 1%   **3.** 25%   **4.** 16.2%

5. 20.5%   **6.** 98%   **7.** 13.9%   **8.** 6%

9. $10\frac{1}{2}$%   **10.** 40%   **11.** 4.5%   **12.** $8\frac{1}{4}$%

13. $57\frac{3}{4}$% **14.** 9.7% **15.** 1% **16.** 99.9%

Escribe cada decimal como por ciento.

17. 0.84   **18.** 0.7   **19.** 0.03   **20.** 0.35

21. 0.08   **22.** 1.00   **23.** 0.8   **24.** 0.087

25. 0.57   **26.** 0.525   **27.** 0.625   **28.** 0.035

Sigue la regla para hallar cada número que falta.

Regla: La entrada y la salida son equivalentes.

	Entrada decimal	Salida por ciento
29.	0.087	
20.	0.578	
31.		3.5%
32.		7%

	Entrada por ciento	Salida decimal
33.	19.3%	
34.	66.6%	
35.		0.1925
36.		0.5

Compara. Usa >, < ó = para cada ⬤.

37. 7.25% ⬤ 0.725   **38.** 1.5% ⬤ 1.5

39. 0.7 ⬤ 70%   **40.** 5% ⬤ 0.50

41. 60% ⬤ 0.06   **42.** 3.5% ⬤ 0.035

APLICACIÓN

43. La *Librería Browsers* informa que un 30% de sus ventas son libros de ciencia ficción. ¿Cuál es el decimal equivalente?

44. El verano pasado, Terry y Pete hicieron una venta de libros de bolsillo. Vendieron 95 de los 100 libros. ¿Qué por ciento de los libros vendieron? ¿Qué por ciento *no* vendieron? Escribe cada por ciento en forma decimal.

★ **45.** En un vuelo a California, Marta leyó 86 páginas de un libro de 200 páginas. ¿Qué por ciento del libro no ha leído?

Práctica mixta

1. $3\frac{1}{6} + 2\frac{3}{8}$

2. $\frac{3}{4} + 2\frac{2}{3} + \frac{1}{2}$

3. $23\frac{9}{10} - 12$

4. $6 - 2\frac{3}{7}$

5. $9\frac{1}{3} - 4\frac{3}{5}$

6. $6 \times \frac{5}{6}$

7. $\frac{5}{8} \times \frac{7}{10} \times \frac{4}{7}$

8. $4 \div \frac{2}{5}$

9. $2\frac{1}{3} \div 1\frac{1}{4}$

10. $1.58 + 17.9 + 6$

11. 21×0.06

12. 16.4×0.8

13. $32\overline{)536.96}$

14. $0.4\overline{)29.8}$

15. $1.8\overline{)0.0117}$

Halla *n.*

16.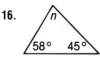

17.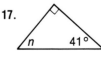

18.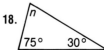

295

Razones, decimales y por cientos

Para prepararse para un debate, Bárbara hizo una encuesta en su clase. 56% de los estudiantes considera que el gimnasio debe estar abierto para recreación durante los fines de semana. Escribe el por ciento como decimal y como razón.

▶ Un por ciento puede expresarse como decimal y como razón en su expresión mínima.

$$56\% = 0.56 \qquad 56\% = \frac{56}{100} \div \frac{4}{4} = \frac{14}{25}$$

0.56 ó 14 de 25 favorecieron abrir el gimnasio los fines de semana.

▶ Una razón puede expresarse como decimal y como por ciento. Usa uno de los siguientes métodos.

Usa razones iguales.	Usa productos cruzados.	Usa división.

Usa razones iguales.

$$\frac{3}{5} = \frac{3 \times 20}{5 \times 20} = \frac{60}{100}$$
$$\frac{60}{100} = 0.60$$
$$\frac{60}{100} = 60\%$$

Usa productos cruzados.

$$\frac{5}{8} = \frac{n}{100}$$
$$5 \times 100 = 8 \times n$$
$$500 = 8n$$
$$62.5 = n$$
$$\frac{62.5}{100} = 62.5\%$$

$$62.5\% = 0.625$$

Usa división.

$$\frac{2}{3} = 3\overline{)2.000}$$

$$\begin{array}{r} 0.666 \\ 3\overline{)2.000} \\ \underline{1\ 8} \\ 20 \\ \underline{18} \\ 20 \\ \underline{18} \\ 2 \end{array}$$

Piensa
El cociente puede escribirse como decimal periódico 0.66$\overline{6}$ ó como 0.66$\frac{2}{3}$.

$$\frac{2}{3} = 0.66\overline{6},\ \text{ó } 0.66\frac{2}{3}$$
$$0.66\overline{6} = 66.\overline{6}\%,\ \text{ó } 66\frac{2}{3}\%$$

Más ejemplos

a. $\frac{1}{20} = \frac{1 \times 5}{20 \times 5} = \frac{5}{100}$
    $= 0.05 = 5\%$

b. $0.18 = 18\%$
    $= \frac{18}{100} = \frac{9}{50}$

c. $72.5\% = 0.725$
    $= \frac{725}{1,000} = \frac{29}{40}$

TRABAJO EN CLASE

Escribe cada razón como decimal y como por ciento.

1. $\frac{6}{10}$ **2.** $\frac{5}{6}$ **3.** $\frac{1}{8}$ **4.** $\frac{19}{50}$ **5.** $\frac{29}{200}$ **6.** $\frac{17}{20}$

Escribe cada por ciento como razón en su expresión minima.

7. 75%   **8.** 80%   **9.** 45%   **10.** 21%   **11.** 24%   **12.** 62.5%

Escribe cada razón como decimal y como por ciento.

1. $\frac{28}{100}$ **2.** $\frac{12.6}{100}$ **3.** $\frac{11}{100}$ **4.** $\frac{7}{100}$ **5.** $\frac{1}{5}$ **6.** $\frac{3}{8}$

7. $\frac{4}{5}$ **8.** $\frac{3}{10}$ **9.** $\frac{7}{20}$ **10.** $\frac{19}{20}$ **11.** $\frac{5}{8}$ **12.** $\frac{11}{40}$

13. $\frac{3}{25}$ **14.** $\frac{195}{1,000}$ **15.** $\frac{1}{6}$ **16.** $\frac{54}{200}$ **17.** $\frac{3}{4}$ **18.** $\frac{125}{1,000}$

Escribe cada por ciento como razón en su expresión mínima.

19. 25%   **20.** 90%   **21.** 60%   **22.** 42%   **23.** 88%   **24.** 4%

25. 31%   **26.** 15%   **27.** 65%   **28.** 18%   **29.** 84%   ★**30.** $5\frac{1}{4}$%

Copia y completa.

	Razón	Decimal	Por ciento
31.			40%
32.		0.02	
33.	$\frac{17}{1000}$		
34.		0.19	
35.	$\frac{1}{1}$		

	Razón	Decimal	Por ciento
36.			34%
37.		0.08	
38.			7.7%
39.	$\frac{7}{8}$		
40.		0.121	

APLICACIÓN

41. Durante el debate, Barbara tomó 8 minutos para presentar su opinión, 3 minutos para refutar la opinión opuesta y 5 minutos para resumir. ¿Qué por ciento del tiempo pasó resumiendo?

★**42.** Durante un debate de una hora, cada uno de dos candidatos contestó 8 preguntas. Cada respuesta tomó 3 minutos. A cada candidato también se le dio 2 minutos para una conclusión. ¿Qué por ciento de la hora habló cada candidato?

===== LA CALCULADORA =====

Usa una calculadora para cambiar cada razón a por ciento.
Redondea cada por ciento a la décima más cercana.

Ejemplo $\frac{15}{89}$ Aprieta $\boxed{0.1685393}$ ≈ 16.9%

1. $\frac{13}{29}$ **2.** $\frac{214}{534}$ **3.** $\frac{327}{814}$ **4.** $\frac{358}{1,167}$ **5.** $\frac{28}{1,353}$ **6.** $\frac{108}{2,000}$

Más por cientos

La gráfica muestra cómo una compañía de automóviles planea gastar su presupuesto de publicidad el año que viene. Escribe el por ciento de dólares gastados en revistas agrícolas como decimal y como razón en su expresión mínima.

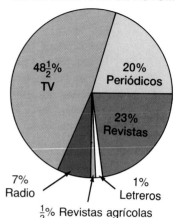

PRESUPUESTO DE PUBLICIDAD DE LA COMPAÑÍA DE AUTOMÓVILES

$\frac{1}{2}$% de la cantidad gastada en publicidad se gasta en anuncios en revistas agrícolas.

$\frac{1}{2}$% = 0.5% = 0.005

$\frac{1}{2}$%

$0.005 = \frac{5}{1,000} = \frac{1}{200}$

La compañía gasta $\frac{1}{2}$% ó 0.005 ó $\frac{1}{200}$ de su presupuesto de publicidad en anuncios en revistas agrícolas.

El año pasado, la compañía gastó 150% del presupuesto asignado para anuncios en la radio. Gastaron más del presupuesto determinado. Escribe el por ciento como decimal y como razón en su expresión mínima.

150% = 1.50 $150\% = \frac{150}{100} = \frac{3}{2}$

150%

▶ Para trabajar con por cientos menores de 1 ó mayores de 100, sigue las mismas reglas usadas para por cientos entre 1 y 100.

Más ejemplos

a. 3 cajas entre 10,000

$\frac{3}{10,000} = 0.0003$

0.0003 = 0.03%

b. $2 ganados por cada $1 ahorrado

$\frac{2}{1} = 2.00 = 200\%$

c. baja de $\frac{3}{4}$% en la tasa de interés

$\frac{3}{4} \rightarrow 4\overline{)3.00}$, 0.75

$\frac{3}{4}\% = 0.75\%$

0.75% = 0.0075

TRABAJO EN CLASE

Escribe cada por ciento como decimal.

1. 112%   **2.** 0.8%   **3.** $\frac{1}{4}$%   **4.** 250%   **5.** $\frac{1}{5}$%   **6.** $\frac{4}{10}$%

Escribe cada decimal o razón como por ciento.

7. 0.2   **8.** 0.05   **9.** 0.125   **10.** 2.3   **11.** 5.25   **12.** 3.0

13. $\frac{150}{100}$ **14.** $\frac{0.3}{100}$ **15.** $\frac{6.5}{100}$ **16.** $\frac{4}{1}$ **17.** $\frac{5}{4}$ **18.** $\frac{18}{10}$

Escribe cada por ciento como decimal.

1. 170% **2.** 0.3% **3.** $\frac{3}{4}$% **4.** 400% **5.** $\frac{4}{5}$% **6.** $\frac{1}{10}$%

7. aumento de 0.6% en costos

8. disminución de 200% en accidentes

9. aumento de $\frac{1}{2}$% en las tasas de interés

10. aumento de 125% en las ganacias

11. interés bancario de $5\frac{1}{4}$%

12. interés de $18\frac{1}{2}$% sobre deuda

Escribe cada decimal como por ciento.

13. 0.4 **14.** 0.125 **15.** 0.09 **16.** 4.5 **17.** 6.25 **18.** 5.0

Escribe cada razón como por ciento.

19. $\frac{125}{100}$ **20.** $\frac{0.6}{100}$ **21.** $\frac{2.75}{100}$ **22.** $\frac{3}{1}$ **23.** $\frac{15}{10}$ **24.** $\frac{4}{3}$

Copia y completa.

	Razón	Decimal	Por ciento
25.	$\frac{17}{10}$		
26.		0.008	
27.			370%
28.	$\frac{3}{500}$		
29.			500%

	Razón	Decimal	Por ciento
30.		1.07	
31.	$\frac{33}{20}$		
32.			143.1%
33.		1.6	
★ **34.**	$\frac{1}{600}$		

APLICACIÓN

35. Una compañía de productos alimenticios muy importante usó el presupuesto de publicidad de esta forma: 4.7% en periódicos, 7.5% en revistas, 87.2% en televisión y 0.6% en radio. Escribe cada uno de estos por cientos como razón y como decimal.

★ **36.** Una compañía petrolera importante gastó 1.3 veces más en anuncios de TV que en anuncios de radio. Expresa esto como por ciento. ¿Cuánto gastó la compañía en anuncios de TV por cada $100 gastados en anuncios de radio?

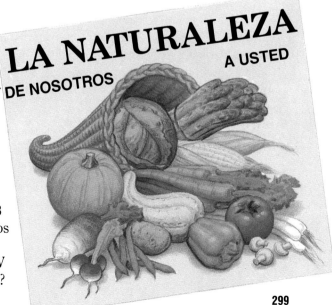

LA NATURALEZA DE NOSOTROS A USTED

Problemas para resolver

REPASO DE DESTREZAS Y ESTRATEGIAS

Usa la siguiente información para resolver 1–4.

Una paloma vuela 36 millas en 3 horas; un mensajero puede caminar 2 millas en 30 minutos. Un avión vuela 600 millas en 1 hora y media; un teléfono transmite casi al instante. Un tren viaja 80 millas en 80 minutos.

1. ¿Cuál es la forma más rápida de transmitir un mensaje?
2. ¿Cuál es la forma más lenta de transmitir un mensaje?
3. Haz una lista de los tipos de comunicaciones descritos del más rápido al más lento.
4. El Centro de Mensajeros de la ciudad repartió 645 mensajes ayer. La razón de mensajes recibidos a mensajes entregados fue 2:3 ¿Cuántos mensajes recibieron?

Usa esta tabla para resolver el 5.

Parada	Tiempo de espera
A	20 minutos
B	25 minutos
C	12 minutos
D	20 minutos
E	18 minutos

5. Jan recoge paquetes para el Servicio Central de Entregas. Le toma 15 minutos ir de su oficina a la primera parada (Parada A). Le toma 35 minutos regresar a la oficina desde su parada final (Parada E) y 20 minutos entre cada parada. Tiene que volver a la oficina a las 5:00 P.M. ¿Cuándo es lo más tarde que puede llegar a su primera parada?

Resuelve.

6. El satélite nuevo tiene 105 canales para mensajes. Se conectan 3 canales el primer día, 7 más el segundo día, 11 más el tercer día y así sucesivamente. El número de canales conectados cada día aumenta por cuatro. Si este patrón continúa, ¿en cuántos días estarán todos conectados?

El dibujo abajo representa una red de pequeños arroyos. Janet metió un mensaje en una botella y la tiró en el arroyo en el punto *A*.

7. ¿Cuántos trayectos distintos puede tomar la botella si flota río abajo hasta Lucy en el punto *D*?

8. Supón que el amigo de Janet, Bernie, vive en el punto *F*. ¿Cuántos trayectos puede tomar la botella para flotar hasta Bernie?

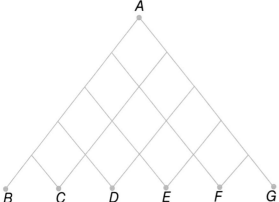

9. Si a la botella le toma 4 minutos flotar río abajo en cada sección, ¿cuánto tiempo le tomará ir desde Janet hasta Lucy?

★ **10.** Muestra todos los lugares donde la botella puede estar después de flotar por 16 minutos.

Entonces y ahora

Uno de estos dos problemas apareció en *The Silver-Burdett Arithmetics* de Philips y Anderson en 1913. El otro fue escrito para este libro.

Entonces

El costo de enviar un telegrama de Philadelphia a St. Louis es 50¢ por diez palabras o menos y 3¢ por cada palabra adicional. ¿Cuánto cuesta enviar un telegrama de 14 palabras?

Ahora

El costo de enviar un telegrama por teléfono de Philadelphia a St. Louis es $8.75 por 10 palabras o menos y $.45 por cada palabra adicional. ¿Cuánto costaría enviar un telegrama de 14 palabras por teléfono? ¿Cuánto más es el costo hoy en comparación al costo en 1913?

★ Usa la biblioteca para hallar el promedio del ingreso anual de una familia hoy y en 1913. Calcula el promedio del ingreso semanal de cada año. Después escribe razones para entonces y ahora, comparando el costo de un telegrama con el ingreso semanal.

Usa los dibujos en A, B, C y D para escribir razones de tres formas. págs. 278–279

1. **A** a **B**
2. **C** a **A**
3. **B** a **D**
4. **C** a **D**
5. **A** a todos
6. **A** y **B** a **D**

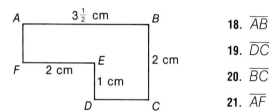

7. **A** a **B** y **D**

Usa = ó ≠ para cada 🔵**.** págs. 280–281

8. $\frac{3}{10}$ 🔵 $\frac{4}{40}$

9. $\frac{7}{8}$ 🔵 $\frac{49}{56}$

10. $\frac{13}{5}$ 🔵 $\frac{90}{35}$

11. $\frac{14}{35}$ 🔵 $\frac{2}{9}$

12. $\frac{5}{3}$ 🔵 $\frac{10}{6}$

Resuelve cada proporción. págs. 282–283

13. $\frac{3}{13} = \frac{n}{91}$

14. $\frac{8}{5} = \frac{136}{a}$

15. $\frac{17}{w} = \frac{51}{57}$

16. $\frac{b}{16} = \frac{60}{64}$

17. $\frac{3}{4.2} = \frac{5}{v}$

Usa el dibujo a escala para hallar el largo verdadero de cada lado. págs. 284–285.

A $3\frac{1}{2}$ cm   *B*

F   2 cm   *E*

2 cm

1 cm

D   *C*

18. $\overline{AB}$
19. $\overline{DC}$
20. $\overline{BC}$
21. $\overline{AF}$

escala: 1 cm = 100 m

¿Cuál es la mejor compra? págs. 286–287

22. **a.** 2 lb por $.97
   b. 5 lb por $2.34

23. **a.** 8 oz por $1.39
   b. 1 lb 4 oz por $2.50

△*ABC* **es semejante a** △*RST*. **Halla cada largo.** págs. 288–289

24. $\overline{RT}$

25. $\overline{ST}$

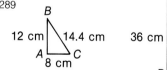

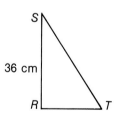

Escribe cada razón como decimal y como por ciento y escribe cada por ciento como decimal. págs. 292–299

26. $\frac{5}{8}$

27. $\frac{1}{4}$

28. $\frac{3}{20}$

29. 58.7%

30. $\frac{3}{4}$%

31. 230%

Resuelve. págs. 290–291, 300–301

32. La Mueblería Pérez gastó $780 de su presupuesto publicitario de $2,000 en un anuncio en una revista. ¿Qué por ciento del presupuesto gastó?

33. Lorraine hizo una fotocopia reducida de un cartel que medía 52 cm de ancho y 70 cm de largo. La copia mide 28 cm de largo. ¿Qué ancho tiene?

PRUEBA DEL CAPÍTULO

Escribe una razón para cada uno.

1. 7 sillas, 9 personas
sillas:personas

2. 5 ganados, 3 perdidos
juegos ganados:total de juegos

Indica si es una proporción o no. Escribe *sí* o *no.*

3. $\frac{7}{9} = \frac{28}{36}$

4. $\frac{10}{30} = \frac{6}{15}$

5. $\frac{135}{3} = \frac{270}{9}$

Resuelve cada proporción.

6. $\frac{6}{11} = \frac{n}{99}$

7. $\frac{10}{x} = \frac{5}{10}$

8. $\frac{28}{16} = \frac{7}{y}$

9. $\frac{3}{45} = \frac{n}{.15}$

Usa el dibujo a escala para hallar la dimensión verdadera de cada uno.

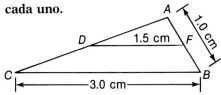

10. $\overline{AB}$

11. $\overline{DF}$

12. $\overline{CB}$

escala: 1 cm = 0.8 cm

Halla el precio por unidad de cada uno. Redondea al centavo más cercano.

13. 3 latas por $2.34

14. 6 limones por $.99

15. 8 barras por $3.00

Estas dos figuras son semejantes. Halla las medidas que faltan.

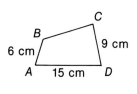
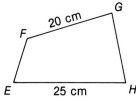

16. $\overline{EF} =$ _____

17. $\overline{BC} =$ _____

Escribe cada razón como decimal y como por ciento, y escribe cada por ciento como decimal.

18. $\frac{21}{100}$

19. $\frac{137}{100}$

20. $\frac{1}{125}$

21. 79%

22. 2.4%

23. 0.5%

Resuelve.

24. Una ejecutiva vuela en 3 de cada 4 viajes de negocios. El año pasado hizo 36 viajes de negocios. ¿En cuántos viajes voló?

25. Un periódico halló en una encuesta que, de los 1,000 lectores que participaron, 550 leían más de un periódico diariamente. ¿Qué por ciento leía más de un periódico?

La razón de niños a niñas que trabajan en un periódico escolar es 2:3. Si hay un total de 30 trabajadores, ¿cuántos son niños?

PROYECTO DE PROPORCIÓN

Los artistas y pintores usan proporciones para
obtener los colores que quieren.

Para este proyecto necesitas:
- pintura roja, azul, amarilla y blanca
- 4 paletas para mezclar
- papel encerado
- 1 pincel

Abre los recipientes de pintura y mézclalas
con las paletas.

Supón que quieres combinar pintura roja y pintura amarilla
en una proporción de 1 a 1. Pon un punto de pintura roja
en el papel. Pon un punto amarillo al lado. Usa el pincel
para mezclar los colores. ¿Qué color obtienes?

**Experimenta con estas proporciones. Asegúrate de limpiar el
pincel cada vez que lo uses. Nombra los colores que produces.**

1. 2:1 azul a rojo

2. 1:2 azul a rojo

3. 1:1 amarillo a azul

4. 3:1 amarillo a azul

5. 1:3 blanco a rojo

6. 2:1 blanco a azul

7. 1:3 rojo a amarillo

8. 2:3 amarillo a rojo

**Usa proporciones para crear colores que puedan tener estos
nombres. Escribe las proporciones e intercámbialas con un
compañero de clase. ¿Puede él o ella obtener el mismo color?**

9. naranja rojizo

10. verde olivo

11. amarillo limón

11. morado azulado

COMPARACIONES

Puedes usar proporciones para resolver comparaciones.

Las cintas de cassette en blanco se venden a 3 por $4.79. ¿Cuánto cuestan 5 cintas?

Usa una proporción para hallar el costo.

Piensa Las razones de cintas a costo
tienen que ser iguales.

n = costo de 5 cintas.

número de cintas ⟶ $\dfrac{3}{\$4.79} = \dfrac{5}{n}$
costo ⟶

Usa productos cruzados para resolver.

$3 \times n = 5 \times \$4.79$

$3n = \$23.95$

$n = \dfrac{\$23.95}{3}$

$n = \$7.983$

La tienda siempre redondea partes de un centavo al próximo centavo. Por lo tantao, 5 cintas costarán $7.99.

La tienda vendió 140 cintas en 2.5 horas. Si sigue asi, ¿cuántas cintas venderá en 6 horas?

Piensa Las razónes de cintas a horas
deben ser iguales.

cintas vendidas ⟶ $\dfrac{140}{2.5} = \dfrac{n}{6}$
horas ⟶

$140 \times 6 = 2.5 \times n$

$840 = 2.5n$

$336 = n$

A esta velocidad la tienda venderá 336 cintas en 6 horas.

Usa una proporción para hallar cada costo.

1. 8 por $3.49
   ¿Cuánto por 20?

2. 6 por $4.95
   ¿Cuánto por 15?

3. 5 por $12.50
   ¿Cuánto por 3?

4. 5 por $11.75
   ¿Cuánto por 3?

5. 6 por $14.50
   ¿Cuánto por 4?

6. 4 por $26.80
   ¿Cuánto por 9?

Resuelve.

7. El Sr. Robbins maneja 156 kilómetros en 2.6 horas. A esta velocidad, ¿cuánto manejará en 6 horas?

8. La Sra. Torres puede manejar 247 kilómetros en 3.8 horas. ¿Cuánto le tomará manejar 120 kilómetros? Indica la respuesta a la décima de hora más cercana.

PERFECCIONAMIENTO DE DESTREZAS

Escoge las respuestas correctas. Escribe A, B, C ó D.

1. Completa. $0.147 \text{ kL} = \underline{\quad} \text{ L}$

   A 14.7   **C** 1,470

   B 147   **D** no se da

2. ¿Por qué números es divisible 234?

   A 2, 3 y 5   **C** 3, 5 y 10

   B 2, 5 y 9   **D** no se da

3. ¿Cuál es el MCM de 6 y 8?

   A 24   **C** 2

   B 48   **D** no se da

4. ¿Qué es $\frac{12}{30}$ en su expresión mínima?

   A $\frac{4}{10}$ **C** $\frac{6}{5}$

   B $\frac{2}{5}$ **D** no se da

5. $16\frac{2}{7} - 5\frac{4}{5}$

   A $11\frac{18}{35}$ **C** $10\frac{17}{35}$

   B $11\frac{17}{35}$ **D** no se da

6. $12\frac{1}{4} \times 3\frac{3}{7}$

   A 21   **C** 42

   B 28   **D** no se da

7. ¿Qué tipo de rectas son $\overleftrightarrow{AB}$ y $\overleftrightarrow{EF}$?

   A perpendiculares   **C** paralelas

   B secantes   **D** no se da

8. ¿Qué figura es?

   A triángulo   **C** triángulo
      acutángulo   obtusángulo

   B triángulo   **D** no se da
      rectángulo

9. ¿Cuál es una proporción?

   A $\frac{3}{4} = \frac{9}{16}$ **C** $\frac{14}{2} = \frac{96}{4}$

   B $\frac{7}{9} = \frac{63}{81}$ **D** no se da

10. Resuelve. $\frac{3}{100} = \frac{n}{1,200}$

   A $n = 36$ **C** $n = 12$

   B $n = 300$ **D** no se da

11. ¿Cuál es la razón para 53%?

   A $5\frac{3}{10}$ **C** $\frac{5}{10}$

   B $\frac{53}{100}$ **D** no se da

12. ¿Cuál es el precio por unidad de 7 latas por $2.45?

   A $17.15   **C** $1.70

   B $.35   **D** no se da

Resuelve.

13. El nivel superior de una pirámide tiene 3 secciones. El próximo nivel tiene 6 y el próximo tiene 12. Si este patrón continúa, ¿cuántos niveles hay si el de abajo tiene 96 secciones?

   A 6   **C** 3

   B 4   **D** no se da

14. Completa el patrón. 5, 6, 8, 11, 15,___

   A 20   **C** 17

   B 18   **D** no se da

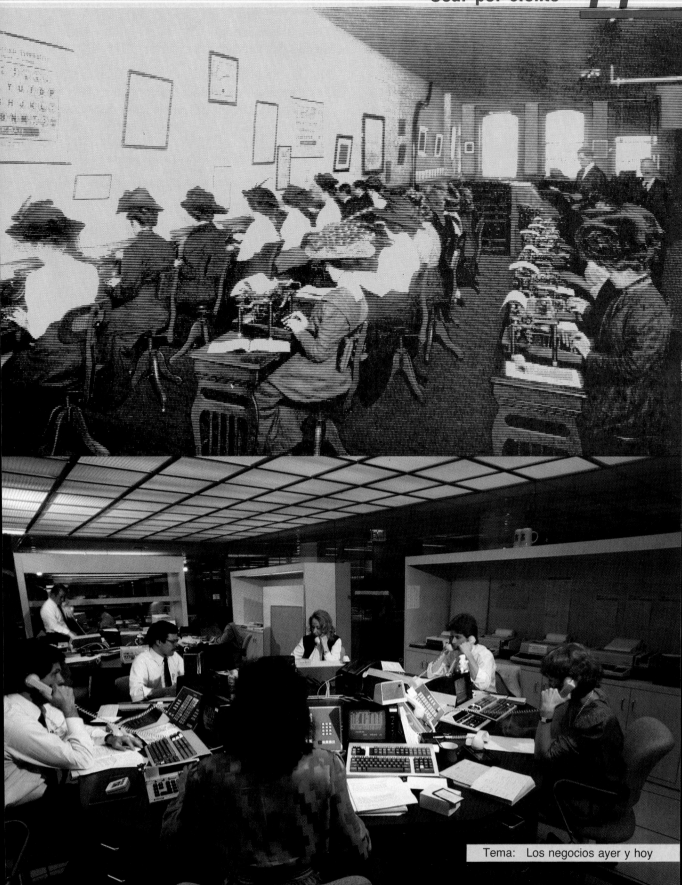

Tema: Los negocios ayer y hoy

Por ciento de un número usando proporción.

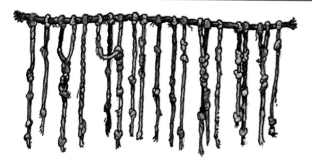

Los antiguos incas del Perú usaban un sistema de cuerdas anudadas para llevar récords.

Hoy en día los comercios como la Agencia Lakeland usan computadoras para llevar la contabilidad. De sus 80 empleados, 45% usan computadoras. ¿Cuántos empleados las usan?

Halla el 45% de 80.

▶ Se puede usar una proporción para hallar el por ciento de un número.

Sigue estos pasos.

Paso 1 Escribe una proporción.

$$\frac{n}{80} = \frac{45}{100}$$ n = el número de empleados que usa una computadora.

parte
entero

Paso 2 Usa productos cruzados para resolver la proporción.

$$\frac{n}{80} = \frac{45}{100}$$
$$100 \times n = 80 \times 45$$
$$100n = 3{,}600$$
$$n = 36$$

De los 80 empleados de la Agencia Lakeland, 36 usan computadoras.

Más ejemplos

a. 120% de $75

$$\frac{120}{100} = \frac{n}{75}$$
$$\$9{,}000 = 100n$$
$$\$90 = n$$

b. 5.6% de 30

$$\frac{5.6}{100} = \frac{n}{30}$$
$$168 = 100n$$
$$1.68 = n$$

c. $8\frac{1}{2}$% de 400

$$\frac{8.5}{100} = \frac{n}{400}$$
$$3{,}400 = 100n$$
$$34 = n$$

Trabajo en clase

Halla el por ciento de cada número.

1. 30% de 390

2. 75% de $400

3. 200% de 37

4. 18% de $72

5. 5.9% de $70

6. 10% de 800

7. 5% de $500

8. $\frac{1}{2}$% de 50

PRÁCTICA

Halla el por ciento de cada número.

1. 30% de 120   **2.** 6% de 4,500   **3.** 40% de 80   **4.** 80% de 40

5. 10% de 116.3   **6.** 80% de 33.5   **7.** 50% de $118.40   **8.** 8% de 5,600

9. 25% de $8,000   **10.** 35% de 2,700   **11.** 45% de 9,000   **12.** 75% de 7,600

13. 120% de 45   **14.** 1% de 85   **15.** 300% de 95   **16.** 0.5% de 1,800

★**17.** 142% de 30   ★**18.** 0.2% de 130   ★**19.** $\frac{1}{2}$% de 90   ★**20.** $6\frac{3}{10}$% de 80

Resuelve.

21. ¿Qué número es 10% de 540?

22. ¿Qué número es 200% de 45?

23. ¿75% de 160 es qué número?

24. ¿120% de 300 es qué número?

25. ¿Qué es el 12% de 75?

26. ¿Qué es el 4% de 18?

APLICACIÓN

27. La Compañía de Seguros Lago emplea 8,100 personas en sus diferentes oficinas. El 12% de estos empleados usan computadoras. ¿Cuántos empleados de la Compañía de Seguros Lago usan computadoras?

28. El 24% de los 8,100 empleados de Seguros Lago trabaja media jornada. ¿Cuántos empleados trabajan por hora?

★**29.** La compañía va a entrenar en computadoras al 30% de sus empleados que *no* usan computadoras ahora. ¿Cuántos empleados entrenarán?

★**30.** Erica gana $2,500 mensuales como empleada de Seguros Lago. Le ofrecieron un ascenso y un aumento del 8%. ¿Cuál será su nuevo salario mensual?

RAZONAMIENTO LÓGICO

1. ¿Es el *A*% de *B* siempre igual al *B*% de *A*?

Comprueba tu respuesta calculando cada uno.

2. 5% de 30   **3.** 60% de 80   **4.** 42% de 34
    30% de 5   80% de 60   34% de 42

5. ¿Confirman las respuestas a los problemas **2-4** tu respuesta al problema **1**?

6. ¿Piensas que *A*% de *B* = *B*% de *A* para cualquier *A* ó *B*? ¿Por qué?

Por ciento de un número usando decimales

La primera empresa de ventas por correo comenzó en 1872.
Hoy en día muchas compañías venden por correo.

RAPIDITO, S.A. Hoja de Pedido	Nombre _Ramón Santiago_			
	Calle _22 Clover Street_			
	Ciudad _Glenville_			
	Estado _Pennsylvania_ Código Postal _17329_			

NÚM. de CATÁLOGO	CANTIDAD	DESCRIPCIÓN	PRECIO
9 7 1 2 5	1	Calculadora Solar	$ 13 00

¿Cuánto impuesto sobre la venta tiene que pagar Ramón?

La hoja de pedido muestra que Ramón compró una calculadora por $13.00.

El impuesto sobre la venta en su estado es 6%.

Halla el 6% de $13.00.

Con frecuencia es más fácil usar un decimal que una proporción
cuando se calculan por cientos.

▶ Para hallar el por ciento de un número, cambia el por ciento
a un decimal y multiplica.

$$6\% \times \$13.00 = 0.06 \times \$13.00$$

$$\begin{array}{r} \$13.00 \\ \times \quad 0.06 \\ \hline \$.7800 \end{array}$$

Ramón debe pagar $.78 de impuesto.

Más ejemplos

a. 150% de 90

$$1.50 \times 90 = n$$
$$135 = n$$

b. 9.3% de 200

$$0.093 \times 200 = n$$
$$18.6 = n$$

c. $3\frac{1}{2}\%$ de 80 **Piensa** $3\frac{1}{2}\% = 3.5\%$

$$0.035 \times 80 = n$$
$$2.8 = n$$

TRABAJO EN CLASE

Halla el por ciento de cada número. Usa decimales.

1. 40% de 90

2. 18% de $72

3. 7% de $24

4. 300% de 75

5. 8.5% de $80

6. $1\frac{1}{2}\%$ de 110

7. $5\frac{1}{4}\%$ de $300

8. $\frac{3}{4}\%$ de 80

Usa un decimal para hallar el por ciento de cada número.

1. 20% de 90	**2.** 65% de $850	**3.** 9% de 345	**4.** 15% de $68
5. 17% de 80	**6.** 100% de 87	**7.** 150% de 92	**8.** 82% de 45
9. 75% de $97.40	**10.** 300% de 125	**11.** 35% de $195	**12.** 4.5% de $1,600
13. $9\frac{1}{2}$% de $8,000	**14.** 3.5% de 160,000	**15.** 0.3% de 500	**16.** $26\frac{1}{2}$% de 76
17. 0.7% de 900	**18.** 20% de 4	**19.** $5\frac{1}{4}$% de $1,000	**20.** $\frac{1}{2}$% de 350
21. $\frac{3}{4}$% de 12,000	**22.** $\frac{1}{2}$% de 8,000	★ **23.** $5\frac{1}{4}$% de 11,400	★ **24.** $5\frac{3}{4}$% de 10,000
25. $\frac{3}{4}$% de $1,800	**26.** $33\frac{1}{3}$% de 975	★ **27.** $1\frac{5}{8}$% de 64	★ **28.** $\frac{3}{8}$% de 4,000

¡NUEVA TÉCNICA!

La Máxima Máquina de Ejercicios

$449.

APLICACIÓN

29. Nueva Técnica ofrece un estéreo por $985. ¿Qué es el costo total si hay que incluir un impuesto del 7% sobre la venta?

30. Nueva Técnica ofrece una rebaja en un sistema de alarma para el hogar que se vende normalmente por $750. Comprar el sistema de alarma este mes significaría ahorrarse el 10%. ¿Cuánto cuesta este mes?

★ **31.** ¿Qué es el costo total de la máquina de ejercicios si el costo de mandarla es 5% del precio y el impuesto es $6\frac{1}{2}$% sobre el precio de la máquina? Redondea la respuesta al centavo más cercano.

HAZLO MENTALMENTE

Usa las reglas de la multiplicación por potencias de 10 para hallar el por ciento de cada número.

Ejemplos 10% de 9 = 0.1 × 9 = 0.9   1% de 9 = 0.1 × 9 = 0.09

1. 10% de 16	**2.** 1% de 8	**3.** 10% de 15
4. 100% de 33	**5.** 10% de 150	**6.** 1% de $1,000
7. 10% de $5,000	**8.** 200% de 75	**9.** 300% de $50
★ **10.** 15% de 40	★ **11.** 15% de 80	★ **12.** 15% de 50

Hallar el por ciento

En el siglo XIX se esperaba que las personas trabajaran 14 horas al día. ¿Qué por ciento del día trabajaban?

Se puede usar una proporción para resolver el problema.

$$\frac{n}{100} = \frac{14}{24}$$ **Piensa** 14 horas es $\frac{14}{24}$ del día.

$n \times 24 = 100 \times 14$

$24n = 1{,}400$

$n = 58.\overline{3}$ $\frac{58.\overline{3}}{100} = 58.\overline{3}\%$ or $58\frac{1}{3}\%$

En el siglo XIX las personas trabajaban $58\frac{1}{3}\%$ del día.

Hoy en día, las empresas tienen jornadas de trabajo de 8 horas. ¿Qué por ciento del día trabajan los empleados modernos?

Se puede usar un decimal para resolver el problema.

¿Qué por ciento de 24 es 8?

$$n \times 24 = 8$$
$$n = \frac{8}{24}$$
$$n = \frac{1}{3} = 0.33\overline{3}$$
$$0.33\overline{3} = 33\frac{1}{3}\%$$

Los empleados modernos están en sus trabajos $33\frac{1}{3}\%$ del día.

Más ejemplos

a. ¿Qué por ciento de 18 es 27?

$n \times 18 = 27$

$\frac{n \times 18}{18} = \frac{27}{18}$

$n = \frac{27}{18} = \frac{3}{2} = 1.5$

$1.5 = 150\%$

27 es el 150% de 18.

b. ¿3 es qué por ciento de 8?

$3 = n \times 8$

$\frac{3}{8} = n$

$0.375 = n$

$0.375 = 37.5\%$

3 es el 37.5% de 8.

TRABAJO EN CLASE

Halla cada por ciento.

1. ¿Qué por ciento de 12 es 9?

2. ¿11 es qué por ciento de 20?

3. ¿$24 es qué por ciento de $40?

4. ¿80 es qué por ciento de 20?

PRÁCTICA

Halla cada por ciento.

1. ¿Qué por ciento de 10 es 7?
2. ¿Qué por ciento de $50 es $21?
3. ¿Qué por ciento de 20 es 65?
4. ¿Qué por ciento de $200 es $14?
5. ¿9 es qué por ciento de 72?
6. ¿$5 es qué por ciento de $1,000?
7. ¿65 es qué por ciento de 100?
8. ¿4,320 es qué por ciento de 9,000?
9. ¿32 es qué por ciento de 96?
10. ¿$36 es qué por ciento de $450?
11. ¿Qué por ciento de 10 es $\frac{1}{2}$?
12. ¿Qué por ciento de $35 es $4.20?
13. ¿Qué por ciento de 600 es 27?
14. ¿Qué por ciento de 540 es 135?
★15. ¿Qué por ciento de 75 es 0.375?
★16. ¿Qué por ciento de 16 es 0.64?
★17. ¿$2,700 es qué por ciento de $180,000?
★18. ¿$675 es qué por ciento de $90,000?

APLICACIÓN

19. En la fábrica de ropa Guadalajara 80 de los 200 empleados trabajan media jornada. ¿Qué por ciento es ésto?
20. El martes, 35 de los 200 empleados de Guadalajara trabajaron sobretiempo. ¿Qué por ciento es ésto?
21. Ramona trabaja 40 horas a la semana. ¿Qué por ciento de la semana trabaja?
★22. En la tienda Marcos, 45 empleados trabajan en el primer turno, 125 en el segundo y 30 en el tercero. ¿Qué por ciento trabaja en el último turno?

POR CIENTO DE AUMENTO O DISMINUCIÓN

Para hallar el por ciento de aumento o disminución, escribe una razón de la cantidad del aumento o disminución de la cantidad original. Después escribe la razón como por ciento.

aumento de sueldo de $72 a $90

cantidad del aumento = $90 − $72 = $18

por ciento de aumento = $\frac{\text{cantidad del aumento}}{\text{original}}$

= $\frac{18}{72}$ = 0.25

por ciento de aumento = 25%

disminución de precio de $200 a $175

cantidad de la disminución = $200 − $175 = $25

por ciento de disminución = $\frac{\text{cantidad de la disminución}}{\text{original}}$

= $\frac{25}{200}$ = 0.125

por ciento de disminución = 12.5%

Halla el por ciento de aumento a disminución al por ciento más cercano.

1. aumento de sueldo de $95 a $100
2. disminución de asistencia de 25 a 23
3. reducción de la jornada semanal de 40 h a $37\frac{1}{2}$ h
4. 93 juegos ganados el año pasado, 85 ganados este año

Hallar un número cuando se conoce un por ciento del número

Desde 1940, las empresas saben que los anuncios de televisión son un medio de publicidad poderoso. Hace poco en una encuesta, 160 jóvenes dijeron que la televisión los influía a comprar ciertos productos. ¿Cuántos jóvenes fueron entrevistados?

¿80% de qué número es 160?

$$80\% \times n = 160$$
$$0.80n = 160$$
$$n = 160 \div 0.80$$
$$n = 200$$

Se entrevistaron a 200 jóvenes.

A veces es más fácil usar una razón que un decimal cuando se trabaja con por ciento.

¿50% de qué número es 30?

$$50\% \times n = 30$$
$$\frac{50}{100} \times n = 30$$
$$\frac{1}{2}n = 30$$
$$n = 60$$

Más ejemplos

a. ¿45% de qué número es 36?

45% de 80 es 36.

$$0.45n = 36$$
$$n = 36 \div 0.45$$
$$n = 80$$

45% of 80 is 36.

b. ¿3 es el 0.6% de qué número?

3 es el 0.6% de 500.

$$3 = 0.006n$$
$$\frac{3}{0.006} = n$$
$$500 = n$$

3 is 0.6% of 500.

TRABAJO EN CLASE

Halla *n*.

1. 15% de *n* es 45.

2. 25% de *n* es 30.

3. 10% de *n* es 1.

Resuelve.

4. ¿105 es el 42% de qué número?

5. ¿40% de qué número es 18?

6. ¿50% de $64 es qué número?

7. ¿285 es el 125% de qué número¯

PRÁCTICA

Halla *n*.

1. 12% de *n* es 3.

3. 20% de *n* es $17.

3. $48 es el 32% de *n*.

4. 6 es el 16% de *n*.

5. 28 es el 25% de *n*.

6. 125% de *n* es 200.

7. 15% de *n* es $75.

8. 125% de *n* es 20.

9. 5% de *n* es 15.

Resuelve.

10. ¿45 es el 4% de qué número?

11. ¿$18 es el 0.6% de qué número?

12. ¿5% de qué número es 0.2?

13. ¿50% de qué número es 160?

14. ¿27 es el 75% de qué número?

15. ¿105 es el 150% de qué número?

16. ¿30% de qué numero es 120?

17. ¿48% de qué número es 8.64?

18. ¿0.45 es el 3% de qué número?

★**19.** ¿$1\frac{1}{2}$% de qué número es $3?

★**20.** ¿8 es el $\frac{1}{4}$% de qué número?

★**21.** ¿0.3% de qué número es 12?

APLICACIÓN

22. Don Jackson gasta $450 cada mes en anuncios en el periódico. Si es el 75% de su presupuesto mensual, ¿cuánto gasta en publicidad al mes?

23. Zapatos de tenis ¡Zas! gastó $2,500 en anuncios en revistas este mes. Ésto es el 80% de la cantidad gastada en anuncios en periódicos. ¿Cuánto gastó la compañía este mes en anuncios en periódicos?

24. Lucy gastó $12.50 en una subscripción por un año a la revista *Publicidad*. Ahorró 40% de lo que le costaría por ejemplar. ¿Cuál es el costo anual de comprar *Publicidad* por ejemplar?

★**25.** En los Juegos Olímpicos de 1984, los derechos de radio y televisión fueron vendidos por $280 millones. Ésto representó el 54.5% del ingreso total de los juegos. Halla el ingreso total. Redondea tu respuesta al millón más cercano.

LA CALCULADORA

¿2 es el 5% de qué número? **Aprieta**

Muchas calculadoras tienen una tecla de por ciento $\boxed{\%}$. Si tu calculadora tiene esta tecla, usa la tecla de por ciento en lugar de cambiar el por ciento a un decimal.

Aprieta $\boxed{2}$ $\boxed{\div}$ $\boxed{5}$ $\boxed{\%}$ ⟶ [40.]

Halla *n*, usando tu calculadora.

1. El 27% de *n* es 54.

2. El 14% de *n* es 7.7

3. El 16.5% de *n* es 13.86.

Problemas para resolver

HACER Y USAR GRÁFICAS

PIENSA
PLANEA
RESUELVE
REVISA

Las gráficas son una excelente forma de presentar información. Ayudan a organizar los datos de un problema.

1. Juana comenzó a vender relojes el lunes. Vende 10 relojes cada día. ¿En que día llegará a vender 50 relojes?

¿En qué día llegará a vender 50 relojes?

Comenzó el lunes.
Vende 10 relojes cada día.

Haz una gráfica.

Usa el eje horizontal para los días de la semana.
Usa el eje vertical para la venta total.
Enumera multiplos de 10 a lo largo del eje vertical.
Representa gráficamente la información.
Pon un punto donde se cruzan el lunes y 10.
Por cada día subsiguiente, aumenta el número de relojes vendidos por 10. Pon los puntos. Conecta los puntos con una línea recta.
Lee 50 en el eje vertical.
El día correspondiente es el viernes.
Las ventas de Juana alcanzarán 50 relojes el viernes.

Revisa para asegurarte de que has marcado la información correcta en la gráfica.

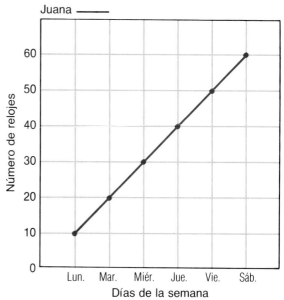

TOTAL DE VENTAS

Juana ——

Número de relojes

Días de la semana

2. Alfredo comenzó vendiendo relojes el miércoles. Vende 15 cada día. ¿En qué día equivaldrá la venta total de Alfredo a la de Juana? ¿Cuántos relojes habrá vendido cada uno?

Con la gráfica del problema **1**, dibuja una segunda línea para las ventas de Alfredo.

El punto donde se cruzan las dos líneas representa el día en que los totales de sus ventas serán iguales, y el total vendido.

Usa la gráfica para contestar.

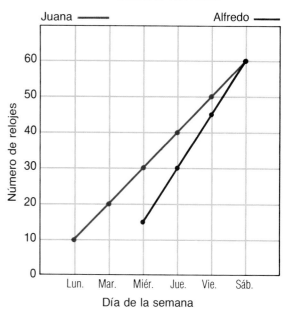

VENTAS TOTALES

Juana ——   Alfredo ——

Número de relojes

Día de la semana

PRÁCTICA

Esta gráfica muestra el número de pedidos recibidos en una semana por Asfalto Atlas. Usa la gráfica para contestar cada pregunta.

PEDIDOS RECIBIDOS POR ASFALTO ATLAS

1. ¿Cuántos pedidos recibieron el lunes?

2. ¿En qué día recibieron el mayor número de pedidos?

3. ¿Cuántos pedidos recibieron durante la semana?

4. ¿Cuál fue el promedio de pedidos recibidos por día?

5. ¿Qué por ciento de los pedidos semanales recibieron el jueves?

★ 6. ¿Cuál fue el por ciento del aumento entre los pedidos recibidos del jueves y los del lunes?

Usa la información abajo para contestar 7–10.

El Representante de Automóviles Damián vendió 10 automóviles el lunes, 15 el martes, 5 el miércoles, 10 el jueves, 30 el viernes y 35 el sábado.

7. Haz una gráfica como las de la página 316 para mostrar las ventas de la semana.

8. Irene vendió el 20% de los automóviles. ¿Cuántos automóviles vendió?

9. ¿Qué por ciento de automóviles fueron vendidos de lunes a viernes?

10. ¿En qué día se hizo el $33\frac{1}{3}$% del total de las ventas?

11. El Servicio de Mensajeros Benson envió a Iris a entregar un paquete a un cliente a 240 millas de distancia. Iris salió a las 12:00 P.M. viajando a 40 millas por hora. La compañía envió a Miguel a entregar un segundo paquete al mismo cliente. Miguel salió a la 1:00 P.M. y viajó a 50 millas por hora por la misma ruta. ¿Cuándo alcanzará Miguel a Iris?

★ 12. La Compañía de Combustible La Mexicana entrega combustible a la casa de Jennifer. El camión contiene 800 galones de combustible. El tanque de Jennifer contiene 500 y le queda 100 galones. El combustible se transfiere a una razón de 100 galones cada 5 minutos. ¿Cuánto tiempo pasará para que el tanque y el camíon contengan la misma cantidad de combustible? ¿Cuánto habrá en el tanque?

CREA TU PROPIO PROBLEMA

Escribe un problema que use la información mostrada en la gráfica.

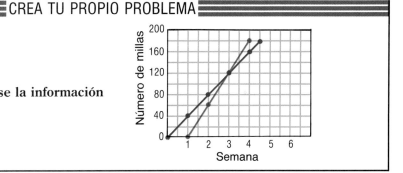

Descuentos

El Vivero Valleverde pidió $175 de semillas. ¿Qué descuento recibió? ¿Cuánto pagó por las semillas?

El **descuento** es la cantidad a que se ha reducido el precio original.

La **tasa de descuento** es el por ciento que se reduce del precio original.

▶ Para hallar el descuento, usa esta fórmula.

descuento = precio original x tasa de descuento

$d = \$175 \times 15\%$

$d = \$175 \times 0.15$

$d = \$26.25$ El Vivero Valleverde recibió un descuento de $26.25

▶ Usa esta fórmula para hallar el precio rebajado.

precio rebajado = precio original − descuento

precio rebajado $= \$175 - \$26.25$

$= \$148.75.$ El vivero Valleverde pagó $148.75 por su pedido de semillas.

Otro ejemplo

Halla el precio rebajado.

precio original: $70   descuento: 20%

descuento = precio original × tasa de descuento

$d = \$70 \times 20\%$

$d = \$70 \times 0.20$

$d = \$14$

precio rebajado = precio original − descuento

$= \$70 - \$14$

$= \$56$

TRABAJO EN CLASE

Completa. Redondea cada descuento al centavo más cercano.

	Precio original	Tasa de descuento	Descuento	Precio rebajado
1.	$84	25%		
2.	$40	15%		
3.	$36	15%		
4.	$2.90	8%		

PRÁCTICA

Halla el descuento y el precio rebajado para cada uno.

1.

$22.50 menos el 33⅓%

2.

$39.86 menos el 15%

3.

$10.50 menos el 25%

4.

$32.00 menos el 12½%

5.

$80.00 menos el 15%

6.

$50.00 menos el 25%

7. precio original: $8.40
   tasa de descuento: 15%

8. precio original: $2,715
   tasa de descuento: 30%

9. precio original: $998
   tasa de descuento: 40%

10. precio original: $200
    tasa de descuento: 25%

11. precio original: $187.50
    tasa de descuento: 33⅓%

12. precio original: $7,985
    tasa de descuento: 22%

13. precio original: $195
    tasa de descuento: 20%

14. precio original: $900
    tasa de descuento: 25%

Copia y completa cada cuadro.

10% DE DESCUENTO	
Precio original	Precio rebajado
15. $1,485.00	
16. $ 308.00	
17. $ 967.00	

15% DE DESCUENTO	
Precio original	Precio rebajado
18. $4,000.00	
19. $6,700.00	
20. $5,800.00	

8.5% DE DESCUENTO	
Precio original	Precio rebajado
★21. $ 250.00	
★22. $ 840.00	
★23. $1,020.00	

13.75% DE DESCUENTO	
Precio original	Precio rebajado
★24. $10,500.00	
★25. $12,700.00	
★26. $18,200.00	

APLICACIÓN

27. El Vivero Valleverde pidió al Semillero del Buen Jardinero productos por valor de $187, $220 y $160. Halla el descuento total recibido.

★28. Bob recibió un **descuento en cadena** de 10 y 10 en una compra de $950. Es decir, 10% de descuento y después 10% sobre el nuevo saldo. Halla el precio rebajado. ¿Es lo mismo que 20% de descuento?

Práctica mixta

1. $1.257 + 13.07$

2. $9.75 - 4.8$

3. $18 - 6.175$

4. 452×0.19

5. $18\overline{)667.08}$

6. $6.7\overline{)57.352}$

7. $1\frac{5}{8} + 2\frac{1}{6}$

8. $18\frac{3}{10} - 13\frac{3}{4}$

9. $27 - 6\frac{7}{8}$

10. $\frac{15}{16} \times 4$

11. $1\frac{1}{3} \times 5\frac{3}{8}$

12. $\frac{8}{15} \div \frac{16}{25}$

13. $4\frac{1}{5} \div \frac{7}{10}$

Nombra cada figura.

14.

15.
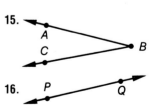

16.

17.

319

Interés simple

A principios del siglo pasado una compañía de muebles en New York introdujo un método de compra que revolucionó el comercio norteamericano. Se llamó **pago a plazos.**

Comprar un artículo a plazos generalmente quiere decir que se paga más por el artículo. El cargo extra por tomar prestado el dinero se llama **interés.** La cantidad original de dinero se llama el **capital** Tu dinero puede ganar interes cuando está depositado en un banco.

La cantidad de interés, pagada o ganada, se determina por la **tasa de interés,** o el por ciento cargado o ganado por el dinero cada año.

Sara está pensando pagar a plazos cuando compre esta butaca. Si le toma 2 años pagarla, ¿cuánto será el interés? ¿Cuánto le costara la butaca?

Compre a plazos
Plan de
3 años a 14%

▶ Para hallar la cantidad de interés, usa esta fórmula.

Interés = capital (c) × tasa (ts) × tiempo (t)

El tiempo siempre se expresa en años.

El interés será $140.

$$I = c \times ts \times t$$
$$I = \$500 \times 14\% \times 2$$
$$I = \$500 \times 0.14 \times 2$$
$$I = \$140$$

▶ Suma el interés al capital para hallar el costo de un artículo.

costo = capital + interés = $500 + $140 = $640
La butaca le costará $640 si Sara paga a plazos.

Otro ejemplo

depósito en la cuenta de ahorros: $1,200

tasa: 12%

tiempo: 6 meses

$$I = c \times ts \times t$$
$$I = \$1,200 \times 0.12 \times 0.5$$
$$I = \$72$$

← **Piensa** 6 meses $= \frac{1}{2}$ año ó 0.5 del año

El interés es $72. El nuevo saldo de la cuenta de ahorros es de $1,272.

TRABAJO EN CLASE

Halla el interés ganado por cada uno.

1. depósito en el banco: $350
   tasa: 6%
   tiempo: 1 año

2. préstamo: $1,000
   tasa: 13%
   tiempo: 3 años

3. préstamo: $800
   tasa: 10.5%
   tiempo: 6 meses

PRÁCTICA

Halla el interés ganado o pagado por cada uno.

1. depósito de banco: $500
   tasa: 5%
   tiempo: 1 año

2. préstamo: $1,000
   tasa: 12%
   tiempo: 2 años

3. capital: $3,500
   tasa: 7%
   tiempo: 3 años

4. préstamo: $50
   tasa: $8\frac{1}{4}$%
   tiempo: 1 año

5. compra a plazos: $890
   tasa: $7\frac{1}{2}$%
   tiempo: 4 años

6. préstamo: $150
   tasa: 6%
   tiempo: 6 meses

7. compra a plazos: $275
   tasa: 8%
   tiempo: 6 meses

8. compra a plazos:
   $2,640
   tasa: $8\frac{1}{2}$%
   tiempo: 3 años

★ 9. préstamo: $1,800
   tasa: $9\frac{1}{2}$%
   tiempo: 9 meses

Copia y completa el cuadro.

	Capital	Tasa de interés	Tiempo	Interés	Nuevo saldo
10.	$2,300	$9\frac{1}{4}$%	1 año		
11.	$10,800	11%	2 años		
12.	$750	8%	6 meses		
13.	$1,250	$10\frac{1}{2}$%	6 meses		
★ 14.	$1,400	$8\frac{1}{4}$%	15 meses		

APLICACIÓN

15. Mario y June usaron un plan para pagar a plazos durante 2
    años cuando compraron un juego de comedor de $1,849.
    La tasa de interés es 14% anual. Halla el interés y el
    costo total del juego de comedor.

★ 16. Halla los pagos mensuales en la compra de un automóvil de
    $8,200 financiado en 3 años al 8.8%.

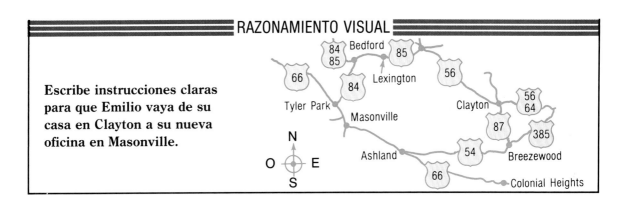

RAZONAMIENTO VISUAL

Escribe instrucciones claras
para que Emilio vaya de su
casa en Clayton a su nueva
oficina en Masonville.

Problemas para resolver

REPASO DE DESTREZAS Y ESTRATEGIAS

La nueva tienda en el centro comercial, Mundo del Futuro, está haciendo una venta de inauguración.

Mundo del Futuro Abierto

lunes a miércoles	10 A.M. – 8 P.M.
jueves, viernes	10 A.M. – 9 P.M.
sábado	10 A.M. – 6 P.M.

1. ¿Cuántas horas por semana está abierto Mundo del Futuro?

2. ¿Qué por ciento de sus horas son en sábado?

3. Mundo del Futuro está regalando premios de entrada a las primeras 100 personas que hagan una compra. Les están regalando discos flexibles y cintas musicales. Los discos les cuestan $1.25 cada uno y las cintas 85¢ cada una. El costo total para la tienda es $99. ¿Cuántos premios de cada tipo van a regalar?

4. La tienda gastó las siguientes cantidades en publicidad:
Premios de entrada $99
150 posters a $1.50 cada uno
1,000 anuncios a 7¢ cada uno
1,000 sellos a 22¢ cada uno
¿Por cuánto han sobrepasado su presupuesto?

5. El gerente de la tienda cargó un programa para que Miguel lo probara. Se muestra parte de la pantalla. ¿En qué columna aparecería el número 52 si este patrón continúa?

A	B	C	D	E
1	10	2	9	3
6	15	7	14	8
11	20	12	19	13
.	.	.	.	.
.	.	.	.	.
.	.	.	.	.

```
FORWARD 10 quiere decir "Avanza
10 unidades."
RIGHT 90 quiere decir "Dobla a
la derecha 90 grados."
FORWARD 10 RIGHT 90
FORWARD 20 RIGHT 90
FORWARD 50 RIGHT 90
FORWARD 10 RIGHT 90
FORWARD 20 RIGHT 90
FORWARD 5  RIGHT 90
FORWARD 5  RIGHT 90
FORWARD 15
```

6. Se usa Logo, un lenguaje para computadoras, para mover una figura llamada tortuga, en la pantalla. Esta es una demostración de Logo para principiantes. La tabla de órdenes para la tortuga aparece a la derecha. ¿A qué distancia está la tortuga de su punto de partida después que se ejecuta la última orden? Haz un dibujo para mostrar la ruta de la tortuga.

7. La Sra. Martínez vendió un promedio de 33 calculadoras al día durante los 3 primeros días de las rebajas. Vendió 47 el lunes y 18 el martes. ¿Cuántas calculadoras vendió el miércoles?

8. Adam devolvió una calculadora porque la tecla del $\boxed{7}$ estaba rota. Le dijo al gerente que no pudo hacer el problema $667 - 374$. El gerente le mostró cómo hacerlo con la calculadora rota. ¿Cómo puede hacerse el problema?

Problemas para resolver

¿QUÉ HARÍAS . . . ?

El Videoclub Estrella tiene un plan para alquilar videos. Los no socios tienen que hacer un depósito reembolsable de $80 cada vez que alquilan. El alquiler diario para los no socios es $2.50 los días de trabajo y $5.00 los fines de semana. El año próximo esperas alquilar 20 videos los fines de semana y 5 en días de trabajo.

Contesta cada pregunta y explica la respuesta.

1. ¿Piensas que es más económico ser socio o no?

2. ¿Calcularías los beneficios, si existen, de hacerse socio?

3. ¿Tratarías de hallar clubs de video con mejores planes?

4. ¿Preferirías no tener que depositar $80 cada vez que alquilas?

¿Qué harías?

Completa este cuadro para calcular los beneficios de ser socio.

Socio	No socio
Cuota: Videos gratis: Alquiler de fin de semana: Alquiler de días de trabajo: Total:	Cuota: Videos gratis: Alquiler de fin de semana: Alquiler de días de trabajo: Total:

¿Cuánto ahorrarías si te haces socio?

El Videoclub Estrella desarrolló un plan nuevo para afiliados. Una vez que hayan alquilado 25 videos, se da un 20% de descuento por cada video adicional. Ya has alquilado 25 videos.

Contesta cada pregunta y explica la respuesta.

5. ¿Podrías alquilar ahora 3 videos durante el fin de semana por menos de $4?

6. ¿Cuántos videos podrías alquilar durante la semana por menos de $10?

¿Qué harías?

7. ¿Cuántos videos crees que alquilarás durante la semana? ¿Los fines de semana? ¿Escogerías ser socio de este club?

323

REPASO DEL CAPÍTULO

Usa una proporción para hallar cada uno. págs. 308–309

1. 40% de 150

2. 70% de 60

3. 75% de $124

4. 9% de $4,000

Usa un decimal para hallar cada uno. págs. 310–311

5. 300% de 135

6. 35% de $225

7. 3.5% de 92

8. $8\frac{1}{2}$% de 250

Halla cada por ciento. págs. 312–313

9. ¿Qué por ciento de 56 es 35?

10. ¿Qué por ciento de 40 es 68?

11. ¿Qué por ciento de 45 es 18?

12. ¿18.7 es qué por ciento de 85?

13. ¿336 es qué por ciento de 960?

14. ¿$21.78 es qué por ciento de $1,452?

Halla *n*. págs. 314–315

15. 24% de *n* es 36.

16. 0.8% de *n* es 3.

17. 130 de 6.5% es *n*.

18. 17% de *n* es $115.60

19. $13\frac{1}{2}$% de *n* es 405.

20. 266.4 es el $27\frac{3}{4}$% de *n*.

Copia y completa el cuadro. págs. 318–319

	Precio original	Tasa de descuento	Descuento	Precio rebajado
21.	$16.50	20%		
22.	$24.60	$33\frac{1}{3}$%		
23.	$15.00	20%		
24.	$55.00	15%		

Halla el interés ganado y el nuevo saldo para cada uno. págs. 320–321

25. $624 al 7% durante 5 años

26. $800 al 9% durante 6 meses

27. $750 al $10\frac{1}{2}$% durante 3 años

28. $1,000 al $8\frac{3}{4}$% durante 2 años

Resuelve. págs. 316–317, 322–323

29. La compañía de la Sra. Cata aumentó el número de sus empleados por un 4.8%. Si comenzó con 1,250 empleados, ¿cuántos empleados fueron añadidos?

30. Usa la gráfica 9 la derecha. ¿Qué por ciento de las computadoras fueron vendidas el lunes y el martes?

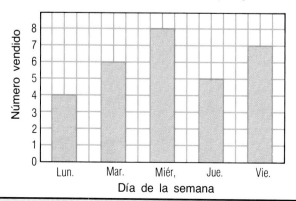

VENTA DE COMPUTADORAS

Número vendido / Día de la semana

Usa una proporción o un decimal para hallar cada uno.

1. 30% de 250
2. 18% de $435
3. 9% de $84

4. 0.4% de 5,000
5. ¿Qué por ciento de 96 es 24?
6. ¿Qué por ciento de $185 es $74?

7. ¿Qué por ciento de 74 es 259?
8. ¿Qué por ciento de 184 es 27.6?
9. 32% de *n* es 304.

10. 14% de *n* es $80.50.
11. 108.4 es el 8% de *n*.
12. $3\frac{1}{2}$% de *n* es $26.60.

Copia y completa el cuadro.

	Precio original	Tasa de descuento	Descuento
13.	$120	$12\frac{1}{2}$%	
14.	$ 65	20%	
15.	$395	15%	

Halla el interés ganado y el nuevo saldo para cada uno.

16. Capital: $450
    tasa: $6\frac{1}{2}$%
    tiempo: 4 años

17. capital: $2,800
    tasa: 12%
    tiempo: 6 meses

18. capital: $3,750
    tasa: 14%
    tiempo: 2 años

Resuelve.

19. Usa la gráfica a la derecha. ¿Qué por ciento de las horas de junio trabajó Juan durante la primera semana?

20. Seguros Lago pidió prestado $7,000 al $13\frac{1}{4}$% durante 5 años para comprar una nueva computadora. ¿Cuánto interés pagará la agencia?

RECORD DEL TRABAJO DE JERRY EN JUNIO

Número de la semana / Número de horas

Supón que pides prestado $8,000 por 4 años al $12\frac{1}{2}$% de interés. Si pagas el préstamo en plazos mensuales iguales, ¿cuánto pagarías cada mes?

EXPLORA

AMPLIACIÓN Y REDUCCIÓN

Este colorido rectángulo es el símbolo o logo de un fabricante
importante. La versión reducida del símbolo aparece como
membrete en el papel de la compañía. La versión ampliada se usa
para posters y anuncios. La cantidad de ampliación o reducción
con frecuencia se da como un por ciento del tamaño original.

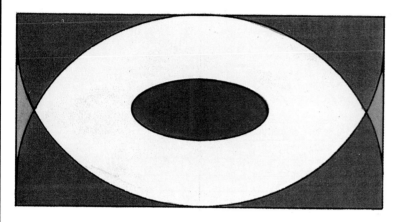

Calca el logo. Sigue los pasos
para hacer una copia 25%
mayor que el original.

- Mide el largo del original. $\longrightarrow$ **4 plg**

- Halla el 25% del largo. $\longrightarrow$ **25% × 4**
  0.25 × 4 = 1 plg

- Halla el largo de la copia ampliada. $\longrightarrow$ **nuevo largo = original + ampliación**
  = 4 plg + 1 plg = 5 plg

- Usa el mismo método para hallar el $\longrightarrow$ **25% de 2 plg**
  ancho de la copia ampliada. **0.25 × 2 = 0.5 de plg**
  nuevo ancho = 2 plg + 0.5 de plg = 2.5 plg

Dibuja ahora la ampliación de 25% usando las nuevas medidas
de largo y ancho.

Haz una copia del logo que sea 50% más pequeña que el original.
Usa la fórmula nuevo largo = original − reducción.

Dibuja la copia reducida o ampliada de cada uno.

1. 50% de ampliación

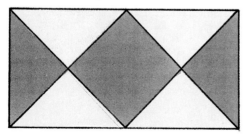

2. 40% de reducción

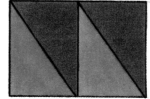

IMPUESTOS SOBRE LOS INGRESOS

El gobierno federal de Estados Unidos y muchos gobiernos estatales requieren **un impuesto sobre los ingresos.** Halla tu **ingreso sujeto a impuesto** siguiendo las instrucciones de los folletos gubernamentales.

Hay dos tipos de formularios: uno detallado y uno corto. Cada persona escoge el método que más le conviene.

Los Sres. Stewart presentan una declaración conjunta usando el formulario corto. Han calculado que su ingreso sujeto a impuesto es $13,590. Usando la tabla que está a la derecha, calculan que deben $1,353 en impuestos.

Los Mancini presentan su declaración usando el formulario detallado. Usan esta escala de impuestos para calcular el impuesto que deben sobre su ingreso de $26,785.

ÍNDICE DE IMPUESTOS

Si la línea 19 del 1040A o la línea 7 de 1040EZ es:		Usted es:			
por lo menos	pero menos de	soltero, declaración con 1040EZ	casado, declaración conjunta	casado, declaración separada	jefe de familia
		su impuesto es:			
13,000					
13,000	13,050	1,606	1,265	1,914	1,539
13,050	13,100	1,616	1,273	1,926	1,548
13,100	13,150	1,626	1,281	1,939	1,557
13,150	13,200	1,636	1,289	1,951	1,566
13,200	13,250	1,646	1,297	1,964	1,575
13,250	13,300	1,656	1,305	1,976	1,584
13,300	13,350	1,666	1,313	1,989	1,593
13,350	13,400	1,676	1,321	2,001	1,602
13,400	13,450	1,686	1,329	2,014	1,611
13,450	13,500	1,696	1,337	2,026	1,620
13,500	13,550	1,706	1,345	2,039	1,629
13,550	13,600	1,716	1,353	2,051	1,638
13,600	13,650	1,726	1,361	2,064	1,647
13,650	13,700	1,736	1,369	2,076	1,656
13,700	13,750	1,746	1,377	2,089	1,665
13,750	13,800	1,756	1,385	2,101	1,674

ESCALA DE IMPUESTOS

Ingreso sujeto a impuestos		Impuesto sobre los ingresos	
Por lo menos	Pero menos de		de más de
$15,000	$18,000	$ 2,000 + 23%	$15,000
$18,200	$23,500	$ 2,737 + 26%	$18,200
$23,500	$28,800	$ 4,115 + 30%	$23,500
$28,800	$34,100	$ 5,705 + 34%	$28,800
$34,100	$41,500	$ 7,507 + 38%	$34,100
$41,500	$55,300	$10,319 + 42%	$41,500

Impuesto a pagar $= \$4{,}115 + 30\%$ de la cantidad de más de $23,500

$= \$4{,}115 + 30\%$ de $(\$26{,}785 - \$23{,}500)$

$= \$4{,}115 + 30\%$ de $(\$3{,}285)$

$= \$4{,}115 + (0.30 \times \$3{,}285)$

$= \$4{,}115 + \$985.50$

$= \$5{,}100.50$ ó $\$5{,}101$ ← redondeado al dólar más cercano

Usa el índice para hallar los impuestos sobre los ingresos de una persona soltera.

1. $13,199   **2.** $13,260   **3.** $13,601   **4.** $13,749.99

Usa la escala de impuestos para hallar el impuesto que se debe sobre cada uno de estos ingresos sujetos a impuesto. Redondea al dólar más cercano, si es necesario.

5. $21,650   **6.** $30,390   **7.** $43,775   **8.** $35,200

LA COMPUTADORA

CALCULAR GANANCIAS Y PÉRDIDAS

Frecuentemente se usan computadoras para preparar informes financieros. El programa que sigue usa los enunciados READ y DATA para asignar valores a las variables de ganancias y de pérdidas.

El enunciado **READ A** nombra la variable **A** al próximo número en el enunciado **DATA**.

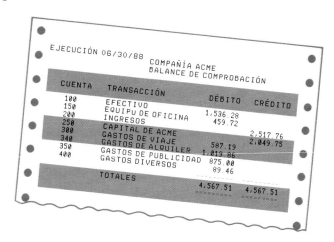

Ejemplo Juntos estos enuncios asignan los valores A = 14 y B = 23.

```
10 READ A,B
20 DATA 14, 23
```

Este programa usa ingresos y gastos de dos años para calcular ganancias y pérdidas anuales.

PROGRAMA

	`10 REM INFORME FINANCIERO`
Usa los espacios entre las comillas para centrar el título. ⟶	`20 PRINT "COMPANIA ACME"`
	`30 PRINT "INFORME FINANCIERO"`
Imprime una línea en blanco. ⟶	`40 PRINT`
Imprime encabezamientos para cada columna. ⟶	`50 PRINT "*****", "1987", "1988"`
	`60 PRINT`
Entra los ingresos y gastos de 1987 en I1 y E1. ⟶	`70 READ I1, E1`
Entra los ingresos y gastos de 1988 en I2 y E2. ⟶	`80 READ I2, E2`
Muestra en la pantalla la información de entrada. ⟶	`90  PRINT "INGRESOS", I1, I2`
	`100 PRINT "GASTOS", E1, E2`
Calcula las ganancias o las pérdidas de cada año. ⟶	`110 LET P1 = I1 - E1`
	`120 LET P2 = I2 - E2`
Muestra en la pantalla las ganancias o las pérdidas. ⟶	`130 PRINT "GANANCIAS/PERDIDAS", P1, P2`
Los valores que se leen están en orden. ⟶	`140 DATA 12463, 12827, 14820, 13425`

Facilita hallar y cambiar enunciados de DATA `150 END`
si se colocan al final del programa.

Escribe los enunciados LEE y DATOS para asignar valores a cada variable.

1. $K = 19$, $M = 36$

2. $A = 6$, $H = 7$, $Z = 49$

3. $B = 8$, $J = 24$, $S = 80$

4. $R = 10$, $S = 20$, $T = 30$, $U = 40$

Escribe la salida de cada programa.

5.
```
10 READ W, X
20 READ Y, Z
30 PRINT W/X
40 PRINT Y/Z
50 DATA 10, 20,
60 DATA 25, 100
70 END
```

6.
```
10 READ A,B
20 LET P = A/B * 100
30 PRINT A;"/";B;"=";P; "%"
40 DATA 1, 5
50 END
```

7.
```
10 FOR I = 1 A 3
20 READ P
30 LET D = P/100
40 PRINT P; "% = ";D
50 NEXT I
60 DATA 40, 75, 100
70 END
```

8.
```
10 READ C, D
20 PRINT "COSTO ORIGINAL = $";C
30 PRINT "DESCUENTO = ";D * 100; "%"
40 LET S = C - C * D
50 PRINT "PRECIO REBAJADO = $";S
60 DATA 20, 0, 15
70 END
```

Escribe un programa usando los enunciados READ y DATA para cada uno. Inventa tus propios datos.

9. Calcula las ganancias (o pérdidas) del Club de Computadoras cada semana durante su campaña de cinco semanas para recaudar fondos.

★**10.** Prepara un estado de cuenta mensual para una cuenta de ahorros que muestre depósitos, retiros y el saldo después de cada transacción.

CON LA COMPUTADORA

Ejecuta (RUN) el programa de INFORME FINANCIERO con cada cambio a ver qué pasa.

1.
```
70 READ I1, E1, I1, E2,
   80
```

2.
```
140 DATA 12463, 12827
145 DATA 14820, 13425
```

3.
```
140 DATA 12463, 12827,
    14820, 13425, 948
```

4.
```
140 DATA 12463, 12827,
    14820
```

Ejecuta (RUN) cada programa. Inventa tus propios datos y escribe la salida.

5. el programa para recaudar fondos que escribiste para el **9**

★**6.** el programa de la cuenta de ahorros que escribiste para el ★**10**

PERFECCIONAMIENTO DE DESTREZAS

Escoge las respuestas correctas. Escribe A, B, C ó D.

1. ¿Cuál es el MCD de 4 y 16?

A 16   C 2

B 4   D no se da

2. $15 - 4\frac{3}{8}$

A $10\frac{5}{8}$ C $11\frac{3}{8}$

B $11\frac{5}{8}$ D no se da

3. $6\frac{2}{3}$
$+ 4\frac{7}{9}$

A $11\frac{4}{9}$ C $10\frac{4}{9}$

B 11   D no se da

4. $2\frac{2}{3} \div \frac{16}{21}$

A $\frac{128}{63}$ C $3\frac{1}{2}$

B $\frac{2}{7}$ D no se da

5. Completa. 2 lb 3 oz = ____ oz

A 27   C 34

B 30   D no se da

6. ¿Qué tipo de ángulo es un ángulo de 45°?

A obtuso   C recto

B agudo   D no se da

7. ¿Cuál es el diámetro?

A $\overline{DC}$ C $\overline{BC}$

B $\overline{AC}$ D no se da

8. Resuelve. $\frac{16}{10} = \frac{40}{n}$

A $n = 25$ C $n = 2.5$

B $n = 14$ D no se da

9. ¿Qué por ciento es la razón $\frac{4}{5}$?

A 75%   C 80%

B 40%   D no se da

10. ¿Qué es 25% de 16?

A 20   C 4

B 25   D no se da

11. ¿Cuál es el descuento?
precio original: $35   tasa de descuento: 25%

A $26.25   C $7.57

B $8.75   D no se da

12. ¿Qué es 3% de 55?

A 16.50   C 1.65

B 0.365   D no se da

13. ¿15% de qué número es 6?

A 40   C 54

B 0.9   D no se da

Resuelve.

14. En una valla hay una botella que mide 3 m de alto. La razón de esta botella a la botella verdadera es 15:1. ¿Qué altura tiene la botella verdadera?

A 7.2 m   C 45 m

B 0.2 m   D no se da

15. El promedio del número de cartas recibidas cada día en la oficina de la Sra. Pérez es 1,516. ¿Cuántas cartas se reciben en 247 días?

A 374,452   C 19,708

B 370,212   D no se da

Tema: Artes típicas de EE.UU.

Perímetro

Federico Suárez, un arquitecto de jardines, diseñó este jardín colonial para un museo. En el borde exterior del jardín se sembrará un seto. ¿Cuál será la longitud total del seto?

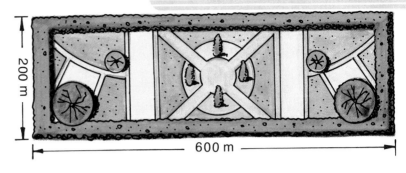

La distancia alrededor de un polígono es su **perímetro** (P).

Se puede hallar el perímetro de un polígono sumando las longitudes de todos sus lados.

$$P = 600 + 200 + 600 + 200$$
$$P = 1{,}600 \text{ m}$$

La longitud del seto o del perímetro del jardín será de 1,600 m.

Se pueden usar fórmulas para hallar el perímetro de ciertos polígonos.

▶ Como un cuadrado tiene cuatro lados iguales, su perímetro es cuatro veces la longitud de un lado.

$$P = 4l$$
$$P = 4 \times 3$$
$$P = 12 \text{ m}$$

3 m

3 m

▶ Como un rectángulo tiene dos pares de lados iguales, el perímetro es dos veces la longitud más dos veces el ancho.

$$P = 2l + 2a$$
$$P = (2 \times 5) + (2 \times 3)$$
$$P = 10 + 6$$
$$P = 16 \text{ m}$$

3 m

5 m

▶ Para hallar el perímetro de cualquier polígono regular, usa la fórmula $P = nl$. En esta fórmula, n es el número de lados y l es la longitud de cada lado.

$$P = nl$$
$$P = 6 \times 11$$
$$P = 66 \text{ cm}$$

11 cm

TRABAJO EN CLASE

Halla el perímetro de cada polígono.

1.
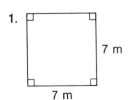
7 m

7 m

2.
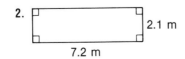
2.1 m

7.2 m

3.
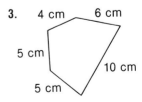
4 cm   6 cm
5 cm
5 cm   10 cm

Halla el perímetro de cada polígono.

1.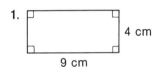
   9 cm, 4 cm

2.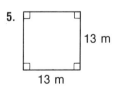
   8 m, 8 m

3.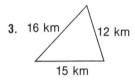
   16 km, 12 km, 15 km

4.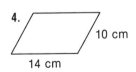
   10 cm, 14 cm

5.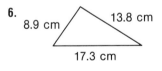
   13 m, 13 m

6.
   8.9 cm, 13.8 cm, 17.3 cm

7. cuadrado
   l = 7.3 cm

8. rectángulo
   l = 15 m
   a = 12 m

9. rectángulo
   l = 5.8 cm
   a = 1.8 cm

Halla el perímetro de cada polígono regular.

10. triángulo
    l = 35 km

11. octágono
    l = 7.2 mm

12. pentágono
    l = 14.6 cm

Resuelve.

13. Un octágono regular tiene un perímetro de 176 cm. Halla la longitud de cada lado.

★14. El perímetro de un rectángulo es 80 m. Su longitud es 25 m. Halla el ancho.

APLICACIÓN

15. Una colcha cuadrada exhibida en un museo colonial mide 425 cm por cada lado. ¿Cuánto ribete fue usado para terminar los bordes de la colcha?

16. El jardín de esculturas de un museo mide 38 m de largo y 26 m de ancho. ¿Cuánta cerca se necesita para circundar el jardín completo?

★17. Si cada paso que das mide 0.6 m, ¿aproximadamente cuántos pasos darás para caminar alrededor del jardín de esculturas?

RAZONAMIENTO LÓGICO

Van a cercar un jardín de 50 m de ancho y 100 m de largo. Si se colocan postes cada 10 m, ¿cuántos postes son necesarios?

Circunferencia

Paseos con ruedas de medir

A veces los funcionarios escolares no están
seguros de que un estudiante viva tan lejos de
la escuela como para tener derecho al
autobús. En algunos distritos, se usa una
rueda de medir para medir la ruta del
estudiante desde su casa hasta la escuela.

TRABAJAR JUNTOS

Trabaja en grupos pequeños.

1. Haz una rueda de medir uniendo un círculo
   de cartón a un mango, como se muestra en
   el diagrama. Dibuja una flecha en el círculo
   para identificar el punto de partida.

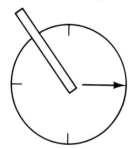

2. Usa tu rueda de medir para medir la
   distancia desde tu salón de clase hasta la
   oficina principal contando el número de
   revoluciones que da el círculo. Decide en
   grupo cómo se incluyen las revoluciones
   parciales. Haz marcas de un cuarto de
   vuelta en tu rueda. Anota los datos.

3. Mide la *circunferencia* o distancia alrededor del círculo.
   Mide el diámetro del círculo. Haz todas las medidas a la
   centésima de metro más cercana. Anota tus datos en un
   cuadro, como el que se muestra abajo. Halla $c + d$; $c \times d$
   y $\frac{c}{d}$. Redondea las respuestas a la centésima más cercana.

Grupo	Número de revoluciones	Circunferencia	Diámetro	Distancia a la oficina	$c + d$	$c \times d$	$\frac{c}{d}$
A	13.25	1.88	0.60	24.91	2.48	1.13	3.13

COMPARTIR IDEAS

Comenta las siguientes preguntas con tus compañeros.

1. ¿Qué medidas necesitaste para determinar la distancia hasta la oficina principal?

2. ¿Halló cada grupo la misma distancia? ¿Midió cada grupo la distancia con el mismo número de vueltas? Explica.

3. Observa el cuadro. ¿Qué relación, si existe alguna, puedes ver entre la circunferencia y el diámetro?

4. ¿Qué notas en la columna $\frac{c}{d}$ de tu cuadro? Halla el promedio de entradas en la columna $\frac{c}{d}$. Compara este promedio con el número π. π es aproximadamente 3.14 ó alrededor de $\frac{22}{7}$.

5. ¿Cómo puedes usar lo que has descubierto para hallar la circunferencia de un círculo? ¿para hallar el diámetro cuando se conoce la circunferencia?

RAZONAR A FONDO

Comparte tus ideas con tu grupo. Experimenta para comprobar tus respuestas.

1. ¿Cómo puedes hallar la circunferencia de un círculo si sabes cuánto mide el radio?

2. Si usas un compás para dibujar un círculo, ¿cómo puedes estimar la circunferencia usando la apertura del compás?

3. ¿Cómo cambia la circunferencia al duplicar el diámetro? ¿al doblar el radio? ¿Qué ocurre con la circunferencia al triplicar el diámetro? ¿al triplicar el radio?

4. Escribe una oración describiendo la relación entre el diámetro y la circunferencia; entre el radio y la circunferencia.

5. ¿Es la circunferencia de una lata de pelotas de tenis mayor que su altura? Usa lo que has aprendido en esta lección para contestar la pregunta.

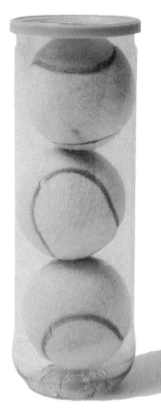

Área

El área de una región es el número de unidades cuadradas necesarias para cubrirla.

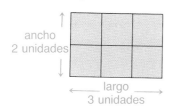

Área = largo × ancho

Área = 2 × 3

Área = 6 unidades cuadradas

Algunas unidades de área son el **centímetro cuadrado (cm^2)**, el **milímetro cuadrado (mm^2)**, y el **kilómetro cuadrado (km^2)**.

Mary Louisa McCully hizo este bordado de punto cruzado en 1840. Mide 54 cm por 45 cm. ¿Cuál es el área de este bordado?

Se puede usar una fórmula para hallar el área de un rectángulo.

▶ $A = l \times a$ ó $A = la$

$A = 54 \times 45$

$A = 2{,}430 \ cm^2$

El área del bordado es de 2,430 cm^2.

Como el largo y el ancho de un cuadrado son iguales, esta fórmula puede usarse para hallar el área de un cuadrado.

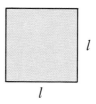

▶ Área = lado (l) × lado (l)

$A = l \times l$ ó $A = l^2$

Halla el área de un cuadrado cuyo lado mide 12.5 cm.

El área del cuadrado es de 156.25 m^2.

$A = l^2$

$A = 12.5 \times 12.5$

$A = 156.25 \ m^2$

TRABAJO EN CLASE

Halla el área de cada figura.

1.

7 cm
52 cm

2.
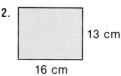
13 cm
16 cm

3.
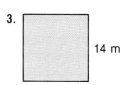
14 m

Halla el área de cada rectángulo o cuadrado.

4. $l = 12$ m; $a = 7$ m

5. $l = 15$ cm

6. $l = 9.2$ m

Halla el área de cada figura.

1.
2 m
5 m

2.
9 m
9 m

3.
12 cm
7 cm

4.
12 cm
10 cm

5.
9 mm
27 mm

6.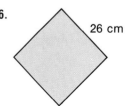
26 cm

Halla el área de cada rectángulo o cuadrado.

7. $l = 10$ m; $a = 6.7$ m   8. $l = 11$ cm   9. $l = 3.4$ m; $a = 2$ m

10. $l = 9.7$ cm; $a = 8.6$ cm   11. $l = 4.9$ km   12. $l = 14.9$ cm

13. $l = 12.4$ cm; $a = 7.3$ cm 14. $l = 7.4$ mm; $a = 6.3$ mm   15. $l = 8.7$ m

Resuelve.

16. El área de un rectángulo es de 299 m². Su longitud es 23 m. Halla su ancho.

★17. El perímetro de un cuadrado es de 40 cm. Halla el área.

Halla el área de cada porción sombreada.

★18.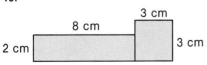
3 cm
8 cm
3 cm
2 cm

★19.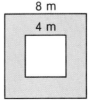
8 m
4 m

★20.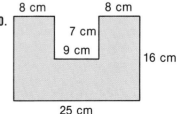
8 cm   8 cm
7 cm
9 cm
16 cm
25 cm

APLICACIÓN

★21. Marta va a hacer un vidrio de color para la puerta de su casa. ¿Cuál es el área del vidrio si mide 120 cm de largo por 20 cm de ancho? **2,400 cm²**

★22. A Marta le dieron una cuerda de 32 m para marcar el área de exhibición de una feria de artesanía. ¿Puede cercar un área rectangular de 48 m²? Si es así, ¿cuáles son las dimensiones del área? ¿Cuál es el área mayor que puede cercar? ¿Cuáles son las dimensiones de esta área?

Área de paralelogramos

Para hallar el área de un paralelogramo, halla el área de un rectángulo con la misma base y altura.

La **altura** de un paralelogramo es un segmento que une lados opuestos y es perpendicular a su base.

Imagina cortar la parte azul del paralelogramo y arregla las piezas para formar un rectángulo. El área del paralelogramo es igual al área del rectángulo.

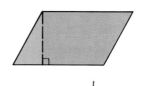

▶ Para hallar el área de un paralelogramo, multiplica la base por la altura. Usa esta fórmula.

$A = b \times al$ ó $A = bal$

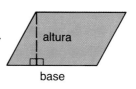

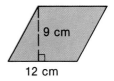

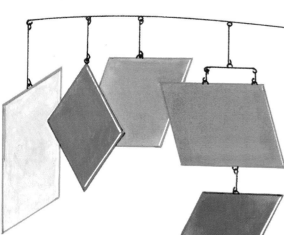

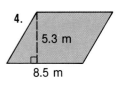

Eric Young es un artista. Está creando un móvil usando paralelogramos. ¿Cuánta lámina necesitará para un paralelogramo con estas medidas?

$A = bal$

$A = 12 \times 9$

$A = 108 \text{ cm}^2$

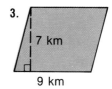

Eric necesitará 108 cm² de lámina.

TRABAJO EN CLASE

Halla el área de cada paralelogramo.

1. 3 cm — 4 cm

2. 11 m — 14 m

3. 7 km — 9 km

4. 5.3 m — 8.5 m

5. $b = 10$ cm
   $al = 3$ cm

6. $b = 5.7$ m
   $al = 12.8$ m

7. $b = 22.5$ km
   $al = 50.0$ km

8. $b = 11$ cm
   $al = 3.2$ cm

PRÁCTICA

Halla el área de cada paralelogramo.

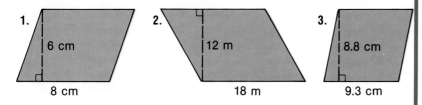

1. 6 cm / 8 cm

2. 12 m / 18 m

3. 8.8 cm / 9.3 cm

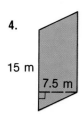
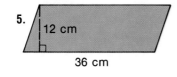
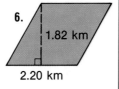

4. 15 m / 7.5 m

5. 12 cm / 36 cm

6. 1.82 km / 2.20 km

7. $b = 13$ cm; $al = 4$ cm   **8.** $b = 11$ km; $al = 28$ km

9. $b = 14.9$ m; $al = 7$ m   **10.** $b = 110$ mm; $al = 34.5$ mm

Usa la calculadora para hallar el área de cada paralelogramo.

11. $b = 23.8$ m; $al = 21.1$ m   **12.** $b = 11.11$ m; $al = 20.02$ m

13. $b = 5.5$ cm; $al = 1.48$ cm   **14.** $b = 0.96$ km; $al = 0.48$ km

Resuelve.

15. El área de un paralelogramo mide 169 centímetros cuadrados. La longitud de la base es de 13 centímetros. Halla la altura.

16. El área de un paralelogramo mide 1,000 metros cuadrados. La altura es de 25 metros. ¿Qué longitud tiene la base?

★ **17.** La base de un paralelogramo mide 35 centímetros. La altura es de 2 centímetros más que la mitad de la base. Halla el área.

APLICACIÓN

Eric está cortando una lámina rectangular de 100 cm de largo por 50 cm de ancho. Va a cortar formas para hacer un móvil.

18. Corta cuatro paralelogramos, cada uno con una base de 15 cm y una altura de 17 cm. ¿Cuánto metal usa?

★ **19.** Del metal que sobra corta seis cuadrados idénticos. Cada cuadrado tiene un lado de 10.5 cm de largo. ¿Cuánto metal le sobra?

Práctica mixta

1. $4,375 + 37,098$

2. $9,000 - 1,286$

3. 437×695

4. $886 \div 40$

5. $2.986 + 0.85$

6. $23 - 12.05$

7. 42.6×3.8

8. $29.76 \div 3.2$

9. $4\frac{1}{8} + 3\frac{1}{2} + 6\frac{1}{4}$

10. $8\frac{3}{7} - 6\frac{5}{7}$

11. $3\frac{5}{6} \times \frac{2}{9}$

12. $3\frac{5}{6} \div \frac{2}{9}$

13.   4 yd 2 pies
    $+ \ 6$ yd 2 pies

14.   12 h 27 min
    $- \ \ \ 3$ h 36 min

Escribe como por ciento.

15. $\frac{13}{100}$

16. $\frac{3}{5}$

17. $\frac{3}{10}$

18. 0.84

19. 0.09

20. 6.25

339

Área de triángulos

Los primeros pobladores vinieron a América en buques veleros. Hoy, las velas se hacen para barcos de recreo.

Esta vela triangular tiene una base (b) de 4 metros y una altura (al) de 6 metros. ¿Cuánto mide la vela en metros cuadrados?

Para hallar una fórmula para el área de un triángulo, piensa en otro triángulo congruente a éste. Cuando los triángulos se unen así, forman un paralelogramo.

El área de cada triángulo es la mitad del área del paralelogramo.

▶ Área del triángulo = $\frac{1}{2}$ × área del paralelogramo.

Usa esta fórmula para hallar el área de un triángulo.

$A = \frac{1}{2} \times b \times al$ ó $A = \frac{1}{2} bal$

$A = \frac{1}{2} \times 4 \times 6$

$A = \frac{1}{2} \times 24$

$A = 12 \text{ m}^2$

Hay 12 m² de lona en la vela.

Otro ejemplo

Halla el área del $\triangle ABC$.

$A = \frac{1}{2} \times 5 \times 7$

$A = \frac{1}{2} \times 35$

$A = 17.5 \text{ m}^2$

El área del $\triangle ABC$ es de 17.5 m².

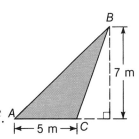

A veces la altura se calcula fuera del triángulo.

TRABAJO EN CLASE

Halla el área de cada triángulo.

1. 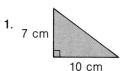 7 cm, 10 cm

2. 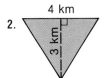 4 km, 3 km

3. 8 m, 9 m

4. 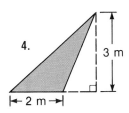 3 m, 2 m

5. $b = 7$ dm; $al = 9$ dm   6. $b = 4$ cm; $al = 6.1$ cm   7. $b = 12$ m; $al = 7.4$ m

PRÁCTICA

Halla el área de cada triángulo.

1.

10 m
10 m

2.
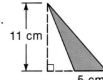
27 m
30 m

3.
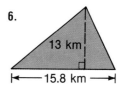
4 cm
12 cm

4.
11 cm
5 cm

5.
9 m
5.6 m

6.
13 km
15.8 km

7. $b = 9$ m
$al = 16$ m

8. $b = 17$ m
$al = 13$ m

9. $b = 15$ cm
$al = 7$ cm

10. $b = 2.7$ m
$al = 5$ m

★ **11.** Halla el área de la figura sombreada a la derecha.

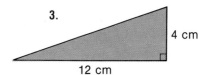

4 cm
4 cm
3 cm
4 cm
4 cm · 3 cm

APLICACIÓN

12. Una vela que tiene un área de 120 m^2 tiene una base de 10 m. ¿Qué es la altura de la vela?

★ **13.** Una compañía que fabrica velas paga $12 el metro cuadrado por los primeros 100 metros cuadrados de lona y $10 el metro cuadrado de allí en adelante. ¿Qué es el costo de la lona para una vela triangular con una base de 15 m y una altura de 26 m?

ÁREA DE UN TRAPECIO

Se puede dividir un trapecio en dos triángulos. Para hallar el área de un trapecio, halla el área de cada triángulo. Después suma las áreas.

Área del trapecio = área del triángulo I + área del triángulo II

$A = \frac{1}{2}bal + \frac{1}{2}bal$

$A = (\frac{1}{2} \times 10 \times 4) + (\frac{1}{2} \times 6 \times 4)$

$A = 20 + 12 = 32$ m^2

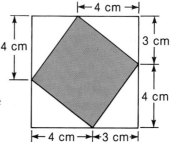
6 m
II
4 m
I
4 m
10 m

Halla el área de cada trapecio.

1.
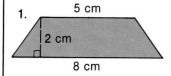
5 cm
2 cm
8 cm

2.
8 m
5 m
10 m

3.
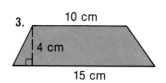
10 cm
4 cm
15 cm

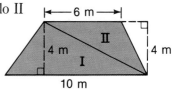

341

Explorar el área de un círculo

¿Con qué exactitud puedes estimar el área de un círculo?

TRABAJAR JUNTOS

Trabaja en pareja. Anota los resultados mientras trabajas.

1. Usa un compás para dibujar un círculo en una hoja de papel cuadriculado en centímetros.

2. Cuenta los cuadrados que se encuentran totalmente dentro del círculo.

3. Decide cómo asignar un valor al área de cada cuadrado que sólo se encuentra parcialmente dentro del círculo.

4. Usa tus resultados para estimar el área del círculo.

5. Calcula el área del círculo usando la fórmula $A = \pi r^2$.

Comenta con tus compañeros.

1. Compara el área estimada con el área que hallaste usando la fórmula.

2. ¿Obtienes una respuesta exacta usando la fórmula? ¿Por qué sí o por qué no?

RAZONAR A FONDO

1. Observa la figura de la derecha.

   - Cuenta todos los cuadrados que tienen alguna parte dentro del círculo.

   - Cuenta todos los cuadrados que están totalmente dentro del círculo.

   - Halla el promedio de estos dos números.

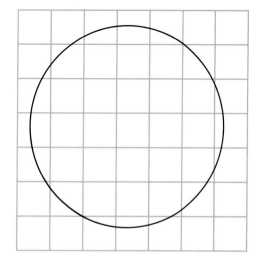

2. Comenta este método de estimar el área de un círculo.

3. ¿Cómo puede hacerse más exacto este método de computar promedios de cuentas?

4. Comenta cómo puedes usar cada uno de los métodos de la lista para estimar el área de la figura irregular de abajo.

   - contar cuadrados parciales

   - usar una fórmula

   - promediar dos cuentas

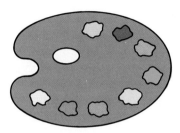

5. Usa uno de los métodos de arriba para hallar el área de la figura irregular. Compara tus respuestas con las de otros grupos y comenta las diferencias.

343

Explorar las áreas de las figuras irregulares

Probablemente has oído hablar de «Big Foot», el monstruo legendario que dicen que vive en los bosques de la parte noroeste de Estados Unidos. Nadie ha visto jamás a Big Foot, pero algunos dicen que han visto sus huellas.

Un leñador muy alto dijo que había visto una huella que no podía ser humana. Cuando el leñador puso su pie dentro de la huella del monstruo, ¡vio que ésta era el doble de grande que la suya!

TRABAJAR JUNTOS

Trabaja en pareja.

1. Decide lo que quería decir el leñador con la expresión «el doble de grande».

2. Calca la huella de tu zapato en un papel cuadriculado.

3. Prepara una estrategia para dibujar la huella de un monstruo alrededor de la huella de tu zapato. La huella del monstruo debe ser el *doble del área* de tu huella y parecerse a una huella humana.

4. Estima el área de cada huella.

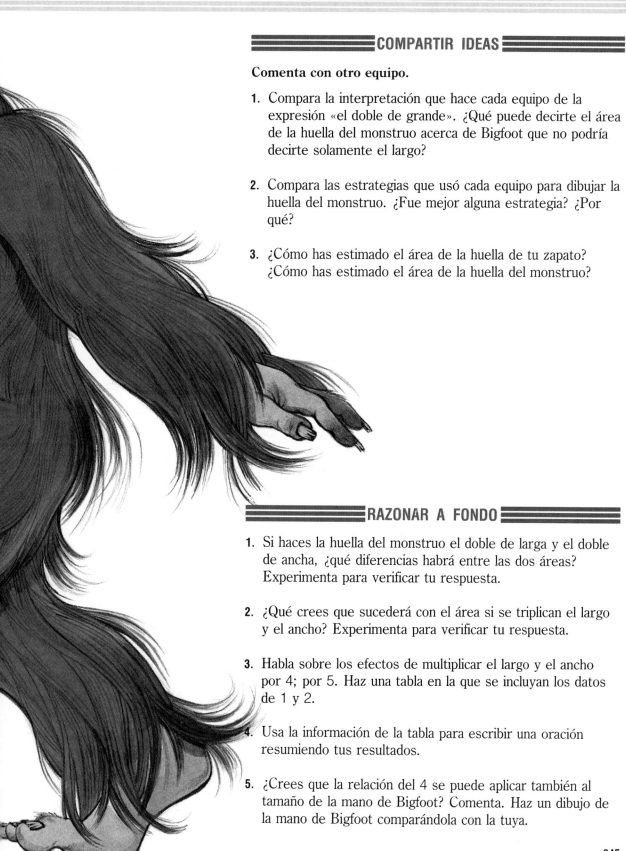

Comenta con otro equipo.

1. Compara la interpretación que hace cada equipo de la expresión «el doble de grande». ¿Qué puede decirte el área de la huella del monstruo acerca de Bigfoot que no podría decirte solamente el largo?

2. Compara las estrategias que usó cada equipo para dibujar la huella del monstruo. ¿Fue mejor alguna estrategia? ¿Por qué?

3. ¿Cómo has estimado el área de la huella de tu zapato? ¿Cómo has estimado el área de la huella del monstruo?

RAZONAR A FONDO

1. Si haces la huella del monstruo el doble de larga y el doble de ancha, ¿qué diferencias habrá entre las dos áreas? Experimenta para verificar tu respuesta.

2. ¿Qué crees que sucederá con el área si se triplican el largo y el ancho? Experimenta para verificar tu respuesta.

3. Habla sobre los efectos de multiplicar el largo y el ancho por 4; por 5. Haz una tabla en la que se incluyan los datos de 1 y 2.

4. Usa la información de la tabla para escribir una oración resumiendo tus resultados.

5. ¿Crees que la relación del 4 se puede aplicar también al tamaño de la mano de Bigfoot? Comenta. Haz un dibujo de la mano de Bigfoot comparándola con la tuya.

Figuras del espacio

Cada una de las figuras planas de abajo se pueden doblar para
formar una figura del espacio llamada poliedro.

A.

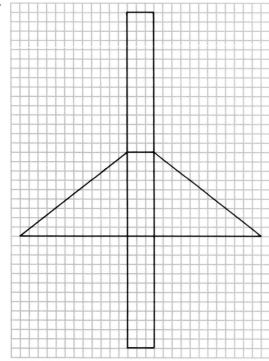

B.

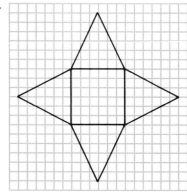

C.

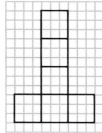

D.

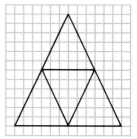

Une correctamente cada una de las figuras planas con una
de las figuras del espacio de abajo.

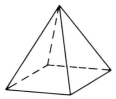

Figura 1

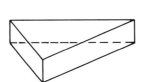

Figura 2

Figura 3

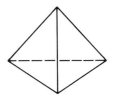

Figura 4

TRABAJAR JUNTOS

1. Trabaja en grupos para construir las cuatro figuras del espacio mostradas. Cada grupo debe construir las cuatro figuras.

2. Por cada poliedro que construya tu grupo, cuenta el número de caras (C), vértices (V) y aristas (A).

3. Anota tus datos.

	C	V	A
Figura 1			
Figura 2			
Figura 3			
Figura 4			

4. Existe una relación entre el número de caras, vértices y aristas de un poliedro. Busca los patrones entre las columnas de tu tabla y trata de descubrir esta relación.

COMPARTIR IDEAS

1. Explica la relación que descubriste entre C, V y A. Describe la relación en palabras. ¿Puedes describirla usando una fórmula?

2. ¿Existe más de una fórmula que describa la relación? Comenta.

RAZONAR A FONDO

1. Comprueba la relación que hallaste, usando el poliedro a la derecha. ¿Cuántas caras tiene? ¿vértices? ¿aristas? ¿Se mantiene la relación en esta figura?

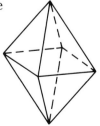

2. ¿Puedes imaginarte cómo sería este poliedro si se desdoblara formando una figura plana? Dibuja la figura plana. Recórtala y dóblala. ¿Se forma tu modelo un poliedro como el del dibujo?

3. Comenta cómo es tu modelo comparado con los que han dibujado otros compañeros.

Relacionar área de la superficie y volumen

¿Cómo se relaciona el área de la superficie de un prisma rectangular con el volumen del prisma?

TRABAJAR JUNTOS

Trabaja en pareja.

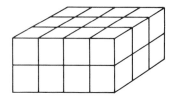

1. Construye un prisma rectangular como el que se muestra, usando cubos de un centímetro. Anota las dimensiones en una tabla.

Largo	Ancho	Altura	Volumen	Área de la superficie
4	3	2		

- ¿Cómo puedes hallar el volumen del prisma? ¿Cuál es el volumen en unidades cúbicas? Anótalo en tu tabla.

- ¿Cómo puedes hallar el área de la superficie total, es decir, el área de las seis caras?

- ¿Cuál es el área de la superficie en unidades cuadradas? Anótalo en tu tabla.

2. Reordena los mismos 24 cubos para construir un prisma que tenga un largo de 6. Anota las dimensiones en la tabla.

- Halla el volumen y el área de la superficie del nuevo prisma. Anota los resultados.

3. Sigue reordenando los 24 cubos hasta que hagas tantos prismas diferentes como puedas.

- Halla el volumen y el área de la superficie de cada prisma. Anota los resultados.

1. ¿Cuántos prismas construiste con tu pareja usando 24 cubos? ¿Hubo alguien que hiciera más que tú?

2. ¿Qué puedes decir sobre el volumen de todos los prismas de 24 cubos que construiste?

3. Compara las áreas de superficie de todos los prismas de 24 cubos que construiste. Analiza los datos de otros equipos. ¿Obtuvieron otros equipos resultados similares a los tuyos? ¿Qué prisma de 24 cubos tiene el área de la superficie menor? ¿Cuál tiene el área de la superficie mayor?

4. Imagínate que tienes 24 cubos de un centímetro hechos con masa de pizza. ¿Podrías moldear la masa para hacer un prisma con un volumen de 24 cm^3 y un área de la superficie mayor que 98 cm^2? ¿Podrías moldear un prisma con un volumen de 24 cm^3 y un área de la superficie de 200 cm^2? ¿de 2,000 cm^2?

RAZONAR A FONDO

Trabaja con tu clase.

1. Construye un prisma de $4 \times 3 \times 2$. ¿Qué ocurriría con el volumen y el área de la superficie si duplicaras cada dimensión? Predice y comenta. Luego combina los cubos de varios grupos para formar un nuevo prisma. ¿Cuántos cubos necesitaste? ¿Cuál es el volumen y el área de la superficie? Compara los resultados con tus predicciones.

2. Construye de nuevo el prisma de $4 \times 3 \times 2$. ¿Qué ocurriría con el volumen y el área de la superficie si cortaras por la mitad cada dimensión?

3. Imagínate que el prisma que vas a hacer tiene unas dimensiones de $4.32 \times 3.07 \times 2.95$. ¿Podrías hacer fácilmente este prisma usando cubos de un centímetro? ¿usando masa de pizza? ¿Cómo hallarías su volumen y su área de la superficie?

4. Escribe una regla o fórmula para hallar el volumen de un prisma rectangular y para hallar el área de la superficie.

5. ¿Qué ocurriría con el volumen y el área de la superficie si triplicaras cada dimensión? ¿Tienes suficientes cubos para construir este prisma? ¿Por qué sí o por qué no?

6. Predice lo que ocurriría con el volumen y el área de la superficie del prisma de $4 \times 3 \times 2$ si dividieras cada dimensión por 3. Usa tu fórmula pára comprobar.

Volumen de prismas

El **volumen** de una figura es el número de unidades cúbicas necesarias para llenar la figura.

El **centímetro cúbico (cm³)** y el **metro cúbico (m³)** son unidades de volumen.

Cuenta el número de centímetros cúbicos en la figura a la derecha para hallar el volumen.

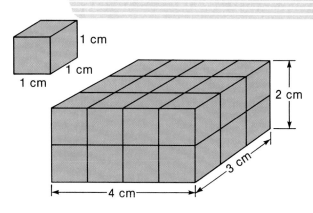

Piensa 2 capas de 12 cubos = 24 cubos. El volumen es de 24 cm³.

Los Alvarado están construyendo una cabaña. Quieren comprar una estufa de leña para calentar la cabaña. Para comprar el tamaño correcto de estufa, tienen que saber el volumen del espacio a calentar.

▶ Puede hallarse el volumen de cualquier prisma rectangular usando esta fórmula.

Volumen = largo × ancho × altura

$V = laal$

$V = 4 \times 8 \times 3$

$V = 96 \text{ m}^3$

El volumen de la cabaña es de 96 m³.

▶ Como largo × ancho es igual al área de la base (*B*), la fórmula puede escribirse así.

Volumen = área de la base × altura

$V = Bal$

$V = 32 \times 3$

$V = 96 \text{ m}^3$

La fórmula $V = Bal$ puede usarse para hallar el volumen de cualquier prisma.

$V = Bal$ $B = \frac{1}{2} \times 8 \times 3 = 12 \text{ cm}^2$

$al = 10 \text{ cm}$

$V = 12 \times 10 = 120$

$V = 120 \text{ cm}^3$

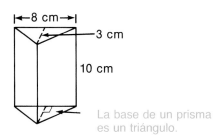

La base de un prisma es un triángulo.

TRABAJO EN CLASE

Halla el volumen de cada prisma.

1. 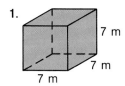 7 m, 7 m, 7 m

2. 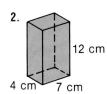 12 cm, 4 cm, 7 cm

3. 5 cm, 12 cm, 8 cm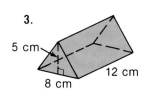

4. 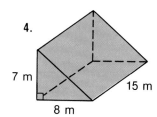 7 m, 15 m, 8 m

PRÁCTICA

Halla el volumen de cada prisma.

1.
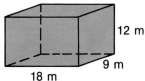
12 m
9 m
18 m

2.
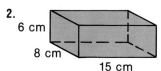
6 cm
8 cm
15 cm

3.
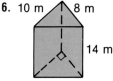
20 m
20 m
5 m

4.
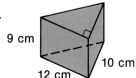
9 cm
10 cm
12 cm

5.

15 m
6 m   4 m

6. 10 m   8 m
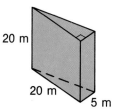
14 m

7. prisma rectangular
$l = 10$ cm
$a = 12$ cm
$al = 3$ cm

8. prisma rectangular
$l = 12$ cm
$a = 11.4$ cm
$al = 8$ cm

9. prisma triangular
$B = 200$ m^2
$al = 14.4$ m

Resuelve.

10. ¿Cuál tiene mayor volumen: dos cubos de 4 centímetros o un cubo de 8 centímetros?

11. El volumen de un prisma rectangular es de 528 cm^3. Si la altura del prisma es de 11 cm, ¿qué es el área de la base?

★ **12.** El volumen de un prisma rectangular es de 800 m^3. ¿Qué es la altura del prism si la longitud es de 8 m y el ancho es de 5 m?

★ **13.** El largo de una caja es el doble de su altura. El ancho de la caja es de 10 cm. La altura es 7 cm menos que su largo. ¿Qué es el volumen de la caja?

APLICACIÓN

14. Los Alvarado están construyendo un cajón rectangular para leña. Las dimensiones del cajón son 2 m de largo, 1.4 m de ancho y 1.2 m de altura. ¿Qué es el volumen del cajón?

HAZLO MENTALMENTE

En un cubo, $l = a = al = $ arista (*ar*).

Halla el volumen de cada cubo.

1. $ar = 2$ m

2. $ar = 4$ cm

3. $ar = 10$ cm

4. $ar = 20$ cm

Área de la superficie de cilindros

Margot es una diseñadora de envases. Frecuentemente usa formas que no son poliedros.

Estas figuras del espacio no son poliedros. Sus superficies son curvas.

cilindro   **cono**   **esfera**

¿Cuánto cartón se necesita para hacer un recipiente cilíndrico para avena?

Para hallar el **área de la superficie** de un cilindro, suma las áreas de todas sus superficies.

Para «ver» las superficies, piensa en cortar el cilindro en piezas para hacer un patrón.

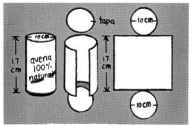

Halla el área de cada superficie.

Área de cada base circular

$A = \pi r^2$

$A \approx 3.14 \times 5^2 \rightarrow$ Si $d = 10$, $r = 5$.

$A \approx 3.14 \times 25$

$A \approx 78.5 \text{ cm}^2$

Área de la superficie rectangular

$A = bal$

$A = \pi d \times al$

$A \approx 3.14 \times 10 \times 17$

$A \approx 533.8 \text{ cm}^2$

Piensa La base del rectángulo es igual a la circunferencia del círculo.

La suma de las áreas de las superficies es de $78.5 + 78.5 + 533.8 = 690.8 \text{ cm}^2$.

Se necesitan aproximadamente 691 cm^2 de cartón para el recipiente.

TRABAJO EN CLASE

Halla el área de la superficie de cada cilindro. Usa $\pi \approx 3.14$. Redondea cada respuesta a la unidad más cercana.

1.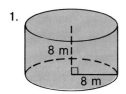
8 m
8 m

2.
7 m
4 m

3.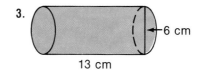
6 cm
13 cm

4.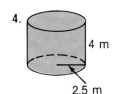
4 m
2.5 m

PRÁCTICA

Halla el área de la superficie de cada cilindro. Usa $\pi \approx 3.14$. Redondea cada respuesta a la unidad más cercana.

1.

10 cm
8 cm

2.
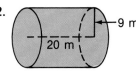
9 m
20 m

3.
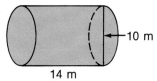
10 m
14 m

4.

15 cm
12 cm

5.

24 m
10 m

6.
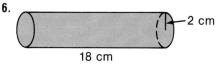
2 cm
18 cm

7. $r = 7$ m
$al = 3$ m

8. $r = 9$ m
$al = 5.6$ m

9. $r = 1.5$ m
$al = 6$ m

10. $d = 6$ cm
$al = 10$ cm

11. $d = 30$ cm
$al = 3.8$ cm

12. $d = 7$ m
$al = 8$ m

13. $r = 5$ mm
$al = 15.2$ mm

14. $d = 3.2$ m
$al = 2.3$ m

15. $d = 13$ cm
$al = 30$ cm

APLICACIÓN

16. Margot va a presentar dos diseños de envases para una línea de frutas enlatadas. Ambos diseños usan cilindros de la misma altura. ¿Se puede deducir que ambas latas requieren la misma cantidad de lámina metálica?

17. Margot está diseñando una lata para una nueva sopa. La lata tiene que medir 11 cm de altura con un diámetro de 8 cm. ¿Cuánta lámina metálica se necesita para hacer cada lata?

★ **18.** Marcos Jiménez está trabajando en el diseño de una etiqueta para una marca nueva de vegetales. Los vegetales vienen en latas que miden 13 cm de altura y tienen un radio de 7 cm. ¿Aproximadamente cuánto papel necesita Marcos para cada etiqueta? Redondea la respuesta a la décima más cercana.

Práctica mixta

1. 85,006
   $-$ 9,797

2. 6,319
   $\times$ 27

3. $6 \times 87,248$

4. $23 \overline{)116,564}$

5. $87 \overline{)54,990}$

6. $5.263 + 981.9$

7. $5,024 - 95.83$

8. 0.07×8.621

9. 0.012×5.4

10. $1.9 \overline{)0.988}$

11. $5.2 \div 0.004$

12. $14\frac{4}{5} + 9\frac{1}{12}$

13. $18 - 6\frac{5}{9}$

14. $4\frac{1}{10} - 1\frac{5}{8}$

15. $1\frac{1}{4} \times \frac{5}{8}$

16. $12\frac{1}{8} \div 3\frac{1}{4}$

Resuelve.

17. ¿Cuál es el 12% de 60?

18. ¿9 es qué por ciento de 12?

19. ¿18 es el 60% de qué número?

Volumen de cilindros

Priscilla y Jesse están haciendo velas para vender en la feria de artesanía de su escuela. ¿Cuántos centímetros cúbicos de cera contiene una lata de este tamaño?

Halla el volumen del cilindro.

▶ El volumen del cilindro es igual al área de la base × la altura.

$$V = Bal \quad B = \text{área de la base}$$

Como la base es un círculo, usa esta fórmula para hallar el volumen de un cilindro.

$$V = \pi r^2 al$$

Usa la fórmula para hallar el volumen de la lata.

$$V = \pi r^2 al$$
$$V \approx 3.14 \times 5^2 \times 25$$
$$V \approx 3.14 \times 25 \times 25$$
$$V \approx 1{,}962.5 \text{ cm}^3 \qquad \text{La lata contiene aproximadamente } 1{,}962.5 \text{ cm}^3 \text{ de cera.}$$

Otro ejemplo

Halla el volumen. Usa $\pi \approx 3.14$.

$$V = \pi r^2 al$$
$$V \approx 3.14 \times 3^2 \times 15$$

Si $d = 6$ m, $r = 3$ m.

$$V \approx 3.14 \times 9 \times 15$$
$$V \approx 423.9 \text{ m}^3$$

TRABAJO EN CLASE

Halla el volumen de cada cilindro. Usa $\pi \approx 3.14$. Redondea cada respuesta a la unidad más cercana.

1.
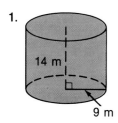
14 m
9 m

2.
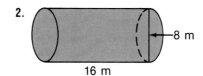
8 m
16 m

3.
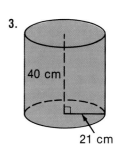
40 cm
21 cm

PRÁCTICA

Halla el volumen de cada cilindro. Usa π ≈ 3.14. Redondea cada respuesta a la unidad más cercana.

1.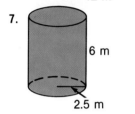
20 m — 6 m

2.
17 cm — 8 cm

3.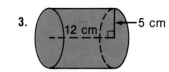
12 cm — 5 cm

4.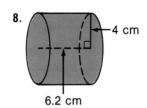
14 m
12 m

5.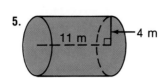
11 m — 4 m

6.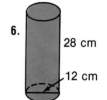
28 cm
12 cm

7.
6 m
2.5 m

8.
— 4 cm
6.2 cm

★9.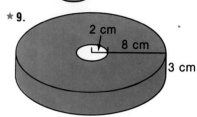
2 cm
8 cm
3 cm

10. r = 4 cm
al = 10 cm

11. r = 2 m
al = 6 m

12. r = 10 cm
al = 22 cm

13. d = 6 m
al = 4.5 m

14. d = 18 cm
al = 27 cm

15. r = 2.3 m
al = 8 m

16. r = 40 mm
al = 150 mm

17. d = 15 cm
al = 18 cm

APLICACIÓN

18. Jesse está haciendo una vela usando un molde cilíndrico que tiene un radio de 4 centímetros y una altura de 30 centímetros. ¿Cuánta cera usará?

19. Priscilla usó una lata de sopa de 10 cm de diámetro y 16 cm de altura como molde para una vela. ¿Qué es el volumen aproximado de la lata?

★20. Jesse está usando un molde cilíndrico con un diámetro de 10 cm y una altura de 20 cm. Priscilla está usando un molde con forma de prisma rectangular, con la misma altura que el cilindro y una base cuadrada que mide 10 cm en cada lado. ¿Quién usa más cera? ¿Cuánta más?

★21. Dos latas de forma cilíndrica tienen igual altura. La primera lata tiene un radio del doble del largo de la segunda. El volumen de la segunda lata es de 237 cm³. ¿Aproximadamente cuánta cera contendrá la primera lata?

355

Problemas para resolver

LÓGICA

Se requiere más que cálculos para resolver algunos problemas. Tienes que organizar y analizar varios datos y sacar conclusiones de ellos.

1. Los estudiantes en el Club de Artesanía pintaron un diseño en una pared del jardín de recreo. Pintaron las formas de un triángulo isósceles, un cuadrado y un rectángulo. Usaron largos de números enteros para los lados. ¿Cuál forma tiene el mayor perímetro? Usa las siguientes pistas:

Pista 1—Dos lados del triángulo son de 7 pies y 6 pies.
Pista 2—Un lado del cuadrado es de 8 pies.
Pista 3—El lado más largo del rectángulo tiene el mismo largo que un lado del cuadrado.

Analiza los datos sobre las figuras.

La Pista 1 revela que dos lados del triángulo son de 7 pies y 6 pies. Como es un triángulo isósceles, el tercer lado debe de ser de 7 pies o 6 pies. Así que el perímetro del triángulo es como máximo

$7 + 7 + 6 = 20$ pies.

La Pista 2 revela que un lado del cuadrado es de 8 pies. Como todos los lados de un cuadrado son iguales, el perímetro del cuadrado es

$4 \times 8 = 32$ pies.

La Pista 3 revela que el lado mayor del rectángulo es igual al lado del cuadrado, que es de 8 pies. Por lo tanto, el lado menor del rectángulo no puede ser mayor de 7 pies. Su perímetro es como máximo

$8 + 8 + 7 + 7 = 30$ pies.

Así que la forma con el mayor perímetro es el cuadrado.

¿Concuerda la conclusión con los datos en las pistas?

El perímetro del cuadrado es de 32 pies. Es mayor que el mayor perímetro posible del triángulo o del rectángulo.

2. A veces se pueden sacar conclusiones de una serie de oraciones.

Todos los triángulos tienen 3 lados.
Mike pintó un triángulo.
Conclusión: La figura que pintó Mike tiene 3 lados.

Todos los cuadrados tienen 4 lados.
Bill pintó una figura de 4 lados.
Conclusión: Ninguna conclusión es posible.
Bill pudo haber pintado un rectángulo.

PRÁCTICA

Indica si cada par de oraciones puede ser verdadero a la vez. Escribe *sí* o *no*.

1. Se secó el arroyo.
   Señuelos de patos flotan en el arroyo.

2. La bicicleta es más vieja que los patines.
   La bicicleta se fabricó en 1972.

3. El río está congelado.
   La temperatura es de 93°F.

4. La colcha azul tiene un perímetro de 24 pies.
   La colcha azul es rectangular.

Indica si la conclusión dada se puede sacar de cada grupo de oraciones. Escribe *sí* o *no*.

5. Todas las islas están rodeadas por agua.
   Hawaii es una isla.
   Conclusión: Hawaii está rodeada por agua.

6. Algunos floreros se hacen de barro.
   Yoko compró un florero.
   Conclusión: El florero de Yoko es hecho de barro.

7. Todas las bibicletas tiene ruedas.
   Todos los carruajes tienen ruedas.
   Conclusión: Todos los carruajes son bicicletas.

8. El Museo de Arte Folklórico Americano está en New York.
   New York está en Estados Unidos.
   Conclusión: El Museo de Arte Folklórico Americano está en Estados Unidos.

Escribe la conclusión que se pueda sacar de cada grupo de oraciones, si la hay.

9. El Señor Schulz sólo talla imágenes de pájaros.
   Jamie compró un tallado de Mr. Schulz.

10. Todos los cuadrados son rectángulos.
    ABCD es un cuadrado.

11. Todos los cuadrados son rectángulos.
    RSTU es un rectángulo.

12. North Carolina está al norte de South Carolina.
    Columbia es una ciudad en South Carolina.

13. Gary, Arlene, Mitch y Carol se encontraron en una feria de artesanía. Arlene llegó poco antes que Gary y vio a Carol comprando las entradas. Mitch llegó después que los otros. ¿En qué orden llegaron a la feria?

14. Susana hizo un móvil con cuatro figuras geométricas. Colocó el círculo entre el cuadrado y el rectángulo. El cuadrado está al extremo izquierdo. El triángulo está al extremo derecho. De izquierda a derecha, ¿en qué orden están las figuras?

CREA TU PROPIO PROBLEMA

Escribe un problema que use los datos en la ilustración.

5pies 4plg   5pies 9 plg   5pies 5plg

Halla el perímetro y el área de cada uno. págs. 332–333, 336–341

1.

11.4 cm

16.2 cm

2.

4 cm 5 cm

7 cm

3.

33 cm 30 cm 50 cm

55 cm

Halla la circunferencia y el área de cada uno. Usa 3.14 en lugar de π. Redondea cada respuesta a la unidad más cercana. págs. 334–335, 342–343

4.

2 m

5.

16 m

6.

3 cm

7.

10.2 m

Nombra cada figura. págs. 346–347

8.
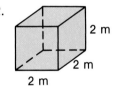

9.
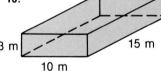

10.
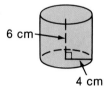

11.

Halla el área de la superficie (AS) de cada uno. Usa 3.14 en lugar de π. Redondea cada respuesta a la unidad más cercana. págs. 348–349, 352–353

12.
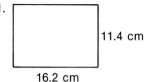
2 m
2 m
2 m

13.
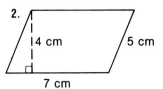
3 m 10 m 15 m

14.
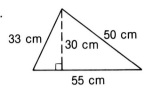
6 cm
4 cm

Halla el volumen de cada uno. Usa 3.14 en lugar de π. Redondea cada respuesta a la unidad más cercana. págs. 350–351, 354–355

15. cubo

$l = 5$ m
$al = 5$ m
$a = 5$ m

16. prisma rectangular

$l = 7$ m
$a = 2.5$ m
$al = 6$ m

17. cilindro

$r = 8$ cm
$al = 11$ cm

18. cilindro

$d = 12$ cm
$al = 9.5$ cm

Resuelve. págs. 344–345, 356–357

19. ¿Qué conclusión puedes sacar de estas 2 oraciones? Todos los cubos tienen 6 caras. La caja de regalo tiene 6 caras.

20. Un tanque cilíndrico tiene una altura de 4 m y una base con un radio de 2 m. ¿Aproximadamente cuánto líquido puede contener el recipiente?

Halla el perímetro y el área de cada uno.

1.

6.1 cm

6.1 cm

2.

9 m

4 m

16.8 m

3.

12 cm

7 cm

15 cm

10 cm

Halla la circunferencia y el área de cada círculo. Usa 3.14 en lugar de π. Redondea cada respuesta a la unidad más cercana.

4. $r = 7$ cm

5. $d = 20$ dm

6. $r = 1.5$ cm

7. $d = 2$ m

Nombra cada figura.

8.

9.

10.

11.

Halla el área de la superficie de cada uno. Usa 3.14 en lugar de π. Redondea cada respuesta a la unidad más cercana.

12.

6 cm

6 cm

6 cm

13.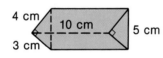

4 cm

10 cm

3 cm

5 cm

14.

5 m

4 m

Halla el volumen de cada uno. Usa 3.14 en lugar de π. Redondea cada respuesta a la unidad más cercana.

15. cubo

$l = 4$ m
$a = 4$ m
$al = 4$ m

16. prisma rectangular

$l = 4$ m
$a = 6.5$ m
$al = 2$ m

17. cilindro

$r = 5$ cm
$al = 10$ cm

18. cilindro

$d = 9$ cm
$al = 12$ cm

Resuelve.

19. Saca una conclusión. Todas las pinturas de Manuel son paisajes. La Sra. Cole compró una de las pinturas de Manuel.

20. El área de un salón rectangular es de 56 m². ¿Cuál es el largo del salón si el ancho es de 8 m?

Halla el volumen del metal en la tubería hueca.

4 cm   3 cm

30 cm

HACER UNA PIRÁMIDE CON UN SOBRE

Sigue las instrucciones para hacer una pirámide. Necesitas tijeras y un sobre. Usa un sobre tamaño carta o tamaño oficio.

Sella el sobre. Dibuja las diagonales según la ilustración.

Dobla y pliega a lo largo de las diagonales. Dobla hacia atrás y hacia delante.

Corta el triángulo de arriba. Sepáralo para usar luego.

Dobla y pliega a lo largo de la línea de puntos.

Abre el sobre por el doblez. Observa las pirámides que se forman a los lados.

Mete una forma de pirámide dentro de la otra. Ahora tienes una pirámide triangular.

Haz cada uno usando la pirámide que acabas de hacer.

1. Usa un lápiz o creyón para sombrear las cuatro superficies de la pirámide.

2. Abre la pirámide, volviendo a obtener la forma a la derecha. Reemplaza el triángulo cortado. ¿Qué parte del sobre original está sombreada? Considera el sobre entero.

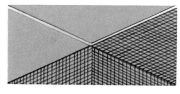

3. Calcula el área de la superficie de la pirámide, usando la información que hallaste en número **2**.

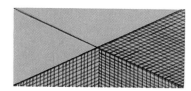

CUADRADOS Y RAÍCES CUADRADAS

Harriet está diseñando un mosaico cuadrado para una mesa. El área del diseño tiene que ser exactamente 400 cm². Cada azulejo de color mide 1 cm². ¿Cuántos azulejos necesita para cada fila de su diseño?

El cuadrado tiene un área de 400 cm².

Para hallar cuántos azulejos cabrán en un lado, Harriett tiene que hallar la **raíz cuadrada** de 400.

La raíz cuadrada de un número n, escrita $\sqrt{n}$, es un número cuyo cuadrado es n.

El número 400 es un **cuadrado perfecto**. Un cuadrado perfecto es el cuadrado de un número entero.

En una figura cuadrada, el área es el cuadrado de un lado. Cada lado es la raíz cuadrada del área.

$$A = l^2 \qquad\qquad l = \sqrt{A}$$
$$A = 20^2 = 20 \times 20 \qquad l = \sqrt{400}$$
$$A = 400 \text{ cm}^2 \qquad\qquad l = 20 \text{ cm}$$

$\sqrt{400} = 20$, ya que $20 \times 20 = 400$.

Harriet necesita 20 azulejos para cada fila.

Halla el cuadrado de cada uno.

1. 11   **2.** 13   **3.** 17   **4.** 23   **5.** 32   **6.** 57

Halla la raíz cuadrada de cada uno.

7. 16   **8.** 36   **9.** 64   **10.** 144   **11.** 225   **12.** 900

Resuelve.

13. Harriet está haciendo este diseño cuadrado con azulejos rojos, azules y verdes. Cada azulejo mide 1 cm². El área del diseño mide 81 cm². ¿Cuántos azulejos de cada color necesita?

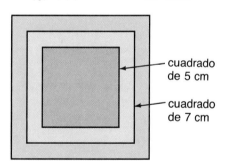

cuadrado de 5 cm

cuadrado de 7 cm

REPASO ACUMULATIVO

Escoge las respuestas correctas. Escribe A, B, C ó D.

1. 6,015 + 406 + 9,634

   A 16,045   C 15,045

   B 16,055   D no se da

9. ¿Cuál es el MCM de 16 y 24?

   A 8   C 4

   B 48   D no se da

2. 34,685 ÷ 57

   A 68 R29   C 608 R29

   B 68 R31   D no se da

10. $15 - 3\frac{4}{7}$

    A $12\frac{4}{7}$ C $14\frac{3}{7}$

    B $11\frac{3}{7}$ D no se da

3. ¿Cuál es el valor de 3 en 0.0035?

   A 3 milésimas   C 3 centenas

   B 3 centésimas   D no se da

11. $5\frac{1}{3} \times 1\frac{7}{8}$

    A $5\frac{7}{24}$ C 10

    B $7\frac{1}{2}$ D no se da

4. 12.045 − 7.148

   A 4.897   C 5.103

   B 19.193   D no se da

12. Completa. 2 pies 7 plg = ___ plg.

    A 17   C 43

    B 23   D no se da

5. Estima.   2,367.53 × 73.9

   A 160,000   C 200,000

   B 1,400   D no se da

13. ¿Qué tipo de ángulo mide 95°?

    A obtuso   C llano

    B agudo   D no se da

6. ¿Cuál es la notación científica de 635?

   A 63.5×10^3 C 635×10^2

   B 6.35×10^2 D no se da

14. ¿Cuál es la relación entre $\overleftrightarrow{MN}$ y $\overleftrightarrow{NO}$?

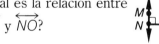

    A paralelas   C secantes

    B perpendiculares   D no se da

7. Completa. 3.2 kL = ___ L

   A 32   C 3,200

   B 320   D no se da

15. ¿Cuál es el nombre de un polígono con cuatro lados?

    A pentágono   C cuadrilátero

    B triángulo   D no se da

8. ¿Cuál es la descomposición en factores primos de 56?

   A $2^3 \times 7$ C $2^2 \times 14$

   B $2^2 \times 3 \times 5$ D no se da

16. ¿Qué es $\overline{AC}$?

    A diámetro   C arco

    B radio   D no se da

REPASO ACUMULATIVO

Escoge las respuestas correctas. Escribe A, B, C ó D.

17. ¿Cómo se llama el triángulo que no tiene lados iguales?

A isósceles **C** escaleno

B equilátero **D** no se da

18. Resuelve para n. $\frac{3}{n} = \frac{15}{35}$

A 7 **C** 9

B 5 **D** no se da

19. ¿Cuál es el precio por unidad de 25 latas por $7.75?

A $.31 **C** $193.75

B $.10 **D** no se da

20. ¿Qué es $\frac{6}{100}$ como por ciento?

A 60% **C** 3%

B 6% **D** no se da

21. ¿Qué es $14\frac{1}{2}\%$ como decimal?

A 14.5 **C** 0.145

B $1.4\frac{1}{2}$ **D** no se da

22. ¿Qué es $\frac{39}{10}$ como por ciento?

A 3.9% **C** 390%

B 39% **D** no se da

23. ¿Qué es 30% de 180?

A 54 **C** 72

B 600 **D** no se da

24. ¿20% de qué número es 12?

A 60 **C** 4.8

B 2.4 **D** no se da

25. ¿Qué por ciento de 90 es 30?

A 15% **C** $33\frac{1}{3}\%$

B 66% **D** no se da

26. ¿Cuál es el interés simple de $1,200 al 6% durante 2 años?

A $72 **C** $1,440

B $144 **D** no se da

27. ¿Cuál es el perímetro?

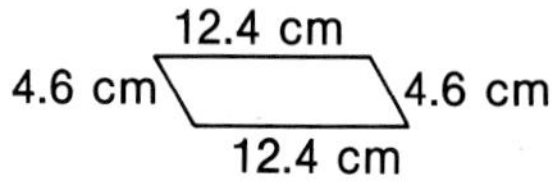
12.4 cm
4.6 cm
4.6 cm
12.4 cm

A 34 cm **C** 17 cm

B 57.04 cm^2 **D** no se da

28. ¿Cuál es el área?

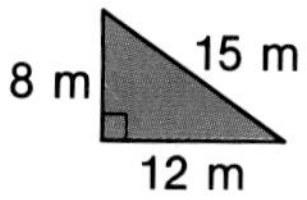
8 m
15 m
12 m

A 90 m^2 **C** 35 m^2

B 48 m^2 **D** no se da

29. ¿Cuál es el área de un cuadrado cuyo lado mide 3.6 m?

A 14.4 m^2 **C** 12.96 m^2

B 7.2 m^2 **D** no se da

30. ¿Cuál es el área? Redondea a la unidad más cercana.

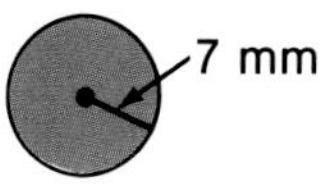
7 mm

A 154 mm^2 **C** 44 mm^2

B 22 mm^2 **D** no se da

REPASO ACUMULATIVO

Escoge las respuestas correctas. Escribe A, B, C ó D.

Haz un dibujo que ayude a resolver los números 31 y 32.

31. Dos aviones salen de un aeropuerto al mismo tiempo, volando en direcciones opuestas. Un avión vuela a $\frac{1}{3}$ de la velocidad del otro. Si el avión más veloz vuela a 600 millas por hora, ¿a qué distancia estarán el uno del otro después de 1 hora?

    A 800 millas   **C** 600 millas

    B 1,800 millas   **D** no se da

32. ¿A cuántas millas del aeropuerto está el avión más lento después de $2\frac{1}{2}$ horas?

    A 1,500 millas   **C** 400 millas

    B 500 millas   **D** no se da

Resuelve.

36. Hay 20,547 televisores en Miltown. Cada una de 5,800 familias posee 2 televisores y cada una de 1,700 familias posee 3. Todas las demás familias poseen un televisor cada una. ¿Cuántas familias poseen 1 televisor?

    A 3,847   **C** 5,100

    B 13,047   **D** no se da

37. Si cada televisor es usado un promedio de 2.25 horas al día, ¿cuántas horas de televisión se ven en Miltown cada día?

    A 46,230.75   **C** 23,280.75

    B 25,530.75   **D** no se da

Resuelve.

33. Carla compró lápices y bolígrafos en la tienda de la escuela. Los lápices costaron $.15 y los bolígrafos costaron $.17 cada uno. ¿Cuántos lápices compró si gastó $1.75 en total?

    A 5   **C** 6

    B 7   **D** no se da

Completa cada patrón.

34. 1.5, 1.8, 2.1, ____, 2.7, 3

    A 2.4   **C** 2.3

    B 2.5   **D** no se da

35. $1\frac{1}{2}$, ____, $\frac{3}{8}$, $\frac{3}{16}$, $\frac{3}{32}$

    A $\frac{3}{5}$ **C** $\frac{3}{4}$

    B $\frac{2}{4}$ **D** no se da

Usa la gráfica para resolver 38 y 39.

La gráfica muestra el número de entradas vendidas para una fiesta de patinaje. La gráfica está incompleta.

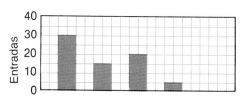

Días de la venta de entradas

38. ¿En qué dos días llegó el total de ventas a 35?

    A lun. y mar.   **C** miér. y jue.

    B mar. y miér.   **D** no se da

39. ¿Cuántas entradas se vendieron el viernes si se cobraron $300.00 en 5 días y cada entrada costó $2.50?

    A 125   **C** 50

    B 70   **D** no se da

Tema: Los deportes

Alcance y moda

La **estadística** es la ciencia de coleccionar, organizar y analizar datos o hechos.

Teresa está escribiendo un artículo principal sobre el equipo de básquetbol femenino. Reunió datos sobre la estatura de las jugadoras y organizó los datos en esta **tabla de frecuencias**. La tabla muestra el número de jugadoras de cada estatura. La frecuencia de un artículo es el número de veces que aparece.

Estatura	Cuenta	Frecuencia
5 pies 5 plg	I	1
5 pies 6 plg	II	2
5 pies 7 plg	IIII	4
5 pies 8 plg	I	1
5 pies 9 plg		0
5 pies 10 plg	II	2
5 pies 11 plg		0
6 pies 0 plg	I	1

Hay varias formas de describir una colección de datos.

El **alcance** es la diferencia entre el número mayor y el número menor de los datos.

$$\begin{array}{r} \overset{5}{6} \text{ pies}^{\,1\,2} \\ - \; 5 \text{ pies } 5 \text{ plg} \\ \hline 7 \text{ plg} \end{array}$$

← estatura mayor
← estatura menor

El alcance de las estaturas es 7 plg.

La **moda** es el número que aparece con mayor frecuencia. Cuatro jugadoras miden 5 pies 7 plg de alto. El modo es 5 pies 7 plg.

▶ Una colección de datos puede tener más de una moda.

Teresa observó los puntos obtenidos por cada jugadora en los dos primeros juegos de básquetbol del año.

puntos en el juego 1: 2, 4, 7, 5, 4, 1, 0, 3   ← Un número aparece con mayor frecuencia. La moda es 4.

puntos en el juego 2: 2, 4, 4, 4, 7, 7, 5, 7   ← Dos números aparecen con mayor frecuencia. Hay dos modas: 4 y 7.

TRABAJO EN CLASE

Haz una tabla de frecuencias para cada colección de datos. Halla el alcance y la moda o modas de cada una.

1.

Número de puntos obtenidos					
8	6	4	5	4	5
3	0	6	5	5	8

2.

Edades de las jugadoras					
15	17	16	15	15	16
18	14	15	16	16	

Haz una tabla de frecuencias para cada colección de datos.
Halla el alcance y la moda de cada una.

1.

Peso de los jugadores del equipo				
105	112	108	121	115
110	115	100	113	102

2.

Temperatura máxima diaria (°F)						
78°	81°	84°	90°	80°	80°	87°
85°	84°	70°	73°	79°	79°	84°

3.

Edad de los empleados de una compañía					
49	42	37	38	22	38
53	37	25	46	37	49

4.

Salario semanal de empleados de tiendas					
$250	$310	$280	$210	$320	$250
$350	$250	$225	$250	$350	$310

**Halla el alcance y la moda o modas para cada
colección de datos.**

5. 2, 10, 10, 20, 5, 15

6. 13, 17, 10, 14, 13, 12, 0, 11, 15, 14

7. 27, 28, 26, 26, 31, 37, 26

8. 1.5, 2.5, 2, 2, 2.5, 2.5, 1.5, 1.5

9. $1.42, $1.25, $2.53, $1.01, $3.13, $1.66, $1.42

10. 5.6, 5.3, 5.6, 5.1, 5.8, 5.6, 5.8, 5.3

11. 984, 986, 975, 886, 961, 975, 962, 944, 875

★**12.** 0.10, 0.01, 0.101, 0.110, 0.011, 0.001, 0.010, 0.110, 0.111

★**13.** El número mayor y el número menor de una colección de datos son 26.4 y 13.9. Suma un número más para que el alcance de los datos sea 18.5.

APLICACIÓN

**Para los números 14–19 usa esta tabla, que muestra la
capacidad de los estadios al millar más cercano.**

Estadios universitarios de fútbol americano			
Universidad	Capacidad	Universidad	Capacidad
Brigham Young U.	66,000	New Mexico State U.	30,000
U. de North Carolina	50,000	Notre Dame U.	59,000
U. de Hawaii	50,000	Ohio State U.	85,000
Iowa State U.	50,000	Stanford U.	85,000
U. de Michigan	102,000	Utah State U.	30,000

14. Has una tabla de frecuencias.

15. ¿Qué estadio tiene mayor capacidad?

16. ¿Cuál es el alcance de las capacidades?

17. ¿Cuál es la moda de las capacidades?

18. ¿Sería diferente el alcance si la Universidad de Michigan no estuviera incluida? ¿Cuál sería entonces el alcance?

19. ¿Cambiaría la moda si Iowa State no estuviese incluida? ¿Cómo cambiaría?

Mediana y media

El entrenador Parker estudia el promedio de bateo para comprobar el rendimiento de sus jugadores. La lista por rango ilustrada muestra los promedios en order, para darle mejor idea.

La moda es una medida de tendencia central.

Las otras dos medidas de tendencia central son la mediana y la media.

La **mediana** de una colección de datos es el número del medio cuando los datos están en orden. Cuando hay dos números en el medio, la mediana es el promedio de los dos.

La mediana de los promedios de bateo es .280.

La **media** es la suma de todos los datos dividida por el número de datos.

Promedios de bateo del equipo	
Allen	.252
Avalone	.301
Bates	.280
Grey	.325
Kim	.212
Marshall	.199
Post	.343
Rodríguez	.299
Stone	.156

Promedios de bateo por rango	
Post	.343
Grey	.325
Avalone	.301
Rodríguez	.299
Bates	.280 ← mediana
Allen	.252
Kim	.212
Marshall	.199
Stone	.156

Para hallar la media del promedio de bateo, divide la suma de los promedios de bateo por el número de promedios de bateo.

$$\frac{.343 + .325 + .301 + .299 + .280 + .252 + .212 + .199 + .156}{9} = \frac{2.367}{9} = .263$$

La media del promedio de bateo es .263.

TRABAJO EN CLASE

Halla la mediana y la media para cada colección de datos.

1. Número de carreras apuntadas: 5; 4; 6; 7; 0; 4; 9

2. Número de miembros en algunas bandas de escuelas secundarias: 50; 64; 78; 36; 42; 50; 36; 48; 52; 64

3. Número de asientos en algunos auditorios escolares: 368; 550; 480; 525; 375; 390; 410; 450; 466

PRÁCTICA

Halla la mediana y la media para cada colección de datos.

1. 10; 14; 25; 19; 12

2. 94; 97; 91; 100; 95; 99

3. 75; 54; 62; 80; 48; 75; 80; 56

4. 21; 24; 18; 33; 17; 25; 31; 20; 18

5. $1.30; $2.25; $3.95; $1.90; $1.50

6. 135; 157; 179; 223; 250; 298; 111; 189

7. 1,160; 1,590; 1,050; 1,840; 1,330; 1,010

8. 14.3 cm; 13.9 cm; 19.0 cm; 16.4 cm; 17.9 cm

9. 12.5; 12.8; 13.7; 13.4; 15.2; 12.2; 12.1; 13.0; 15.9; 13.5

10. 3,105; 4,246; 7,329; 9,688; 11,002

APLICACIÓN

Usa la tabla a la derecha para contestar 11–18.

11. ¿Cuál es el alcance de los salarios?

12. ¿Cuántas personas están empleadas?

13. ¿Cuál es la moda de los salarios?

14. Halla la cantidad total pagada en salarios para cada categoría: gerente de ventas, empleados de sueldo fijo, empleados por hora.

15. ¿Cuál es el total de todos los salarios?

★ **16.** ¿Cuál es la mediana de los salarios?

★ **17.** ¿Cuál es la media de los salarios? Redondea al dólar más cercano.

★ **18.** ¿Afectaría más a la media, a la mediana o a la moda un número alto o bajo en una colección de datos (tal como un salario bajo de $8,000)? Explica tu respuesta.

Salarios del Estadio Deportivo		
Empleo	Número de empleados	Salario
Director	1	$55,000
Gerente de publicidad	1	$40,000
Gerente de ventas	2	$30,000
Empleados de sueldo fijo	15	$20,000
Empleados por hora	12	$ 8,000

RAZONAMIENTO LÓGICO

Estos son los punteos de los miembros de dos equipos de boleo. Sin hallar las medias, indica qué equipo tiene el promedio más alto. Explica tu respuesta.

Equipo Uno

Max	180
Fran	194
Glen	187
Tracy	194
Annie	196

Equipo Dos

Lori	210
Phil	194
Jeanne	188
Tim	200
Roberto	186

Hacer gráficas de datos

Las gráficas se usan para organizar y presentar datos en forma de ilustración. En una encuesta se les preguntó a los estudiantes qué deporte preferían. El entrenador Johnson organizó los datos de la encuesta. Hizo esta **gráfica de barras.** Una gráfica de barras sirve para mostrar comparaciones.

Gráfica de barras

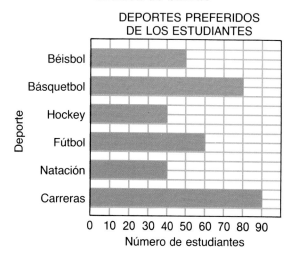

Una gráfica de barras puede ser horizontal o vertical. Una **gráfica de barras dobles** compara dos colecciones de datos relacionadas. Esta gráfica de barras dobles muestra las respuestas de los muchachos y de las muchachas a la encuesta.

TRABAJO EN CLASE

Usa las gráficas que aparecen arriba para contestar cada pregunta.

1. ¿Cuáles deportes interesaron a más de 50 estudiantes?

2. ¿Cuál fue el más popular entre muchachos?

3. ¿Cuál fue el menos popular entre muchachas?

4. ¿Cuál interesó a más muchachas que a muchachos?

5. ¿Cuáles interesaron a más de 30 muchachos?

Datos

Preferencias deportivas de los estudiantes	
Béisbol	50
Básquetbol	80
Hockey	40
Fútbol	60
Natación	40
Carreras	90

Sigue estos pasos y haz una gráfica de barras.

- Dibuja ejes horizontales y verticales en papel cuadriculado y ponles título.

- Escoge una escala para un eje. En ese eje marca intervalos iguales del cero al número mayor que vayas a representar.

- Dibuja una barra para cada artículo. El largo de la barra corresponde a los datos.

- Titula la gráfica.

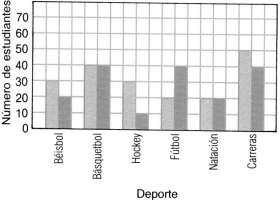

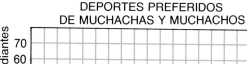

370

Usa la gráfica de barras para contestar 1–6.

1. ¿Qué deporte tuvo la mayor asistencia?

2. ¿Qué deportes tuvieron una asistencia de menos de 600?

3. ¿Qué dos deportes tuvieron igual asistencia?

4. ¿Cuántas personas asistieron a los juegos de básquetbol durante el mes?

5. ¿Cuántas personas más asistieron a los juegos de tenis que a las carreras?

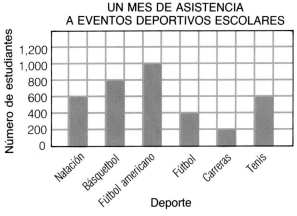

UN MES DE ASISTENCIA A EVENTOS DEPORTIVOS ESCOLARES

6. El fútbol americano, el fútbol y las carreras tuvieron lugar afuera. ¿Cuál fue el total de asistencia a los eventos bajo techo?

Usa estos datos para completar la gráfica.

7. Herman—95 plg
   Wilbur—80 plg
   Orrin—100 plg
   Rafael—74 plg
   Mike—90 plg

SALTO CON GARROCHA

APLICACIÓN

Haz una gráfica de barras para cada colección de datos deportivos de la escuela Dade.

8. Número de puntos durante un juego de básquetbol:
   Lynn—18; Jean—12; Sara—20; Gina—20; Ann—12; Sue—8

★ 9. Número de estudiantes que usan equipo de gimnasia:
   7° grado: caballo—21; barra de equilibrio—17; argollas—13; barras desiguales—8
   8° grado: caballo—26; barras de equilbrio—19 argollas—6; barras desiguales—5 (Haz un grafíca de barras dobles.)

PICTOGRAFÍAS

Las pictografías usan símbolos en vez de números. Cada símbolo representa cierta cantidad.

Usa la pictografía para hallar la capacidad de cada estadio.

1. Northside

2. National

2. Dome

3. Park

CAPACIDAD DE CADA ESTADIO	
Northside	🪑 🪑 🪑 🪑 🪑
Dome	🪑 🪑 🪑 🪑 🪑 🪑
National	🪑 🪑 🪑 🪑
Park	🪑 🪑 🪑

Cada 🪑 = 10,000 asientos

Gráficas lineales

Felicia acaba de unirse al equipo de natación. Está tratando de aumentar la distancia que puede nadar en las prácticas. Se puede ver su progreso esta semana en una gráfica lineal.

NÚMERO DE LARGOS EN LA ALBERCA				
L	M	M	J	V
50	100	90	120	150

Las **gráficas lineales** muestran cambios durante un tiempo. Mientras más inclinada sea la linea, mayor será el cambio.

Sigue estos pasos y haz una gráfica lineal.

- Usa papel cuadriculado. Dibuja los ejes de la gráfica y ponles título.

- Escoge una escala para el eje vertical. Marca intervalos iguales en cada eje.

- Localiza un punto en la gráfica para cada par de datos. Después conecta los puntos. En estos datos, un par es: lunes, 50.

- Titula la gráfica.

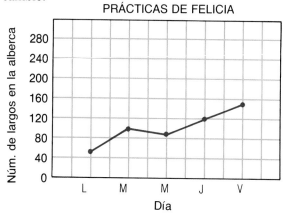

Una **gráfica lineal doble** compara cambios de dos grupos de datos. Esta gráfica compara los largos que nadaron Felicia y su amiga Chen en las prácticas.

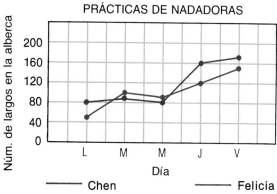

TRABAJO EN CLASE

Usa las gráficas para contestar cada pregunta.

1. ¿Quién nadó más el martes?

2. ¿En qué días nadó Chen más que Felicia?

3. ¿En que día hubo mayor diferencia entre la distancia que nadaron Felicia y Chen?

4. ¿Cuál nadadora había mejorado más el viernes?

PRÁCTICA

Usa la gráfica lineal a la derecha para contestar 1–3.

1. ¿En qué dos años ganaron los Águilas el mismo número de juegos?

2. ¿Aumentó o disminuyó el número de victorias del equipo entre 1982 y 1983?

3. ¿Entre cuáles dos años tuvo el equipo el mayor aumento de victorias?

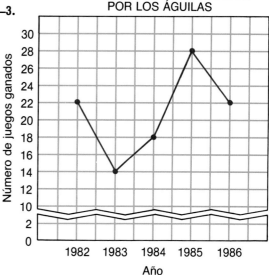

RÉCORD DE JUEGOS GANADOS
POR LOS ÁGUILAS

Usa la gráfica lineal a la derecha para contestar 4–7.

4. Marcos boleó 9 veces en un mes. Copia y completa la gráfica de sus cinco últimos puntos, que fueron 110, 125, 115, 113 y 118.

5. ¿Después de cuál juego comenzaron a aumentar los puntos de Marcos?

6. ¿Entre qué dos juegos mejoró más Marcos?   juegos 5 y 6

7. ¿Entre cuáles dos juegos no hubo cambios en los puntos de Marcos?

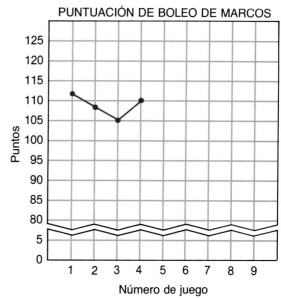

PUNTUACIÓN DE BOLEO DE MARCOS

APLICACIÓN

Haz una gráfica lineal para cada colección de datos.

8. Número de «strikeouts» que Leroy lanzó en sus primeros cinco juegos: juego 1—3; juego 2—8; juego 3—2; juego 4—3; juego 5—7

9. Distancias totales que Stan cubrió en cuatro juegos de fútbol americano: juego 1—160 yd; juego 2—220 yd; juego 3—190 yd; juego 4—150 yd

★ 10. Los puntos de Rita en patinaje artístico en cinco días: lunes—5.4; martes—5.6; miércoles—5.0; jueves—5.5; viernes—5.6

Comparar datos

El tipo de gráfica que se debe usar para mostrar mejor una colección de datos depende de la relación que necesitas mostrar.

Las gráficas lineales muestran claramente los cambios a través del tiempo.

Las gráficas de barras son útiles para comparar cantidades.

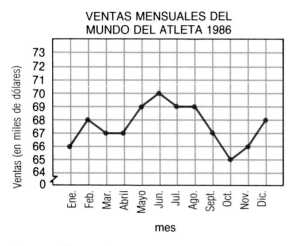

VENTAS MENSUALES DEL MUNDO DEL ATLETA 1986

VENTAS POR TEMPORADAS DE EQUIPO DE FÚTBOL

Las **gráficas circulares** muestran la relación de las partes al total.

Esta gráfica circular muestra cómo se dividen las ventas entre los cinco departamentos. El por ciento indica la parte del total que representa cada sección.

¿Cuál fue la cantidad de ventas en el departamento de boleo?

Halla el 5% de $4,000.

$n = 5\% \times \$4,000$

$n = 0.05 \times \$4,000$

$n = \$200$

Las ventas del departamento de boleo fueron de $200 el miércoles.

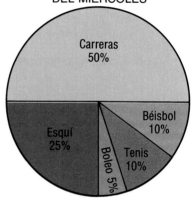

VENTAS POR DEPARTAMENTOS DEL MIÉRCOLES

Total de ventas: $4,000

Trabajo en Clase

Usa la gráfica circular arriba para contestar 1–5.

1. ¿Fueron las ventas combinadas de béisbol y tenis mayores o menores que las ventas de esquí?

Completa la gráfica de ventas a la derecha.

Ventas del miércoles	
Departamento	Cantidad
2. Esquí	
3. Tenis	
4. Béisbol	
5. Carreras	

La gráfica circular a la derecha muestra cómo el número total de libros deportivos de una biblioteca está dividido de acuerdo al deporte.

LIBROS DE DEPORTES EN LA BIBLIOTECA

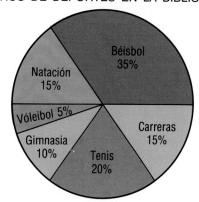

Total de libros: 200

Halla el número de libros para cada deporte.

1. béisbol

2. tenis

3. carreras

4. natación

5. gimnasia

6. vóleibol

Resuelve.

★ **7.** La biblioteca compró 50 libros más sobre béisbol. ¿Qué por ciento de los libros de la biblioteca son sobre béisbol ahora?

Usa la gráfica circular a la derecha para 8–12.

8. ¿Cuál fue el total de eventos deportivos televisados?

9. ¿Cuántos eran eventos de fútbol americano?

10. ¿Cuántos eran eventos de tenis?

11. ¿El número total de eventos de tenis, boleo y boxeo televisados fue mayor o menor que el número de eventos de béisbol televisados?

★ **12.** La estación de televisión planea incluir 20 juegos de fútbol americano adicionales entre los eventos deportivos televisados. ¿Qué por ciento de los eventos televisados serían entonces juegos de fútbol?

EVENTOS DEPORTIVOS TELEVISADOS EN UNA TEMPORADA RECIENTE

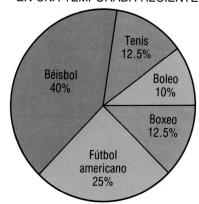

Total de eventos: 80

APLICACIÓN

Haz una gráfica de barras o una gráfica lineal para mostrar los datos de cada table.

13.

CAPACIDAD DE LOS ESTADIOS DE FÚTBOL	
Estadio	**Capacidad (al millar más cercano)**
Memorial	60,000
Astrodome	50,000
Mile High	75,000
Three Rivers	50,000

14.

PESO DE RYAN MIENTRAS ENTRENA PARA LUCHA LIBRE	
Día	**Peso**
1	120 lb
2	122 lb
3	122 lb
4	124 lb
5	123 lb
6	121 lb

Problemas para resolver

HACER UNA LISTA

Hacer una lista organizada de los datos de un problema es otra forma de aclarar lo que realmente sucede en el problema. A veces la lista lleva a la respuesta; a veces la lista es la respuesta.

1. José y León se están preparando para un maratón corriendo alrededor de la pista. Comienzan juntos a las 7:00 A.M. en el punto de partida. José completa una vuelta en 6 minutos. A León le toma 5 minutos completar una vuelta. ¿Cuándo estarán ambos en el punto de partida de nuevo? ¿Cuántas vueltas habrá corrido cada uno?

   José completa una vuelta en 6 minutos.
   León completa una vuelta en 5 minutos.

Haz una lista que muestre las horas en que cada uno cruza el punto de partida.

Vuelta	1	2	3	4	5	6	7
José	7:00	7:06	7:12	7:18	7:24	7:30	7:36
León	7:00	7:05	7:10	7:15	7:20	7:25	7:30

La lista muestra que ambos estarán de nuevo en el punto de partida a las 7:30 A.M. José habrá completado 5 vueltas y León habrá completado 6 vueltas.

¿Es razonable la respuesta?

Sí. El corredor más rápido completó más vueltas.

2. Durante los partidos decisivos de béisbol, los Ángeles vencieron a los Jaguares, 12–3. Los Leones perdieron contra los Águilas, 7–5, pero les ganaron a los Jaguares 4–3. Los Jaguares vencieron a los Águilas, 5–3. Los Ángeles vencieron a los Águilas, 6–3 y los Águilas vencieron a los Jaguares, 3–0. ¿Cuál fue el número medio de carreras por juego de los Águilas? ¿Cuál fue el número medio de carreras por juego de los Leones?

Para el número medio de carreras, primero halla el número total de carreras ganadas y el número de juegos jugados por cada equipo.

Haz una lista organizada para mostrar el número de carreras de cada equipo.

Completa la solución.

Resuelve.

Estos son los puntos por período en los primeros cuatro juegos de básquetbol de la temporada.

Juego 1: 17, 23, 16, 18   Juego 2: 21, 23, 20, 17
Juego 3: 19, 23, 15, 19   Juego 4: 31, 23, 20, 23

1. ¿Cuál fue la media de puntos de los dos períodos primeros los cuatro juegos?

2. ¿Cuál fue la media de puntos de los dos últimos períodos de los cuatro juegos?

3. ¿Cuál fue la media de puntos en los cuatro juegos?

4. ¿Cómo se explica que los puntos quedaron por debajo de la media en tres juegos?

Los primeros 30 aficionados que entran en el estadio participan en una encuesta de los anunciadores. Jack Stone entrevista a uno de cada dos aficionados. Cindy Smith entrevista a uno de cada tres. Janet Puleo entrevista a uno de cada cinco.

5. ¿A cuántas personas entrevista Jack Stone?

6. ¿A cuántas personas entrevista Cindy Smith?

7. ¿Cuántas personas son entrevistadas por exactamente 2 anunciadores?

8. ¿Cuántas personas son entrevistadas por exactamente 3 anunciadores?

La estatura de los primeros cinco jugadores en el equipo de básquetbol de la escuela secundaria es de 5 pies 5 plg, 6 pies, 5 pies 9 plg, 5 pies 5 plg y 6 pies 2 plg.

9. Haz una lista de las estaturas del más alto al más bajo.

10. ¿Cuáles son la mediana y la moda de las estaturas?

11. Daniela, April, Nancy y Susan están jugando un torneo de ráquetbol. Cada jugadora debe tener un encuentro con cada una de las otras jugadoras. ¿Cuántos juegos habrá en el torneo?

★12. Carlos Ramírez jugó tres juegos de béisbol el día de su cumpleaños. El número total de carreras de su equipo en los tres juegos equivalió a su edad. El producto de las carreras apuntadas en los tres juegos es 72. El equipo nunca hizo más de 6 carreras en un juego. Ningún número de carreras fue igual. ¿Cuántas carreras hizo cada equipo en cada juego?

CREA TU PROPIO PROBLEMA

Escribe un problema usando la información de hockey de esta lista.

Número de juego	Tiros en el gol	Goles apuntados
1	7	1
2	3	3
3	4	0
4	6	0

Eventos al azar

FERIA DE ARTESANIA

El comité de la Feria de Artesanía de la escuela quiere dar un premio de entrada. ¿Cómo pueden escoger una persona al azar para que todas tengan oportunidad de ganar?

TRABAJAR JUNTOS

Trabaja en un grupo pequeño.

1. Escoge uno de los métodos de abajo para seleccionar una persona al azar.

   - Alguien escoge un número del 1 al 100. Gana el que adivina el número que se acerca más al número escogido.

   - Se escribe en una tarjeta el nombre de cada persona. De una bolsa se saca una para elegir al ganador.

   - Escribe cada una de las letras de la A a la Z en tarjetas separadas. Mezcla las tarjetas en una bolsa y saca una. Usa la letra de la tarjeta que has sacado. Escribe en otro grupo de tarjetas el nombre de todas las personas cuyo apellido comience con dicha letra. Mezcla estas tarjetas en una bolsa y saca una que será el nombre del ganador.

   - Asigna un número de dos dígitos a cada persona, comenzando con el 10. Abre una guía telefónica a cualquier página. Fíjate en los dos últimos dígitos de la columna de la derecha de arriba a abajo. Gana el premio la primera persona cuyo número aparezca en la guía.

   - Usa el método de la guía telefónica descrito arriba, pero fíjate en los dos primeros dígitos del número telefónico.

2. Escoge uno de estos métodos. Comprueba el método haciendo un experimento. Repite el experimento varias veces. Anota los resultados.

3. Escribe un párrafo sobre el método que escogiste y sobre cómo lo pusiste a prueba.

COMPARTIR IDEAS

Comenta los resultados de tus experimentos con tus compañeros.

1. ¿Cómo has puesto a prueba el método que escogiste?

2. ¿Fueron iguales los resultados de tu experimento cada vez que lo repetiste? ¿Por qué sí o por qué no?

3. ¿Qué método proporciona a todos la misma posibilidad de ganar? Justifica tu respuesta.

4. Basándote en tus experimentos, ¿crees que entregar el premio a la primera persona que entre es una selección al azar? Comenta.

RAZONAR A FONDO

Trabaja con tu grupo para contestar las preguntas siguientes.

1. ¿Qué pasaría si todos los grupos usaran el primer método de la guía telefónica que se describe en la página 378 y todos los grupos escogieran a la misma persona como ganador? ¿Qué conclusión sacarías? ¿Es tu conclusión necesariamente correcta? Comenta.

2. ¿Qué determina si un método de selección es al azar? Escribe una explicación breve.

3. ¿En qué casos puede ser importante que una selección sea al azar? Escribe una lista de situaciones que requieren una selección al azar. Intercambia la lista con otro grupo para comparar.

4. Prepara tu propio método para escoger al ganador del premio en la Feria de Artesanía. Explica tu método a los otros grupos.

Probabilidad

Haz un cuadro de probabilidades como el de abajo. Usa el pizarrón o una hoja grande de papel.

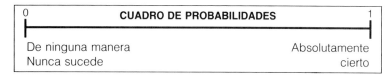

0	CUADRO DE PROBABILIDADES	1
De ninguna manera		Absolutamente
Nunca sucede		cierto

1. Haz una lista de las palabras o frases que usas para describir algo que es más o menos posible que suceda.

2. Decide cuáles vas a incluir en el cuadro.

3. Escribe estas palabras o frases en el cuadro, desde «De ninguna manera» hasta «Absolutamente cierto.» Observa cuántas frases se usan para describir probabilidades.

Decide dónde vas a colocar las siguientes probabilidades en tu cuadro de probabilidades.

- probabilidad de que llueva hoy

- probabilidad de que un bebé sea niña

- probabilidad de que mañana salga el sol

- probabilidad de que tu equipo favorito de béisbol gane el campeonato

- piensa en otras probabilidades que puedas añadir al cuadro.

La probabilidad de que ocurra un suceso se expresa como un número entre 0 y 1.

Piensa en los siguientes puntos mientras haces los experimentos y resuelves los problemas.

- En un experimento, un **espacio de muestra** está formado por todos los resultados posibles de dicho experimento.

- La probabilidad de un evento, un resultado o alguna combinación de resultados, es la medida de la probabilidad de que el evento ocurra como resultado del experimento. Cuando los resultados son igualmente posibles, la probabilidad de un evento es la razón del número de los resultados con éxito al número de resultados posibles. Por ejemplo, cuando lanzas una moneda de un centavo el espacio de muestra es CA (cara) y CR (cruz). Estos resultados son igualmente posibles. La probabilidad de sacar cara es

$$P(CA) = \frac{1}{2} \quad \begin{array}{l} \longleftarrow \text{número de resultados con éxito} \\ \longleftarrow \text{número de resultados posibles} \end{array}$$

TRABAJAR JUNTOS

Trabaja en un grupo pequeño y comenta las diferentes formas de resolver los siguientes problemas. Halla una solución para cada uno.

Se escoge a un estudiante de tu clase al azar.

1. ¿Cuál es la probabilidad de que el estudiante seleccionado sea una muchacha?

2. ¿Cuál es la probabilidad de que el estudiante tenga los ojos azules?

3. ¿Cuál es la probabilidad de que el estudiante sea una muchacha y tenga los ojos azules?

4. ¿Cuál es la probabilidad de que sea una muchacha o tenga los ojos azules?

COMPARTIR IDEAS

Comenta los resultados de tus investigaciones.

1. ¿Cómo resolviste **1–4**? Explica y compara los métodos.

2. Observa las soluciones a los problemas del 1 al 4. ¿Qué relación puedes ver entre las probabilidades de dos eventos y la probabilidad de que ambos ocurran al mismo tiempo? ¿Y entre las probabilidades de que ocurran los dos eventos, y de que ocurra uno u otro o ambos? ¿Qué conclusiones puedes sacar?

3. Decide dónde colocar cada una de las probabilidades en tu cuadro de probabilidades de la clase. Pide a un voluntario que las incluya en el cuadro.

RAZONAR A FONDO

Aplica lo que has aprendido en esta lección para contestar las siguientes preguntas.

1. ¿Qué significa una probabilidad de 0? ¿Y de 1?

2. Se lanzan al aire una moneda de diez centavos y otra de veinticinco centavos que caen en el piso. ¿Cómo ordenarías las siguientes probabilidades de menor a mayor?

   a. La probabilidad de que no salga cara en ninguna de las monedas.

   b. La probabilidad de que salga cara en, por lo menos, 1 de las mondeas.

   c. La probabilidad de que salga cara o cruz en la moneda de diez centavos.

   d. La probabilidad de que salga cara y cruz en la moneda de veinticinco centavos.

Experimentar con la probabilidad

A veces no hay forma de calcular una probabilidad. Sólo se puede estimar por medio de experimentos o predecir basándose en datos anteriores. Un número mayor de intentos proporciona un estimado más fiable de la probabilidad.

¿Cuáles de las siguientes probabilidades se puede hallar calculando? ¿Cuáles se pueden estimar por medio de experimentos? ¿Cuáles se pueden predecir pero no se pueden hallar por medio de experimentos o calculando?

1. La probabilidad de que salga 5 cuando se lanza un dado.

2. La probabilidad de que cuando se lanza un vaso de papel caiga de lado.

3. La probabilidad de que cuando se lanza la tapa de una botella caiga «boca abajo».

4. La probabilidad de que cuando se lanzan dos vasos de papel caigan de lado.

5. La probabilidad de sacar una carta determinada de unos naipes bien barajados.

Estima las probabilidades que puedas y colócalas en el cuadro de probabilidades de tu clase.

TRABAJAR JUNTOS

Trabaja en grupos de tres o cuatro.

1. Escoge un evento cuya probabilidad se pueda calcular. Decide cuántos intentos se necesitan para hacer un experimento fiable. Despues lleva a cabo el experimento para ver cuánto se acerca el resultado experimental a la probabilidad calculada.

2. Escoge un evento cuya probabilidad no se pueda calcular pero que se pueda hallar por medio de un experimento. Antes de llevar a cabo el experimento, adivina la probabilidad. Si tu equipo no llega a un acuerdo, haz una lista con las suposiciones de cada uno de los miembros separadamente. Decide cuántas pruebas se necesitan para un experimento fiable. Despues lleva a cabo el experimento para hallar la probabilidad. ¿Fueron acertadas tus suposiciones?

COMPARTIR IDEAS

Comenta tus resultados con tus compañeros.

1. Contrasta las dos situaciones diferentes: cuando se pueden calcular las probabilidades y cuando se pueden estimar por medio de un experimento. Indica en qué se diferencian estas situaciones.

2. Compara tus resultados con los de otros grupos. ¿Concuerdan las probabilidades? Comenta las que no concuerden.

RAZONAR A FONDO

A veces no se puede calcular una probabilidad y llevar a cabo un experimento para determinarla puede ser complicado. ¿Cómo crees que se podrían estimar estas probabilidades?

- La probabilidad de que alguien que esté vacunado contra el sarampión contraiga la enfermedad.

- La probabilidad de que un hombre de 50 años de edad viva por lo menos 20 años más.

- La probabilidad de que un estudiante de séptimo grado logre ir a la universidad.

A veces, este tipo de probabilidad se estima usando datos históricos. Estas probabilidades pueden verse influenciadas por eventos futuros incalculables. Haz una lista de algunas cosas que pueden hacer cambiar cada una de las probabilidades de arriba.

Predecir resultados

Algunas computadoras tienen generadores de números al azar. Una computadora imprimió la siguiente lista de dígitos al azar. Suponemos que cada uno de los dígitos del 0 al 9 tiene una probabilidad igual de ser escogidos cada vez. ¿Es verdad?

```
● 5 6 9 1 5 5 5 5 7 2 9 2 1 7 6 1 0 3 7 8 3 0 8 6 4  ●
● 3 1 7 4 0 7 2 2 6 1 7 6 3 7 6 5 1 0 6 1 1 8 0 6 8  ●
● 7 8 0 2 8 8 2 0 8 2 3 6 9 7 5 7 3 5 9 6 4 8 2 5 9  ●
● 7 7 3 3 0 1 8 8 3 4 6 6 5 0 1 0 6 6 8 0 4 3 3 8 2  ●
● 9 2 8 1 0 1 1 6 5 0 4 9 0 8 7 8 9 4 8 0 9 7 2 7 2  ●
● 2 9 5 2 9 2 1 5 7 4 9 8 9 8 2 4 2 5 3 6 1 8 6 2 0  ●
● 6 9 3 9 6 7 6 4 6 0 6 9 4 8 0 4 5 2 9 4 5 2 1 4 9  ●
● 9 3 3 3 4 9 4 4 0 6 8 8 2 0 5 4 2 3 1 4 4 0 7 7 6  ●
```

TRABAJAR JUNTOS

Trabaja en grupo.

1. Prepara varias formas de probar la lista de dígitos. Usa tus pruebas para decidir si la lista es al azar o no.

2. Comenta tus pruebas con el otro grupo. Si han preparado otras pruebas, trata de hacerlas. ¿Qué evidencia tienen otros grupos de que la lista sea al azar o no?

3. Aplica tus pruebas a las tres listas de abajo. ¿Crees que los dígitos de estas listas se formaron al azar? Justifica tus respuestas.

a. 9 6 7 3 6 6 0 4 6 2 6 5 1 2 8 9 0 3 6 8
   1 5 6 6 7 4 5 2 9 0 6 6 1 3 8 6 7 6 6 4

b. 0 0 0 0 1 1 1 1 5 5 5 5 3 3 3 3 8 8 8 8
   2 2 2 2 9 9 9 9 4 4 4 4 6 6 6 6 7 7 7 7

c. 1 9 2 2 4 3 3 9 7 8 8 6 2 2 5 5 1 7 7 4
   4 8 1 1 0 6 6 5 9 9 8 0 0 3 5 6 7 4 5 3

Comenta las siguientes preguntas con tus compañeros.

1. Si una computadora escoge los dígitos al azar, ¿cuál es la probabilidad de que la computadora escoja el 2?

2. Hay 200 dígitos en la lista de la computadora. ¿Cómo puedes predecir cuántos números 2 pueden aparecer? ¿Crees que cada dígito aparecerá exactamente ese número de veces? Explica por qué sí o por qué no.

3. El Servicio Meteorológico Nacional ha pronosticado que la probabilidad de lluvia es del 10%. De cada 30 predicciones como ésta, ¿cuántos días esperas que llueva? Comenta cómo has llegado a tu respuesta.

══════════ RAZONAR A FONDO ══════════

Trabaja en tu grupo. Imagínate que trabajas en una fábrica de artilugios y que eres responsable del control de calidad. De los 10,000 artilugios que se producen en un día has escogido una muestra de 200. Escribe un informe sobre el producto considerando las preguntas siguientes.

1. ¿Sería posible que funcionaran perfectamente los 200 artilugios? ¿Es probable?

2. ¿Sería posible que los 200 artilugios fueran defectuosos?

3. ¿Cómo puedes saber qué por ciento de artilugios son defectuosos? ¿Es necesario comprobar todos los artilugios producidos en un día? ¿Y en la muestra?

4. Si el 5% no va a funcionar perfectamente, ¿cuántos artilugios defectuosos esperarías en una muestra de 200? ¿Y en un día de producción?

5. ¿Cómo podrías usar una lista generada por computadora de números al azar para escoger tu muestra?

6. Entender los eventos al azar, la probabilidad y la predicción, ¿cómo te ayudaría a preparar un plan de control de calidad?

Diagramas en árbol y eventos compuestos

El equipo de lacrosse de Melville va a comprar uniformes. Los miembros pueden escoger pantalones cortos rojos o blancos. Pueden escoger camisas rojas, blancas o con rayas.

¿Cuántas selecciones posibles hay para los uniformes?

El **diagrama en árbol** muestra todas las selecciones o resultados posibles.

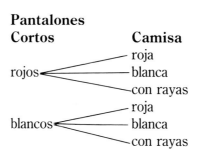

Pantalones Cortos	Camisa	Resultado
rojos	roja	rojos, roja
	blanca	rojos, blanca
	con rayas	rojos, con rayas
blancos	roja	blancos, roja
	blanca	blancos, blanca
	con rayas	blancos, con rayas

Hay 6 selecciones posibles.

También se puede multiplicar para hallar la respuesta.

$$2 \times 3 = 6$$

selecciones para pantalones   selecciones para camisas   posibilidades

Escoger un uniforme es un **evento compuesto.** Está compuesto de más de 1 evento. En este caso los eventos son **independientes** el uno del otro. La selección de los pantalones no afecta la selección de las camisas.

▶ Si A y B son eventos independientes, la probabilidad de que ambos ocurran, escrita $P(A,B)$, es

$$P(A,B) = P(A) \times P(B)$$

P(pantalones rojos, camisa con rayas)
   $= P$**(pantalones rojos)** $\times$ P**(camisa con rayas)**
   $= \quad \frac{1}{2} \quad \times \quad \frac{1}{3} \quad = \quad \frac{1}{6}$

TRABAJO EN CLASE

Se tira una moneda y un cubo numerado del 1 al 6.

1. Dibuja un diagrama en árbol para mostrar todos los resultados posibles.

2. Enumera todos los resultados del evento (cruz, número impar).

Halla cada probabilidad.

3. P(cara, 3)   **4.** P(cruz, 1)   **5.** P(cara, número par)   **6.** (cruz, no 4)

Gira la flecha giratoria. Escoge una carta. Contesta los ejercicios 1–9.

1. Dibuja un diagrama en árbol para mostrar todos los resultados posibles.

2. Haz una lista de todos los resultados del evento (números menores que 5, azul).

3. Halla la probabilidad de (números menores de 5, azul) en dos formas.

Halla cada probabilidad.

4. $P(1,$ roja$)$

5. $P(2,$ verde$)$

6. $P($impar, azul$)$

7. $P(6,$ negra$)$

8. $P(3,$ no negra$)$

9. $P($múltiplo de 3, roja$)$

Toma una canica sin mirar. Devuélvela. Toma otra. Halla cada probabilidad.

10. $P($roja, azul$)$

11. $P($azul, roja$)$

12. $P($azul, verde$)$

13. $P($azul, azul$)$ ·

14. $P($roja, roja$)$

15. $P($verde, verde$)$

★ 16. $P($azul, no azul$)$

★ 17. $P($no roja, verde$)$

★ 18. $P($verde, no verde$)$

★ 19. Supón que tomas una canica y *no* la devuelves. Toma otra canica. ¿Afecta la primera selección las probabilidades de la segunda selección? ¿Son la primera y la segunda selección eventos independientes?

APLICACIÓN

20. Supón que el equipo de lacrosse también va a seleccionar un casco. Los miembros pueden escoger rojo o blanco. Copia y completa el diagrama en árbol de la página 386 para mostrar todos los resultados posibles. Haz una lista.

21. Halla la probabilidad del evento (pantalones rojos, camisa blanca, casco rojo); del evento (un uniforme de un solo color).

RAZONAMIENTO LÓGICO

Una maestra envió por correo tres libretas de calificaciones a tres estudiantes. La maestra escribió las direcciones en tres sobres pero no prestó atención a qué tarjeta iba en qué sobre. Los tres sobres fueron entregados. ¿Cuál es la probabilidad de que exactamente dos estudiantes reciban sus propias libretas de calificaciones?

Problemas para resolver

REPASO DE DESTREZAS Y ESTRATEGIAS

Resuelve.

1. En una competencia de levantamiento de pesas, el primer contendiente levantó 200 libras. Cada contendiente siguiente levantó un 10% más que la persona antes que él. ¿Cuántas libras levantó el cuarto?

2. El cocinero de Pancake Kitchen puede cocinar 4 panqueques en la plancha al mismo tiempo. Cocina los panqueques 2 minutos por cada lado. ¿Cuál es el tiempo mínimo que necesita para cocinar 6?

3. Éstas son algunas pistas sobre los puntos obtenidos por el equipo de básquetbol de Valhalla College la mitad de sus últimos cinco juegos. Haz una lista que muestre los puntos anotados en cada mitad.

Pista 1—El el juego 3, obtuvieron un total de 48 puntos.

Pista 2—Obtuvieron 22 puntos en la segunda mitad del juego 1 y del juego 4.

Pista 3—La puntuación más alta de la temporada fue 36 puntos en la primera mitad del juego 4.

Pista 4—Obtuvieron el mismo número de puntos en cada mitad del juego 3, lo cual fue 3 puntos menos que los puntos de la primera mitad del juego 1.

Pista 5—Obtuvieron 50 puntos en el juego 2 y en el 5 respectivamente.

Pista 6—La razón de puntos en la primera mitad del juego a puntos en la segunda mitad del juego fue 3:2 en los juegos 2 y 5 respectivamente.

Usa esta información para resolver 4 y 5.

Danny, Bobby y Peter participan en un viaje de descubrimiento en bicicleta. Bobby recorre 3 mi al oeste, 6 mi al norte, 1 mi al este, 2 mi al norte y 8 mi al este. Peter recorre 12 mi al este, 3 mi al norte, 4 mi al este, 5 mi al sur y 10 mi al oeste para llegar a la meta. Danny recorre 6 mi al sur, 12 mi al este y 9 mi al norte.

4. ¿A qué distancia está Bobby del final?

5. ¿Cuánto tiempo le tomó a Danny completar el trayecto?

Resuelve.

6. En el tercer tiempo del juego decisivo, la puntuación se empató a 21. El puntero de los Leones pateó la pelota 40 yardas. Un jugador de los Águilas devolvió la pelota 25 yardas. Después se aplicó una penalidad de 15 yardas contra los Águilas, lo cual puso la pelota en la línea de 50 yardas. ¿Desde que línea se originó la patada?

7. Los Tiburones derrotaron a los Pirañas por 12 puntos. El total de puntos fue 140. ¿Cuál fue la puntuación del juego?

8. Los Generales derrotaron a los Estrellas por 4 puntos. Si los Estrellas hubieran obtenido el doble de puntos de los que realmente obtuvieron, hubieran ganado por 4 puntos. ¿Cuántos puntos obtuvieron los Generales?

9. Se deja caer una pelota de tenis desde una altura de 100 pies. Llega a la mitad de la altura cada vez que rebota. ¿Cuánto ha recorrido cuando toca tierra por cuarta vez?

10. ¿A qué altura llega la pelota del problema 9 después del cuarto rebote?

ALGO EXTRA

Juego de estrategias

Este es un juego para dos personas. Se juega igual que el ta te ti, pero la forma del tablero es diferente.

Reglas
- El primer jugador pone una X en cualquier círculo.
- El segundo jugador pone una O en cualquier círculo vacío.
- Los jugadores continúan turnándose. El que coloca tres marcas en una sola línea es el ganador.
- Si nadie coloca tres en una línea, el juego termina empatado.

Copia el tablero y juega. ¡Piensa en lo que puede ocurrir! Planea tus jugadas. Anticipa cómo puede moverse tu oponente y trata de bloquearlo.

REPASO DEL CAPÍTULO

Haz una tabla de frecuencias para cada colección de datos. Después halla el alcance, la moda, la mediana y la media de cada una. págs. 366–369

1.

Puntuaciones ganadoras en los juegos de fútbol americano				
17	28	7	24	21
28	17	17	7	10

2.

Días lluviosos de cada mes					
20	3	11	15	8	11
0	4	15	11	13	6

Haz cada gráfica. págs. 370–373

3. una gráfica de barras   Número de estudiantes en clubs deportivos:
Fútbol—120; Básquetbol—50; Béisbol—90; Fútbol americano—80

4. una gráfica lineal   Flexiones de Pepe:
sábado—43; domingo—40; lunes—42; martes—47; miércoles—49

Usa la gráfica circular para contestar 5–7.

5. ¿Qué actividad fue más popular?   págs. 374–375

6. Había 150 personas acampando. ¿Cuántas remaron?

7. ¿Cuántos jugaron al vóleibol o al softbol?

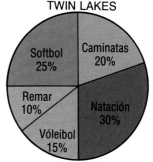

ACTIVIDADES DEL CAMPAMENTO TWIN LAKES

Softbol 25% · Caminatas 20% · Remar 10% · Natación 30% · Vóleibol 15%

**Gira la flecha una vez.
Halla cada probabilidad.** págs. 380–385

8. $P(6)$ **9.** $P(7)$ **10.** $P(\text{impar})$

11. $P(\text{múltiplo de 3})$ **12.** $P(9)$ **13.** $P(\text{no 9})$

14. $P(\text{impar ó 4})$ **15.** $P(\text{par o impar})$ **16.** $P(\text{primo ó 15})$

**Toma una tarjeta y una canica sin mirar.
Halla cada probabilidad.** págs. 386–387

17. $P(L, \text{verde})$ **18.** $P(A, \text{azul})$

19. $P(\text{no } A, \text{roja})$ **20.** $P(\text{consonante, azul})$

21. $P(\text{vocal, no roja})$ **22.** $P(I \text{ o } N, \text{no azul})$

L A S   C A N I C A S

Resuelve. págs. 376–377, 388–389

23. En una encuesta 115 de 200 estudiantes dijeron que preferían el fútbol americano al básquetbol. Halla la frecuencia que esperas si participan 800 estudiantes.

24. Tira una moneda y gira la flecha con números del 1 a 6. Haz una lista de todos los resultados posibles.

PRUEBA DEL CAPÍTULO

Halla el alcance, la moda, la mediana y la media para cada colección de datos.

1. 200, 175, 185, 200, 205, 162, 175

2. 58, 51, 49, 59, 49, 60, 51, 57, 50, 51

Haz una gráfica de barras para esta colección de datos.

3. Animales caseros: Perros—50; Gatos—60; Pericos—40; Hámsters—30; Peces—10; Canarios—10

Usa la gráfica lineal para contestar 4–7.

4. ¿Cuál es el mayor número de juegos ganados por el equipo de fútbol en un año?

5. ¿Entre cuales dos años mejoró más el equipo?

6. ¿Cuántos juegos más ganó el equipo en 1986 que en 1982?

7. En 1985 la escuela Miramar perdió 5 juegos de fútbol y empató 1. ¿En cuántos juegos participaron ese año?

JUEGOS DE FÚTBOL QUE GANÓ LA ESCUELA MIRAMAR

Escoge una sin mirar. Halla cada probabilidad.

8. P(verde)

9. P(blanca)

10. P(no roja)

11. P(azul o blanca)

12. P(no blanca)

13. P(amarilla)

Gira la flecha y toma un disco sin mirar. Halla cada probabilidad.

P I S T A S

14. P(25,S)

15. P(20,T)

16. P(impar, P)

17. P(menos de 20, S)

18. P(múltiplo de 10, vocal)

Resuelve.

19. La evaluación Nielsen de una semana informó que 480 de 1,200 familias vieron las noticias de las 10:00 P.M. Expresa como por ciento.

20. Gira ambas flechas. Haz una lista de todos los resultados posibles.

Cinco miembros del equipo se dan la mano después de un juego. ¿Cuánta veces se dan la mano si cada miembro le da la mano a cada uno de los demás exactamente una vez?

HACER UNA ENCUESTA

¿Cuál deporte crees que es más popular en tu comunidad?
¿Piensas que los demás estan de acuerdo con tu selección?
¡Haz una encuesta!

1. Escoge 5 deportes. Pregúntales a 15 personas de diferentes edades qué deporte prefieren. También pregúntales qué edad tienen. Pon los resultados en una tabla como ésta.

	DEPORTE FAVORITO				
Edad	Fútbol americano	Béisbol	Hockey	Fútbol	Básquetbol
10–19					
20–29					
30–39					
40–49					
50 y más					

2. Combina tus resultados con los de tus compañeros de clase. Haz una tabla de frecuencias con los resultados.

3. ¿Qué deporte parece ser más popular?

4. Si participaran 1,000 personas de tu comunidad, ¿cuántas crees que preferirían cada deporte?

GRÁFICAS ENGAÑOSAS

La manera en que se presenta información en una gráfica puede influenciar al lector.

La gráfica de la derecha muestra la asistencia a varios eventos deportivos en una ciudad. A primera vista, da la impresión de que la asistencia en los eventos de gimnasia fue casi el doble de la de los juegos de fútbol. Pero mira cuidadosamente la escala. Las asistencia a la gimnasia fue de 11,500 y la asistencia a fútbol fue de 10,600—¡no es una razón 2:1!

Este es un ejemplo de una **gráfica engañosa.**

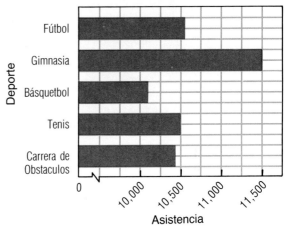

ASISTENCIA A EVENTOS DE DEPORTES EN RUSH CREEK

Usa la gráfica de barras para contestar 1 y 2.

1. ¿Qué se ha hecho en la escala para crear la impresión engañosa?

2. ¿Cuál fue la asistencia al deporte menos popular? Escribe esto como un por ciento de la asistencia a la gimnasia.

La gráfica lineal sugiere un gran aumento en el número de familias con albercas de natación de 1978 a 1984.

Usa la gráfica lineal para contestar 3–5.

3. ¿Cuál fue el aumento verdadero de familias con albercas de 1978 a 1984?

4. Da 2 razones por las cuales la gráfica es engañosa.

5. Usa los datos de la gráfica lineal. Dibuja una nueva gráfica lineal con intervalos de 4 en la escala vertical, comenzando con 0. ¿Crees que tu gráfica representa mejor los datos?

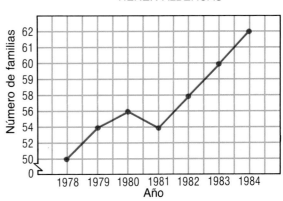

FAMILIAS DE SPRINGDALE QUE TIENEN ALBERCAS

COMPUTADORAS EN DEPORTES

A Juana le encanta correr y espera algún día competir
en las Olimpiadas. El entrenador usa una computadora
para analizar su forma. Con las correcciones basadas
en el análisis, Juana puede disminuir su tiempo por
varios segundos. Con el entrenamiento debido, puede
llegar a ganar medallas olímpicas.

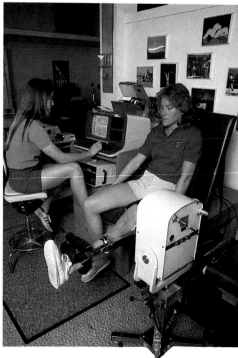

Las computadoras se usan cada vez más en el campo de los deportes.

El béisbol fue el primer deporte en usar una computadora para
mantener registros detallados de los jugadores y para analizar
su rendimiento. Los A de Oakland la usan para estar al tanto
de todo lo que sucede durante un juego. Esto incluye «hits»,
lanzamientos, «strikes», carreras, errores y «outs.» Se usa
hasta para buscar nuevos jugadores para el equipo.

La fuerza de un atleta es muy importante en el esquí y el
hockey, que requieren excelente velocidad y resistencia. Se
pueden usar computadoras para medir este tipo de fuerza. Un
atleta hace fuerza contra un aparato que está conectado a una
computadora que analiza sus fortalezas y debilidades
musculares. El entrenador entonces puede usar la información
para ayudar al atleta a superarse.

Las computadoras pueden mostrar movimiento con acción interrumpida.

Los atletas pueden vercada movimiento que hicieron durante un evento. Esto los ayuda a mejorar sus rendimientos y a prevenir lesiones.

Hasta el deporte de la pesca utiliza computadoras. La computadora puede analizar las condiciones para la pesca tales como temperatura profundidad del agua y dirección del viento. Después, recomienda una carnada específica.

Las compañías que fabrican equipo deportivo ahora están usando computadoras para diseñar zapatos deportivos, raquetas de tenis y palos de golf. El uso de computadoras ha resultado en equipo mucho más ligero y fuerte.

PROYECTO

1. Colecciona artículos de revistas y periódicos sobre computadoras y sus usos en el campo deportivo. Después exhibe estos artículos en el tablero de anuncios.

2. Ve a la biblioteca para hallar información sobre tu atleta favorito. Escribe un informe sobre cómo le podria servir una computadora.

★3. Escribe un programa de computadora para hallar el promedio de bateo de una persona.

PERFECCIONAMIENTO DE DESTREZAS

Escoge la respuesta correcta. Escribe A, B, C ó D.

1. $\frac{5}{9} \times 63$

   A 35   C 40

   B 45   D no se da

2. Nombra un polígono con ocho lados.

   A pentágono   C hexágona

   B octágono   D no se da

3. ¿Qué razón es igual a $\frac{24}{54}$?

   A $\frac{8}{16}$ C $\frac{12}{37}$

   B $\frac{4}{9}$ D no se da

4. ¿Qué razón es $66\frac{2}{3}$%?

   A $\frac{1}{3}$ C $\frac{5}{6}$

   B $\frac{3}{8}$ D no se da

5. ¿Qué por ciento de 40 es 12?

   A 25%   C 30%

   B 70%   D no se da

6. ¿Cuál es el interés simple si tasa = 3%, tiempo = $1\frac{1}{2}$ año y el capital = $1,200?

   A $54   C $1,254

   B $36   D no se da

7. ¿Cuál es el área de un círculo con un diámetro de 42 cm?

   A 132 cm^2 C 9.42 cm^2

   B 66 cm^2 D no se da

8. ¿Cuál es el área de un cuadrado de 4.6 metros?

   A 18.4 m   C 21.4 m^2

   B 9.2 m^2 D no se da

9. ¿Cuál es el alcance para 6.3, 5.02, 19 y 3.5?

   A 8.455   C 5.66

   B 15.5   D no se da

10. ¿Cuál es la probabilidad de que salga el número 6 en un dado numerado 1–6?

    A $\frac{1}{6}$ C $\frac{4}{6}$

    B $\frac{1}{5}$ D no se da

11. ¿Cómo se llama el artículo que tiene la frecuencia mayor en una colección de datos?

    A alcance   C mediana

    B moda   D no se da

12. Tira una moneda. ¿Cuál es P(cruz)?

    A 1   C $\frac{1}{2}$

    B 0   D no se da

Solve.

13. Betty llegó a la fiesta antes que Artie. Vio a Rafael cuando entró. Sally llegó última. ¿En que orden llegaron?

    A R, A, B, S   C R, B, A, S

    B B, A, S, R   D no se da

14. Saca una conclusión. *ABCD* es un paralelogramo con ángulos rectos. No es un

    A cuadrado   C trapecio

    B rectángulo   D no se da

Tema: El desierto

Números enteros

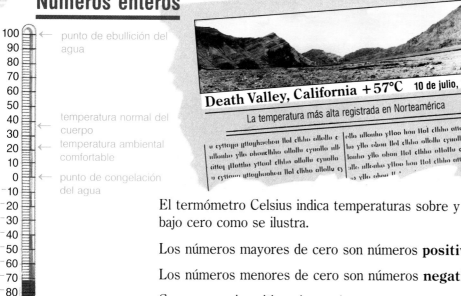

Death Valley, California +57°C **10 de julio, 1913**

La temperatura más alta registrada en Norteamérica

Prospect Creek, Alaska ─6

23 de enero, 1971

La temperatura más baja registrada en Norteamérica

El termómetro Celsius indica temperaturas sobre y bajo cero como se ilustra.

Los números mayores de cero son números **positivos.**

Los números menores de cero son números **negativos.**

Cero no es ni positivo ni negativo.

$^{+}57$ se lee cincuenta y siete positivo. $^{-}62$ se lee sesenta y dos negativo.

▶ Los números enteros son los números

. . . $^{-}3$, $^{-}2$, $^{-}1$, 0, $^{+}1$, $^{+}2$, $^{+}3$, . . .

Los enteros de $^{-}10$ a $^{+}10$ aparecen abajo en la recta numérica. Dos enteros que están a la misma distancia de 0 en direcciones opuestas son **opuestos.** $^{+}3$ y $^{-}3$ están a 3 unidades de 0, $^{+}3$ y $^{-}3$ son opuestos.

▶ El mayor de dos números enteros es el que está más a la derecha en la recta numérica.

$^{+}4$ está a la derecha de $^{+}1$. $^{+}2$ está la derecha de $^{-}3$. $^{-}4$ está a la izquierda de $^{-}1$.

$^{+}4 > {}^{+}1$ $^{+}2 > {}^{-}3$ $^{-}4 < {}^{-}1$

TRABAJO EN CLASE

Escribe un entero para cada uno. Después escribe su opuesto.

1. una pérdida de $5   **2.** 10 grados sobre cero   **3.** 8 positivo

Compara. Usa >, < ó = en lugar de ⬤.

4. $^{+}7$ ⬤ $^{+}8$ **5.** $^{+}5$ ⬤ $^{-}1$ **6.** $^{+}1$ ⬤ $^{-}5$ **7.** 0 ⬤ $^{-}4$ **8.** $^{-}8$ ⬤ $^{+}5$

PRÁCTICA

Escribe un entero para cada uno. Después escribe su opuesto.

1. una pérdida de 3 libras

2. un aumento de precio de 6¢

3. un aumento de 9 libras

4. 6°C bajo cero

5. 30 negativo

6. 90 positivo

7. un alza de $4 en el precio de acciones

8. 20 metros bajo el nivel del mar

9. 15°C sobre cero

Compara. Usa >, < ó = en lugar de ⬤.

10. 0 ⬤ $^+$8

11. $^-$1 ⬤ $^-$4

12. $^+$3 ⬤ $^+$4

13. $^-$3 ⬤ $^+$1

14. $^-$2 ⬤ 0

15. $^-$2 ⬤ $^+$2

16. 0 ⬤ $^-$6

17. $^-$5 ⬤ $^-$3

18. $^-$7 ⬤ $^+$1

19. $^-$80 ⬤ $^-$70

20. $^+$5 ⬤ $^-$26

21. $^-$12 ⬤ $^-$19

Usa la recta numérica en la página 398. Ordena los enteros de menor a mayor.

22. $^+$2, $^-$3, 0, $^+$1, $^-$4

23. $^-$7, $^-$1, $^+$3, $^-$9, $^+$1, $^-$5

24. $^+$1, $^+$6, $^-$4, $^-$9, $^+$3, $^-$6

25. $^-$2, $^+$2, $^-$5, 0, $^+$5, $^-$8

Escribe los enteros que faltan entre cada par.

★**26.** $^-$2 y $^+$1

★**27.** $^-$3 y 0

★**28.** $^+$6 y $^-$2

★**29.** $^-$5 y $^-$1

APLICACIÓN

Escoge la temperatura apropiada para cada uno. Usa el termómetro Celsius en la página 398.

30. una bebida caliente

    a. $^-$5°C

    b. $^+$10°C

    c. $^+$75°C

31. tu salón de clase

    a. $^+$22°C

    b. $^+$6°C

    c. $^-$2°C

32. esquí a campo travieso

    a. $^+$10°C

    b. $^-$3°C

    c. $^+$15°C

Usa esta tabla para contestar 33–36.

33. ¿Qué desierto tuvo la temperatura más baja?

34. Ordena las temperaturas de menor a mayor.

35. ¿Qué desierto tuvo una temperatura opuesta a la temperatura del Gobi?

36. En otro momento se indicó en el Mojave una temperatura de 0°C. Usa un número entero para representar la diferencia de temperatura con la de la tabla.

TEMPERATURAS EN INVIERNO DE LOS DESIERTOS	
Gobi	$^-$12°C
Mojave	$^-$7°C
Pintado	$^-$21°C
Sahara	$^+$12°C

Sumar enteros

Una geóloga que estudia rocas en el Monumento Nacional de Death Valley trabajó parte del día en un sitio a 2 metros sobre el nivel del mar. Después pasó a un sitio 4 metros más alto. ¿A qué distancia sobre o bajo el nivel del mar está el nuevo sitio?

Escribe el primer sitio como entero. 2 metros sobre el nivel del mar $\longrightarrow$ $^+2$.

Halla $^+2 + {}^+4$.

Usa la recta numérica para sumar enteros.

Comienza en 0. Avanza dos unidades a la derecha ($^+2$). Después avanza 4 unidades a la derecha ($^+4$).

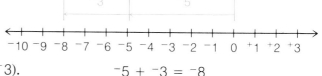

$$^+2 + {}^+4 = {}^+6$$

El nuevo sitio de la geóloga está a 6 metros sobre el nivel del mar.

Halla $^-5 + {}^-3$.

Comienza en 0.
Avanza 5 unidades a la izquierda ($^-5$).
Después avanza 3 unidades a la izquierda ($^-3$).

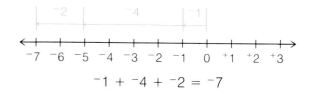

$$^-5 + {}^-3 = {}^-8$$

▶ La suma de dos enteros positivos es un entero positivo.
La suma de dos enteros negativos es un entero negativo.

Más ejemplos

a. $^+3 + {}^+3 + {}^+1 = n$

b. $^-1 + {}^-4 + {}^-2 = n$

$$^+3 + {}^+3 + {}^+1 = {}^+7$$

$$^-1 + {}^-4 + {}^-2 = {}^-7$$

TRABAJO EN CLASE

Suma. Usa una recta numérica, si es necesario.

1. $^+3 + {}^+2$
2. $^+8 + {}^+1$
3. $^-6 + {}^-3$
4. $^-2 + {}^-5$

5. $^+5 + {}^+5$
6. $^-3 + {}^-2$
7. $^-7 + {}^-7$
8. $^+4 + {}^+2$

9. $^-6 + {}^-2$
10. $^-3 + {}^-7$
11. $^+6 + {}^+1$
12. $^-1 + {}^-1$

PRÁCTICA

Suma. Usa una recta numérica si es necesario.

1. $^+4 + {^+4}$ 2. $^+1 + {^+5}$ 3. $^-3 + {^-4}$ 4. $^-5 + {^-1}$

5. $^+6 + {^+2}$ 6. $^-2 + {^-2}$ 7. $^-8 + {^-2}$ 8. $^+5 + {^+6}$

9. $^+9 + {^+2}$ 10. $^-2 + {^-8}$ 11. $^+7 + {^+5}$ 12. $^-3 + {^-7}$

13. $^-5 + {^-9}$ 14. $^+12 + {^+7}$ 15. $^-8 + {^-6}$ 16. $^+15 + {^+12}$

17. $^+6 + {^+3} + {^+8}$ 18. $^-9 + {^-2} + {^-4}$ 19. $0 + {^-8} + {^-5}$

20. $^+11 + {^+5} + {^+3}$ 21. $^-5 + {^-6} + {^-2}$ 22. $^+10 + 0 + {^+4}$

Compara. Usa >, < ó = en lugar de ⬤.

23. $^-3 + {^-2}$ ⬤ $^+3 + {^+2}$ 24. $^-3 + {^-5}$ ⬤ $^-2 + {^-6}$ 25. $^+4 + {^+3}$ ⬤ $^-5 + {^-2}$

26. $^-8 + {^-2}$ ⬤ $^+6 + {^+4}$ 27. $^+3 + {^+6}$ ⬤ $^+6 + {^+3}$ 28. $^-5 + 0$ ⬤ $0 + {^-5}$

Evalúa cada expresión.

29. $^-6 + a$ si $a = {^-3}$ 30. $^+4 + b$ si $b = {^+6}$.   31. $^+15 + n$ si $n = {^+7}$

APLICACIÓN

32. María hace la mayor parte de su trabajo en el desierto por la mañana. Un día comenzó a estudiar rocas a las 5:00 A.M. bajo una temperatura de $^+29°C$. Cuando paró a las 11:00 A.M., la temperatura era 9 grados más alta. ¿Cuál era la temperatura a las 11:00 A.M.?

33. Un geólogo estudió una formación de rocas interesante de un sitio 18 m bajo el nivel del mar. Halló una formación similar en un sitio 9 m más bajo. ¿Dónde está el segundo sitio?

VALOR ABSOLUTO

El **valor absoluto** de un entero es la distancia que hay entre el entero y 0 en la recta numérica.

$^-5$ está a 5 unidades de 0.
El valor absoluto de $^-5$ es 5.
Escribe $|^-5| = 5$.

$^-5$ está a 5 unidades de 0.
El valor absoluto de $^+5$ es 5.
Escribe $|^+5| = 5$.

Halla cada valor absoluto.

1. $|^-9|$ 2. $|^+15|$ 3. $|^-6|$ 4. $|0|$ 5. $|^-24|$ 6. $|^+32|$

Sumar enteros positivos y negativos

Las represas ayudan a proporcionar electricidad y agua para irrigar las fincas del desierto. Durante junio el nivel de agua que sirve a la finca de Jed Clancer subió 5 pies. En julio el nivel bajó 9 pies. ¿Cuál fue el cambio total de junio y julio?

Piensa   el agua subió 5 pies ⟶ $^+5$
             el agua bajó 9 pies ⟶ $^-9$

Suma $^+5 + {}^-9$ para hallar el cambio total.

Usa la recta numérica para sumar.

Comienza en 0.
Avanza 5 unidades a la derecha ($^+5$).
Después avanza 9 unidades a la izquierda ($^-9$).

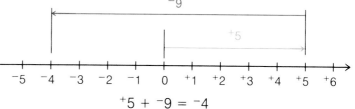

$$^+5 + {}^-9 = {}^-4$$

Durante junio y julio el nivel del agua en la represa bajó 4 pies.

Más ejemplos

a. $^+6 + {}^-5$

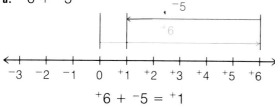

$$^+6 + {}^-5 = {}^+1$$

b. $^+4 + {}^-4$

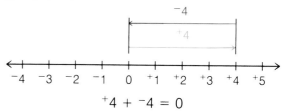

$$^+4 + {}^-4 = 0$$

▶ La suma de un entero positivo y un entero negativo tiene el mismo signo que el entero que está más lejos de cero. La suma de un entero y su opuesto es cero.

Los opuestos se llaman **inversos aditivos** porque la suma es cero.

$$^+2 + {}^-2 = 0$$
$$^-5 + {}^+5 = 0$$

TRABAJO EN CLASE

Suma. Usa una recta numérica si es necesario.

1. $^-4 + {}^+2$ 2. $^+4 + {}^-2$ 3. $^+2 + {}^-5$ 4. $^+10 + {}^-10$

5. $^+9 + {}^-7$ 6. $^+5 + {}^-4$ 7. $^-5 + {}^+4$ 8. $^-6 + {}^+8$

9. $^-2 + {}^+5$ 10. $^+8 + {}^-8$ 11. $^-6 + {}^+4$ 12. $^-4 + {}^+6$

PRÁCTICA

Suma. Usa una recta numérica si es necesario.

1. $^+2 + {}^-3$
2. $^-1 + {}^+6$
3. $^-4 + {}^+3$
4. $^+6 + {}^-2$

5. $^-7 + {}^+2$
6. $^+8 + {}^-6$
7. $^+4 + {}^-9$
8. $^-8 + {}^+10$

9. $^-3 + {}^+9$
10. $^+9 + {}^-3$
11. $^-6 + {}^+1$
12. $^+4 + {}^-5$

13. $^-2 + {}^+2$
14. $^-8 + {}^+4$
15. $^+6 + {}^-7$
16. $^+9 + {}^-9$

17. $^+11 + {}^-8$
18. $^+2 + {}^-9$
19. $^+10 + {}^-6$
20. $^-8 + {}^+13$

Sin sumar, indica si cada suma es positiva o negativa.

21. $^+23 + {}^-17$
22. $^+24 + {}^+19$
23. $^-56 + {}^+45$
24. $^-38 + {}^-56$

25. $^-102 + {}^+10$
26. $^+94 + {}^-75$
27. $^+18 + {}^-81$
28. $^+27 + {}^-35$

APLICACIÓN

En la primavera, los niveles de las represas generalmente suben según se derrite la nieve. Durante los períodos secos del verano el nivel del agua baja. El nivel del agua en una represa se observa cuidadosamente. Los siguientes datos fueron anotados en octubre.

Semana 1: El nivel bajó 3 pies.
Semana 2: El nivel subió 2 pies.
Semana 3: El nivel subió 5 pies.
Semana 4: El nivel bajó 3 pies.

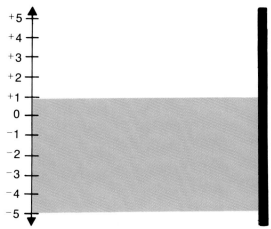

29. ¿Cuál fue el cambio total en el nivel del agua desde el 1° de octubre hasta el final de la semana 2?

30. ¿Durante qué semana fue más alto el nivel del agua?

★ 31. Usando enteros, escribe una ecuación para mostrar el cambio en el nivel del agua de la represa de la semana 3 a la semana 4.

═══RAZONAMIENTO LÓGICO═══

Ordena los enteros de forma que la suma de cada fila, columna y diagonal sea igual.

$^-1$ $^-1$ $^-1$ $^-1$

$^-2$ $^-2$ $^-2$ $^-2$

$^-3$ $^-3$ $^-3$ $^-3$

$^-4$ $^-4$ $^-4$ $^-4$

Restar enteros

Pedro Martínez es un corredor de bolsa. Investiga muchas acciones antes de decidir qué acciones comprar o vender. Una de las compañías que está estudiando fabrica sistemas de irrigación usados en áreas desérticas. La semana pasada las acciones de Aguatec se vendieron a $12 la acción. Esta semana las acciones bajaron 3 puntos. ¿Cuál es el precio de las acciones esta semana?

Puedes restar o sumar para hallar el precio.

$$^+12 - {}^+3 = {}^+9 \qquad {}^+12 + {}^-3 = {}^+9$$

Esta semana el precio de Aguatec es $9 por acción. Estudia estos pares de ecuaciones. Sugieren una regla para restar enteros.

Restar	Sumar	Restar	Sumar
$^+12 - {}^+3 = {}^+9$	$^+12 + {}^-3 = {}^+9$	$^+7 - {}^+5 = {}^+2$	$^+7 + {}^-5 = {}^+2$
opuestos		opuestos	

▶ Para restar un número entero, suma su opuesto.

Más ejemplos

a. $^-4 - {}^-1$

$$\overset{\text{opuestos}}{^-4 - {}^-1 = {}^-4 + {}^+1 = {}^-3}$$
cambia a sumar

b. $^+5 - {}^+7$

$$\overset{\text{opuestos}}{^+5 - {}^+7 = {}^+5 + {}^-7 = {}^-2}$$
cambia a sumar

c. $0 - {}^-3$

$$\overset{\text{opuestos}}{0 - {}^-3 = 0 + {}^+3 = {}^+3}$$
cambia a sumar

TRABAJO EN CLASE

Halla los enteros que faltan.

1. $^+9 - {}^+2 = {}^+9 + \square$
2. $^-6 - {}^+5 = {}^-6 + \square$
3. $^-8 - {}^-3 = {}^-8 + \square$

Resta.

4. $^-10 - {}^-3$
5. $^-3 - {}^+5$
6. $^+6 - {}^+4$
7. $^+8 - {}^+10$
8. $^-6 - {}^-5$
9. $^-6 - {}^+5$
10. $^+5 - {}^-9$
11. $^-7 - {}^-9$

PRÁCTICA

Halla los enteros que faltan.

1. $^+4 - {}^+6 = {}^+4 + \square$
2. $^-2 - {}^+1 = {}^-2 + \square$
3. $^-3 - {}^+3 = {}^-3 + \square$
4. $^-7 - {}^-4 = {}^-7 + \square$
5. $^-5 - {}^-5 = {}^-5 + \square$
6. $^+9 - {}^+8 = {}^+9 + \square$

Resta.

7. $^+5 - {}^+7$
8. $^-2 - {}^+3$
9. $^-3 - {}^-4$
10. $^+5 - {}^-1$
11. $^+8 - {}^-8$
12. $^-8 - {}^+8$
13. $^-9 - {}^+4$
14. $^+5 - {}^-3$
15. $^-7 - {}^-2$
16. $^+10 - {}^-4$
17. $^+9 - {}^-5$
18. $^-15 - {}^-14$
19. $0 - {}^-2$
20. $0 - {}^+2$
21. $^-18 - {}^+10$
22. $^+15 - {}^-8$
23. $^-9 - {}^-1$
24. $^+11 - {}^-6$
25. $^-11 - {}^+6$
26. $^-12 - {}^+3$
27. $^-20 - {}^+12$
28. $^+20 - {}^-12$
29. $^-12 - {}^+20$
30. $^+12 - {}^+20$

Evalúa cada expresión si $n = {}^-5$.

31. $n - {}^+6$
32. $n - {}^-5$
33. $n - {}^+5$
34. $^-4 - n$
35. $^-9 - n$
36. $0 - n$

Reemplaza cada $\square$ por el signo correcto (+ ó −) para completar cada oración matemática.

★ 37. $^\square4 + {}^\square3 = {}^-1$
★ 38. $^\square6 - {}^\square2 = {}^+8$
★ 39. $^\square4 - {}^\square5 = {}^-1$
★ 40. $^\square5 + {}^\square10 = {}^-5$

APLICACIÓN

41. El miércoles las acciones de la Corporación Exacta se vendían a \$18 la acción, un aumento de \$3 por acción sobre el precio del martes. ¿Cuánto costaba una acción de Exacta el martes?

★ 42. Una acción de la Corporación Jano se vendía a \$12. El precio de la acción subió \$4 la acción y después bajó \$6 la acción. Usando enteros, escribe una oración matemática para hallar el costo actual de una acción de Jano.

Práctica mixta

1. $\frac{3}{8} + \frac{7}{8}$

2. $\begin{array}{r} 2\frac{1}{2} \\ + 4\frac{3}{5} \\ \hline \end{array}$

3. $\begin{array}{r} 3\frac{2}{3} \\ - 1\frac{1}{4} \\ \hline \end{array}$

4. $\begin{array}{r} 5\frac{1}{2} \\ - 1\frac{2}{3} \\ \hline \end{array}$

5. $\begin{array}{r} 7 \\ - 3\frac{2}{5} \\ \hline \end{array}$

6. $\frac{2}{3} \times \frac{6}{7}$

7. $\frac{5}{8} \times 6$

8. $1\frac{1}{2} \times 3\frac{5}{6}$

9. $5 \div \frac{1}{4}$

10. $2\frac{2}{3} \div 6$

Halla el área de cada uno.

11.
6 cm
6 cm

12.
4 cm
12 cm

13.
5 cm
10 cm

14.
4 cm
15 cm

Multiplicar enteros

Una duna de arena barrida por el viento se acercaba a un oásis en el desierto. De repente, el viento cambió de dirección y empujó la duna 5 pies cada mes hacia atrás. ¿Qué lejos estaba y en qué dirección se movió la duna en 3 meses?

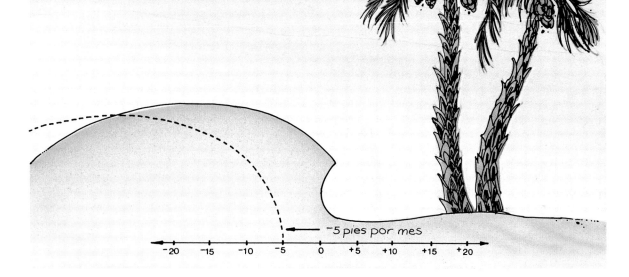

$^-5$ pies por mes

Una distancia de 5 pies hacia atrás $\longrightarrow$ $^-5$

Distancia en 3 meses $\longrightarrow$ $\qquad$ $^-5 + {}^-5 + {}^-5 = {}^+3 \cdot {}^-5 = {}^-15$

quiere decir multiplicar

La duna se movió 15 pies hacia atrás en 3 meses.

▶ El producto de un entero positivo y un entero negativo es un entero negativo.

$^+4 \cdot {}^-5 = {}^-20 \qquad {}^-2 \cdot {}^+6 = {}^-12$

▶ El producto de dos enteros positivos o dos enteros negativos es un entero positivo.

$^+5 \cdot {}^+2 = {}^+10 \qquad {}^-5 \cdot {}^-2 = {}^+10$

Más ejemplos

a. $^+4 \cdot {}^+3 = {}^+12$
b. $^-6 \cdot {}^+4 = {}^-24$
c. $^+5 \cdot {}^-2 = {}^-10$
d. $^-8 \cdot {}^-3 = {}^+24$

TRABAJO EN CLASE

Halla cada producto.

1. $^+3 \cdot {}^+4$

2. $^-5 \cdot {}^+5$

3. $^-4 \cdot {}^+3$

4. $^+7 \cdot {}^+6$

5. $^+5 \cdot {}^+2$

6. $^-2 \cdot {}^+5$

7. $^-8 \cdot {}^+4$

8. $^+4 \cdot {}^+8$

PRÁCTICA

Halla cada producto.

1. $^-3 \cdot {}^+5$
2. $^-7 \cdot {}^-7$
3. $^-2 \cdot {}^+6$
4. $^-2 \cdot {}^-8$

5. $^+4 \cdot {}^-1$
6. $^-3 \cdot {}^-5$
7. $^+5 \cdot {}^-4$
8. $^-8 \cdot {}^-6$

9. $^+8 \cdot {}^+9$
10. $^-2 \cdot {}^-6$
11. $^+9 \cdot {}^-7$
12. $^-5 \cdot {}^-8$

13. $^+8 \cdot {}^-8$
14. $^-6 \cdot {}^-6$
15. $^-7 \cdot {}^+1$
16. $^-4 \cdot {}^+5$

17. $^-4 \cdot {}^-4$
18. $^-12 \cdot {}^-1$
19. $^+2 \cdot {}^+10$
20. $^-12 \cdot {}^-4$

21. $^-3 \cdot {}^+2 \cdot {}^-4$
22. $^-3 \cdot ({}^+5 \cdot {}^-2)$
23. $^-3 \cdot ({}^-6 \cdot {}^-1)$
24. $({}^-5 \cdot {}^-1) \cdot (0 \cdot {}^+3)$

Sigue la regla para hallar cada producto que falta.

Regla: Multiplica la entrada por $^+4$.

	Entrada	Salida
	$^+2$	$^+8$
25.	$^-1$	
26.	0	
27.	$^-6$	

Regla: Multiplica la entrada por $^-1$.

	Entrada	Salida
	$^+6$	$^-6$
28.	$^-3$	
29.	$^+4$	
30.	$^-4$	

Regla: Multiplica la entrada por $^-2$ y después suma $^+5$.

	Entrada	Salida
★ 31.	$^+2$	$^+1$
★ 32.	$^-4$	
★ 33.	$^-2$	
★ 34.	$^+6$	

Escribe los 3 próximos enteros en cada secuencia.

35. $^+10, \, ^+6, \, ^+2, \, ^-2, \, \underline{\quad}, \, \underline{\quad}, \, \underline{\quad}, \, \ldots$

36. $^-16, \, ^-6, \, ^+4, \, ^+14, \, \underline{\quad}, \, \underline{\quad}, \, \underline{\quad}, \, \ldots$

37. $^-5, \, ^+10, \, ^-20, \, ^+40, \, \underline{\quad}, \, \underline{\quad}, \, \underline{\quad}, \, \ldots$

★ 38. $^-1, \, ^+1, \, ^-2, \, ^+6, \, \underline{\quad}, \, \underline{\quad}, \, \underline{\quad}, \, \ldots$

APLICACIÓN

39. La precipitación en cierto desierto ha estado aumentando 2 pulgadas por año durante 4 años. Escribe el cambio total del nivel como entero.

★ 40. Un día en el invierno, la temperatura en el Sahara era $^+11°C$ al mediodía. Si la temperatura continúa disminuyendo 2 grados por hora, ¿qué temperatura habrá a las 6:00 P.M.?

=== HAZLO MENTALMENTE ===

Usa patrones para hallar los productos en cada grupo.

1. $^+3 \cdot {}^+2$
   $^+3 \cdot {}^+1$
   $^+3 \cdot \ 0$
   $^+3 \cdot {}^-1$
   $^+3 \cdot {}^-2$
   $^+3 \cdot {}^-3$

2. $^+2 \cdot {}^-3$
   $^+1 \cdot {}^-3$
   $0 \cdot {}^-3$
   $^-1 \cdot {}^-3$
   $^-2 \cdot {}^-3$
   $^-3 \cdot {}^-3$

3. $^+2 \cdot {}^-4$
   $^+1 \cdot {}^-4$
   $0 \cdot {}^-4$
   $^-1 \cdot {}^-4$
   $^-2 \cdot {}^-4$
   $^-3 \cdot {}^-4$

Dividir enteros

El camello almacena grasa que puede producir energía. Si un camello pierde 40 libras de grasa almacenada por estar en el desierto 5 días, ¿cuál es el promedio del cambio diario en su peso?

Halla $^-40 \div {}^+5$.

Puedes escribir una oración de multiplicación relacionada para determinar el signo del cociente cuando se dividen enteros.

Como $^-8 \cdot {}^+5 = {}^-40 \div {}^+5 = {}^-8$.

El camello perdió un promedio de 8 libras cada día.

▶ El cociente de un entero positivo y un entero negativo es un negativo.

$$^+30 \div {}^-10 = {}^-3$$

$$^-18 \div {}^+9 = {}^-2$$

▶ El cociente de dos enteros positivos ó dos enteros negativos es un positivo.

$$^+15 \div {}^+3 = {}^+5$$
$$^-21 \div {}^-3 = {}^+7$$

Más ejemplos

a. $^+12 \div {}^+6 = {}^+2$ b. $^-18 \div {}^-3 = {}^+6$

c. $^+20 \div {}^-4 = {}^-5$ d. $^-8 \div {}^+2 = {}^-4$

TRABAJO EN CLASE

Halla cada cociente.

1. $^+24 \div {}^-3$

2. $^-48 \div {}^-8$

3. $^+30 \div {}^+5$

4. $^-32 \div {}^+4$

5. $^+54 \div {}^+6$

6. $^-35 \div {}^+7$

7. $^-42 \div {}^-7$

8. $^+16 \div {}^-8$

9. $^-70 \div {}^-10$

10. $^+63 \div {}^+9$

11. $^+39 \div {}^-13$

12. $^-54 \div {}^+9$

13. $^+132 \div {}^-12$

14. $^-225 \div {}^-9$

15. $^-400 \div {}^-40$

16. $^-250 \div {}^-5$

PRÁCTICA

Halla cada cociente.

1. $^-28 \div ^-7$
2. $^-36 \div ^+6$
3. $^+18 \div ^-6$
4. $^+21 \div ^+3$

5. $^-64 \div ^+8$
6. $^+72 \div ^-8$
7. $^-48 \div ^-6$
8. $^+63 \div ^-7$

9. $\frac{^+20}{^+10}$
10. $\frac{^-81}{^-9}$
11. $\frac{^+56}{^-7}$
12. $\frac{^-49}{^+7}$

13. $\frac{^-96}{^+8}$
14. $\frac{^+64}{^+4}$
15. $\frac{^+100}{^-2}$
16. $\frac{^-100}{^-5}$

Divide.

17. $^-96 \div ^-8$
18. $^+16 \div ^-4$
19. $^-18 \div ^-2$
20. $^-45 \div ^+5$

21. $^-36 \div ^+4$
22. $^+10 \div ^-5$
23. $^-15 \div ^+3$
24. $^+6 \div ^-3$

25. $^+12 \div ^+2$
26. $^+30 \div ^-3$
27. $^-8 \div ^+2$
28. $^+18 \div ^-3$

Evalúa. Usa las reglas para el orden de las operaciones.

★ 29. $^+3 + ^-3 \cdot ^+4 - ^+25 \div ^+5$

★ 30. $(^-8 \div ^+2) - (^-3 \cdot ^-6)$

★ 31. $\frac{^-20}{^-5} + (^+6 - ^-2) + ^-8$

★ 32. $(^-4)^2 + (^-2)^3$

APLICACIÓN

33. De las 8:00 P.M. a medianoche, el cambio de temperatura en el desierto fue de $^-16$ grados. ¿Cuál fue el promedio del cambio de temperatura por hora?

34. La caravana avanzó a través del caluroso desierto durante 9 días. En ese tiempo uno de los camellos perdió 63 libras de grasa almacenada. ¿Cuál fue el promedio del cambio diario en el peso del camello?

LA CALCULADORA

Muchas calculadoras de bolsillo tienen una tecla para cambiar el signo $\boxed{^+/_-}$ de enteros.

Para entrar $^-9$, **aprieta** $\boxed{9}$ $\boxed{^+/_-}$ → $\boxed{-\qquad 9.}$

Sigue estos pasos para hallar $18 \div ^-3$.

Aprieta $\boxed{1}$ $\boxed{8}$ $\boxed{\div}$ $\boxed{3}$ $\boxed{^+/_-}$ $\boxed{=}$ ⟶ $\boxed{-\qquad 6.}$

En algunas calculadoras el signo negativo aparece a la derecha del número.

Usa la calculadora para hallar cada respuesta.

1. $^-9 \div ^+3$
2. $^+4 \div ^-2$
3. $^-56 \div ^+7$
4. $^+18 \div ^-9$

5. $^-15 \div ^-5$
6. $^-100 \div ^-4$
7. $^+280 \div ^-5$
8. $^-342 \div ^-9$

Problemas para resolver

SOLUCIONES ALTERNAS

La mayoría de los problemas se pueden resolver con más de un método. Cualquier método que uses, la respuesta siempre debe ser la misma. Una buena manera de comprobar la respuesta es resolver el problema con un método alterno. Después revisa para ver si ambas respuestas son iguales.

1. Un paseo a camello cuesta $2.00 la persona por los primeros quince minutos y $.50 por cada 10 minutos adicionales. Rosa pagó $4.00. ¿Cuánto tiempo paseó?

Solución 1
Haz una tabla.

Costo	$2.00	$2.50	$3.00	$3.50	$4.00
Tiempo en minutos	15	25	35	45	55

Rosa paseó durante 55 minutos.

Solución 2

Trabaja hacia atrás.

$4.00 ⟵ Costo total
− 2.00 ⟵ Primeros 15 minutos
$2.00 ⟵ Lo que quedaba

Paseó 10 minutos por cada $.50. Divide para hallar cuántos $.50 hay en $2.00.

$$\overset{4}{\underset{}{\$.50\overline{)\$2.00}}}$$ ⟵ Dio 4 paseos de 10 minutos.

Rosa paseó durante 55 minutos.

Ambos métodos dan la misma solución.

Multiplica y después suma para hallar el tiempo total que paseó.

40 min ⟵ 4 × 10 min
+ 15 min ⟵ Primeros 15 min
55 min

2. Yoki y Lian fueron al desierto en un carro para correr por las dunas. Estuvieron una hora. Se levantó una tormenta de arena y se refugiaron. Pasaron 30 minutos más paseando en el carro que esperando que parara la tormenta de arena. ¿Cuánto tiempo pasaron en el refugio?

Resuelve cada problema con más de un método. Revisa para ver si las respuestas son iguales.

1. El Sr. Jiménez hizo una llamada de larga distancia a su casa. Le cobraron $2.10 por los tres primeros minutos y $.40 por cada minuto adicional. La llamada le costó $6.50. ¿Cuántos minutos habló el Sr. Jiménez?

2. El Sr. Jiménez llenó su tanque y le echó 1 lata de aceite en la estación de gasolina. La cuenta fue de $14.50. Si gastó $10.50 más en gasolina que en aceite, ¿cuánto costó cada uno?

3. Se pueden montar uno de tres camellos, Sansón, Polvorón o Zoco para ir del rancho al oasis. El viaje de regreso se hace a caballo y se pueden montar Paquita, Rey, Príncipe o Duque. María hizo el viaje completo el lunes y montó a Sansón y a Paquita. Juana hizo el viaje completo el martes. ¿Cuál es la probabilidad de que monte los dos mismos animales?

4. Una caravana salió de un campamento hacia una ciudad en el desierto 166 mi hacia el oeste. Tuvo que retroceder varias veces durante una semana debido a mal tiempo. Las distancias cubiertas esa semana fueron: 32 mi al oeste, 18 al oeste, 13 al este, 29 al oeste, 17 al este, 8 al oeste y 26 al oeste. ¿Cuántos días le tomará el viaje de este modo?

5. Las datileras producen un número creciente de frutos cada año. Una produjo 28 dátiles el primer año. El próximo año produjo 35 dátiles, el tercero 42 y el cuarto 49. ¿En qué año producirá 84 dátiles si el patrón continúa?

6. Cincuenta y cuatro estudiantes participaron en una encuesta para seleccionar un nombre para la mascota de la clase, una camellita. *Victoria* recibió tres veces más votos que *Camelia*. *Torpe* recibió el doble de votos que *Camelia*. ¿Cuál fue el nombre ganador y cuántos votos recibió?

CREA TU PROPIO PROBLEMA

Usa esta información sobre el número de visitantes a un oasis. Escribe un problema que pueda ser resuelto con más de un método. Usa por lo menos dos métodos para resolver el problema. Comprueba que las respuestas sean iguales.

	Número de visitantes
Semana 1	16
Semana 2	25
Semana 3	34
Semana 4	43

Ecuaciones de suma y resta

Las ecuaciones con enteros se resuelven de la misma forma que las ecuaciones con enteros positivos. Suma o resta ambos lados de la ecuación por el mismo entero para mantener la ecuación balanceada.

Resuelve para n.

$$n + {}^+8 = {}^+2$$
Usa lo inverso de sumar $^+8$ para resolver.

$$n + {}^+8 - {}^+8 = {}^+2 - {}^+8$$
Resta $^+8$ de ambos lados.

$$n = {}^+2 + {}^-8$$

$$n = {}^-6$$
Solución

Comprueba

$$n + {}^+8 = {}^+2$$
Reemplaza n por $^-6$ en la ecuación original.

$$^-6 + {}^+8 = {}^+2$$

Más ejemplos

a.

$$a + {}^-5 = {}^+2$$
Usa lo inverso de sumar $^-5$ para resolver.

$$a + {}^-5 - {}^-5 = {}^+2 - {}^-5$$
Resta $^-5$ de ambos lados.

$$a = {}^+2 + {}^+5$$

$$a = {}^+7$$
Solución

Comprueba

$$^+7 + {}^-5 = {}^+2$$
Reemplaza a por $^+7$ en la ecuación original.

b.

$$n - {}^-4 = {}^-9$$
Usa lo inverso de restar $^-4$ para resolver.

$$n - {}^-4 + {}^-4 = {}^-9 + {}^-4$$
Suma $^-4$ a ambos lados.

$$n = {}^-13$$
Solución

Comprueba

$$^-13 - {}^-4 = {}^-9$$

$$^-13 + {}^+4 = {}^-9$$
Reemplaza n por $^-13$ en la ecuación original.

TRABAJO EN CLASE

Resuelve y comprueba.

1. $n + {}^-3 = {}^+4$

2. $b - {}^+5 = {}^+10$

3. $n + {}^+8 = {}^-5$

4. $a - {}^-7 = {}^-6$

5. $x + {}^+3 = {}^+2$

6. $m - {}^+1 = {}^+2$

7. $x + {}^-4 = {}^-7$

8. $y - {}^-4 = {}^-3$

Resuelve y comprueba.

1. $n + {}^+3 = {}^-2$ 2. $n - {}^+1 = {}^+2$ 3. ${}^-3 = a - {}^-4$ 4. $x + {}^-4 = {}^-7$

5. $a - {}^-2 = {}^+6$ 6. ${}^-7 = s + {}^+5$ 7. $a + {}^-8 = {}^+10$ 8. $b - {}^-5 = {}^-8$

9. $b + {}^+6 = {}^-5$ 10. $r + {}^-3 = {}^+6$ 11. $n - {}^+5 = {}^+2$ 12. $n - {}^-7 = {}^+3$

13. $c - {}^+3 = {}^+4$ 14. $n - {}^-1 = {}^-8$ 15. $x - {}^-7 = {}^+10$ 16. ${}^-13 = n + {}^+7$

17. ${}^-9 = x - {}^+3$ 18. $a + {}^-9 = {}^+4$ 19. ${}^+14 = n - {}^-3$ 20. $0 = a - {}^-5$

21. $s - {}^-12 = {}^+42$ 22. ${}^+47 = t + {}^+29$ 23. ${}^-18 = n - {}^+34$ 24. ${}^+36 + c = {}^-5$

25. ${}^+23 = b + {}^-18$ 26. ${}^-54 + x = {}^-37$ 27. ${}^+43 = s - {}^+27$ 28. ${}^+72 + x = {}^+4$

Escoge la ecuación que describe cada oración y resuelve.

29. El número n aumentado por ${}^+6$ es ${}^-13$.

    a. $n + {}^-13 = {}^+6$

    b. $n + {}^+6 = {}^-13$

    c. $n = {}^-13 + {}^+6$

30. El número a disminuido por ${}^-5$ es ${}^+12$.

    a. $a - {}^-5 = {}^+12$

    b. $a - 12 = {}^-5$

    c. $a + {}^-5 = {}^+12$

31. ${}^-17$ es igual al número b más ${}^+12$.

    a. ${}^+12 + {}^-17 = b$

    b. $b + {}^-17 = {}^+12$

    c. ${}^-17 = b + {}^+12$

32. 5 más que el número y es ${}^-23$.

    a. $5 + {}^-23 = y$

    b. $y + 5 = {}^-23$

    c. $5y = {}^-23$

★ 33. El número n más ${}^+19$ es igual a la suma de ${}^+8$ y ${}^-12$.

    a. $n + {}^+19 = {}^+8 + {}^-12$

    b. $n = {}^+19 + {}^+8 + {}^-12$

    c. $n + {}^+19 = {}^+8$

★ 34. ${}^+7$ menos que el número n es igual a la suma de ${}^+14$ y ${}^-23$.

    a. ${}^-7 = y + {}^+14$

    b. ${}^-7 - y = {}^+14 + {}^-23$

    c. $y - {}^+7 = {}^+14 + {}^-23$

APLICACIÓN

Escribe una ecuación para cada uno. Después resuelve.

35. En un día de invierno en el desierto Gobi, la temperatura a las 6:00 A.M. era ${}^-6°C$. Al mediodía la temperatura era ${}^+5°C$. ¿Cuál fue el cambio de la temperatura?

36. Otro día la temperatura era ${}^+2°C$. Si ${}^-7°C$ es la temperatura típica del invierno en el desierto Gobi, ¿cuánto debe bajar o subir la temperatura para igualar el promedio indicado?

Ecuaciones de multiplicación y división

Para resolver ecuaciones de multiplicación o división con enteros, multiplica o divide ambos lados de la ecuación por el mismo entero para mantener la oración balanceada.

Resuelve para n.

$^+2n = {}^-32$ Usa lo inverso de multiplicar por $^+2$ para resolver.

$\frac{^+2n}{^+2} = \frac{^-32}{^+2}$ Divide ambos lados de la ecuación por $^+2$.

$n = {}^-16$ Solución

Comprueba $^+2n = {}^-32$ Reemplaza n por $^-16$ en la ecuación original.

$^+2 \cdot {}^-16 = {}^-32$

Más ejemplos

a. $^-7a = {}^-28$ Usa lo inverso de multiplicar por $^-7$ para resolver.

$\frac{^-7a}{^-7} = \frac{^-28}{^-7}$ Divide ambos lados de la ecuación por $^-7$.

$a = {}^+4$ Solución

Comprueba $^-7 \cdot {}^+4 = {}^-28$ Reemplaza a por $^+4$ en la ecuación original.

b. $\frac{b}{^-4} = 6$ Usa lo inverso de dividir por $^-4$ para resolver.

$\frac{b}{^-4} \cdot {}^-4 = 6 \cdot {}^-4$ Multiplica ambos lados por $^-4$.

$b = {}^-24$ Solución

Comprueba $\frac{^-24}{^-4} = 6$ Reemplaza b por $^-24$ en la ecuación original.

TRABAJO EN CLASE

Resuelve y comprueba.

1. $^+8s = {}^-32$

2. $b \div {}^-4 = {}^-12$

3. $^-9n = {}^+54$

4. $\frac{a}{^+7} = {}^-8$

5. $^+8x = {}^-56$

6. $\frac{n}{^-2} = {}^-8$

7. $^-6a = {}^+42$

8. $y \div {}^+9 = {}^-4$

Resuelve y comprueba.

1. $^-7b = ^-49$

2. $^+3 = \frac{a}{^+11}$

3. $^+4 = n \div ^-5$

4. $8n = ^-32$

5. $^-9n = ^+54$

6. $^-4r = ^-44$

7. $a \div ^+5 = ^-3$

8. $^+6s = ^-18$

9. $n \div ^-5 = ^-12$

10. $^-9b = ^+81$

11. $r \div ^-4 = ^+9$

12. $n \div ^-15 = ^+8$

13. $^+3 = b \div ^+7$

14. $\frac{y}{^-10} = ^+8$

15. $^-121 = 11y$

16. $^-4p = ^-32$

17. $\frac{n}{^+4} = ^-2$

★ 18. $^-3a + ^-5 = ^+16$

★ 19. $2n - 8 = ^-4$

★ 20. $\frac{a}{^-6} + ^-2 = ^+3$

Escribe una ecuación para cada oración. Después resuelve.

21. 7 veces el número n es $^-56$.

22. El número y dividido por $^+4$ es $^-8$.

23. El producto de el número a y $^-3$ es $^+90$.

24. El número b dividido por $^+5$ da un cociente de $^-4$.

APLICACIÓN

Escribe una ecuación para cada uno. Después resuelve.

25. Los cactus pueden absorber agua y almacenarla durante largas sequías. Si un cactus absorbe 42 pintas de agua que después usa durante una sequía de 3 semanas, ¿cuál es el promedio de agua que usa cada semana?

★ 26. Un cactus absorbió 4 pintas de agua cada hora cuando llovió durante 3 horas. Después usó 2 pintas diarias durante los primeros 4 días de una sequía. ¿Qué cantidad del agua almacenada le queda?

═══ RAZONAMIENTO LÓGICO ═══

Indica cuándo cada uno es verdadero. Escribe *siempre, a veces* o *nunca*.

1. El producto de dos enteros positivos es mayor que el producto de dos enteros negativos.

2. Si n es un número negativo, entonces n es menor que su opuesto.

3. Si a y b son enteros negativos, entonces $a \cdot b$ es negativo.

4. Si a es un entero positivo y b es un entero negativo, entonces $a + b$ es positivo.

5. $^-1 \cdot n$ es igual al opuesto de n.

Desigualdades

El sitio más bajo del Hemisferio Occidental es Death Valley, California. Está a 86 metros bajo el nivel del mar.

La desigualdad $n >$ $^-86$ es la altura de todos los demás sitios en el hemisferio occidental.

▶ Una **desigualdad** es una oración matemática que usa uno de estos símbolos:

$<$	es menor que	$>$	es mayor que
$\leq$	es menor o igual que	$\geq$	es mayor o igual que

▶ Las **soluciones** de una desigualdad son todos los valores que hacen que la desigualdad sea verdadera.

Las soluciones en enteros de la desigualdad $n >$ $^-86$ son $^-85$, $^-84$, $^-83$, ...

▶ Para resolver una desigualdad, usa la ecuación relacionada.

Halla las soluciones de $n +$ $^+3 <$ $^+10$.

$n +$ $^+3 <$ $^+10$

$n +$ $^+3 =$ $^+10$ ⟵ ecuación relacionada

$\qquad n =$ $^+7$

$\qquad n <$ $^+7$ ⟵ Solución: Todos los números menores que $^+7$.

Comprueba Prueba enteros $^+7$.

$\qquad ^+6 +$ $^+3 <$ $^+10$ ⟵ Reemplaza n por $^+6$ en la desigualdad original.

$\qquad ^+9 <$ $^+10$

Otro ejemplo

$x -$ $^-5 \geq$ $^+1$

$x -$ $^-5 =$ $^+1$ ⟵ ecuación relacionada

$\qquad x =$ $^-4$

$\qquad x \geq$ $^-4$ ⟵ Solución: Todos los números mayores o iguales que $^-4$.

Comprueba Prueba enteros $\geq$ $^-4$.

$\qquad ^-4 -$ $^-5 \geq$ $^+1$ ⟵ Reemplaza x por $^-4$ en la desigualdad original.

$\qquad ^-4 +$ $^+5 \geq$ $^+1$

$\qquad ^+1 \geq$ $^+1$

TRABAJO EN CLASE

Haz una lista de los enteros que resuelvan cada desigualdad.

1. $x >$ $^+3$
2. $a <$ $^+5$
3. $b \geq$ $^-4$
4. $y < 0$
5. $p \leq$ $^-2$

Resuelve cada desigualdad.

6. $x +$ $^+2 >$ $^+4$
7. $y -$ $^+3 <$ $^+7$
8. $j -$ $^-1 \geq$ $^+5$
9. $^-10 + z \leq$ $^-2$

Haz una lista de los enteros que resuelven cada desigualdad.

1. $x > {}^+1$ **2.** $y \leq {}^-4$ **3.** $q < 0$

4. $a < {}^+2$ **5.** $a \leq {}^+2$ **6.** $z \geq {}^-10$

7. $t \geq {}^-4$ **8.** $m < {}^+2$ **9.** $r \leq {}^-1$

Resuelve cada desigualdad.

10. $x + {}^+2 > {}^+3$ **11.** $y + {}^+2 < {}^-8$

12. $a - {}^+7 \geq {}^-4$ **13.** $j - {}^+1 \leq {}^+4$

14. $t - {}^+3 \leq {}^-7$ **15.** $m + {}^+6 \geq {}^-5$

16. $x + {}^-5 \leq {}^+3$ **17.** $c + {}^+1 < {}^+4$

18. $n + {}^-10 < {}^-10$ **19.** $y + {}^-10 \geq 0$

20. $x - {}^+10 \leq {}^+3$ **21.** $q + {}^-9 \geq {}^-5$

22. $z - {}^-1 \geq {}^-2$ **23.** $s - {}^-8 \leq {}^+2$

24. $n + {}^+3 \leq {}^-8$ **25.** $r - {}^+3 > {}^+15$

26. $k + {}^-8 \leq {}^-20$ **27.** $d - {}^-18 \geq 0$

28. $x + {}^-18 \leq {}^-17$ **29.** $n - {}^-13 \geq {}^-1$

30. $e + {}^+12 > {}^-12$ **31.** ${}^+2 + a > {}^+6$

32. ${}^-3 + p \leq 0$ **33.** ${}^-5 + m > {}^-3$

34. $t + {}^+1 < {}^-3$ **35.** $m - {}^-2 > {}^-4$

36. $n + {}^-1 \geq {}^+1$ **37.** $r - {}^+2 \leq {}^-3$

★ 38. $x - {}^+4 \leq {}^-1 + {}^-3$ **★ 39.** $x + {}^-3 \leq {}^+6 - {}^-5$

APLICACIÓN

Escribe una desigualdad para cada uno. Después resuelve.

40. Un número n más tres positivo es menor que cinco positivo.

41. Un número a menos cuatro negativo es menor o igual que seis negativo.

42. Cinco más que el número b es mayor que dos negativo.

★ 43. Cuando la suma de ocho negativo y cinco positivo se resta del número n, el resultado es menor que 10 positivo.

Práctica mixta

1.
$$\begin{array}{r} 58 \\ \times \ 4 \\ \hline \end{array}$$

2.
$$\begin{array}{r} 72 \\ \times 73 \\ \hline \end{array}$$

3. 93×100

4. $217 \times 1{,}286$

5. $12\overline{)769}$

6. $52\overline{)1{,}024}$

7. $12{,}849 \div 38$

8. $415.6 + 32$

9. $21 - 8.73$

10. 53.2×0.5

11.
$$\begin{array}{r} 0.06 \\ \times 0.13 \\ \hline \end{array}$$

12. $17\overline{)107.78}$

13. $2.4\overline{)164.448}$

14. $0.13\overline{)0.52728}$

Escribe cada uno en notación científica.

15. $3{,}000$

16. $40{,}000$

17. $9{,}600$

18. $278{,}000$

19. $23{,}100$

20. $4{,}500{,}000{,}000$

Plano de coordenadas

Como parte de un proyecto matemático, Anita marcó en una gráfica la localización de algunos oasis en el desierto egipcio. Puso papel de calcar sobre un mapa. Después trazó una recta numérica horizontal, llamada el **eje x** y una recta numérica vertical, llamada el **eje y.** Los ejes se cruzan en un punto llamado el **origen** (o). El eje x y el eje y son parte del **plano de coordenadas.**

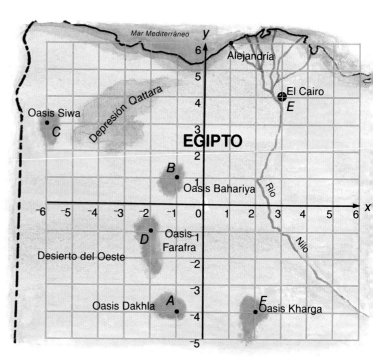

▶ Para localizar un punto en el plano de coordenadas se usa un **par ordenado.**

En un **par ordenado** (x, y), la primera coordenada, x, indica cuántas unidades se avanzan a la izquierda o la derecha del origen. La segunda coordenada, y, indica cuantas unidades se avanzan hacia arriba o abajo del origen. Las coordenadas del origen son $(0, 0)$.

El Oasis Dakhlah está localizado en el punto A, 1 unidad a la izquierda del origen y 4 unidades hacia abajo del origen. El par ordenado del punto A es $(^-1, {}^-4)$.

Para enteros mayores que 0, generalmente se omite el +

El punto C está localizado en $(^-6, 3)$. Está 6 unidades a la izquierda del origen y 3 unidades hacia arriba del origen.

TRABAJO EN CLASE

Escribe el par ordenado de cada punto en el plano de coordenadas arriba.

1. B **2.** D **3.** E **4.** F

Usando papel cuadriculado, copia el plan de coordenadas a la derecha. Después marca cada punto en una gráfica.

5. $P(4, 5)$ **6.** $M(^-3, 4)$ **7.** $T(2, {}^-4)$ **8.** $N(^-5, {}^-2)$

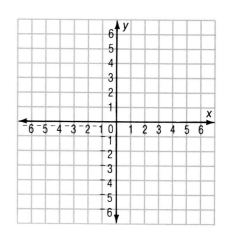

Escribe el par ordenado de cada punto.

1. C
2. F
3. D

4. A
5. B
6. H

7. E
8. G
9. I

10. L
11. J
12. K

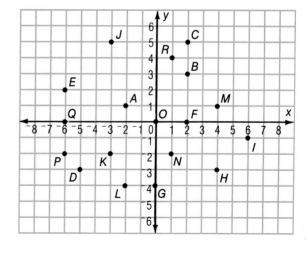

Escribe la letra del punto nombrado por cada par ordenado.

13. $(4, 1)$
14. $(^-6, 0)$
15. $(0, 0)$

16. $(1, ^-2)$
17. $(^-6, ^-2)$
18. $(1, 4)$

Usando papel cuadriculado, copia la gráfica a la derecha. Después marca cada punto.

19. $A(4, ^-1)$
20. $C(0, ^-4)$
21. $E(^-3, 1)$

22. $F(^-4, 0)$
23. $G(3, 4)$
24. $W(^-2, ^-1)$

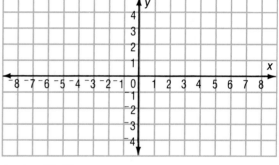

APLICACIÓN

Usando papel cuadriculado, dibuja los ejes x e y de un plano de coordenadas. Úsalos para contestar 25–30.

25. Marca cada par ordenado en una gráfica. Conecta los puntos en orden.
$(^-5, 4), (2, 4), (2, 1), (^-5, 1)$
¿Qué figura se forma:

26. Marca cada par ordenado en una gráfica. Conecta los puntos en orden.
$(5, 0), (11, 0), (9, ^-3), (3, ^-3)$
¿Qué figura se forma?

27. Marca cada par ordenado en una gráfica. Conecta los puntos en orden.
$(^-12, 0), (^-10, ^-5), (^-9, ^-3), (^-8, ^-5),$
$(^-6, 0)$
¿Qué letra del abecedario se forma?

28. Marca cada par ordenado en una gráfica. Conecta los puntos.
$(^-8, 6), (3, 10)$
Da las coordenadas de otro punto en la misma línea.

★29. Tres vértices en un rectángulo son $(2, ^-1), (2, ^-5),$ y $(^-4, ^-5)$.
Marca los pares ordenados en una gráfica y da las coordenadas del cuarto vértice.

★30. Marca cada par ordenado en una gráfica. Conecta los puntos para hacer un segmento de recta.
$(^-6, 3), (4, 3)$
Da las coordenadas del punto medio del segmento.

Marcar una regla en una gráfica

Los meteorólogos mantienen récords de temperatura. El promedio de temperaturas por la mañana es 5 grados más caluroso que el promedio por la tarde en el mismo desierto.

$y = x + 5$

Esta **ecuación,** o **regla,** muestra la relación entre los promedios de temperaturas por la mañana y por la tarde.

Usa la regla para hacer una tabla de valores.

Los valores de la tabla pueden ser representados como pares ordenados.
(2, 7), (1, 6), (0, 5) y ($^-$2, 3) son algunas **soluciones** de la ecuación $y = x + 5$.

Puedes marcar los pares ordenados en un plano de coordenadas y dibujar una línea recta entre los pares ordenados. Todos los puntos de la línea son soluciones a $y = x + 5$. La línea es la **gráfica** de la ecuación.

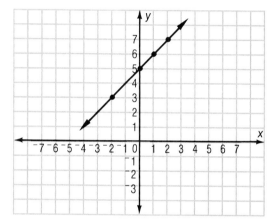

$y = x + 5$

x	y
2	7
1	6
0	5
$^-$2	3

Otro ejemplo

Marca la ecuación $y = 2x$ en una gráfica. Después marca los pares ordenados.

Haz una tabla de valores.

x	y
2	4
0	0
$^-$1	$^-$2
$^-$2	$^-$4

Soluciones:
(2, 4)
(0, 0)
($^-$1, $^-$2)
($^-$2, $^-$4)

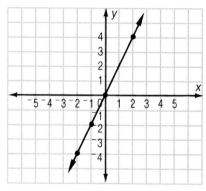

TRABAJO EN CLASE

Completa cada tabla de valores. Después marca cada ecuación en una gráfica.

1. $y = x + 2$

x	y
3	5
1	
0	
$^-$1	

2. $y = x - 3$

x	y
3	0
2	
1	
0	

3. $y = x$

x	y
2	2
1	
0	
$^-$1	

4. $y = 3x$

x	y
2	6
1	
0	
$^-$2	

Completa cada tabla de valores. Después marca cada ecuación en una gráfica.

1. $y = x + 1$

x	y
3	4
1	
0	
⁻2	

2. $y = x - 1$

x	y
4	3
0	
⁻1	
⁻3	

3. $y = {}^-x$

x	y
2	⁻2
1	
0	
⁻2	

4. $y = {}^-2x$

x	y
2	⁻4
1	
0	
⁻2	

5. $y = x + 4$

x	y
1	5
0	
⁻1	
⁻2	

6. $y = \frac{x}{2}$

x	y
6	3
4	
2	
⁻4	

7. $y = 2x + 1$

x	y
2	5
1	
0	
⁻2	

8. $y = 3x - 4$

x	y
3	5
2	
1	
0	

Haz una tabla de valores y después marca cada ecuación en una gráfica.

9. $y = x + {}^-4$

10. $y = 2x$

11. $y = {}^-3x$

12. $y = 2x - 3$

13. $y = x - 2$

14. $y = 3x - 1$

★ 15. $x + y = 5$

★ 16. $y - x = 3$

APLICACIÓN

17. El promedio de temperaturas en el Gobi en invierno es generalmente 4 grados más bajo que el promedio en invierno en el Mojave. Escribe una ecuación que muestre la relación entre las temperaturas en ambos desiertos. Haz una tabla de valores y después marca la ecuación en una gráfica.

18. Usando la ecuación de arriba, halla la temperatura en el Gobi cuando la temperatura en el Mojave es ⁻8 grados.

═══ RAZONAMIENTO VISUAL ═══

1. Quita 5 palillos y deja 3 cuadrados.

2. Quita 6 palillos y deja 2 cuadrados.

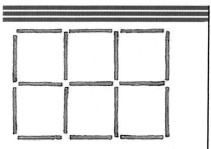

Problemas para resolver

REPASO DE DESTREZAS Y ESTRATEGIAS

Los miembros del Club de Exploradores hacen una excursión anual. Este año hacen una caminata al otro lado de un desierto para experimentar la vida en el desierto.

1. La familia Tinao salió de su casa el martes, 13 de mayo. Se reunirán con el grupo y comenzarán la caminata por el desierto el último día de mayo. ¿Qué es la fecha completa del último día de mayo?

2. El grupo salió de Desert City a las 8:30 A.M. Llegaron al poste indicador a las 9:15 A.M. ¿Cuántas millas por hora caminaron?

3. ¿Cuántas millas hay de las colinas al oasis?

4. ¿A qué distancia estás de las colinas cuando llegues a la mitad del camino entre el oasis y las cuevas?

5. ¿Está Desert City más cerca de las cuevas o del oasis? ¿Cuánto más cerca?

6. Nina dejó caer en la arena $1.00 en monedas. Recogió 6 de las monedas pero todavía le faltaban 35¢. ¿Cuáles son las monedas que recogió?

7. En el oasis el Club de Exploradores vio unas carreras de camellos. El jinete favorito ya había recibido un premio de $1,000 por su primera carrera ganada, otro de $3,000 por su segunda carrera, otro de $5,000 por su tercera, otro más de $7,000 por su cuarta y así sucesivamente. Ayer ganó otra carrera más y recibió un premio de $19,000. ¿Cuál triunfo fue?

8. Siete camellos participaron en la carrera que vio el grupo. Los primeros cuatro en llegar al final fueron Omar, Alejandro, Princesa y Lucía. Según las siguientes pistas, indica el orden en que llegaron los primeros cuatro camellos:

   Pista 1—Omar llegó tercero.

   Pista 2—Ni Alejandro ni Princesa llegó primero.

   Pista 3—Princesa vio a Omar cruzar la línea de llegada justo delante de ella.

Oasis 60 millas

Ciudad Desierto 30 millas

Cuevas 80 millas

Colinas 40 millas

A medida que la caravana continuó a lo largo del camino, los niños contaron los letreros del camino. Algunos de los letreros eran rectangulares, otros eran triangulares.

9. Si vieron 18 letreros y un total de 64 aristas. ¿Cuántos letreros de cada tipo vieron?

10. Si cada letrero rectangular decía STOP y cada letrero triangular decía DESPACIO, ¿cuántas letras O vieron?

11. Los Tinao pararon y llenaron su carro para correr por las dunas con 22 galones de gasolina y 2 cuartos de aceite. La gasolina costó $1.63 por galón. El aceite costó $1.35 por cuarto. ¿Cuánto cambio recibió la Sra. Tinao?

12. El Club de Exploradores vio un dibujo en la pared dentro de una cueva en el desierto. Ésto es parte del dibujo.

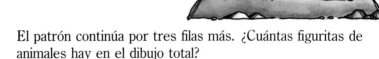

El patrón continúa por tres filas más. ¿Cuántas figuritas de animales hay en el dibujo total?

★**13.** En la antena de cada carro para correr por las dunas que tiene el Club hay una bandera identificadora. Ésta es la bandera de la antena de los Tinao. ¿Cuál es el área de la porción azul de la bandera?

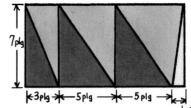

★**14.** La Oficina de Turismo ofrece una excursión por el desierto que incluye paradas en cinco puntos de interés. Después de parar en una tienda de recuerdos, el grupo para a almorzar en un oasis auténtico. Antes de parar para ver dibujos en una cueva, hace otra parada para ver cactos. Después del almuerzo paran para ver pinturas de arena coloreada. Nombra las 5 paradas en orden.

Compara. Usa >, < ó = en lugar de ●. págs. 398–399

1. 0 ● $^+5$ **2.** $^-5$ ● $^+2$ **3.** $^-3$ ● $^-6$ **4.** $^+1$ ● $^-8$

Escribe los enteros de menor a mayor. págs. 398–399

5. $^+5$, 0, $^-3$, $^+3$, $^-1$ **6.** $^-6$, $^-8$, $^-1$, $^+2$, 0 **7.** $^-7$, $^+7$, 0, $^+1$, $^-8$

Suma, resta, multiplica o divide. págs. 400–409

8. $^-5 + {}^-2$ **9.** $^-6 + {}^+4$ **10.** $^+7 - {}^-4$ **11.** $^-3 - {}^-5$

12. $^-3 \cdot {}^+2$ **13.** $^-8 \cdot {}^-3$ **14.** $^+24 \div {}^-6$ **15.** $^-27 \div {}^-3$

Resuelve y comprueba. págs. 412–415

16. $n + {}^+8 = {}^-2$ **17.** $a - {}^-5 = {}^+4$ **18.** $b + {}^-5 = {}^-9$ **19.** $y - {}^+4 = {}^-10$

20. $^-6n = {}^-24$ **21.** $^-5r = {}^+25$ **22.** $\frac{b}{^-4} = {}^-5$ **23.** $n - {}^-2 = {}^+18$

Resuelve y comprueba. págs. 416–417

24. $a + {}^+2 > {}^+5$ **25.** $n + {}^+3 < {}^+7$ **26.** $b + {}^+9 \leq {}^+15$ **27.** $n - {}^+16 \leq {}^-20$

Escribe el par ordenado de cada punto. págs. 418–419

28. A **29.** E **30.** D

31. B **32.** F **33.** C

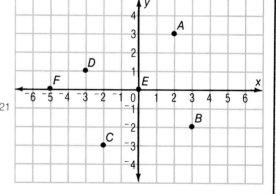

Completa la tabla de valores para cada ecuación.
Después marca cada una en una gráfica. págs. 420–421

34. $y = x - 5$

x	y
7	2
5	
3	
0	

35. $y = 4x$

x	y
1	4
0	
$^-1$	
$^-2$	

Resuelve. págs. 410–411, 422–423

36. Un día la temperatura en el Mojave fue $^-7°$C. La temperatura el mismo día en el Gobi fue $^-12°$c. ¿Qué desierto tuvo la temperatura más baja?

37. A las 6:00 A.M. la temperatura fue $^-4°$C. Al mediodía la temperatura había subido 7 grados. ¿Cuál fue la temperatura del mediodía? Resuelve, usando cualquier método que te guste.

Compara. Usa >, < ó = en lugar de ●.

1. $^-2$ ● $^-5$
2. $^+3$ ● $^-8$
3. $^-1$ ● 0
4. $^-5$ ● $^+2$

Suma, resta, multiplica o divide.

5. $^+9 + {}^-12$
6. $^-8 - {}^+3$
7. $^-6 + {}^-5$
8. $^+2 + {}^+6$

9. $^-3 \cdot {}^+5$
10. $^-8 \cdot {}^-2$
11. $^+18 \div {}^-9$
12. $^-32 \div {}^-8$

Resuelve y comprueba.

13. $n + {}^-3 = {}^+2$
14. $^+5a = {}^-20$
15. $b - {}^+5 = {}^+1$

16. $n \div {}^-4 = {}^+6$
17. $a + {}^+3 > {}^+5$
18. $b + {}^-3 \leq {}^+2$

Escribe el par ordenado de cada punto.

19. A

20. B

21. C

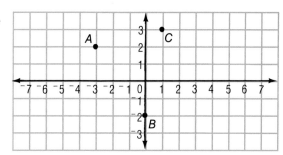

Completa la tabla de valores para cada ecuación. Después marca cada una en una gráfica.

22. $y = x + {}^-2$

x	y
2	0
1	
0	
$^-2$	

23. $y = 2x - 3$

x	y
3	3
2	
1	
0	

Resuelve.

24. El sábado la temperatura fue $^-16°C$. El domingo fue $^-10°C$. ¿Qué día bajó más la temperatura? Resuelve, usando cualquier método que te guste.

25. Una geóloga estudió formaciones de roca de un sitio 5 metros bajo el nivel del mar. Después fue a un sitio 9 metros más alto. ¿A qué distancia del nivel del mar estaba el nuevo sitio?

Evalúa la expresión.

$$(1 - 5)^2 - \left(\frac{3 \cdot {}^-4}{^-2}\right) + (^-1)^3$$

TRASLACIONES

Mira el triángulo *ABC* en la figura a la
derecha. Las coordenadas de los vértices son
A(1, 1), *B*(4, 3) y *C* (4, 1). Supón que se
suma 3 al valor *y* de cada vértice.

$A(1, 1) \longrightarrow A'(1, 4)$ *A′ se lee A prima.*

$B(4, 3) \longrightarrow B'(4, 6)$

$C(4, 1) \longrightarrow C'(4, 4)$

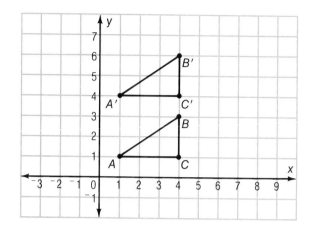

Si se marca el triángulo *A′B′C′* en una
gráfica, vemos que es el triángulo *ABC*
movido 3 unidades hacia arriba. El nuevo
triángulo *A′B′C′* es la **imagen de
traslación** del triángulo *ABC*. A veces una
traslación se llama **deslizamiento.**

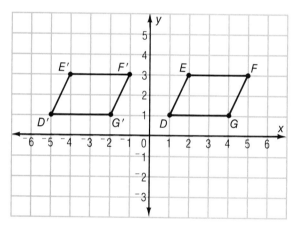

Mira el paralelogramo *DEFG* con vértices
D(1, 1), *E*(2, 3), *F*(5, 3) y *G*(4, 1). Traslada
la figura 6 unidades a la izquierda. Las nuevas
coordenadas son *D′*(⁻5, 1), *E′*(⁻4, 3),
F′(⁻1, 3) y *G′* (⁻2, 1). Las nuevas
coordenadas pueden calcularse restando 6 del
valor *x* de cada vértice original.

En un plano de coordenadas, dibuja el triángulo *MNO* con los
vértices *M*(2, 2), *N*(2, 5) y *O*(5, 2). Después da las
coordenadas de cada una de estas traslaciones.
Comprueba dibujando la imagen de traslación y nombrando los
nuevos vértices.

1. 4 unidades hacia abajo

2. 5 unidades a la derecha

3. 3 unidades a la izquierda y 2 hacia arriba

4. 2 unidades a la derecha y 1 hacia abajo

Las coordenadas del cuadrado *ABCD* son *A*(0, 0), *B*(5, 0),
C(5, 5) y *D*(0, 5). Da las coordenadas de cada traslación.

5. 2 unidades a la izquierda

6. 4 unidades a la derecha y 3 hacia abajo

7. 5 unidades hacia abajo

8. 1 unidad a la izquierda y 2 hacia arriba

MARCAR DESIGUALDADES EN UNA GRÁFICA

Todos los puntos cuyas coordenadas representan la ecuación $y = x + 2$
están localizados en la línea recta que es la gráfica de la ecuación. Para
localizar todos los puntos cuyas coordenadas representan la desigualdad
$y < x + 2$, sigue estos pasos.

Paso 1 Escribe la ecuación relacionada.
$y = x + 2$

Paso 2 Haz una tabla de valores. En
una gráfica marca la ecuación,
usando una línea cortada.

x	y
−1	1
0	2
1	3

Paso 3 Escoge cualquier punto por
arriba de la línea y cualquier
punto por debajo de la línea.

$A(1, 4)$ está por arriba de la línea.
$B(2, 1)$ está por debajo de la línea.

Paso 4 Comprueba cada punto para ver si
representa la desigualdad.

$A(1, 4)$ $\qquad$ $B(2, 1)$

$y < x + 2$ $\qquad$ $y < x + 2$
$4 \, \bullet \, 1 + 2$ $\qquad$ $1 \, \bullet \, 2 + 2$
$4 > 3$ $\qquad$ $1 < 4$

El punto B representa la desigualdad.

Paso 5 Sombrea la gráfica por el lado de la línea que contiene el punto
que representa la desigualdad. $B(2, 1)$ está debajo de la línea.
Por lo tanto la región debajo de la línea está sombreada.
Todos los puntos en la región sombreada son soluciones de la
desigualdad $y < x + 2$.

La línea $y = x + 2$ está cortada para indicar que los puntos
de la línea no son soluciones.

Para marcar $y \le x + 2$ en una gráfica, se dibuja una línea
sólida en lugar de una línea cortada para indicar que los puntos
de la línea también representan la desigualdad.

Marca cada desigualdad en una gráfica.

1. $y > x$ $\qquad$ **2.** $y < 2x - 1$ $\qquad$ **3.** $y \ge x + 1$ $\qquad$ **4.** $y \le x - 2$ $\qquad$ **5.** $y \le 3$

REPASO FINAL

Escoge las respuestas correctas. Escribe A, B, C ó D.

1. ¿Qué es 7,543,924 redondeado a la decena de millar más cercana?

   A 8,000,000   **C** 7,500,000

   B 7,550,000   **D** no se da

2. ¿Cuál propiedad de la suma ha sido usada?
$7 + (2 + 3) = (7 + 2) + 3$

   A conmutativa   **C** asociativa

   B de identidad   **D** no se da

3. $82,015 - 49,226$

   A 32,789   **C** 47,211

   B 32,889   **D** no se da

4. Estima. $76 \times 6,354$

   A 480,000   **C** 400,000

   B 420,000   **D** no se da

5. ¿Qué es $7 \times 7 \times 7 \times 7 \times 7$ en forma de exponente?

   A 5^7 **C** 35

   B 7^5 **D** no se da

6. $10,981 \div 27$

   A 46 R19   **C** 406 R19

   B 521   **D** no se da

7. Compara. 0.41 ⬤ 0.409

   A $<$ **C** $=$

   B $>$ **D** no se da

8. Estima. $0.436 - 0.27$

   A 0.2   **C** 0.02

   B 0.1   **D** no se da

9. $4.63 + 3.059 + 3.2$

   A 10.889   **C** 10.124

   B 35.54   **D** no se da

10. 0.15×0.003

   A 0.45   **C** 0.045

   B 0.00045   **D** no se da

11. 8.05×10^2

   A 80.5   **C** 0.805

   B 805   **D** no se da

12. $0.3075 \div 12.3$

   A 0.25   **C** 0.23

   B 0.023   **D** no se da

13. ¿Qué largo aproximado tiene un bate de béisbol?

   A 1 metro   **C** 1 kilómetro

   B 1 centímetro   **D** no se da

14. Completa. 5,260 mL = ___ L

   A 0.526   **C** 5.26

   B 526   **D** no se da

15. Completa. 612 s = ___ min 12 s

   A 6   **C** 25

   B 10   **D** no se da

16. ¿Cuál es el valor de $8 \div 2 + 4 \times 3$?

   A 16   **C** 14

   B 24   **D** no se da

REPASO FINAL

Escoge las respuestas correctas. Escribe A, B, C ó D.

17. ¿Cuál es el MCD de 15 y 10?

   A 30   **C** 10

   B 5   **D** no se da

24. Completa. 48 plg = ____ pies

   A 4   **C** 2

   B 3   **D** no se da

18. ¿Cuál es el MCM de 15 y 10?

   A 30   **C** 10

   B 5   **D** no se da

25. ¿Qué tipo de ángulo es un ángulo de 5°?

   A obtuso   **C** escaleno

   B recto   **D** no se da

19. ¿Cuál es la expresión mínima de $\frac{18}{24}$?

   A $\frac{9}{12}$ **C** $\frac{2}{3}$

   B $\frac{1}{2}$ **D** no se da

26. ¿Qué es $\overrightarrow{XY}$?

   A segmento de recta   **C** recta

   B rayo   **D** no se da

20.

$$14\frac{1}{6}$$
$$-\ 12\frac{5}{8}$$

   A $2\frac{9}{24}$ **C** $1\frac{13}{24}$

   B $2\frac{13}{24}$ **D** no se da

27. ¿Qué tipo de cuadrilátero de *ABCD*?

   A cuadrado   **C** paralelogramo

   B trapecio   **D** no se da

21. $5\frac{2}{3} \times \frac{9}{15}$

   A $3\frac{2}{5}$ **C** $\frac{5}{17}$

   B $3\frac{3}{5}$ **D** no se da

28. Resuelve. $\frac{n}{5} = \frac{21}{30}$

   A $n = 7.1$ **C** $n = 3$

   B $n = 3.5$ **D** no se da

22. ¿Qué decimal corresponde a $\frac{1}{8}$?

   A 0.8   **C** 0.2

   B 0.375   **D** no se da

29. ¿Cuál es el precio por unidad de 3 por $1.35?

   A $.45   **C** $.35

   B $4.05   **D** no se da

23. $\frac{3}{8} \div 1\frac{1}{4}$

   A $\frac{15}{32}$ **C** $3\frac{1}{3}$

   B $\frac{3}{10}$ **D** no se da

30. ¿Que razón corresponde a 28%?

   A $2\frac{8}{10}$ **C** $\frac{7}{250}$

   B $\frac{7}{25}$ **D** no se da

Escoge las respuestas correctas. Escribe A, B, C ó D.

31. ¿Qué decimal corresponde a $\frac{1}{2}$%?

    A 0.005   **C** 0.2

    B 0.5   **D** no se da

38. ¿Cuál es la moda de 8, 3, 4, 3, 6 y 5?

    A 5   **C** 3

    B 4.8   **D** no se da

32. ¿Qué es el 41% de 126?

    A 51.66   **C** 49.66

    B 3.3   **D** no se da

39. ¿Cuál es otro nombre para promedio?

    A mediana   **C** alcance

    B modo   **D** no se da

33. ¿Qué por ciento de 600 es 24?

    A 40%   **C** 4%

    B 0.04%   **D** no se da

40. ¿Qué es P (cara o cruz con una moneda)?

    A $\frac{1}{2}$ **C** 1

    B 2   **D** no se da

34. ¿Cuál es el descuento si a $80.00 se le resta el 20%?

    A $18.00   **C** $20.00

    B $64.00   **D** no se da

41. Compara. $^-7$ ⬤ $^-5$

    A $<$ **C** $=$

    B $>$ **D** not given

35. ¿Cuál es el perímetro?

    A 57.28 cm   **C** 28.64 cm

    B 186.744 cm   **D** no se da

42. $^-6 + {}^-3$

    A $^+3$ **C** $^-9$

    B $^-6$ **D** no se da

36. ¿Cuál es el área?

10 cm   19 cm   13 cm   23 cm

    A 230 pies cuadrados   **C** 42 pies

    B 115 pies cuadrados   **D** no se da

43. ¿Cuál es el producto de dos números enteros negativos?

    A positivo   **C** cero

    B negativo   **D** no se da

37. ¿Cuál es el volumen de un cubo que mide 10 m × 10 m × 10 m?

    A 100 m^3 **C** 1,000 m^3

    B 30 m^3 **D** no se da

44. $^-75 \div {}^+3$

    A $^-225$ **C** $^+25$

    B $^-25$ **D** no se da

Escoge las respuestas correctas. Escribe A, B, C ó D.

Usa el poster para resolver 45 y 46.

CONCIERTO FOLKLÓRICO
viernes y sábado
4 y 5 de sept.
Estadio Municipal

Hora: Costo: viernes $4.50
7:30 P.M.   sábado $5.50
---

45. Carlos compró 4 entradas para el viernes y gastó $3.00 en refrescos. ¿Cuánto gastó por todo?

A $21.00   C $25.00

B $18.00   D no se da

46. ¿Cuántas entradas para el sábado puede comprar Alicia con $50.00?

A 8   C 10

B 9   D no se da

Resuelve. Si no hay suficiente información, indica qué se necesita.

47. Jamel practica piano durante 45 min el lunes, 30 min el martes, 55 min el miércoles y 40 min el jueves. ¿Cuánto tiempo tiene que practicar el viernes para tener un promedio de 45 min al día durante esos 5 días?

A 55 min   C se necesita el total de tiempo practicando

B 45 min   D no se da

48. Inés corre por su vecindario. Comienza fuera de su casa y corre 12 calles al sur. Después corre 10 calles al este y 8 calles al norte. Termina corriendo 4 calles más al norte y después 8 calles al oeste. ¿A qué distancia está de su casa cuando termina?

A 8 calles   C 2 calles

B 4 calles   D no se da

49. El Sr. Karlovsky llegó al trabajo a las 8:50 A.M. Había pasado 25 min tomando el desayuno en un restaurante y 40 min viajando del restaurante a la oficina. ¿A qué hora llegó al restaurante?

A 7:55 A.M.   C 7:50 A.M.

B 7:45 A.M.   D no se da

50. La clase de teatro va a hacer un lavado de automóviles para recaudar dinero para el vestuario de 3 obras de teatro esta temporada. Los vestuarios costarán $135.00 para la primera obra, $93.00 para la segunda y $147.00 para la tercera. ¿Cuántos automóviles, a $1.50 cada uno, hay que lavar para recaudar el suficiente dinero?

A 375   C 562

B 250   D no se da

Usa el dibujo para resolver 51 y 52.

```
 • 6.4 m •                       • 3.6 m •

 |———————————— 25 m ————————————|
```

51. Teri y Calvin están en lados opuestos del parque, a 25 metros el uno del otro. ¿Qué distancia los separa después que Teri ha corrido 6.4 m hacia Calvin y Calvin ha corrido 3.6 m hacia Teri?

A 35 m   C 15 m

B 10 m   D no se da

52. Si Calvin hubiera corrido la misma distancia que Teri, ¿a qué distancia estarían?

A 12.2 m   C 37.8 m

B 12.8 m   D no se da

≡ REPASO FINAL ≡

Escoge las respuestas correctas. Escribe A, B, C ó D.

53. Roberto y José batearon pelotas fuera del diamante. Juntos batearon 72 pelotas. Jose bateó 8 más que Roberto. ¿Cuántas bateó Roberto?

A 40   **C** 24

B 32   **D** no se da

54. Lucía agarró la mitad de las pelotas que Ana. ¿Cuántas agarró Lucía?

A 24   **C** 36

B 48   **D** no se da

Usa la tabla para resolver 55 y 56.

DISTANCIAS VIAJADAS POR EL CLUB DE CICLISTAS					
Día	Lun.	Mar.	Miér.	Jue.	Vie.
Km	15	10	15	20	5

55. El club de ciclistas hizo un viaje de una semana a campo traviesa. La tabla muestra la distancia que viajó el club cada día. Si María se unió al grupo el miércoles, ¿qué distancia viajó María con el club?

A 15 km   **C** 40 km

B 25 km   **D** no se da

56. ¿Cuál fue el promedio de las distancias diarias del club?

A 13 km   **C** 65 km

B 5 km   **D** no se da

Halla los números que faltan en cada patrón.

57. 10, 11, 13, 16, ___, 25, 31

A 21   **C** 22

B 18   **D** no se da

58. 20, $12\frac{1}{2}$, $7\frac{1}{2}$, 5, ___

A $1\frac{1}{2}$ **C** 2

B $2\frac{1}{2}$ **D** no se da

59. Hay 2,400 familias en Cedarville. De estas familias, $\frac{1}{6}$ no posee ningún carro y 25% del resto posee más de 1 carro. ¿Cuántas familias poseen más de 1 carro?

A 500   **C** 400

B 2,000   **D** no se da

Saca una conclusión de las oraciones.

60. La suma de los ángulos de un triángulo es 180°. El $\triangle ABC$ es un triángulo isósceles. Los $\angle ABC$ y $\angle BCA$ miden 35° cada uno.

A $\angle BAC$ es agudo. **C** $\angle BAC = 110°$

B $\angle BAC$ mide 35°. **D** no se da

Resuelve.

61. Hay 15 monedas de 1 centavo en fila con las caras hacia arriba. Bart da vuelta a una de cada tres monedas. Después Kenny comienza con la segunda y da vuelta a una de cada dos. ¿Está cara o cruz la 12° moneda?

A cara   **C** no hay suficiente información

B cruz   **D** no se da

GRUPO 1 Escribe la forma desarrollada de cada número de dos maneras. págs. 4–5

1. 5,632　　　　**2.** 807　　　　**3.** 11,374　　　　**4.** 209,855

5. 24,003　　　　**6.** 150,487　　　　**7.** 1,920,840　　　　**8.** 11,082,371

Escribe la forma usual de cada número.

9. diez millares de millón cincuenta y tres millones novecientos

10. 100,000 + 40 + 5

11. quinientos mil setenta y dos

12. 2,000,000 + 80,000 + 700 + 90 + 5

13. novecientos tres millones doscientos cuarenta mil sesenta y siete

GRUPO 2 Compara. Escribe >, < ó = en lugar de ⬤. págs. 6–7

1. 53,895 ⬤ 55,495　　**2.** 9,978 ⬤ 9,987　　**3.** 15,301 ⬤ 15,301

4. 721,754 ⬤ 712,754　　**5.** 2,151,327 ⬤ 2,153,127　　**6.** 60,000,000 ⬤ 59,010,798

7. 372,305 ⬤ 372,350　　**8.** 862,084 ⬤ 862,048　　**9.** 84,321,843 ⬤ 84,321,843

Ordena de menor a mayor.

10. 535; 355; 553　　　　　　　　**11.** 7,983; 7,893; 7,389

12. 53,482; 53,842; 58,324　　　　**13.** 482,924; 492,249; 492,429

GRUPO 3 Redondea cada número a la posición nombrada. págs. 8–9

millar más cercano	**1.** 825	**2.** 1,400	**3.** 1,525
	4. 3,524	**5.** 52,499	**6.** 415,709
decena de millar más cercana	**7.** 96,473	**8.** 66,284	**9.** 172,550
	10. 536,425	**11.** 28,989	**12.** 99,888
millón más cercano	**13.** 4,363,801	**14.** 8,055,643	**15.** 3,736,010
dólar más cercano	**16.** $82.61	**17.** $25.51	**18.** $79.42
diez dólares más cercanos	**19.** $58.16	**20.** $43.25	**21.** $175.10
cien dólares más cercanos	**22.** $68.50	**23.** $1,346.00	**24.** $2,250.00

PRÁCTICA EXTRA

GRUPO 1   Nombra las propiedades ilustradas.

págs. 12–13

1. $(10 + 2) + 5 = 10 + (2 + 5)$

2. $13 + 21 = 21 + 13$

3. $35 + 9 = 35 + 0 + 9$

4. $(9 + 7) + 3 = 9 + (7 + 3)$

5. $16 + (7 + 4) = 4 + (16 + 7)$

6. $(3 + 10) + 16 = (10 + 16) + 3$

Usa las propiedades para completar cada oración matemática.

7. $25 + 16 + 5 = \square$

8. $12 + 19 + 8 = \square$

9. $351 + 14 + 49 = \square$

10. $0 + 133 + 17 = \square$

11. $65 + 237 + 13 = \square$

12. $127 + 23 + 7 = \square$

GRUPO 2   Da el estimado y el estimado más exacto.

págs. 14–15

1.
$$688 + 531$$

2.
$$940 - 657$$

3.
$$8{,}701 - 4{,}499$$

4.
$$\$2{,}088 + 2{,}493$$

5.
$$6{,}249 - 350$$

6.
$$23{,}247 \\ 1{,}863 \\ + 60{,}148$$

7.
$$48{,}326 - 19{,}850$$

8.
$$\$61{,}400 \\ 7{,}493 \\ + 2{,}540$$

9.
$$840{,}226 - 336{,}873$$

10.
$$537{,}460 + 30{,}920$$

11.
$$398{,}650 + 205{,}988$$

12.
$$540{,}320 + 395{,}888$$

13.
$$1{,}090{,}009 + 862{,}300$$

14.
$$3{,}285{,}600 - 909{,}876$$

15. $\$4{,}650 + \$3{,}200$

16. $77{,}188 - 71{,}881$

17. $466{,}735 - 248{,}397$

GRUPO 3   Suma. Estima para asegurarte de que cada respuesta tiene sentido.

págs. 16–17

1.
$$648 + 737$$

2.
$$3{,}243 + 977$$

3.
$$\$134.98 + 24.75$$

4.
$$14{,}365 + 8{,}598$$

5.
$$\$269.53 + 148.75$$

6.
$$483 \\ 29 \\ + 135$$

7.
$$1{,}719 \\ 458 \\ + 336$$

8.
$$18{,}446 \\ 993 \\ + 3{,}255$$

9.
$$\$287.36 \\ 125.88 \\ + 49.10$$

10.
$$112{,}530 \\ 398{,}806 \\ + 234{,}755$$

11. $743 + 526$

12. $2{,}933 + 6{,}108$

13. $228{,}940 + 195{,}304$

GRUPO 4   Resta. Suma para comprobar.

págs. 18–19

1.
$$838 - 459$$

2.
$$356 - 165$$

3.
$$\$63.58 - 26.74$$

4.
$$5{,}508 - 143$$

5.
$$8{,}745 - 4{,}580$$

6.
$$31{,}608 - 7{,}035$$

7.
$$258{,}660 - 37{,}745$$

8.
$$\$508.52 - 443.80$$

9.
$$624{,}383 - 103{,}540$$

10.
$$5{,}041{,}300 - 3{,}942{,}163$$

11. $\$55.87 - \$42.99$

12. $8{,}022 - 7{,}650$

13. $601{,}528 - 326{,}143$

GRUPO 1   Escribe una ecuación relacionada para resolver.   págs. 54–55

1. $a + 8 = 22$ 2. $18 = h - 11$ 3. $17 + t = 36$ 4. $j - 8 = 16$

5. $50 = x + 26$ 6. $64 - z = 28$ 7. $41 = 82 - n$ 8. $26 + q = 41$

9. $19 + v = 66$ 10. $g - 42 = 24$ 11. $93 = 80 + c$ 12. $55 - r = 47$

13. $w = 47 + 37$ 14. $73 - n = 58$ 15. $k + 12 = 25$ 16. $i - 13 = 50$

GRUPO 2   Escribe *verdadero* o *falso*. Si es verdadero, indica la propiedad de multiplicación ilustrada.   págs. 30–33

1. $9 \times 3 = 3 \times 9$ 2. $7 \times 0 = 7$ 3. $5 \times (40 + 6) = 5 \times 40 + 6$

4. $79 \times 1 = 79$ 5. $58 \times 0 = 0$ 6. $1 \times 6 \times 1 \times 7 = 6 \times 7$

7. $4 \times (3 \times 5) \times 6 = (4 \times 3) \times (5 \times 6)$ 8. $8 \times 79 = (8 \times 70) + (8 \times 9)$

9. $5 \times (2 \times 3) = 5 \times (3 \times 2)$ 10. $10 \times (5 \times 8) \times 3 = (10 \times 3) \times (8 \times 3)$

Usa un patrón para hallar cada producto.

11. 10×55 12. 40×4 13. 32×6

     100×55 400×4 320×6

     100×550 400×40 $3,200 \times 60$

GRUPO 3   Estima.   págs. 36–37

1. $\begin{array}{r} 61 \\ \times\ 23 \\ \hline \end{array}$ 2. $\begin{array}{r} 77 \\ \times\ 82 \\ \hline \end{array}$ 3. $\begin{array}{r} 154 \\ \times\ 36 \\ \hline \end{array}$ 4. $\begin{array}{r} \$9.41 \\ \times\ 56 \\ \hline \end{array}$ 5. $\begin{array}{r} 783 \\ \times\ 134 \\ \hline \end{array}$

6. $\begin{array}{r} 183 \\ \times\ 237 \\ \hline \end{array}$ 7. $\begin{array}{r} 930 \\ \times\ 46 \\ \hline \end{array}$ 8. $\begin{array}{r} \$3,505 \\ \times\ 118 \\ \hline \end{array}$ 9. $\begin{array}{r} 1,606 \\ \times\ 469 \\ \hline \end{array}$ 10. $\begin{array}{r} 3,471 \\ \times\ 2,527 \\ \hline \end{array}$

11. 32×38 12. 154×91 13. 766×845 14. $4,309 \times 1,864$

GRUPO 4   Multiplica. Estima para asegurarte de que cada respuesta tiene sentido.   págs. 36–37

1. $\begin{array}{r} 471 \\ \times\ 8 \\ \hline \end{array}$ 2. $\begin{array}{r} 218 \\ \times\ 56 \\ \hline \end{array}$ 3. $\begin{array}{r} \$4,817 \\ \times\ 2 \\ \hline \end{array}$ 4. $\begin{array}{r} 5,469 \\ \times\ 13 \\ \hline \end{array}$ 5. $\begin{array}{r} 13,053 \\ \times\ 21 \\ \hline \end{array}$

6. $\begin{array}{r} 353 \\ \times\ 405 \\ \hline \end{array}$ 7. $\begin{array}{r} \$61.30 \\ \times\ 218 \\ \hline \end{array}$ 8. $\begin{array}{r} 3,288 \\ \times\ 709 \\ \hline \end{array}$ 9. $\begin{array}{r} 44,731 \\ \times\ 358 \\ \hline \end{array}$ 10. $\begin{array}{r} 30,572 \\ \times\ 706 \\ \hline \end{array}$

11. $4,511 \times 5$ 12. 390×14 13. 857×904 14. $\$62.40 \times 459$

15. $3,708 \times 29$ 16. 630×111 17. $\$875.25 \times 39$ 18. $\$1,030 \times 115$

PRÁCTICA EXTRA

GRUPO 1 **Multiplica. Estima para asegurarte de que cada respuesta tiene sentido.** págs. 38–39

1. $5.85 × 200	2. $3.47 × 122	3. 209 × 560	4. 697 × 209	5. 879 × 579
6. 353 × 405	7. 191 × 847	8. 676 × 258	9. $61.30 × 218	10. 4,233 × 719
11. 3,288 × 709	12. 2,249 × 167	13. 13,795 × 564	14. 30,572 × 706	15. 44,731 × 358

16. 857 × 904   17. 354 × 869   18. $26.40 × 459   19. 78,674 × 212

GRUPO 2 **Escribe cada uno usando exponentes.** págs. 40–41

1. $5 × 5 × 5$
2. $3 × 3 × 3 × 3 × 3$
3. $6 × 6$
4. $9 × 9 × 9 × 9 × 9 × 9$
5. 8

Escribe cada uno como el producto de factores. Después escribe cada uno en la forma usual.

6. 3^4 7. 4^6 8. 15^2 9. 5^4 10. 9^3 11. 6^5

12. 1^7 13. 8^4 14. 3^5 15. 10^6 16. 7^3 17. 13^3

18. 3^6 19. 4^5 20. 1^6 21. 13^4 22. 14^4 23. 4^6

GRUPO 3 **Halla cada promedio.** págs. 44–45

1. 10, 11, 8, 11
2. 7, 3, 5, 9, 6
3. 20¢, 25¢, 30¢
4. 59, 69, 58
5. 82, 127, 95, 68
6. $2.02, $4.75, $3.82
7. 41, 37, 33, 31, 45, 29
8. $16.85, $19.23, $12.40, $17.32
9. 303, 485, 127, 360, 290
10. $354, $379, $387, $320, $367, $359
11. 985, 899, 1,005, 1,001, 995, 905
12. 1,385, 1,500, 1,285, 1,458, 2,062

GRUPO 4 **Estima.** págs. 46–47

1. $16\overline{)500}$ 2. $32\overline{)2,450}$ 3. $60\overline{)5,000}$ 4. $70\overline{)4.000}$ 5. $80\overline{)3,000}$

6. $73\overline{)2,107}$ 7. $14\overline{)5,765}$ 8. $31\overline{)8,207}$ 9. $86\overline{)9,610}$ 10. $24\overline{)74,391}$

11. $93\overline{)47,203}$ 12. $25\overline{)\$129.78}$ 13. $55\overline{)33,813}$ 14. $62\overline{)529,780}$ 15. $28\overline{)756,041}$

16. 4,703 ÷ 39   17. 9,116 ÷ 28   18. 84,195 ÷ 62   19. 46,804 ÷ 91

GRUPO 1 Estima.

págs. 48–49

1. $24\overline{)1,512}$ **2.** $32\overline{)1,735}$ **3.** $45\overline{)2,299}$ **4.** $16\overline{)500}$

5. $67\overline{)25,478}$ **6.** $17\overline{)32,181}$ **7.** $70\overline{)375,194}$ **8.** $35\overline{)\$2,500}$

9. $93\overline{)\$180.42}$ **10.** $84\overline{)270,125}$ **11.** $56\overline{)100,196}$ **12.** $78\overline{)250,000}$

13. $39\overline{)84,470}$ **14.** $44\overline{)273,284}$ **15.** $76\overline{)623,171}$ **16.** $16\overline{)156,000}$

17. $16\overline{)4,600}$ **18.** $16\overline{)5,555}$ **19.** $50\overline{)\$2,895.80}$ **20.** $85\overline{)1,000,000}$

GRUPO 2 Divide. Multiplica para comprobar.

págs. 50–51

1. $91\overline{)79,261}$ **2.** $65\overline{)15,274}$ **3.** $78\overline{)47,999}$

4. $27\overline{)36,448}$ **5.** $36\overline{)47,124}$ **6.** $336,217 \div 43$

7. $\$62,548.20 \div 54$ **8.** $112\overline{)178,614}$ **9.** $\$92,000.00 \div 87$

10. $\$194,635 \div 81$ **11.** $389\overline{)1,265,092}$ **12.** $\$438,620.69 \div 917$

GRUPO 3 Divide.

págs. 52–53

1. $706\overline{)298,980}$ **2.** $321\overline{)237,739}$ **3.** $432\overline{)183,141}$ **4.** $555\overline{)180,627}$

5. $923\overline{)297,506}$ **6.** $515\overline{)\$92,442.50}$ **7.** $849\overline{)116,403}$ **8.** $933\overline{)561,667}$

9. $175\overline{)\$56,437.50}$ **10.** $290\overline{)178,425}$ **11.** $111\overline{)999,999}$ **12.** $132\overline{)1,263,000}$

GRUPO 4 Escribe una ecuación relacionada y resuelve.

págs. 54–55

1. $11 \times m = 44$ **2.** $a - 23 = 18$ **3.** $n \div 12 = 12$ **4.** $z - 26 = 13$

5. $\frac{h}{6} = 9$ **6.** $13 \times b = 104$ **7.** $y \div 34 = 5$ **8.** $\frac{m}{10} = 3$

9. $43 \times a = 688$ **10.** $y \div 25 = 29$ **11.** $\frac{a}{9} = 7$ **12.** $b \div 2 = 5$

13. $r \times 10 = 340$ **14.** $(2 + 54) \times y = 504$ **15.** $b - 87 = 29$ **16.** $(32 - 30) \times y = 4$

PRÁCTICA EXTRA

GRUPO 1 Escribe cada uno como decimal.

págs. 64–65

1. cuatro y cinco décimas

2. tres y treinta y cinco centésimas

3. seiscientos setenta y una milésimas

4. dos y veintisiete centésimas

5. ocho y nueve milésimas

6. noventa y una centésimas

7. $\frac{8}{10}$ 　 8. $\frac{31}{100}$ 　 9. $\frac{803}{1,000}$ 　 10. $\frac{91}{1,000}$ 　 11. $\frac{47}{100}$ 　 12. $\frac{206}{1,000}$

Escribe cada decimal en palabras. Da el valor del dígito 3 en cada uno.

13. 7.3 　 14. 9.93 　 15. 0.283 　 16. 1.073 　 17. 3.62 　 18. 4.312

GRUPO 2 Escribe cada uno como decimal.

págs. 66–67

1. 8 y 7 centésimas

2. 827 milésimas

3. 9 + 0.7 + 0.001 + 0.0006

4. 2 y 67 millonésimas

5. $(3 \times 10) + (4 \times 1) + (8 \times 0.0001)$

6. $(7 \times 10) + (9 \times 0.001) + (1 \times 0.0001)$

7. $(1 \times 100) + (2 \times 10) + (1 \times 1) + (3 \times 0.01) + (8 \times 0.001) + (2 \times 0.00001)$

8. $(3 \times 1,000) + (2 \times 100) + (6 \times 10) + (8 \times 1) + (5 \times 0.1) + (4 \times 0.01)$

9. $(1 \times 10,000) + (1 \times 1,000) + (7 \times 100) + (9 \times 10) + (2 \times 1) + (5 \times 0.01) + (4 \times 0.001)$

Da el valor de cada dígito subrayado.

10. 12.0891 　 11. 2.70259 　 12. 0.00357 　 13. 6.867094

14. 0.000451 　 15. 6.904032 　 16. 23.7834 　 17. 9.40157

GRUPO 3 Compara. Usa >, < ó = en lugar de ⬤.

págs. 68–69

1. 8.69 ⬤ 8.96 　 2. 9.172 ⬤ 9.0172 　 3. 7.54 ⬤ 7.540

4. 0.0042 ⬤ 0.0402 　 5. 7.0685 ⬤ 7.0586 　 6. 3.5091 ⬤ 3.59

7. 0.0040 ⬤ 0.004 　 8. 37.063 ⬤ 3.7063 　 9. 1.0059 ⬤ 1.00509

Ordena de menor a mayor.

10. 5.263, 5.623, 5.671 　 11. 2.84, 2.48, 2.488

12. 6.12, 6.0102, 6.021, 6.2001 　 13. 8.4, 8.04, 8.104, 8.004

14. 4.2303, 4.3203, 4.32, 4.2302 　 15. 1.7, 1.78, 1.7009, 1.8

GRUPO 1   **Redondea a la posición nombrada.**   págs. 70–71

centésima
más cercana
1. 4.761   **2.** 18.533   **3.** 0.8561

diezmilésima
más cercana
4. 13.79519   **5.** 76.09473   **6.** 179.53722

dólar más cercano   **7.** $2.07   **8.** $53.76   **9.** $80.94

centavo más cercano   **10.** $9.758   **11.** $20.1849   **12.** $3.5964

GRUPO 2   **Da el estimado y el estimado más exacto.**   págs. 74–75

1.   79.63
+   4.79

2. $8.52
−   1.68

3.   139.74
−   26.851

4.   19.05
7.82
+ 46.97

5.   281.48
177.2
+   20.14

6. 28.1 − 5.62   **7.** $4.62 + $18.02   **8.** 83 + 104.25

9. 123.5 − 44.6   **10.** 2,089.7 + 416.2   **11.** 7,304.2 − 613.07

GRUPO 3   **Suma. Estima para asegurarte de que cada respuesta tiene sentido.**   págs. 76–77

1.   9.5
+ 7.0

2.   4.63
+ 7.80

3. $54.03
+   2.11

4.   77.01
+ 12.96

5.   365.25
+   67.19

6.   5.59
+ 0.82

7. $246.22
+   16.87

8.   37.621
+ 15.43

9.   12.276
3.87
+ 5.409

10.   41.735
76.342
+ 15.59

11. $4.63 + $2.85   **12.** 840.7 + 76.013   **13.** 8.59 + 26 + 14.5

GRUPO 4   **Resta. Estima para asegurarte de que cada respuesta tiene sentido.**   págs. 78–79

1.   43.8
− 19.3

2.   308.9
−   41.5

3.   65.97
− 27.04

4. $538.15
−   209.06

5.   183.5
−   97.62

6.   37.483
− 10.078

7.   63
−   2.398

8.   17.903
−   5.0764

9.   8.9731
− 2.636

10.   4.40502
− 1.2734

11. 43 − 24.1   **12.** 63.93 − 57.02   **13.** 1.8209 − 0.79

PRÁCTICA EXTRA

GRUPO 1   **Estima.**   págs. 90–91

1. $\begin{array}{r} 4.12 \\ \times\ 3.94 \\ \hline \end{array}$	**2.** $\begin{array}{r} 73.7 \\ \times\ 6.7 \\ \hline \end{array}$	**3.** $\begin{array}{r} \$2.63 \\ \times\ 1.2 \\ \hline \end{array}$	**4.** $\begin{array}{r} 50.9 \\ \times\ 8.1 \\ \hline \end{array}$	**5.** $\begin{array}{r} 8.78 \\ \times\ 5.9 \\ \hline \end{array}$
6. $\begin{array}{r} 1.629 \\ \times\ 7.3 \\ \hline \end{array}$	**7.** $\begin{array}{r} \$205.30 \\ \times\ 8.35 \\ \hline \end{array}$	**8.** $\begin{array}{r} 4.378 \\ \times\ 5.26 \\ \hline \end{array}$	**9.** $\begin{array}{r} 39.69 \\ \times\ 1.48 \\ \hline \end{array}$	**10.** $\begin{array}{r} 976.1 \\ \times\ 2.4 \\ \hline \end{array}$

11. 2.6×7.21 **12.** $\$33.05 \times 4.5$ **13.** 6.34×80.65

14. 405.2×85.42 **15.** 493.71×9.176 **16.** 802.3×178.6

GRUPO 2   **Multiplica. Estima para asegurarte de que cada respuesta tiene sentido.** págs. 92–93

1. $\begin{array}{r} 6.2 \\ \times\ 7.6 \\ \hline \end{array}$	**2.** $\begin{array}{r} 7.3 \\ \times\ 0.2 \\ \hline \end{array}$	**3.** $\begin{array}{r} 12.7 \\ \times\ 0.5 \\ \hline \end{array}$	**4.** $\begin{array}{r} \$8.82 \\ \times\ 0.5 \\ \hline \end{array}$	**5.** $\begin{array}{r} 31.07 \\ \times\ 0.13 \\ \hline \end{array}$
6. $\begin{array}{r} 5.801 \\ \times\ 1.09 \\ \hline \end{array}$	**7.** $\begin{array}{r} 5.13 \\ \times\ 7.76 \\ \hline \end{array}$	**8.** $\begin{array}{r} 4.19 \\ \times\ 8.05 \\ \hline \end{array}$	**9.** $\begin{array}{r} 6.021 \\ \times\ 10.7 \\ \hline \end{array}$	**10.** $\begin{array}{r} 2.109 \\ \times\ 9.68 \\ \hline \end{array}$

11. 3.074×0.86 **12.** 6.15×3.27 **13.** 41.29×5.037

GRUPO 3   **Multiplica.**   págs. 94–95

1. $\begin{array}{r} 0.617 \\ \times\ 0.8 \\ \hline \end{array}$	**2.** $\begin{array}{r} 0.0812 \\ \times\ 0.6 \\ \hline \end{array}$	**3.** $\begin{array}{r} 0.0024 \\ \times\ 0.8 \\ \hline \end{array}$	**4.** $\begin{array}{r} 0.059 \\ \times\ 0.05 \\ \hline \end{array}$	**5.** $\begin{array}{r} 0.31 \\ \times\ 0.007 \\ \hline \end{array}$
6. $\begin{array}{r} 0.043 \\ \times\ 0.9 \\ \hline \end{array}$	**7.** $\begin{array}{r} 0.639 \\ \times\ 0.004 \\ \hline \end{array}$	**8.** $\begin{array}{r} 0.071 \\ \times\ 0.62 \\ \hline \end{array}$	**9.** $\begin{array}{r} 0.0047 \\ \times\ 0.05 \\ \hline \end{array}$	**10.** $\begin{array}{r} 0.0003 \\ \times\ 9.8 \\ \hline \end{array}$

11. 0.05×0.07 **12.** 0.67×0.04 **13.** 1.5×0.02 **14.** 0.006×0.86

GRUPO 4   **Multiplica o divide usando potencias de diez.**   págs. 98–99

1. 50×10 **2.** 50×100 **3.** $50 \times 1{,}000$ **4.** 0.5×10 **5.** $0.5 \times 1{,}000$

6. $350 \div 10$ **7.** $350 \div 100$ **8.** $350 \div 1{,}000$ **9.** $350 \div 10{,}000$ **10.** $3 \div 100$

11. 3.62×10^2 **12.** 0.85×10^2 **13.** 16.53×10^3 **14.** 0.39×10^4 **15.** 170×10^3

16. $4{,}960 \div 10$ **17.** $4{,}960 \div 10^2$ **18.** $4{,}960 \div 10^3$ **19.** $1.85 \div 10^2$ **20.** $1.85 \div 10^4$

21. 0.089×10^5 **22.** 0.0062×10^6 **23.** 0.00074×10^2 **24.** $0.089 \div 10$ **25.** $0.089 \div 10^3$

GRUPO 1 Divide hasta que el residuo sea cero. págs. 100–101
Estima para asegurarte de que cada respuesta tiene sentido.

1. $6\overline{)18.6}$ **2.** $3\overline{)17.628}$ **3.** $14\overline{)84.7}$ **4.** $18\overline{)120.6}$ **5.** $7\overline{)\$36.61}$

6. $5\overline{)207}$ **7.** $19\overline{)15.238}$ **8.** $24\overline{)97.2}$ **9.** $46\overline{)2.668}$ **10.** $31\overline{)1,838.3}$

11. $8.3 \div 5$ **12.** $2.7 \div 6$ **13.** $9.0 \div 12$ **14.** $8.5 \div 25$

GRUPO 2 Divide. págs. 102–103

1. $0.9\overline{)3.42}$ **2.** $0.07\overline{)14.35}$ **3.** $0.3\overline{)25.5}$ **4.** $0.17\overline{)0.0459}$

5. $0.002\overline{)1.64}$ **6.** $0.56\overline{)4.76}$ **7.** $2.1\overline{)2.037}$ **8.** $0.093\overline{)0.7533}$

9. $17.4 \div 0.2$ **10.** $5.95 \div 0.5$ **11.** $5.863 \div 1.3$ **12.** $65.25 \div 2.5$

GRUPO 3 Divide. Redondea cada cociente a la posición nombrada. págs. 104–105

décima más cercana   **1.** $6\overline{)9.57}$ **2.** $2.4\overline{)35.48}$ **3.** $0.67\overline{)0.741}$
                        4. $3.69 \div 0.8$ **5.** $1.86 \div 0.29$ **6.** $9.5 \div 5$

milésima más cercana   **7.** $7\overline{)39.02}$ **8.** $2.8\overline{)52.98}$ **9.** $0.16\overline{)3.14}$
                        10. $49.3 \div 6$ **11.** $3.5 \div 0.3$ **12.** $7 \div 9$

centavo más cercano   **13.** $4\overline{)\$12.70}$ **14.** $8\overline{)\$35.97}$ **15.** $0.4\overline{)\$80.79}$

GRUPO 4 Escribe cada uno en notación científica. págs. 106–107

1. 2,600   **2.** 54,000   **3.** 85,400

4. 670,000   **5.** 8,100,000   **6.** 74,900,000

Escribe cada uno en la forma usual.

7. 6.5×10^3 **8.** 1.5×10^4 **9.** 8.4×10^6

10. 7.18×10^8 **11.** 2.768×10^6 **12.** 6.07×10^9

PRÁCTICA EXTRA

GRUPO 1 **Completa.**   págs. 118–119

1. 9 m = _____ cm

2. 15,000 mm = _____ m

3. 12 cm = _____ mm

4. 7,000 m = _____ km

5. 800 cm = _____ m

6. 26 km = _____ m

7. 7.5 cm = _____ mm

8. 3 m = _____ mm

9. 400 cm = _____ m

10. 900 mm = _____ cm

11. 18 km = _____ m

12. 5,000 mm = _____ m

GRUPO 2 **Completa.**   págs. 120–121

1. 43 m = _____ dm

2. _____ dm = 10 dam

3. 600 cm = _____ dam

4. 70 hm = _____ m

5. 28 dm = _____ cm

6. _____ m = 890 dm

7. 65 hm = _____ dam

8. 604 cm = _____ dam

9. 9,200 cm = _____ dam

10. 61 hm = _____ km

11. 0.55 km = _____ m

12. 16 cm = _____ dm

13. 37.4 dam = _____ dm

14. 5,400 m = _____ km

15. 85 cm = _____ mm

GRUPO 3 **Completa.**   págs. 122–123

1. 9 kg = _____ g

2. 8 g = _____ mg

3. 6,000 kg = _____ t

4. _____ mg = 9.3 g

5. 180 g = _____ kg

6. _____ kg = 0.9 t

7. 3,800 mg = _____ g

8. 12 kg = _____ g

9. 5 t = _____ kg

10. 82,000 g = _____ kg

11. 6,100 mg = _____ g

12. 4 kg = _____ g

13. 4.5 g = _____ mg

14. 17.2 kg = _____ g

15. 2,084 g = _____ kg

GRUPO 4 **Completa. Escoge litro (L) o mililitro (mL).**   págs. 124–125

1. 3,000 mL = _____ L

2. 4,000 L = _____ kL

3. _____ mL = 2 L

4. _____ L = 2.1 kL

5. _____ kL = 1,600 L

6. 8.09 L = _____ mL

7. 25 L = _____ mL

8. 1.9 kL = _____ L

9. 1 mL = _____ L

10. 16 kL = _____ L

11. 1,400 mL = _____ L

12. 18 L = _____ mL

13. 7.4 kL = _____ L

14. 24,300 mL = _____ L

15. 8.05 kL = _____ L

GRUPO 1 Completa. págs. 126–127

1. 4.83 m = _____ mm

2. 64.9 hm = _____ dam

3. 7.35 hm = _____ dam

4. 238.5 cm = _____ mm

5. 2.1 kg = _____ g

6. 3,000 mL = _____ L

7. 15 L = _____ hL

8. 52.3 km = _____ m

9. 0.06 kL = _____ L

10. 63.8 cm = _____ dm

11. 560 g = _____ kg

12. 9 mg = _____ dg

GRUPO 2 Suma o resta. págs. 130–133

1. 7 años 6 meses + 4 años 4 meses

2. 15 h 47 min + 3 h 20 min

3. 9 sem 6 d − 1 sem 4 d

4. 6 min 29 s − 2 min 38 s

5. 8 d 3 h − 7 d 12 h

6. 2 sig 90 años + 3 sig 22 años

7. 9 años 45 sem + 3 años 16 sem

8. 35 años 6 meses − 15 años 7 meses

Indica cuánto tiempo ha transcurrido.

9. desde las 3:00 P.M. hasta las 7:16 P.M.

10. desde la 1:34 P.M. hasta las 5:56 P.M.

11. desde las 7:06 A.M. hasta las 11:04 A.M.

12. desde las 5:49 A.M. hasta las 2:09 P.M.

13. desde las 8:25 P.M. hasta las 9:55 P.M.

14. desde las 11:20 P.M. hasta las 7:55 A.M.

GRUPO 3 Halla el valor de cada expresión. págs. 144–147

1. $7 + 12 - 2 \times 3$

2. $2 + 4 \div 2 \times 5$

3. $(3 + 5) \div 4 - 2$

4. $5^2 + 4 \times 2$

5. $7 \times 2 + 3 \times 8$

6. $7 + \frac{5 \times 4}{10} \times 2$

7. $(11 - 3) \times 2 + 8$

8. $20 - 64 \div 16$

9. $7 \times 3 + 6 \times 5$

10. $(3^3 \times 2) \div 9 - 4$

11. $(15 - 8) \times 7 + 1$

12. $\frac{16 \times 2}{4} - 5$

Evalúa cada expresión si $a = 6$, $b = 2$ y $c = 4$.

13. $2a + 4$

14. $(a + b) \times c$

15. $2a + 3b$

16. $5 + \frac{a}{b}$

17. $a \times b + c$

18. $\frac{3a + 3b}{2c}$

19. $\frac{4a - 2b}{5}$

20. $ab - c$

21. $25 - 4c$

22. $5c + 2b - 1$

23. $\frac{ab}{c} + a - 4$

24. $7c - \frac{a}{b}$

PRÁCTICA EXTRA

GRUPO 1 **Escribe una expresión para cada uno. Usa *b* como variable.** págs. 148–149

1. la suma de 3 y un número

2. 5 más del doble de un número

3. la diferencia entre un número y 7

4. el doble de un número dividido por 3

5. el producto de 20 por un número

6. 3 menos de un número

7. la suma del doble de un número y 9

8. 10 dividido por el doble de un número

9. la diferencia entre un número y 40

10. 4 menos de 5 veces un número

11. 4 más de 8 veces un número

12. la diferencia entre un número dividido por 3 y 7

13. la suma de 12 veces un número y 24

14. la suma de 25 dividido por un número y 4

GRUPO 2 **Escribe una ecuación para cada uno.** págs. 148–149

1. 7 menos del doble de un número *n* es 3.

2. 3 veces la suma de un número y 5 es 48.

3. Un número *b* dividido por 12 es 2.

4. La mitad de un número *n* más 4 es 10.

5. 4 menos de 5 veces un número *b* es 21.

6. 50 menos un número *x* es 20.

7. Un número *d* dividido por 3 es 48.

8. 10 dividido por un número *g* es 2.

9. La suma de 8 veces un número y 12 es 60.

10. 5 menos de 3 veces un número es 25.

11. $\frac{3}{4}$ de un número menos 6 es 30.

12. Un número dividido por la diferencia entre 6 y 4 es 12.

GRUPO 3 **Resuelve y comprueba.** págs. 152–155

1. $x + 9 = 18$

2. $b - 4 = 10$

3. $23 + a = 30$

4. $x - 25 = 5$

5. $75 - a = 33$

6. $99 + a = 135$

7. $b - 96 = 342$

8. $x + 52 = 91$

9. $77 = 7s$

10. $y - 37 = 59$

11. $4b = 28$

12. $\frac{x}{5} = 10$

13. $13 = \frac{39}{r}$

14. $8s = 56$

15. $\frac{y}{2} = 11$

16. $4y = 72$

17. $f + 9 = 24$

18. $k + 10 = 12$

19. $25 = 5y$

20. $\frac{m}{10} = 20$

GRUPO 1 Escribe el par ordenado de cada punto. págs. 156–157

1. *A*   2. *B*   3. *C*

4. *D*   5. *E*   6. *F*

7. *G*   8. *H*   9. *I*

Sigue la regla para hallar cada número que falta.

Regla $y = 2x - 3$

	x	y
10.	2	
11.	4	
12.	6	

Regla: $y = 3x + 1$

	x	y
13.	0	
14.	1	
15.	2	

GRUPO 2 Escribe el número o números por los cuales cada uno es divisible. Prueba 2, 5, 10, 3, y 9, usando las reglas de divisibilidad. págs. 166–167

1. 81   2. 48   3. 72   4. 104   5. 96

6. 117   7. 210   8. 315   9. 27,072   10. 501

11. 63   12. 3,135   13. 130   14. 2,457   15. 51

16. 9,651   17. 8,045   18. 432   19. 894   20. 687

21. 3,348   22. 90   23. 378   24. 471   25. 2,010

GRUPO 3 Halla todos los factores de cada uno. págs. 166–167

1. 12   2. 30   3. 27   4. 51

5. 80   6. 100   7. 75   8. 33

Halla los factores comunes de cada uno. Después halla el MCD.

9. 24, 40   10. 36, 42   11. 32, 80   12. 26, 55

13. 11, 121   14. 15, 50   15. 12, 28, 40   16. 48, 18

PRÁCTICA EXTRA

págs. 164–165
GRUPO 1   **Indica si cada número es primo o compuesto.**

1. 29   **2.** 39   **3.** 27   **4.** 31   **5.** 51

6. 19   **7.** 23   **8.** 35   **9.** 53   **10.** 63

11. 97   **12.** 109   **13.** 123   **14.** 207   **15.** 153

págs. 166–167
GRUPO 2   **Escribe la descomposición en factores primos para cada uno. Usa exponentes.**

1. 48   **2.** 104   **3.** 40   **4.** 117   **5.** 210

6. 315   **7.** 130   **8.** 405   **9.** 75   **10.** 484

11. 150   **12.** 225   **13.** 1,764   **14.** 149   **15.** 900

Nombra el número compuesto para cada descomposición en factores primos.

16. $2^2 \times 3 \times 5$ **17.** $2^3 \times 5^2$ **18.** $3^2 \times 5 \times 7$ **19.** $2 \times 5^2 \times 7$ **20.** $2^2 \times 3^2 \times 5^2$

21. $2^2 \times 5^2$ **22.** $2^3 \times 5^3$ **23.** $2^4 \times 5^4$ **24.** $2^5 \times 5^5$ **25.** $2^6 \times 5^6$

págs. 168–169
GRUPO 3   **Escribe los cinco primeros múltiplos de cada uno.**

1. 9   **2.** 6   **3.** 11   **4.** 12   **5.** 30

Halla el MCM de cada uno.

6. 10, 12   **7.** 6, 10   **8.** 8, 12   **9.** 4, 10   **10.** 9, 54

Usa la descomposición en factores primos dada para hallar el MCM de cada grupo de números.

11. $15 = 3 \times 5$
$20 = 2 \times 2 \times 5$

12. $8 = 2^3$
$18 = 2 \times 3^2$

13. $12 = 2^2 \times 3$
$20 = 2^2 \times 5$

14. $12 = 2^2 \times 3$
$4 = 2^2$
$10 = 2 \times 5$

15. $14 = 2 \times 7$
$16 = 2^4$

16. $32 = 2^5$
$40 = 2^3 \times 5$

17. $9 = 3 \times 3$
$12 = 2 \times 2 \times 3$

18. $42 = 7 \times 3 \times 2$
$24 = 3 \times 2^3$

19. $10 = 2 \times 5$
$12 = 2^2 \times 3$

20. $11 = 11$
$15 = 3 \times 5$

21. $32 = 2^5$
$50 = 2 \times 5^2$

22. $12 = 2^2 \times 3$
$63 = 3^2 \times 7$

GRUPO 1 Escribe cada uno como fracción. págs. 178–179

1. $7 \div 12$ **2.** $6 \div 8$ **3.** $11 \div 20$ **4.** $8 \div 35$ **5.** $15 \div 30$

6. $8\overline{)3}$ **7.** $10\overline{)9}$ **8.** $3\overline{)3}$ **9.** $9\overline{)5}$ **10.** $85\overline{)15}$

11. $9\overline{)10}$ **12.** $50\overline{)2}$ **13.** $1\overline{)2}$ **14.** $10\overline{)1}$ **15.** $100\overline{)1}$

GRUPO 2 Halla el valor de n en cada uno. págs. 180–181

1. $\frac{3}{9} = \frac{n}{3}$ **2.** $\frac{8}{16} = \frac{n}{4}$ **3.** $\frac{19}{20} = \frac{n}{100}$ **4.** $\frac{16}{40} = \frac{n}{20}$ **5.** $\frac{3}{10} = \frac{9}{n}$

6. $\frac{3}{16} = \frac{n}{32}$ **7.** $\frac{76}{50} = \frac{n}{25}$ **8.** $\frac{4}{36} = \frac{2}{n}$ **9.** $\frac{6}{35} = \frac{12}{n}$ **10.** $\frac{5}{3} = \frac{n}{12}$

11. $\frac{2}{5} = \frac{n}{15}$ **12.** $\frac{11}{12} = \frac{n}{36}$ **13.** $\frac{22}{22} = \frac{55}{n}$ **14.** $\frac{3}{16} = \frac{n}{64}$ **15.** $\frac{n}{75} = \frac{1}{3}$

16. $\frac{2}{12} = \frac{n}{6}$ **17.** $\frac{n}{14} = \frac{2}{7}$ **18.** $\frac{5}{n} = \frac{20}{60}$ **19.** $\frac{5}{100} = \frac{1}{n}$ **20.** $\frac{25}{n} = \frac{1}{2}$

GRUPO 3 Escribe cada fracción en su expresión mínima. págs. 182–183

1. $\frac{2}{8}$ **2.** $\frac{12}{15}$ **3.** $\frac{16}{18}$ **4.** $\frac{15}{50}$ **5.** $\frac{10}{32}$ **6.** $\frac{15}{60}$

7. $\frac{14}{49}$ **8.** $\frac{9}{45}$ **9.** $\frac{8}{28}$ **10.** $\frac{40}{100}$ **11.** $\frac{33}{77}$ **12.** $\frac{60}{72}$

13. $\frac{10}{90}$ **14.** $\frac{15}{45}$ **15.** $\frac{8}{12}$ **16.** $\frac{13}{65}$ **17.** $\frac{4}{120}$ **18.** $\frac{9}{18}$

GRUPO 4 Escribe cada una como número entero o como número mixto en su expresión mínima. págs. 184–187

1. $\frac{10}{3}$ **2.** $\frac{18}{4}$ **3.** $\frac{36}{6}$ **4.** $\frac{26}{5}$

5. $\frac{45}{10}$ **6.** $\frac{56}{16}$ **7.** $\frac{36}{8}$ **8.** $\frac{20}{7}$

Ordena de menor a mayor.

9. $\frac{3}{4}, \frac{2}{8}, \frac{1}{16}, \frac{2}{16}$ **10.** $\frac{1}{3}, \frac{1}{4}, \frac{2}{5}, \frac{3}{6}$ **11.** $\frac{5}{12}, \frac{3}{16}, \frac{1}{8}, \frac{1}{2}$

12. $\frac{2}{9}, \frac{1}{3}, \frac{3}{6}, \frac{4}{9}$ **13.** $\frac{15}{12}, \frac{2}{6}, \frac{4}{9}, \frac{2}{4}$ **14.** $\frac{2}{5}, \frac{1}{2}, \frac{1}{8}, \frac{3}{10}$

PRÁCTICA EXTRA

GRUPO 1 **Suma o resta. Escribe cada respuesta en su expresión mínima.** págs. 190–191

1. $\dfrac{1}{9}$
$+\dfrac{4}{9}$

2. $\dfrac{3}{8}$
$+\dfrac{3}{8}$

3. $\dfrac{8}{10}$
$-\dfrac{7}{10}$

4. $\dfrac{11}{16}$
$-\dfrac{5}{16}$

5. $\dfrac{5}{12}$
$+\dfrac{9}{12}$

6. $\dfrac{6}{7} - \dfrac{3}{7}$

7. $\dfrac{5}{8} + \dfrac{3}{8}$

8. $\dfrac{1}{3} + \dfrac{2}{3} + \dfrac{4}{3}$

9. $\dfrac{5}{10} + \dfrac{4}{10} + \dfrac{7}{10}$

10. $\dfrac{5}{8} + \dfrac{4}{8} + \dfrac{9}{8}$

11. $\dfrac{13}{16} - \dfrac{4}{16} - \dfrac{3}{16} - \dfrac{5}{16}$

12. $\dfrac{4}{8} + \dfrac{5}{8} + \dfrac{7}{8} + \dfrac{3}{8}$

GRUPO 2 **Suma o resta. Escribe cada respuesta en su expresión mínima.** págs. 192–193

1. $4\dfrac{3}{5}$
$-2\dfrac{1}{5}$

2. $3\dfrac{3}{12}$
$+6\dfrac{3}{12}$

3. $11\dfrac{2}{3}$
$-\ 2$

4. $5\dfrac{1}{6}$
$1\dfrac{5}{6}$
$+7\dfrac{1}{6}$

5. $16\dfrac{2}{9}$
4
$+\ 2\dfrac{4}{9}$

6. $9\dfrac{7}{8} - 4$

7. $8\dfrac{6}{7} - 6\dfrac{2}{7}$

8. $7\dfrac{9}{15} + 13\dfrac{1}{15}$

9. $12\dfrac{7}{10} + 5\dfrac{11}{16}$

GRUPO 3 **Suma o resta. Escribe cada respuesta en su expresión mínima.** págs. 194–195

1. $\dfrac{5}{6}$
$-\dfrac{2}{3}$

2. $\dfrac{2}{5}$
$+\dfrac{1}{2}$

3. $\dfrac{1}{3}$
$-\dfrac{1}{8}$

4. $\dfrac{3}{4}$
$+\dfrac{5}{8}$

5. $\dfrac{5}{7}$
$-\dfrac{1}{4}$

6. $\dfrac{9}{10} - \dfrac{1}{3}$

7. $\dfrac{3}{10} + \dfrac{6}{15}$

8. $\dfrac{1}{3} + \dfrac{1}{6} + \dfrac{1}{9}$

9. $\dfrac{3}{4} + \dfrac{5}{6} + \dfrac{5}{12}$

GRUPO 4 **Suma o resta. Escribe cada respuesta en su expresión mínima.** págs. 196–197

1. $18\dfrac{3}{4}$
$-\ 7$

2. $10\dfrac{5}{8}$
$+29\dfrac{1}{2}$

3. $1\dfrac{1}{2}$
$3\dfrac{3}{7}$
$+\ \dfrac{11}{14}$

4. $15\dfrac{1}{6}$
9
$+26\dfrac{3}{8}$

5. $32\dfrac{1}{2}$
$16\dfrac{3}{4}$
$+24\dfrac{5}{6}$

6. $39\dfrac{7}{9} - 17$

7. $8\dfrac{1}{6} + 9\dfrac{3}{10}$

8. $57\dfrac{2}{3} - 20\dfrac{1}{9}$

9. $13\dfrac{3}{16} + 2\dfrac{5}{8} + 7$

GRUPO 1 Resta. Escribe cada respuesta en su expresión mínima. págs. 198–199

1. $7\frac{1}{6}$
    $-2\frac{5}{6}$

2. 16
    $-9\frac{3}{4}$

3. $9\frac{3}{7}$
    $-4\frac{5}{7}$

4. $10\frac{3}{14}$
    $-7\frac{3}{7}$

5. $16\frac{1}{3}$
    $-5\frac{5}{12}$

6. 8
    $-3\frac{10}{18}$

7. $12\frac{2}{5}$
    $-4\frac{7}{15}$

8. $26\frac{5}{12}$
    $-15\frac{7}{8}$

9. $21\frac{1}{4}$
    $-14\frac{5}{9}$

10. $28\frac{1}{3}$
    $-11\frac{4}{5}$

11. $18 - 4\frac{7}{16}$

12. $13\frac{1}{4} - 6\frac{7}{12}$

13. $29\frac{1}{6} - 16\frac{3}{5}$

14. $12\frac{2}{5} - 10\frac{4}{7}$

15. $24\frac{3}{8} - 11\frac{4}{5}$

16. $15\frac{3}{4} - 9\frac{5}{6}$

GRUPO 2 Estima cada suma o diferencia. págs. 200–201

1. $9\frac{1}{4}$
    $+4\frac{3}{4}$

2. $7\frac{1}{2}$
    $-2\frac{3}{8}$

3. $6\frac{5}{9}$
    $+6\frac{1}{3}$

4. $10\frac{5}{6}$
    $-3\frac{3}{5}$

5. $6\frac{2}{8}$
    $+\frac{9}{16}$

6. $8\frac{2}{7}$
    $-3\frac{3}{4}$

7. $2\frac{7}{12}$
    $+5\frac{1}{15}$

8. $7\frac{5}{6}$
    $-1\frac{1}{3}$

9. $5\frac{5}{11}$
    $+12$

10. 10
    $-\frac{13}{16}$

11. $\frac{5}{6} + \frac{6}{7}$

12. $\frac{5}{11} + \frac{7}{8}$

13. $\frac{14}{15} + \frac{1}{3}$

14. $\frac{7}{9} - \frac{3}{5}$

15. $5\frac{5}{8} - 2$

16. $9\frac{4}{5} - 6\frac{1}{3}$

17. $4 + 9\frac{1}{4} + 3\frac{4}{9}$

18. $2\frac{5}{6} + 8\frac{3}{10} + 5\frac{1}{2}$

GRUPO 3 Multiplica. Escribe cada respuesta en su expresión mínima. págs. 212–213

1. $\frac{3}{4} \times 5$

2. $\frac{2}{3} \times \frac{7}{8}$

3. $\frac{5}{7} \times \frac{3}{10}$

4. $\frac{6}{7} \times \frac{4}{9}$

5. $20 \times \frac{3}{5}$

6. $\frac{7}{12} \times \frac{3}{10}$

7. $\frac{12}{13} \times \frac{1}{4}$

8. $\frac{3}{8} \times 14$

9. $\frac{1}{12} \times \frac{4}{5}$

10. $\frac{5}{6} \times \frac{7}{10}$

GRUPO 4 Multiplica. Escribe cada respuesta en su expresión mínima. págs. 214–215

1. $\frac{2}{4} \times \frac{16}{20}$

2. $\frac{5}{8} \times \frac{8}{9}$

3. $\frac{10}{12} \times \frac{2}{5}$

4. $\frac{3}{5} \times \frac{9}{27}$

5. $\frac{5}{24} \times 12$

6. $\frac{10}{4} \times \frac{8}{20}$

7. $18 \times \frac{7}{9}$

8. $\frac{15}{16} \times \frac{6}{30}$

9. $\frac{21}{8} \times \frac{3}{7}$

10. $\frac{18}{30} \times 2$

11. $\frac{4}{10} \times \frac{5}{15}$

12. $\frac{3}{5} \times \frac{5}{9}$

13. $40 \times \frac{2}{12}$

14. $\frac{12}{8} \times \frac{4}{6}$

15. $\frac{2}{9} \times \frac{3}{4}$

PRÁCTICA EXTRA

págs. 216–217

GRUPO 1   Multiplica. Escribe cada respuesta en su expresión mínima.

1. $\frac{3}{4} \times 6\frac{1}{3}$

2. $\frac{2}{9} \times 5\frac{5}{6}$

3. $\frac{4}{7} \times 3\frac{1}{2}$

4. $2\frac{2}{3} \times \frac{7}{8}$

5. $3\frac{1}{3} \times \frac{7}{12}$

6. $5\frac{1}{2} \times \frac{1}{10}$

7. $1\frac{7}{10} \times \frac{5}{6}$

8. $3\frac{6}{7} \times \frac{2}{3}$

9. $1\frac{5}{6} \times 10$

10. $10 \times 3\frac{3}{5}$

11. $24 \times 2\frac{7}{8}$

12. $6 \times 2\frac{1}{5}$

13. $3\frac{1}{4} \times 4\frac{1}{2}$

14. $5\frac{5}{6} \times 1\frac{2}{5}$

15. $1\frac{4}{11} \times 7\frac{1}{3}$

16. $\frac{9}{10} \times 14$

17. $3\frac{5}{9} \times 2\frac{1}{2}$

18. $6\frac{1}{2} \times 3\frac{1}{3}$

19. $2\frac{2}{3} \times 9$

20. $7\frac{3}{4} \times 6\frac{1}{2}$

págs. 218–219

GRUPO 2   Divide. Escribe cada respuesta en su expresión mínima.

1. $\frac{2}{15} \div \frac{1}{3}$

2. $\frac{4}{5} \div \frac{3}{4}$

3. $\frac{6}{7} \div 12$

4. $\frac{7}{8} \div \frac{1}{4}$

5. $\frac{1}{4} \div \frac{7}{11}$

6. $\frac{1}{12} \div \frac{4}{9}$

7. $6 \div \frac{1}{12}$

8. $\frac{3}{8} \div \frac{1}{5}$

9. $\frac{1}{2} \div \frac{9}{16}$

10. $\frac{2}{15} \div 2$

11. $15 \div 20$

12. $\frac{1}{4} \div \frac{1}{8}$

13. $\frac{5}{6} \div \frac{2}{3}$

14. $\frac{1}{5} \div \frac{3}{10}$

15. $3 \div \frac{1}{3}$

16. $\frac{5}{9} \div 3$

17. $\frac{20}{21} \div \frac{10}{11}$

18. $\frac{3}{7} \div \frac{5}{9}$

19. $\frac{1}{3} \div \frac{4}{9}$

20. $\frac{6}{7} \div 36$

págs. 220–221

GRUPO 3   Divide. Escribe cada respuesta en su expresión mínima.

1. $4\frac{5}{6} \div \frac{2}{3}$

2. $\frac{12}{7} \div 2\frac{1}{7}$

3. $6 \div 4\frac{4}{5}$

4. $1\frac{5}{9} \div 3\frac{1}{3}$

5. $2\frac{3}{8} \div 2\frac{3}{8}$

6. $16 \div 5\frac{1}{3}$

7. $1\frac{5}{6} \div 2\frac{1}{2}$

8. $\frac{8}{9} \div 16$

9. $4\frac{2}{5} \div \frac{11}{4}$

10. $6\frac{1}{3} \div \frac{5}{9}$

11. $2\frac{1}{3} \div \frac{28}{9}$

12. $25 \div 1\frac{1}{2}$

13. $5\frac{1}{2} \div 3\frac{3}{4}$

14. $1\frac{1}{8} \div 1\frac{1}{4}$

15. $2 \div 3\frac{1}{3}$

16. $9\frac{1}{6} \div 2\frac{1}{3}$

17. $4 \div 1\frac{3}{4}$

18. $7\frac{1}{4} \div 2$

19. $3\frac{1}{3} \div 4\frac{1}{2}$

20. $4\frac{1}{6} \div 4\frac{3}{8}$

21. $4\frac{1}{2} \div 4\frac{1}{2}$

22. $1\frac{1}{2} \div 3\frac{5}{7}$

23. $14 \div 1\frac{1}{6}$

24. $5\frac{1}{3} \div 16$

25. $4\frac{2}{7} \div 1\frac{3}{5}$

GRUPO 1 Escribe cada fracción como decimal. págs. 224–225
Usa una barra para los decimales periódicos.

1. $\frac{2}{5}$ 2. $\frac{2}{10}$ 3. $\frac{2}{15}$ 4. $\frac{2}{12}$ 5. $\frac{2}{9}$

6. $1\frac{7}{8}$ 7. $\frac{7}{6}$ 8. $1\frac{5}{11}$ 9. $\frac{23}{11}$ 10. $3\frac{3}{11}$

Escribe cada decimal como fracción en su expresión mínima.

11. 0.4   12. 0.65   13. 0.256   14. 1.95   15. 0.875

16. 2.34   17. 0.006   18. 0.15   19. 0.0782   20. 3.9

GRUPO 2 Divide. Escribe cada cociente de tres formas. págs. 226–227

1. $2\overline{)85}$ 2. $5\overline{)62}$ 3. $4\overline{)55}$ 4. $12\overline{)117}$ 5. $16\overline{)200}$

6. $54 \div 24$ 7. $217 \div 30$ 8. $910 \div 42$ 9. $1,212 \div 18$ 10. $2,462 \div 25$

11. $\frac{13}{4}$ 12. $\frac{28}{3}$ 13. $\frac{34}{5}$ 14. $\frac{61}{8}$ 15. $\frac{45}{6}$

16. $20\overline{)225}$ 17. $594 \div 16$ 18. $\frac{79}{4}$ 19. $18\overline{)225}$ 20. $354 \div 48$

GRUPO 3 Completa. págs. 228–231

1. 144 plg = ____ yd   2. $3\frac{1}{2}$ mi = ____ pies   3. 14 pies = ____ yd   4. 30 plg = ____ pies

5. 48 oz = ____ lb   6. $4\frac{1}{2}$ lb = ____ oz   7. $\frac{1}{2}$ T = ____ lb   8. 6,000 lb = ____ T

Suma o resta.

11.   7 yd 9 pies
   + 2 yd 4 pies

12.   5 mi 250 yd
   − 3 mi 400 yd

13.   2 lb 13 oz
   + 4 lb 5 oz

14.   6 T 700 lb
   − 1 T 900 lb

15.   9 pies 3 plg
   − 6 pies 9 plg

16.   3 yd 2 pies
   + 8 yd 2 pies

17.   9 ct
   − 1 ct 1 pt

18.   5 pt 1 t
   + 2 pt 1 t

GRUPO 4 Completa. págs. 232–233

1. $3\frac{1}{4}$ t = ____ oz   2. 9 t = ____ pt   3. 5 ct = ____ pt   4. 21 ct = ____ gal   5. 32 pt = ____ gal

6. $5\frac{1}{2}$ gal = ____ ct   7. 42 oz = ____ t   8. $9\frac{1}{4}$ ct = ____ pt   9. 96 oz = ____ ct   10. $4\frac{3}{4}$ gal = ____ ct

Suma o resta.

11.   5 gal 2 ct 6 oz
   − 1 gal 3 ct 7 oz

12.   1 pt 1 t 7 oz
   + 3 pt 1 t 9 oz

13.   2 gal
   −   1 ct 1 pt

14.   5 gal 3 ct 3 oz
   +   2 ct 5 oz

GRUPO 1   **Usa la figura a la derecha para contestar 1–4.**

págs. 244–249

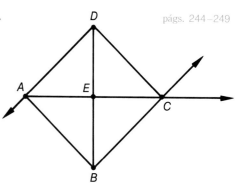

1. Nombra todos los puntos.

2. Nombra los rayos en la figura.

3. Nombra todos los segmentos de recta que tienen *E* como punto final.

4. Nombra tres ángulos que tienen un vértice en *A*.

Llena los espacios.

5. Si m∠*PQR* es de 89°, es un ángulo _____.

6. m∠*ABC* es de 40° y m∠*EFG* es de 50°. Son ángulos _____.

7. m∠*RST* es de 180°. ∠*RST* es un ángulo _____.

8. m∠*DEF* y m∠*GHI* juntos equivalen a 180°. Son ángulos _____.

9. Si $\overleftrightarrow{AB}$ cruza $\overleftrightarrow{RS}$ y forma ángulos rectos, entonces $\overleftrightarrow{AB}$ es _____ a $\overleftrightarrow{RS}$.

10. Si $\overleftrightarrow{CD}$ y $\overleftrightarrow{GH}$ tienen un punto común, son rectas _____.

11. Si $\overleftrightarrow{AB}$ y $\overleftrightarrow{EF}$ no tienen un punto común, son rectas _____.

12. Si $\overleftrightarrow{CD}$ y $\overleftrightarrow{GH}$ son paralelas y $\overleftrightarrow{RS}$ es una secante, se forman pares de ángulos _____.

GRUPO 2   **Escribe *verdadero* o *falso*.**

págs. 250–255

1. Un rectángulo es un cuadrilátero.

2. Un polígono tiene tres o más lados.

3. Un hexágono tiene 7 lados y 7 vértices.

4. Un cuadrado es un cuadrilátero regular.

5. Si ∠*ABC* mide 45° y ∠*DEF* mide 45°, entonces ∠*ABC* y ∠*DEF* son congruentes.

6. Si el triángulo *ABC* y el triángulo *DEF* tienen partes correspondientes, son congruentes.

Llena los espacios. △*ABC* ≅ △*DEF*

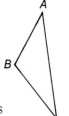

7. $\overline{AC}$ corresponde a _____.

8. ∠*B* ≅ ∠_____.

9. $\overline{BC}$ mide 10 cm de largo. $\overline{EF}$ mide _____ cm de largo.

10. Si una figura es simétrica por un eje, las partes opuestas son imágenes _____ de cada una.

GRUPO 1   **Llena los espacios.** págs. 258–263

1. En △ABC, $\overline{AB}$ = 4 cm, $\overline{AC}$ = 4 cm y ∠A = 130°.
△ABC es un triángulo _____ _____.

2. En △DEF, $\overline{DE}$ = 5 cm, $\overline{EF}$ = 6 cm, $\overline{FD}$ = 8 cm y
∠DEF = 90°. △DEF es un triángulo _____ _____.

Halla la medida del tercer ángulo de cada triángulo.

3. 41°, 25°   **4.** 30°, 125°   **5.** 70°, 100°   **6.** 58°, 64°

7. 120°, 23°   **8.** 48°, 65°   **9.** 55°, 55°   **10.** 135°, 32°

Llena los espacios.

11. $\overline{BC}$ = _____ cm

12. m∠BCD = _____ grados

13. $\overline{CD}$ = _____ cm

14. m∠ADC = _____ grados

15. Una cuerda del círculo O es _____.

16. Un radio del círculo O es _____.

17. Si m∠AOC = 130°, entonces m∠COB = _____.

18. Si $\overline{AO}$ = 10 cm, entonces $\overline{AB}$ = _____ cm.

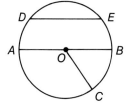

GRUPO 2   **Contesta *verdadero* o *falso*.** págs. 264–267

1. Cuando construyes un segmento congruente a un
segmento dado, usas una regla para medir el largo.

2. Cuando construyes un ángulo congruente a un ángulo dado,
usas un transportador para medir el ángulo dado.

3. La bisectriz de un ángulo divide el ángulo dado en dos
ángulos iguales.

4. La bisectriz de un segmento de recta es paralela a una
recta dada.

5. La bisectriz de un segmento de recta forma dos ángulos
rectos con la recta dada.

6. La bisectriz construida de un segmento de recta es una
bisectriz perpendicular.

PRÁCTICA EXTRA

GRUPO 1 **Escribe cada razón como fracción.**   págs. 278–281

1. 49:56   **2.** 48 de 64   **3.** 15 a 80   **4.** 36:72

Escribe dos razones iguales para cada uno.

5. 10:18   **6.** 6 a 11   **7.** 32 a 24   **8.** 11 de 12

Indica si cada uno es una proporción. Escribe *sí* o *no*.

9. $\frac{15}{18} = \frac{5}{9}$ **10.** $\frac{8}{20} = \frac{2}{5}$ **11.** $\frac{32}{28} = \frac{18}{14}$ **12.** $\frac{63}{72} = \frac{21}{26}$ **13.** $\frac{4.4}{2.2} = \frac{10.4}{5.2}$

Escribe = ó ≠ en lugar de ⬤.

14. $\frac{90}{72}$ ⬤ $\frac{15}{12}$ **15.** $\frac{26}{18}$ ⬤ $\frac{13}{8}$ **16.** $\frac{65}{106}$ ⬤ $\frac{13}{25}$ **17.** $\frac{5.6}{0.8}$ ⬤ $\frac{49}{70}$ **18.** $\frac{1.5}{7.5}$ ⬤ $\frac{18}{90}$

GRUPO 2 **Resuelve cada proporción.**   págs. 282–283, 286–287

1. $\frac{n}{14} = \frac{14}{28}$ **2.** $\frac{12}{18} = \frac{20}{n}$ **3.** $\frac{25}{n} = \frac{5}{11}$ **4.** $\frac{7}{35} = \frac{2.5}{n}$ **5.** $\frac{3}{1.7} = \frac{n}{5.1}$

6. $\frac{6.2}{n} = \frac{3.1}{15.5}$ **7.** $\frac{n}{12} = \frac{1.2}{4}$ **8.** $\frac{3.5}{14} = \frac{n}{32}$ **9.** $\frac{0.9}{3.75} = \frac{6}{n}$ **10.** $\frac{15}{16} = \frac{22.5}{n}$

Halla el precio por unidad de cada uno al centavo más cercano.

11. 3 lb de plátanos por $1.00   **12.** 8 paquetes de goma de mascar por $1.19

13. 6 rollos de primavera por $4.89   **14.** 50 sellos por $11.00

GRUPO 3 **Usa la escala para hallar las dimensiones de cada uno.**   págs. 284–285

1. escala: 3 cm = 10 m
dibujo: 4.5 cm
dimension: _____

2. escala: 4 cm′ = 9 km
dibujo: 18 cm
dimension: _____

3. escala: 8 cm = 25 km
dibujo: 20 cm
dimension: _____

GRUPO 4 *ABCDEF* es semejante a *HIJKLM*.   págs. 288–289

1. $\overline{EF}$ corresponde a _____.

2. $\overline{HM}$ corresponde a _____.

3. El largo de $\overline{JK}$ es _____.

4. El largo de $\overline{BC}$ es _____.

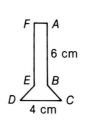
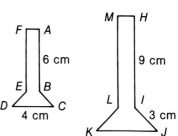

GRUPO 1   Escribe cada por ciento como razón con 100 como denominador y cada razón como por ciento. págs. 292–293

1. 56%   2. 9%   3. 81%   4. 22.5%   5. 8.5%   6. 2%

7. $\frac{77}{100}$ 8. $\frac{6}{100}$ 9. $\frac{13}{50}$ 10. $\frac{19}{20}$ 11. $\frac{14}{25}$

12. $\frac{10}{200}$ 13. $\frac{650}{1,000}$ 14. $\frac{25}{500}$ 15. $\frac{70}{1,000}$ 16. $\frac{3}{5}$

17. 35%   18. 14%   19. 1%   20. 0.1%   21. 0.2%

22. $\frac{2}{1,000}$ 23. $\frac{2}{100}$ 24. $\frac{2}{10}$ 25. $\frac{200}{100}$ 26. $\frac{4}{5}$

GRUPO 2   Escribe cada por ciento como decimal. págs. 294–295

1. 4%   2. 38%   3. $80\frac{1}{2}$%   4. $5\frac{3}{4}$%   5. 16.5%   6. 7.25%

7. 5.3%   8. $33\frac{1}{3}$%   9. $8\frac{3}{8}$%   10. 42.7%   11. $60\frac{3}{5}$%   12. $88\frac{2}{3}$%

Escribe cada decimal como por ciento.

13. 0.81   14. 0.295   15. 0.015   16. 0.6   17. 0.028   18. 0.113

19. 0.1   20. 0.455   21. 0.065   22. 0.418   23. 0.9225   24. 0.6275

25. 0.2   26. 0.29   27. 0.02   28. 0.029   29. 0.002   30. 0.0029

GRUPO 3   Escribe cada razón como decimal y como por ciento. págs. 296–299

1. $\frac{5.7}{100}$ 2. $\frac{12.5}{100}$ 3. $\frac{4}{100}$ 4. $\frac{1}{8}$ 5. $\frac{12}{25}$ 6. $\frac{68}{200}$

7. $\frac{165}{500}$ 8. $\frac{185}{100}$ 9. $\frac{6}{5}$ 10. $\frac{0.9}{100}$ 11. $\frac{675}{1,000}$ 12. $\frac{3.25}{100}$

Escribe cada por ciento como decimal y como razón en su expresión mínima.

13. 55%   14. 3.2%   15. 37.5%   16. 0.8%   17. 255%   18. $\frac{7}{10}$%

19. 0.5%   20. $\frac{7}{8}$%   21. 450%   22. 0.1%   23. $1\frac{1}{3}$%   24. 0.26%

25. 50%   26. 9.4%   27. 500%   28. 6.5%   29. 0.5%   30. 0.05%

PRÁCTICA EXTRA

GRUPO 1   Halla el por ciento de cada número. Usa una proporción.   págs. 308–309

1. 15% de 200

2. 56% de 75

3. 95% de 180

4. 35% de 680

5. 30% de $335.50

6. 160% de 65

7. $7\frac{1}{2}$% de 440

8. 6.2% de 500

9. 250% de 18

10. $10\frac{1}{2}$% de 600

11. 40% de 330.5

12. 8% de 650

13. 60% de $85.40

14. 350% de 92

15. 2% de 44

16. $9\frac{1}{2}$% de 1,050

17. 0.5% de 2,800

18. 80% de 540.5

19. 5.5% de 9,000

20. 1% de 8.2

Compara. Usa >, < ó = en lugar de ⬤.

21. 20% de 90 ⬤ 90% de 20

22. 40% de 160 ⬤ 60% de 140

23. 70% de 550 ⬤ 80% de 440

24. 25% de 420 ⬤ 50% de 210

GRUPO 2   Halla el por ciento de cada número. Usa decimales.   págs. 310–311

1. 6% de 350

2. 85% de $175

3. $1\frac{1}{2}$% de 220

4. 80% de 6

5. 5.8% de 440

6. 0.3% de 2,500

7. 55% de 380

8. 6.5% de $770

9. 25% de $195.40

10. $8\frac{1}{4}$% de 2,000

11. 250% de 630

12. $\frac{3}{4}$% de 140

13. 12% de $90

14. 400% de 18.55

15. 4.25% de 64

16. $\frac{1}{2}$% de 720

17. 0.4% de 575

18. $6\frac{3}{4}$% de 3,300

19. 0.08% de 1,500

20. 8.2% de 110

GRUPO 3   Halla cada por ciento.   págs. 312–313

1. ¿Qué por ciento de 1,200 es 144?

2. ¿Qué por ciento de 56 es 182?

3. ¿Qué por ciento de $300 es $27?

4. ¿Qué por ciento de 550 es 341?

5. ¿$127.50 es qué por ciento de $150?

6. ¿$13.25 es qué por ciento de $2,650?

7. ¿$\frac{1}{2}$ es qué por ciento de 25?

8. ¿50 es qué por ciento de 100?

9. ¿Qué por ciento de 2,300 es 86.25?

10. ¿76.5 es qué por ciento de 900?

11. ¿25 es qué por ciento de 75?

12. ¿129 es qué por ciento de 860?

13. ¿10 es qué por ciento de 25?

14. ¿20 es qué por ciento de 25?

GRUPO 1 Usa una proporción para hallar *n*.

págs. 314–315

1. 35% de *n* es 28.

2. 6% de *n* es 27.

3. 125% de *n* es 110.

4. 8 es 0.4% de *n*.

5. 92 es 5% de *n*.

6. $198 es 55% de *n*.

7. 15% de *n* es $100.

8. 11% de *n* es $40.

9. $55 es 110% de *n*.

Resuelve *n* usando decimales.

10. 68% de *n* es 238.

11. 275% de *n* es 88.

12. 0.75% de *n* es 24.

13. $125.40 es 6.6% de *n*.

14. 377 es 65% de *n*.

15. $1\frac{1}{2}$% de *n* es 52.5

16. $385.60 es 15.5% de *n*.

17. $4\frac{1}{2}$% de *n* es 100.

18. $1,000 es 10% de *n*.

GRUPO 2 Completa el cuadro.

págs. 318–319

	Precio Original	Tasa de descuento	Descuento	Precio rebajado
1.	$ 45.20	15%		
2.	$ 555.00	30%		
3.	$3,870.00	$33\frac{1}{3}$%		
4.	$ 82.40	40%		
5.	$ 90.00	$12\frac{1}{2}$%		
6.	$ 188.00	3.5%		

GRUPO 3 Halla el interés ganado por cada uno.

págs. 320–321

1. $6,500 al 8% durante 3 años

2. $900 al 13% durante 1 año

3. $1,200 al $6\frac{1}{2}$% durante 6 meses

4. $550 al 11% durante 9 meses

5. $3,800 al $9\frac{1}{2}$% durante 2 años

6. $9,500 al 7.7% durante 3 años

7. $7,400 al $8\frac{3}{4}$% durante 36 meses

8. $2,600 al $10\frac{1}{2}$% durante 18 meses

9. $5,900 al 12.5% durante 24 meses

10. $10,800 al $9\frac{1}{4}$% durante 4 años

PRÁCTICA EXTRA

GRUPO 1 Halla cada perímetro.

págs. 332–335

1.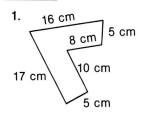
16 cm
8 cm
5 cm
17 cm
10 cm
5 cm

2.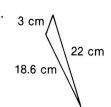
3 cm
22 cm
18.6 cm

3.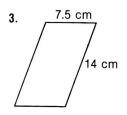
7.5 cm
14 cm

4.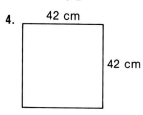
42 cm
42 cm

5. un triángulo
equilátero
$l = 17.2$ mm

6. un rectángulo
$l = 22$ cm
$a = 12$ cm

7. un octágono
regular
$l = 5.6$ cm

8. un pentágono
regular
$l = 2.8$ km

Halla la circunferencia de cada círculo. Usa $\pi \approx 3.14$.
Redondea cada respuesta a la unidad más cercana.

9.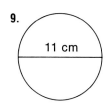
11 cm

10.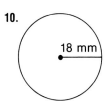
18 mm

11.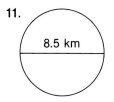
8.5 km

12.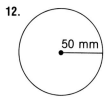
50 mm

Halla el diámetro de cada círculo. Usa 3.14 para π.

13. $c = 78.5$ cm

14. $c = 29.83$ m

15. $c = 5.338$ km

16. $c = 942$ mm

GRUPO 2 Halla el área de cada cuadrado, rectángulo o paralelogramo.

págs. 336–339

1.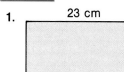
23 cm
12 cm

2.
11.5 m

3. 18.8 mm
9.5 mm

4.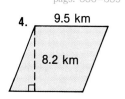
9.5 km
8.2 km

5. $l = 31$ mm
$a = 12$ mm

6. $l = 15.3$ m

7. $b = 40.8$ mm
$al = 21.5$ mm

8. $l = 18.6$ cm

9. $b = 15.6$ cm
$al = 10.5$ cm

10. $l = 31.9$ mm
$a = 14.1$ mm

11. $l = 8.03$ km

12. $b = 6.85$ m
$al = 3.14$ m

GRUPO 1   **Halla el área de cada triángulo.**   págs. 340–343

1.

8 cm

6 cm

2.
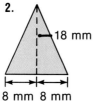
18 mm

8 mm   8 mm

3.
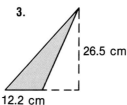
26.5 cm

12.2 cm

4.
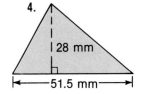
28 mm

51.5 mm

5. $b = 3.5$ m $al = 6.8$ m

6. $b = 38.8$ mm $al = 26.5$ mm

7. $b = 17.2$ cm $al = 21.7$ cm

8. $b = 14.4$ cm $al = 19.5$ cm

Halla el área de cada círculo. Usa $\pi = 3.14$. Redondea cada respuesta a la unidad más cercana.

9.

12 cm

10.

7 cm

11.
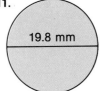
19.8 mm

12.

6.8 m

13. $r = 5.5$ km

14. $d = 40$ cm

15. $d = 64$ mm

16. $r = 14$ m

GRUPO 2   **Nombra cada figura. Da el número de caras (C),**   págs. 346–347
aristas (A) y vértices (V).

1.
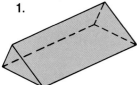

2.
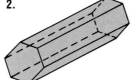

3.
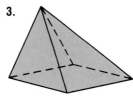

4.

PRÁCTICA EXTRA

GRUPO 1 **Halla el área de la superficie de cada prisma.**   págs. 348–349

1.
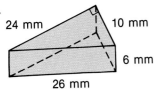
24 mm · 10 mm · 6 mm · 26 mm

2.
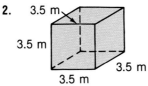
3.5 m · 3.5 m · 3.5 m · 3.5 m

3.
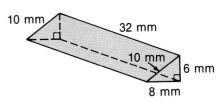
10 mm · 32 mm · 10 mm · 6 mm · 8 mm

4.
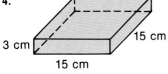
15 cm · 3 cm · 15 cm

5.
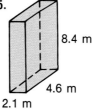
8.4 m · 4.6 m · 2.1 m

6.
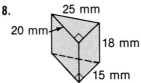
17 m · 8 m · 10 m · 15 m

7.
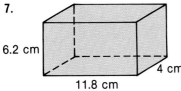
6.2 cm · 4 cm · 11.8 cm

8.
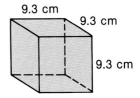
25 mm · 20 mm · 18 mm · 15 mm

9.
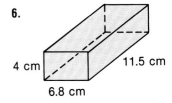
9.3 cm · 9.3 cm · 9.3 cm

GRUPO 2 **Halla el volumen de cada prisma.**   págs. 350–351

1.
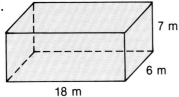
7 m · 6 m · 18 m

2.
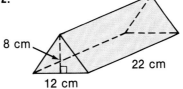
8 cm · 12 cm · 22 cm

3.
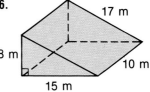
11 mm · 9 mm · 30 mm

4.
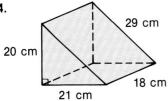
29 cm · 20 cm · 18 cm · 21 cm

5.
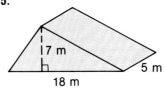
7 m · 18 m · 5 m

6.
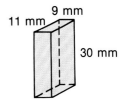
4 cm · 11.5 cm · 6.8 cm

GRUPO 1 Halla el área de la superficie de cada cilindro. Usa $\pi \approx 3.14$. págs. 352–353
Redondea cada respuesta a la unidad más cercana.

1.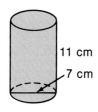
11 cm
7 cm

2.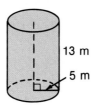
13 m
5 m

3.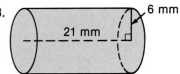
6 mm
21 mm

4. 14 m
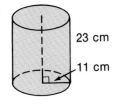
8 m

5.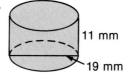
11 mm
19 mm

6.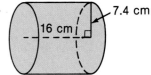
7.4 cm
16 cm

7. $r = 5.2$ m
$al = 20.5$ m

8. $d = 4$ m
$al = 9.5$ m

9. $d = 4.5$ cm
$al = 9.8$ cm

10. $r = 14.5$ mm
$al = 8$ mm

11. $d = 2.6$ m
$al = 10.5$ m

12. $r = 6.6$ cm
$al = 18$ cm

GRUPO 2 Halla el área de la superficie de cada cilindro. Usa $\pi \approx 3.14$. págs. 354–355
Redondea cada respuesta a la unidad más cercana.

1.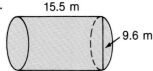
23 cm
11 cm

2. 31 mm
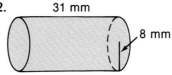
8 mm

3.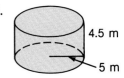
4.5 m
5 m

4. 15.5 m
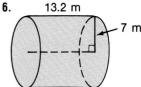
9.6 m

5.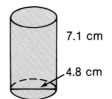
7.1 cm
4.8 cm

6. 13.2 m
7 m

7. $r = 2.6$ m
$al = 18$ m

8. $d = 15.6$ cm
$al = 28$ cm

9. $r = 10.8$ mm
$al = 35$ mm

PRÁCTICA EXTRA

<u>GRUPO 1</u>   Halla la escala y la moda de cada conjunto de datos.   págs. 366–369

1. 18, 25, 6, 10, 24, 17, 12, 21, 10

2. 8.3, 7.9, 6.4, 9.1, 7.9, 7.2, 8.4

3. $1.25, $2.03, $3.00, $1.61, $2.03, $2.74

4. 2,164, 3,000, 2,165, 4,047, 3,000, 3,107

Halla la escala, la mediana y la media de cada uno.
Redondea a la décima más cercana.

5. 86 m, 27 m, 52 m, 104 m, 29 m

6. 43, 38, 72, 31, 56, 58, 45, 63

7. 21.5, 16.7, 14.3, 24.2, 20.6

8. 1.2 cm, 2.7 cm, 2.4 cm, 1.7 cm, 3.2 cm

9. 846, 841, 847, 849, 843, 845

10. 114, 116, 112, 123, 110, 119

<u>GRUPO 2</u>   Usa la gráfica de barras para resolver los problemas.   págs. 370–371

1. ¿Cuál es el estado de menor área en millas cuadradas?

2. ¿Qué estado tiene un área de aproximadamente 6,400 millas cuadradas?

3. ¿Aproximadamente cuántas millas cuadradas tiene el estado de Connecticut?

4. ¿Aproximadamente cuántas millas cuadradas más tiene New Jersey que Connecticut?

5. ¿Aproximadamente cuántas millas cuadradas tiene el estado de Delaware?

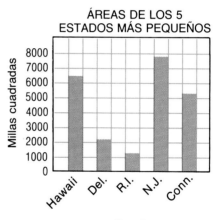

ÁREAS DE LOS 5 ESTADOS MÁS PEQUEÑOS

<u>GRUPO 3</u>   Usa la gráfica lineal para resolver los problemas.   págs. 372–373

1. ¿En qué año bateó Babe Ruth más jonrones?

2. ¿Cuánto bateó 54 jonrones?

3. ¿Cuántos jonrones bateó Ruth en 1926?

4. ¿Cuántos jonrones bateó Ruth entre 1926–1930?

5. ¿Entre cuáles dos años tuvo Ruth el mayor aumento en jonrones?

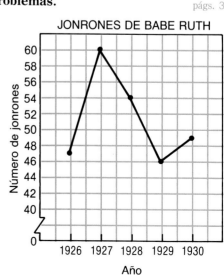

JONRONES DE BABE RUTH

GRUPO 1 **Usa la gráfica circular a la derecha para contestar las preguntas.** págs. 374–375

1. La gráfica muestra como Matthew hace un presupuesto de su estipendio. ¿De cuánto es su estipendio mensual?

2. ¿En qué gasta Matthew la mayor parte de su estipendio mensual?

Halla la cantidad de dinero gastado por cada uno.

3. comida

4. ahorros

5. recibo de teléfono

6. diversión

7. ropa

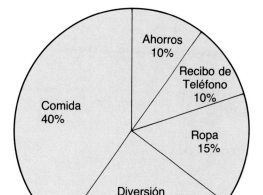

PRESUPUESTO DE MATTHEW

Ahorros 10%
Recibo de Teléfono 10%
Ropa 15%
Diversión 25%
Comida 40%

Estipendio mensual: $120

GRUPO 2 **Usa la flecha giratoria para 1–15. Halla cada probabilidad.** págs. 380–381

1. que salga un número menor de 9

2. que salga un número divisible por 3

3. que salga un número que no sea 7

4. que salga un 5

5. que salga un número impar

6. que salga un número par   0

Haz girar la flecha una vez. Halla cada probabilidad.

7. $P(11)$ 8. $P(1)$ 9. $P(\text{impar})$ 10. $P(\text{par})$

11. $P(\text{menor de } 7)$ 12. $P(\text{mayor de } 7)$ 13. $P(\text{no } 15)$

14. $P(\text{menor de } 1)$ 15. $P(\text{mayor de } 1)$

PRÁCTICA EXTRA

GRUPO 1 **Se escoge un banderín sin mirar. Halla cada probabilidad.** págs. 382–383

1. *P*(Cincinnati Bengals)

2. *P*(Detroit Lions)

3. *P*(Campeones de la Liga AFC)

4. *P*(ganadores del Super Bowl XVIII)

5. *P*(equipo NFC)

6. *P*(equipo AFC)

7. *P*(Buffalo o Miami)

8. *P*(campeones de la Liga NFC)

9. *P*(Campeones de la Liga NFC o AFC)

10. *P*(Dallas Cowboys)

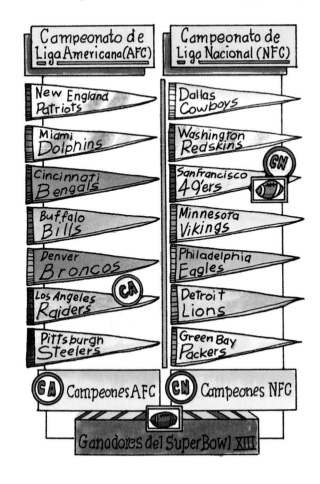

GRUPO 2 **Haz girar la flecha. Tira una moneda. Resuelve los problemas.** págs. 386–387

1. Dibuja un diagrama en árbol para mostrar todos los resultados posibles.

2. Haz una lista de todos los resultados del evento (cara, número par).

3. Haz una lista de todos los resultados del evento (cruz, número impar).

Halla cada probabilidad.

4. *P*(cara, 12)

5. *P*(cara, no 16)

6. *P*(cruz, número impar)

7. *P*(cruz, número > 13)

8. *P*(cruz, múltiplo de 4)

9. *P*(cara, número par)

10. *P*(cara, múltiplo de 5)

11. *P*(cruz, no 14)

12. *P*(cara, número < 17)

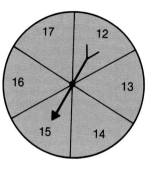

GRUPO 1   Compara. Usa >, < ó = en lugar de ⬤.   págs. 398–399

1. $^+1$ ⬤ $^+3$ 2. $^+2$ ⬤ $^-5$ 3. 0 ⬤ $^+5$ 4. $^-7$ ⬤ $^-7$ 5. $^-1$ ⬤ $^+1$

6. $^-9$ ⬤ 0 7. $^-3$ ⬤ $^-4$ 8. $^+6$ ⬤ $^+6$ 9. $^-8$ ⬤ $^+8$ 10. 0 ⬤ $^-3$

11. $^-9$ ⬤ $^-8$ 12. $^+2$ ⬤ $^-30$ 13. $^+6$ ⬤ $^+7$ 14. $^+4$ ⬤ $^-12$ 15. $^-4$ ⬤ $^+12$

16. $^-4$ ⬤ $^-6$ 17. $^+10$ ⬤ 0 18. $^-9$ ⬤ $^+2$ 19. 0 ⬤ $^-15$ 20. $^-16$ ⬤ $^-1$

GRUPO 2   Suma. Usa la recta númerica si es necesario.   págs. 400–403

1. $^+8 + {}^+1$ 2. $^-7 + {}^-3$ 3. $^-3 + {}^-5$ 4. $^+4 + {}^+8$

5. $^-11 + {}^-1$ 6. $^-9 + {}^-3$ 7. $^+4 + {}^+7$ 8. $^-11 + {}^-13$

9. $^+3 + {}^+4 + {}^+6$ 10. $^-8 + {}^-7 + {}^-5$ 11. $^-6 + 0 + {}^-9$

12. $^+5 + {}^+9 + {}^+8$ 13. $^-3 + {}^-5 + {}^-9$ 14. $^-3 + {}^-15 + {}^-10$

15. $^-7 + {}^+2$ 16. $^-4 + {}^+6$ 17. $0 + {}^-3$ 18. $^+8 + {}^-9$

19. $^+4 + {}^-5$ 20. $^-8 + {}^+2$ 21. $^+10 + {}^-1$ 22. $^-9 + {}^+6$

23. $^+8 + {}^-10$ 24. $^+7 + 0$ 25. $^+11 + {}^-3$ 26. $^+1 + {}^-12$

27. $^-7 + {}^+9$ 28. $^-14 + {}^+10$ 29. $^+12 + {}^-9$ 30. $^-6 + {}^+10$

GRUPO 3   Resta.   págs. 404–405

1. $^-8 - {}^+2$ 2. $^+4 - {}^-1$ 3. $^-6 - {}^-3$ 4. $^+3 - {}^+9$

5. $^+5 - {}^-6$ 6. $0 - {}^-4$ 7. $^-15 - {}^+12$ 8. $^-14 - {}^-14$

9. $^-9 - {}^-5$ 10. $^-10 - {}^+7$ 11. $^+7 - {}^+5$ 12. $^+13 - {}^-13$

Evalúa cada expresión si $n = {}^-3$.

13. $^-7 - n$ 14. $^+3 - n$ 15. $n - {}^+9$ 16. $^-3 - n$

17. $^-2 - n$ 18. $n - {}^+5$ 19. $^+1 - n$ 20. $^-7 - n$

GRUPO 4   Halla cada producto.   págs. 406–407

1. $^+3 \times {}^-2$ 2. $^-5 \times {}^+4$ 3. $^-8 \times {}^-3$ 4. $^+9 \times {}^+1$

5. $^+12 \times {}^-3$ 6. $^-10 \times {}^-4$ 7. $^-7 \times {}^-8$ 8. $^-3 \times {}^+4$

9. $^+5 \times {}^-5$ 10. $^-6 \times {}^+4$ 11. $^-3 \times {}^-7$ 12. $^-9 \times {}^-5$

PRÁCTICA EXTRA

págs. 408–409

GRUPO 1 Halla cada cociente.

1. $^-45 \div {}^+5$ 2. $^+63 \div {}^-9$ 3. $^-54 \div {}^-6$ 4. $^+32 \div {}^-8$

5. $^-72 \div {}^-9$ 6. $^-56 \div {}^+7$ 7. $^+20 \div {}^-10$ 8. $^-36 \div {}^-4$

9. $\dfrac{^+60}{^-5}$ 10. $\dfrac{^-49}{^+7}$ 11. $\dfrac{^-18}{^-3}$ 12. $\dfrac{^-52}{^+4}$

págs. 412–415

GRUPO 2 Resuelve y comprueba.

1. $x + {}^+3 = {}^+8$ 2. $n - {}^-1 = {}^-3$ 3. $^-4 = a + {}^-7$ 4. $t - {}^+6 = {}^-8$

5. $^+14 - c = {}^+28$ 6. $y + {}^-6 = {}^-14$ 7. $^-18 = n + {}^-28$ 8. $^+27 + y = {}^+7$

9. $^-51 + x = {}^-43$ 10. $^-36 = w + {}^-41$ 11. $^+62 + a = {}^+5$ 12. $^+53 + y = {}^-1$

Resuelve y comprueba.

13. $^-6a = {}^-42$ 14. $^+4b = {}^-36$ 15. $^+8 = \dfrac{c}{^+5}$ 16. $^-7w = {}^+35$

17. $y \div {}^+8 = {}^-3$ 18. $n \div {}^-7 = {}^-4$ 19. $^+6s = {}^-24$ 20. $^-5p = {}^-25$

21. $^-3c = {}^+36$ 22. $a \div {}^-11 = {}^+4$ 23. $^+6 = b \div {}^+8$ 24. $\dfrac{z}{^-10} = {}^+10$

págs. 416–417

GRUPO 3 Resuelve cada desigualdad escribiendo una ecuación relacionada.

1. $x + {}^+3 > {}^+5$ 2. $y - {}^+2 < {}^+8$ 3. $a - {}^-4 \geq {}^+8$ 4. $^-9 + b \leq {}^+5$

5. $c - {}^-1 \geq {}^-4$ 6. $s - {}^-10 \leq {}^+1$ 7. $r - {}^+6 > {}^+12$ 8. $t + {}^-8 \leq {}^+17$

págs. 418–421

GRUPO 4 Completa cada tabla de valores. Después marca cada ecuación en una gráfica.

1. $y = x + 3$ 2. $y = x - 2$ 3. $y = x + {}^-1$ 4. $y = 2x - 2$

x	y
3	6
2	
1	
0	

x	y
3	1
2	
1	
0	

x	y
3	2
2	
1	
0	

x	y
3	4
2	
1	
0	

GRUPO 1 Usa el horario para contestar las preguntas. págs. 8–9

1. ¿Cuándo abre el restaurante los viernes?

2. ¿Sirve almuerzo el restaurante los lunes?

3. ¿Cuánto más temprano abre el restaurante los viernes que los jueves?

4. ¿Cuánto tiempo más está abierto el restaurante los jueves que los miércoles?

5. ¿Durante cuántas horas abre el restaurante los martes?

RESTAURANTE VILLAGE

Almuerzo — *vier., sáb., dom.*
11:30 A.M.–3:00 P.M.

Cena — *Diaria*
3:00 P.M.–10:00 P.M.

Noches — *jue., vier., sáb.*
10:00 P.M.–1:00 A.M.

Días festivos
dom. 11:30 A.M.–1:00 A.M.
lun. 11:30 A.M.–10:00 P.M.

GRUPO 2 Usa la tabla para contestar las preguntas. págs. 20–21

1. La semana pasada la Sra. López, de 66 años, jugó 9 hoyos todos los días. ¿Cuánto pagó por jugar?

2. Su sobrino jugó con ella el viernes y el sábado. ¿Cuánto le costó a él jugar?

3. Alquilaron un carrito ambos días. ¿Cuánto pagaron por el carrito?

4. Si compartieron el costo del carrito, ¿cuánto pagó cada uno?

CLUB DE GOLF CODY

Entre semana $6.00
Fines de semana $7.50

Personas mayores
lunes–viernes $5.00

Carritos
9 hoyos $6.30
18 hoyos $11.50

Llame: **555-1111**

GRUPO 3 Resuelve cada problema, si es posible. Si faltan págs. 42–43
datos, indica lo que se necesita. Si hay datos extra, indica cuáles son.

1. El diámetro de Júpiter es aproximadamente 87,000 millas, 29 veces el diámetro de Mercurio. El diámetro de la Tierra es aproximadamente 7,900 millas, 2.5 veces el diámetro de Mercurio. ¿Cuántas veces mayor es el diámetro de Júpiter que el diámetro de la Tierra?

2. Júpiter tiene 4 veces el número de lunas que tienen Neptuno, Plutón y la Tierra juntos. Neptuno tiene 2 lunas y Plutón tiene 1. ¿Cuántas lunas tiene Júpiter?

3. Marte está aproximadamente 47 millones de millas más lejos del sol que la Tierra. ¿A qué distancia está Marte del sol?

4. El período de rotación de Plutón es de $6\frac{1}{3}$ días, aproximadamente 136 horas más largo que el período de rotación de Neptuno. ¿Cuál es el período de rotación de Neptuno?

PRÁCTICA EXTRA

GRUPO 1 **Resuelve cada problema. Si hay demasiada información,**   págs. 56–57
indica lo que no es necesario.

1. La tabla muestra los precios. ¿Cuánto cuesta, al centavo más cercano, un carboncillo en una caja de 50?

2. ¿Cuánto más cuesta cada carboncillo una caja de 15?

3. El maestro de arte trabaja desde las 9:00 A.M. hasta las 2:30 P.M. Pide 3 carboncillos por estudiante en 5 clases. Hay 20 estudiantes por clase. ¿Cuántas cajas de 50 pide?

4. ¿Cuál es la forma más económica de comprar 75 carboncillos?

CARBONCILLOS	
Número por caja	Costo por caja
15	$2.25
25	$2.95
50	$4.95

GRUPO 2 **Resuelve cada problema usando una simulación.**   págs. 72–73

1. Jan decora una carroza con una fila de globos en un patrón rojo, blanco y azul. Añade un globo blanco antes de cada globo rojo. ¿Cuál es el patrón ahora?

2. Después, Jan añade un globo blanco después de cada globo rojo y de cada globo azul. ¿Cuál es el patrón ahora?

3. Cada patrón de 6 globos tiene 1 rojo. La carroza tiene 18 globos a cada lado, 12 globos en la parte de atrás y ninguno al frente. ¿Cuántos globos rojos han usado?

4. El desfile comienza en el parque. Jan maneja la carroza 3 cuadras hacia el norte, 2 hacia el este, 4 hacia el sur, 7 hacia el oeste y 1 hacia el norte. ¿A qué distancia está del parque?

GRUPO 3 **Copia el diagrama. Úsalo para contestar las preguntas.**   págs. 80–81

1. La distancia de Walnut Cove a Oak Bay es 796 km. ¿A qué distancia está Pine Hill de Oak Bay?

2. La distancia de Oak Bay a Ashland es el doble de la distancia de Oak Bay a Pine Hill. ¿Cuál es la distancia?

3. ¿Qué distancia es menor: Cherry Tree a Hickory o Cherry Tree a Ashland? ¿Cuánto menor?

4. ¿Qué distancia es mayor: Pine Hill a Walnut Cove o Pine Hill a Ashland? ¿Cuánto mayor?

5. A la familia Lago le tomó 5 días para manejar de Hickory a Ashland. ¿Cuál fue el promedio diario en distancia?

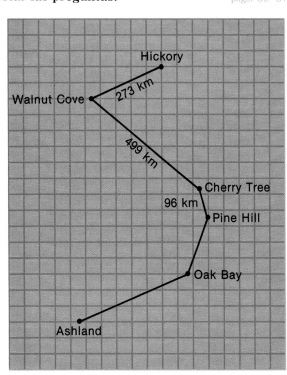

GRUPO 1   Resuelve cada problema.

1. Skip trabaja en una panadería. Mete 12 cajas de panecillos en cada cajón. Cada cajón contiene 576 panecillos. El número de cajas por cada cajón es 4 veces más que el número de paquetes por caja. ¿Cuántos panecillos hay en un paquete?

2. Skip empaqueta panes en cajones de 3 tamaños diferentes. Cada caja contiene 1.5 veces el número de panes más que el tamaño menor que le sigue. La caja más grande contiene 45 panes. ¿Cuántos panes contiene la caja más pequeña?

3. Skip empaqueta panecillos dos veces más rápido de lo que empaqueta molletes. Empaqueta galletas 2.5 veces más rápido de lo que empaqueta panecillos. Skip empaqueta 250 cajas de galletas por hora. ¿Cuántas cajas de molletes empaqueta en una hora?

4. Skip va al trabajo en bicicleta. Durante una semana, recorrió un total de 13.4 millas, tomando una ruta diferente cada día. Recorrió 2.7 millas el martes. El miércoles recorrió 0.8 millas menos que el martes y 1.3 millas más el jueves que el miércoles. Recorrió la misma distancia el lunes y el viernes. ¿Qué distancia recorrió el lunes?

GRUPO 2   Resuelve cada problema.

1. Trabajando 8 horas al día, Nina escribió un trabajo de 12 páginas en 7 días y 4 horas. ¿Cuál fue su promedio por página?

2. Nina cobró $675 por completar el trabajo de 12 páginas. ¿Cuánto gana por hora por su trabajo?

3. El promedio de tiempo de escribir de Juan es 5.5 horas por página. ¿Cuánto le tomaría escribir un trabajo de 12 páginas?

4. Luis escribió un trabajo de 16 páginas en 72 horas. ¿Cómo se compara su promedio de tiempo con el de Juan?

5. Vicky gana $9 por hora corrigiendo pruebas. Ganó $126. ¿Cuántas horas corrigió pruebas?

6. Eva recibió $171 por corregir un manuscrito. Terminó en 18 horas. ¿Cobra más o menos que Vicky? ¿Cuánto?

GRUPO 3   Usa la tabla para resolver cada problema.

1. Alicia compra 2 paquetes de papel rayado y 3 lápices. ¿Cuánto paga?

2. Loi compra 3 cuadernos, 2 plumas y 2 lápices. ¿Cuánto paga?

3. ¿Podrá Betty comprar 2 lápices, una goma de borrar y una pluma con $1.00?

4. David compró 3 paquetes de papel rayado, 2 plumas, 4 lápices y una regla. ¿Cuánto cambio le darán de $5.00?

TIENDA ESCOLAR	
Cuaderno	$.89 cada uno
Papel rayado	.79 el paquete
Lápiz	.15 cada uno
Goma de borrar	.29 cada una
Regla	.39 cada una
Pluma	.49 cada una

PROBLEMAS PARA RESOLVER 469

PRÁCTICA EXTRA

págs. 134–135

GRUPO 1 John Adams nació el 30 de octubre 1735 y murió el 4 de julio de 1826. Su hijo John Quincy Adams nació el 11 de julio de 1767 y murió el 23 de febrero de 1848.

1. ¿Qué edad tenía John Quincy Adams al tomar posección de la presidencia en 1825?

2. ¿Quién vivió más, John Adams o su hijo? ¿Cuánto más?

3. John Adams y Thomas Jefferson murieron el mismo día. En 1797, Jefferson tenía 53 años. ¿Quién nació primero?

4. John Adams se casó en 1764, Thomas Jefferson en 1772 y John Quincy Adams en 1797. Al año más cercano, ¿cuál fue el promedio de tiempo que estuvieron casados?

págs. 158–159

GRUPO 2 Haz un dibujo para resolver cada problema.

1. El papalote de Donna alcanzó una altura de 120 pies. El papalote de Ed voló 25 pies más bajo que el de Donna. El papalote de Bob voló 60 pies más alto que el de Ed. ¿Cuánto más alto voló el papalote de Bob que el de Donna?

2. Greg decora un pastel con 12 arándanos y 12 frambuesas. Alterna las frutas por los 4 lados, poniendo 5 frutas en cada lado corto. Pone una frambuesa en cada esquina. ¿Cuántos arándanos hay en cada lado largo?

Kim está colocando una mesa y un sofá contra la pared de una plataforma de 12 pies × 12 pies. Coloca la mesa de 2.5 pies cuadrados en una esquina y el sofá de 2 pies × 5.5 pies en la otra esquina.

3. Si coloca el lado largo del sofá contra la pared, ¿cuánto espacio habrá entre los muebles?

4. Kim coloca el lado corto del sofá contra la pared. ¿Cabrá una alfombra de 4 pies × 8 pies a lo largo entre los muebles?

págs. 170–171

GRUPO 3 La gráfica muestra las longitudes aproximadas de los túneles subacuáticos en New York, New York y Norfolk, Virginia.

1. ¿Cuál es la diferencia entre el túnel más largo y el más corto de Norfolk?

2. ¿Cuál es el promedio de longitud de los túneles de New York?

3. Si se conectaran los túneles Midtown y Downtown de Norfolk, ¿serían tan largos como el túnel Holland?

4. ¿Tiene el túnel Lincoln 3 veces el largo del túnel Downtown?

5. ¿Cuál es el promedio de longitud de los túneles de Norfolk?

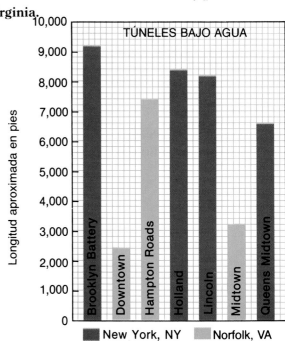

TÚNELES BAJO AGUA

GRUPO 1 Usa el método de adivinar y comprobar para resolver cada problema. págs. 188–189

1. Jack y su hermano menor Ricky recogieron 16 cajas de fresas juntos. Jack recogió 3 veces más cajas que Rick. ¿Cuántas cajas recogió Ricky?

2. Gina, Lynn y Jerry se comieron un paquete de 18 galletas. Gina comió $\frac{1}{2}$ de las galletas que comió Manuela y $\frac{1}{3}$ tantas como Jerry. ¿Cuántas galletas comió cada uno?

3. El cocinero hizo 6 ensaladas. Usó 72 aceitunas en total. Puso 2 aceitunas verdes más que aceitunas negras en cada ensalada. ¿Cuántas aceitunas de cada clase usó?

4. Bárbara compró 20 latas de comida de gato—atún y carne. El atún costó 30¢ y la carne costó 39¢ la lata. Gastó $6.81. ¿Cuántas latas de cada tipo compró?

5. Halla 2 números enteros cuyo producto es 84 y cuya suma es menos de 20.

6. Halla 2 números enteros cuya suma es 25 y cuyo producto es tan grande como sea posible.

GRUPO 2 Resuelve cada problema, si es posible. Si faltan datos, indica lo que se necesita. Si hay datos extra, indica cuáles son. págs. 202–203

1. Judy compró 4 manojos de betabeles en el Puesto de vegetales Shenk. Había 5 ó 6 betabeles en cada manojos. Los betabeles costaron 79¢ el mazo. ¿Cuánto gastó?

2. Miguel compró 3 lechugas. La Lechuga romana costó $.45 cada una y la de Boston costó $.59 cada una. ¿Cuánto gastó en las lechugas?

3. La Sra. Dobson compró 6 lb de uvas a 89¢ la libra. Compró 4 lb de uvas verdes y 2 lb de uvas rojas. ¿Cuánto pagó por las uvas?

4. Brent hizo 12 ensaladas. Puso 5 rebanadas de pepino y 4 tomatitos en cada una. ¿Cuántas pintas de tomatitos usó para hacer las ensaladas?

GRUPO 3 Usa la tabla para contestar las preguntas. págs. 222–223

1. ¿Qué animales viven 15–20 años menos que un elefante?

2. ¿Cuántos años más que una ballena vive un elefante?

3. ¿Cuántas veces más que un conejillo de Indias vive un elefante?

4. ¿Qué animal tiene aproximadamente $\frac{1}{5}$ de la duración de vida de un elefante?

5. Si se ordenan los animales desde el de más duración de vida al de menos, ¿qué animal queda en el medio?

ANIMAL	DURACIÓN DE VIDA EN AÑOS
Chimpancé	30
Elefante	47
Conejillo de Indias	4
Caballo	27
Cabra montés	9
Oso polar	31
Ballena	37

PRÁCTICA EXTRA

págs. 234–235

GRUPO 1   Usa la tabla para resolver cada problema.

1. ¿Cuál artículo tiene más calcio por porción?

2. ¿Cuál artículo tiene más sodio por porción?

3. El Sr. Alison sigue una dieta baja en sodio—menos de 1,100 mg de sodio por comida. Desayuna jugo de naranja, cereal, leche, 2 tostadas con un pedazo de mantequilla y café. ¿Cuánto sodio ingiere?

4. Otro día el Sr. Alison bebe jugo de naranja y come 2 pedazos de tocino, 2 huevos, 2 tostadas con un pedazo de mantequilla y café. ¿Está siguiendo su dieta?

5. ¿Cuál de los desayunos del Sr. Alison provee más calcio?

6. Haz un menú de desayuno e indica cuánto calcio y sodio contiene.

CALCIO Y SODIO EN LAS COMIDAS DE DESAYUNO			
Comidas	Porción	Calcio	Sodio
Tocino	2 pedazos	2 mg	325 mg
Mantequilla	1 pedazo	1 mg	41 mg
Café	250 ml	0	0
Cereal	25 g	4 mg	251 mg
Huevo	1	28 mg	60 mg
Jarabe de arce	20 ml	35 mg	4 mg
Leche	250 ml	291 mg	120 mg
Jugo de naranja	250 ml	25 mg	4 mg
Panqueques	27 g	27 mg	115 mg
Trigo	25 g	11 mg	10 mg
Tostada, pan blanco	1 rodaja	21 mg	170 mg
Jugo de tomate	250 ml	17 mg	740 mg

7. Un tallo de brócoli cocido, una zanahoria cruda, un tomate crudo y una cebolla cruda contienen 6 g de proteína. Tres de los vegetales contienen igual cantidad de proteína. Tienen $\frac{1}{3}$ de la proteína del cuarto vegetal. Si el brócoli contiene la mayor cantidad de proteína, ¿cuánto contiene cada vegetal?

8. Un plato de pescado y mariscos contiene 6 pescados diferentes. Cada porción contiene estas cantidades de hierro: pomátomo, 0.7 mg; camarones, 1.6 mg; almejas, 3.4 mg; salmón, 0.8 mg; atún, 1.1 mg; y abadejo, 1.2 mg. Kyung Soo comió 3 clases de pescado y su consumo de hierro fue 6.2 mg. ¿Qué pescados comió?

GRUPO 2   Halla los elementos que faltan en cada patrón.

págs. 256–257

1.

A	b	D		
a	C	d		
B		E		H

2.

3. 1, 2, 4, 7, 11, ___, ___, 29

5. 28, 14, 20, 10, 16, 8, ___, ___, 13

6. 1, $1\frac{1}{2}$, $2\frac{1}{2}$, 4, 6, $8\frac{1}{2}$, ___, 15

7. 68, 42, 26, 16, 10, ___, ___, 2

4.

```
                    1
                 1     1
              1     2     1
           1     3     3     1
        1     4     6    ___     1
     1     5    10    ___  ___     1
  1      ___   ___   ___   ___         1
```

GRUPO 1 **Resuelve cada problema.** págs. 268–269

1. Ida vendió 5 sombreros tejidos en la feria a $9.50 cada uno. Vendió un sexto sombrero a $11.00. ¿Cuánto dinero recibió por los sombreros vendidos?

2. Ida vendió 4 suéteres en $200. Tres eran cerrados y 1 era abierto. El abierto costó $12 más que cada suéter cerrado. ¿Cuánto costó cada suéter?

3. Burt usó 18 rosas rojas y 45 rosas rosadas para hacer arreglos con flores de seda. Puso 2 rosas rojas en cada arreglo. ¿Cuántas rosas rosadas puso en cada uno si usó el mismo número en cada arreglo?

4. Brian hace artículos de cuero. Creó el siguiente diseño para un cinturón. ¿Qué elementos faltan en el patrón?

$$X = XX - XX = X = XX - ? = ?$$

GRUPO 2 **Resuelve cada problema.** págs. 290–291

1. En 1980, EE.UU. Tenía una población de 226,545,805. ¿Cuál fue el promedio de personas por estado?

2. En el censo de 1970, la población de EE.UU. fue 203,235,298. La población en 1960 fue 179,323,175. ¿Cuál fue el promedio del aumento en la población cada año?

3. Un artista dibujó un retrato del Tío Sam que medía 10 pulgadas de altura. El retrato se redujo para un anuncio de revista. La razón de la altura del dibujo a la altura del anuncio fue 5:2. ¿Qué altura tenía el Tío Sam en el anuncio?

4. Hasta la fecha, un fabricante de juguetes vendió más de 2,000,000 de muñecas de trapo. Tres de cada cuatro muñecas tenían ojos azules. ¿Aproximadamente cuántos ojos azules usó el fabricante?

GRUPO 3 **Resuelve cada problema.** págs. 300–301

Brenda creció 1 pulgada y media en un año. Grace creció 1 pulgada y media en 6 meses. Paul creció 3 pulgadas en 9 meses. En 1 año y medio Cyrus creció 3 pulgadas. En 2 años, Lucía creció 5 pulgadas.

1. ¿Quién alcanzó el promedio de mayor crecimiento en un año?

2. ¿Quién alcanzó el promedio de menor crecimiento en un año?

3. Enumera los niños de mayor a menor por crecimiento anual.

4. Calcula el promedio de crecimiento anual de los 5 niños.

5. León le dio píldoras a su perro por una semana. Le dio 2 píldoras 7 veces el primer día, 2 píldoras 6 veces el segundo día, 2 píldoras 5 veces el tercer día, y así sucesivamente. ¿Qué por ciento de las píldoras habrá tomado el perro después del segundo día? Contesta con un por ciento redondeado al número entero más cercano.

6. León y su perro corren juntos todos los días. Cada día corren un cuarto de milla más que el día anterior. El domingo corrieron 3 millas y media. ¿Qué distancia corrieron el domingo anterior?

PRÁCTICA EXTRA

GRUPO 1 Usa la gráfica para resolver el problema. págs. 316–317

1. ¿Cuántos puntos obtuvo Frank el jueves?

2. ¿Cuánto más bajos fueron los puntos de Frank el viernes que el lunes?

3. ¿Cuál fue el promedio diario de puntos de Frank durante la semana?

4. Frank jugó golf cada día con Willie. El martes y el miércoles los puntos de Willie fueron 2 jugadas menos que los de Frank ese día. Willie usó 3 jugadas más el lunes y el jueves. Empataron el viernes. Haz una gráfica de barras que muestre los puntos de Willie.

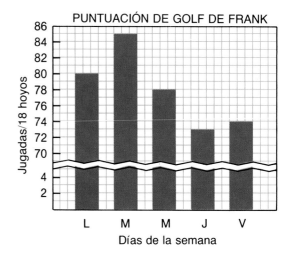

PUNTUACIÓN DE GOLF DE FRANK

Jugadas/18 hoyos

Días de la semana

GRUPO 2 Resuelve cada problema. págs. 322–323

1. Gretchen tomó un promedio de 12 fotos por día durante un viaje de 4 días. Tomó 12 fotos el jueves, 8 el viernes y 15 el sábado. ¿Cuántas tomó el domingo?

2. Gretchen compró 6 postales a 20¢ cada una. Gastó $1.29 en papel de cartas y 59¢ en sobres. ¿Cuántos sellos puede comprar con el cambio de $5?

3. La tienda de regalos Suárez vendió 12 gorras amarillas, 14 anaranjadas y 39 verdes el sábado. ¿Qué porciento de las gorras vendidas eran verdes?

4. La Sra. Suárez vendió llaveros y broches a 21 personas. Ganó $21.45. Los llaveros se vendieron a $1.10 cada uno y los broches a 95¢ cada uno. ¿Cuántos de cada uno vendió?

GRUPO 3 Escribe una conclusión para cada grupo de enunciados. págs. 356–357

1. Los pinos producen piñas. El abeto de Noruega produce piñas.

2. Pierre habla solamente francés. Marta habló con Pierre.

3. Adam, Chris, Eva y Sara hacen fila para comprar entradas al cine. Sara no es la última. Chris está justo delante de Sara. Eva está justo detrás de Adam. ¿En qué orden están colocados en la fila?

4. En el cine cada uno compro cacahuates o palomitas de maíz. Adam y Sara no compraron lo mismo, pero Chris y Eva sí compraron lo mismo. Sara y Eva siempre compran palomitas de maíz en el cine. ¿Qué compró cada uno?

GRUPO 1   Resuelve cada problema.

págs. 356–357

1. ¿Cuántos pies de cinta se necesitan para envolver la caja ilustrada? Añade 2 pies extra para un lazo.

2. ¿Qué pasa si la caja es $\frac{3}{4}$ del tamaño de la ilustrada? ¿Cuántos pies de cinta se necesitan para envolver la caja, incluyendo 2 pies para un lazo?

3. Rod envolvió un regalo para cada uno de sus hermanos. Envolvió 4 paquetes. ¿Qué puedes deducir?

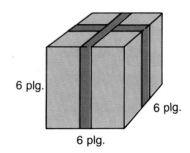

6 plg.

6 plg.

6 plg.

GRUPO 2   Resuelve cada problema. Considera solamente monedas de medio dólar, de veinticinco centavos, de diez centavos y de cinco centavos (no monedas de un centavo).

págs. 376–377

1. El peaje en la plaza de peaje de la carretera es 40¢. ¿De cuántas formas puede pagarse el peaje en el carril de cambio exacto?

2. Orlando compró $4.35 de abarrotes Le entregó al cajero $5.00. ¿En cuántas combinaciones diferentes de monedas puede recibir el cambio?

3. Zach tiene 6 monedas en el bolsillo con un valor total de $1.00. ¿Qué monedas tiene?

4. En el cine Lynn pagó una caja de palomitas de maíz con 3 monedas de un tamaño y 1 de tamaño diferente. Chris compró el mismo tamaño de caja con 3 monedas de otro tamaño y una de tamaño diferente. ¿Cuánto cuesta la caja de palomitas de maíz?

GRUPO 3   La clase de Tony lavó autos para mantener a un niño adoptivo. Un lavado costaba $4.00. Usa la gráfica para resolver cada problema.

págs. 388–389

1. ¿En qué día ganaron más dinero ¿Cuánto ganaron?

2. ¿Qué día lavaron menos autos? ¿Cuántos lavaron?

3. ¿Cuánto dinero ganaron en los cuatro lavados de autos?

4. ¿Cuál fue el promedio de autos lavados cada día?

LAVADO DE AUTOS DEL SÉPTIMO GRADO	
6 de abril	■ ■
13 de abril	■ ■ ■ ■
20 de abril	■ ■ ■
27 de abril	■ ■ ■ ■ ■
■ = 10 autos lavados	

5. Un bote de jabón para autos mezclado con agua lava 10 autos y la mezcla no puede ser guardada. ¿Cuántos botes se usaron en el mes?

PRÁCTICA EXTRA

págs. 410–411

GRUPO 1 **Resuelve cada problema con más de un método. Comprueba que tus respuestas sean iguales.**

1. La Compañía de Expresos ABC entrega un paquete el próximo día a cualquier parte del país por $14.00 hasta 1 lb, $25.00 hasta 2 lb y $3.00 por cada libra adicional hasta 10 lb. CompuTec envió un paquete de San Francisco a Boston y pagó $40.00 ¿Cuánto pesó el pequete?

2. Stephen tiene una colección de menos de 50 canicas. Vendió $\frac{1}{3}$ de ellas a un comerciante. Le dio la mitad de las canicas restantes a su hermano. Cambió $\frac{1}{4}$ de las canicas restantes a un amigo por tarjetas de béisbol. Todavía tiene 12 canicas. ¿Cuántas tenía antes de estas actividades?

3. Una llamada telefónica a través de la operadora de New York a París cuesta $6.75 los primeros 3 min y $1.20 cada minuto adicional. Le costó al Sr. Klein $15.15 la llamada desde New York a un cliente en París. ¿Cuánto duró la llamada telefónica?

4. Encuentra el área de la región de la derecha.

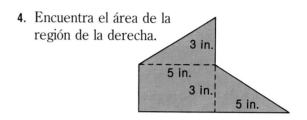

GRUPO 2 **Resuelve cada problema.**

págs. 422–423

Derek quiere cocinar chile. Como no tiene todos los ingredientes de la receta tiene que sustituir. Usa esta información para resolver cada problema.

INGREDIENTES PARA CHILE

1 cebolla (pequeña)
1 cucharada de mantequilla
2 libras de carne molida
$\frac{2}{3}$ taza de salsa catsup
$\frac{1}{2}$ taza de agua
$\frac{1}{4}$ taza de apio
2 cucharadas de jugo de limón
1 cucharadita de vinagre
$\frac{1}{4}$ cucharadita de mostaza en polvo
1 lata de frijoles colorados
$\frac{1}{2}$ taza de jugo de tomate
1 cucharadita de chile en polvo

SUSTITUCIONES

1 taza de jugo de tomate $= \frac{1}{2}$ taza de salsa de tomate más $\frac{1}{2}$ taza de agua

2 cucharadas de jugo de limón en botella $=$ jugo de 1 limón

1 cucharadita de mostaza en polvo $= 1$ cucharada de mostaza preparada

1 cebolla fresca pequeña $= 1$ cucharada de cebolla instantánea picada

1. ¿Cuánta cebolla instantánea picada debe usar Marcos?

2. ¿Cuántos limones tiene que exprimir?

3. ¿Qué cantidad de mostaza preparada debe sustituir por mostaza en polvo?

4. ¿Cuánta salsa de tomate y agua necesitará en lugar de jugo de tomate?

Glosario

altura (de un paralelogramo) Un segmento perpendicular a la base que une lados opuestos.
Ejemplo: altura

altura (de un triángulo) Un segmento dibujado perpendicular a la base desde un vértice del triángulo.
Ejemplo: ◄— altura

ángulo Dos rayos con un punto final común llamado vértice.

ángulo agudo Un ángulo que mide menos de 90°.

ángulo central Un ángulo que tiene su vértice en el centro de un círculo.

ángulo llano Un ángulo que mide 180°.

ángulo obtuso Un ángulo que mide más de 90° pero menos de 180°.

ángulo recto Un ángulo que mide 90°.

ángulos complementarios Dos ángulos cuya suma mide 90°.
Ejemplo: $\angle ABC$ y $\angle CBD$ son ángulos complementarios

angulos suplementarios Dos ángulos cuya suma mide 180°.
Ejemplo: $\angle ACB$ y$\angle BCD$ son ángulos suplementarios.

árbol de factores Un diagrama usado para hallar los factores primos de un número.
Ejemplo:
18
6×3
$2 \times 3 \times 3$

arco Una parte de la circunferencia de un círculo.

área El número de unidades cuadradas necesarias para cubrir una región.

área de la superficie La suma de las áreas de todas las caras de una figura del espacio.

arista El segmento formado donde se unen dos caras de una figura del espacio.
Ejemplo: ◄— arista

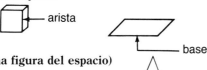

base (de una figura del espacio)

base (de un polígono)

BASIC Un lenguaje de computadora.

binario Un sistema de numeración que usa el número dos como base.

bisecar Dividir en dos partes congruentes.

cara Una superficie plana de una figura del espacio.

cilindro Una figura del espacio con dos bases paralelas que son círculos congruentes.

círculo Una figura plana cerrada con todos sus puntos a la misma distancia de un punto llamado el centro.

circunferencia La distancia alrededor de un círculo.

cociente La respuesta en una división.

cono Una figura del espacio con una base circular y un vértice.

cuadrado (en geometría) Un rectángulo con todos sus lados congruentes.

cuadrado (en numeración) Multiplicar un número por sí mismo. El cuadrado de 7 es $7 \times 7 = 7^2 = 49$.

cuadrilátero Un polígono de cuatro lados y cuatro ángulos cuya suma es 360°.

cubo Una figura del espacio con seis caras cuadradas congruentes.

cuerda Un segmento de recta con ambos extremos sobre un círculo.

datos Información que se recoge.

decágono Un polígono con diez lados.

decimal Un número con una o más posiciones a la derecha de un punto decimal.

decimal finito Un decimal que termina o tiene fin.
Ejemplos: 0.5 y 0.625 son decimales finitos.

decimal periódico Un decimal en el que un dígito o un grupo de dígitos se repiten infinitamente en el mismo patrón.

descomposición en factores primos Escribir un número como el producto de factores primos.
Ejemplo: $24 = 2 \times 2 \times 2 \times 3$

descuento La cantidad que se reduce de un precio original.

desigualdad Una oración matemática que usa uno de los símbolos $<$, $\leq$, $>$, $\geq$ ó $\neq$.

diagonal Un segmento de recta que une dos vértices no adyacentes en un polígono.

diagrama en árbol Un diagrama que se usa para hallar los resultados de un experimento.

diagrama de Venn Un diagrama especial que usa círculos superpuestos para mostrar la relación entre grupos de objetos.

diámetro Un segmento de recta que pasa por el centro de un círculo y tiene ambos puntos finales sobre el círculo.

dibujo a escala Un dibujo hecho de forma que las medidas verdaderas puedan determinarse por el dibujo usando una escala.

diferencia La respuesta en una resta.

dividendo El número que se divide.

divisible Un número es divisible por otro número si, después de dividir, el residuo es cero.

divisor El número por el cual se divide otro número.

ecuación Una oración matemática con un signo de igualdad (=).

eje de simetría Un eje que divide a una figura en dos partes congruentes.

END La última línea de un programa en BASIC para computadora.

ENTER La tecla que se usa para que la computadora acepte y procese información. También se llama RETURN.

entero negativo Un entero menor que cero.

entero positivo Un número mayor que cero.

enteros Los números . . . $^-3$, $^-2$, $^-1$, 0, $^+1$, $^+2$, ...

enteros opuestos Dos enteros que están a la misma distancia del cero en la recta numérica. *Ejemplo:* $+2$ y -2 son enteros opuestos.

escala La diferencia entre el número mayor y el número menor en un conjunto de datos.

esfera Una figura del espacio con todos los puntos a igual distancia del centro.

estadística La ciencia de reunir, organizar y analizar datos.

estimado Una aproximación en vez de la respuesta exacta.

evento Uno o más resultados de un experimento.

eventos mutuamente excluyentes Eventos que no pueden ocurrir al mismo tiempo.

exponente Un número que indica cuántas veces se usa la base como factor.

expresión Una oración matemática compuesta de una variable o combinación de variables con o sin números y operaciones. *Ejemplos:* $5n$; $4x - 7$; $(5 \times 3) + (10 \div 2)$.

expresión mínima Una fracción está en su expresion mínima; o sea la forma más simple, cuando el MCD del numerador y del denominador es 1.

factor común Un factor que es el mismo para dos o más números.

factores Los números que se multiplican para obtener un producto. *Ejemplo:* $3 \times 8 = 24$ Los factores son 3 y 8

figura del espacio Una figura geométrica cuyos puntos están en más de un plano.

figuras congruentes Figuras que tienen el mismo tamaño y forma.

figuras semejantes Figuras que tienen la misma forma pero no necesariamente el mismo tamaño.

flujograma Un diagrama que muestra los pasos usados para resolver un problema.

FOR . . . NEXT Enunciados en un programa en BASIC para computadora que crean un loop o secuencia de órdenes que se repiten.

forma desarrollada Un número escrito como la suma de los valores de sus dígitos.

fórmula Una ecuación que expresa un dato o regla.

fracción Un número en la forma $\frac{a}{b}$. Nombra parte de una región o parte de un grupo. El número que está debajo de la barra de fracción es el denominador. El número por encima de la barra de fracción es el numerador.

fracción impropia Una fracción en la cual el numerador es mayor o igual que el denominador.

fracción propia Una fracción en la cual el numerador es menor que el denominador.

fracciones equivalentes Fracciones que nombran el mismo número.

fracciones heterogéneas Fracciones que tienen denominadores diferentes.

fracciones homogéneas Fracciones que tienen el mismo denominador.

frecuencia El número de veces que ocurre un artículo dado en un conjunto de datos.

frecuencia relativa La razón de la frecuencia de un evento a la frecuencia total.

GOTO un enunciado de un programa en BASIC para que la computadora vaya a otra línea del programa.

grado Una unidad para medir ángulos.

grado Celcius (°C) Una unidad para medir la temperatura en el sistema métrico.

grado Fahrenheit (°F) Una unidad para medir la temperatura en el sistema usual de medidas.

gráfica Un dibujo usado para presentar datos. Hay gráficas de barras, gráficas lineales y gráficas circulares.

hardware La maquinaria de un sistema de computadora.

heptágono Un polígono de siete lados.

hexágono Un polígono de seis lados.

IF . . . THEN Enunciado de un programa en BASIC para computadora que se usa para probar una condición y, una vez comprobada, seguir la order subsiguiente.

INPUT Los números y las órdenes que se entran en una calculadora o computadora.

interés La cantidad cobrada por prestar dinero o la cantidad pagada por usar el dinero.

inversos aditivos Dos números cuya suma es cero.
Ejemplo: $^-3$ y $^+3$ son inversos aditivos
$$^-3 + {}^+3 = 0$$

LET Un enunciado de un programa en BASIC que asigna un valor a una unidad identificada por una letra en la memoria de la computadora.

máximo común divisor (MCD) El número mayor que es factor de cada uno de dos o más números.

media La suma de todos los datos dividida por el número de datos en un conjunto de datos.

mediana El número del medio o el promedio de los dos números del medio en un conjunto de datos puestos en orden.

memoria La parte de la computadora que almacena toda la información y las órdenes.

mínimo común denominador (mcd) El mínimo común múltiplo de los denominadores de dos o más fracciones.

mínimo común múltiplo (MCM) El menor número que no sea cero que es múltiplo de cada uno de dos o más números.

moda El número que ocurre más a menudo en un conjunto de datos.

múltiplo El producto de un número entero por cualquier otro número entero.

múltiplo común Un múltiplo que es igual para dos o más números.

nonágono Un polígono de nueve lados.

notación científica El producto de dos factores. El primer factor es un número del 1 al 10. El segundo factor es una potencia de 10 en forma de exponente.

número compuesto Un número entero mayor que 1 que tiene más de dos factores.

número impar Un número entero que no es divisible por 2.

número mixto Un número compuesto de un número entero y una fracción.

número par Un número entero divisible por 2.

número primo Un número entero mayor que 1 con sólo dos factores, él mismo y 1.

octágono Un polígono de ocho lados.

operaciones inversas Dos operaciones con efecto opuesto. La suma y la resta son operaciones inversas. La multiplicación y la división son operaciones inversas.

origen El punto donde se cruzan los ejes de la *x* y de la *y* en un plano de coordenadas.

output La respuesta que muestra una computadora o calculadora.

par ordenado Un par de números que se usa para localizar un punto en el plano de coordenadas.

paralelogramo Un cuadrilátero con lados opuestos paralelos. Cada par de lados y ángulos opuestos es congruente.

partes correspondientes Partes iguales de figuras congruentes.

pentágono Un polígono de cinco lados.

perímetro La distancia alrededor de un polígono.

pi (π) La razón de la circunferencia de un círculo a su diámetro. $\pi \approx 3.14$ ó $\frac{22}{7}$.

pirámide Una figura del espacio cuya base es un polígono y cuyas caras son triángulos con un vértice común.

plano Una superficie plana que se extiende infinitamente en todas direcciones.

plano de coordenadas El plano determinado por una recta numérica horizontal llamada eje de la x y una recta numérica vertical llamada eje de la y que se cruzan en un punto llamado origen. Cada punto en el plano corresponde a un par ordenado.

Ejemplo: (2,1)

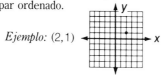

poliedro Una figura del espacio cuyas superficies, o sea caras, son todas planas.

polígono Una figura plana cerrada y compuesta por segmentos de recta.

polígono regular Un polígono con todos sus lados y ángulos congruentes.

por ciento Una razón cuyo segundo término es 100. Por ciento significa partes por cien. Para indicar el por ciento se usa el símbolo %.

precio por unidad. La razón: precio por unidad de medida.

precisión de medida Una propiedad de las medidas que depende de la unidad de medida utilizada. Cuanto menor es la unidad de medida, más precisa es la medida.

primos entre sí Dos números cuyo MCD es 1.

PRINT Una orden para que la computadora muestre información en la pantalla.

prisma Una figura del espacio con dos caras paralelas y congruentes llamadas bases.

probabilidad La razón de resultados favorables a resultados posibles en un experimento.

producto La respuesta en una multiplicación.

productos cruzados Productos que se obtienen multiplicando el numerador de una fracción por el denominador de una segunda fracción y el denominador de la primera fracción por el numerador de la segunda fracción.

Ejemplo:
$$\frac{1}{2} = \frac{3}{6}$$
$$1 \times 6 = 2 \times 3$$

programa Una lista de instrucciones para la computadora.

promedio El número que se halla dividiendo la suma de todos los sumandos por el número de sumandos.

propiedad asociativa de la multiplicación La manera en que se agrupan los factores no altera el producto. *Ejemplo:* $(a \times b) \times c = a \times (b \times c)$

propiedad asociativa de la suma La manera en que se agrupan los sumandos no altera la suma. *Ejemplo:* $(a + b) + c = a + (b + c)$

propiedad del cero en la multiplicación El producto de cualquier número por 0 es 0. *Ejemplo:* $a \times 0 = 0$

propiedad conmutativa de la multiplicación El orden de los factores no altera el producto. *Ejemplo:* $a \times b = b \times a$

propiedad conmutativa de la suma El orden de los sumandos no altera la suma. *Ejemplo:* $a + b = b + a$

propiedad distributiva de la multiplicación sobre la suma Si un factor es una suma, multiplicar cada sumando antes de sumar no altera el producto. *Ejemplo:* $a \times (b + c) = (a \times b) + (a \times c)$

propiedad de identidad de la multiplicación El producto de cualquier número por l es ese número. *Ejemplo:* $a \times 1 = a$

propiedad de identidad de la suma La suma de cualquier número mas 0 es ese número. *Ejemplo:* $a + 0 = a$

proporción Una oración que expresa que dos razones son iguales. *Ejemplo:* $\frac{3}{6} = \frac{8}{16}$

punto Una ubicación exacta en el espacio.

punto final Un punto al final de un segmento o rayo.

punto medio Un punto que divide un segmento en dos segmentos congruentes.

radio Un segmento de recta con un punto final sobre el círculo y el otro en el centro.

raíz cuadrada La raíz cuadrada de a, que se escribe $\sqrt{\frac{1}{a}}$, es el número cuyo cuadrado es a. Ejemplo: La raíz cuadrada de 36 es 6 porque $6^2 = 36$

rayo Una parte de una recta que tiene un punto final y se extiende infinitamente en una dirección.

razón Un par de números que describen una relación o comparan dos cantidades.

razones iguales Razones que describen la misma comparación.

READ Una orden de un programa en BASIC para computadora que asigna un número de un enunciado de datos a una variable.

recíprocas Dos fracciones cuyo producto es 1. *Ejemplo:* $\frac{3}{4} \times \frac{4}{3} = 1$

recta Un conjuncto de puntos a lo largo de un trayecto recto. No tiene puntos finales.

rectas paralelas Rectas en el mismo plano que nunca se cruzan.

rectas perpendiculares Dos rectas que se cruzan para formar ángulos rectos.

rectas secantes Rectas que tienen exactamente un punto en común.

Ejemplo: $\overleftrightarrow{AB}$ y $\overleftrightarrow{CB}$ se cruzan en el punto F

redondear Expresar un número a la decena, centena o millar más cercana y así sucesivamente.

reflexión La imagen exacta de una figura.

relación Una razón que compara diferentes tipos de unidades.

REM Un código para el programador ignorado por la computadora.

residuo El número que queda después de dividir.

resolver Hallar todas las soluciones de una ecuación.

resultado Un resultado posible en un experimento de probabilidad.

resultados igualmente posibles Resultados que tienen la misma posibilidad de ocurrir.

rombo Un paralelogramo con todos sus lados congruentes.

RUN Una orden para que la computadora siga las instrucciones línea por línea.

segmento de recta Una parte de una recta con dos puntos finales.

semicírculo Medio círculo.

sistema métrico Un sistema de medidas que mide el largo en milímetros, centímetros, metros y kilómetros; la capacidad en litros y mililitros; la masa en gramos y kilogramos; y la temperatura en grados Celsius.

sistema usual de medidas Un sistema de medidas que mide el largo en pulgadas, pies, yardas y millas; la capacidad en tazas, pintas, cuartos y galones; el peso en onzas, libras y toneladas; y la temperatura en grados Fahrenheit.

software Un programa para computadora.

solución El valor de una variable que completa una oración matemática.

suma La respuesta en una suma.

sumandos Los números que se suman.

tabla de frecuencias Una lista de datos junto con el número de veces que ocurre cada uno.

tasa de descuento El por ciento que se reduce un precio original.

teselación Un diseño en el cual se arreglan copias congruentes de una figura para llenar un plano de forma que no haya ni figuras superpuestas ni vacíos.

transportador Un instrumento usado para medir ángulos.

transversal Una recta que se cruce con dos o más rectas.

trapecio Un cuadrilátero con exactamente un par de lados opuestos paralelos.

triángulo Un polígono de tres lados.

triángulo acutángulo Un triángulo con tres ángulos agudos.

triángulo equilátero Un triángulo con todos sus lados congruentes.

triángulo escaleno Un triángulo que no tiene lados congruentes.

triángulo isósceles Un triángulo con dos lados congruentes.

triángulo obtusángulo   Un triángulo con un ángulo obtuso.

triángulo rectángulo   Un triángulo con un ángulo recto.

unidad central procesadora (CPU)   La parte de una computadora donde se realizan los cálculos.

valor absoluto   La distancia entre un número entero y el 0 en la recta numérica.
Ejemplo: $|^-4| = 4$. El valor absoluto de $^-4$ es 4.

valor posicional   El valor de un dígito determinado por su posición en el número.

variable   Una letra que representa un número en una expresión o ecuación.

vértice   El punto donde se encuentran dos rayos. El punto donde se cruzan dos lados de un polígono. El punto donde se cruzan tres aristas de una figura del espacio.

volumen   El número de unidades cúbicas necesarias para llenar una figura del espacio.

MEDIDAS MÉTRICAS

LONGITUD	1 milímetro (mm) = 0.001 metro (m)
	1 centímetro (cm) = 0.01 metro
	1 decímetro (dm) = 0.1 metro
	1 decámetro (dam) = 10 metros
	1 hectómetro (hm) = 100 metros
	1 kilómetro (km) = 1000 metros
MASA/PESO	1 miligramo (mg) = 0.001 gramo (g)
	1 centigramo (cg) = 0.01 gramo
	1 decigramo (dag) = 0.1 gramo
	1 decagramo (dg) = 10 gramos
	1 hectogramo (hg) = 100 gramos
	1 kilogramo (kg) = 1000 gramos
	1 tonelada métrica (t) = 1000 kilogramos
CAPACIDAD	1 mililitro (mL) = 0.001 litro (L)
	1 centilitro (cL) = 0.01 litro
	1 decilitro (dL) = 0.1 litro
	1 decalitro (daL) = 10 litros
	1 hectolitro (hL) = 100 litros
	1 kilolitro (kL) = 1000 litros
ÁREA	1 centímetro cuadrado (cm^2) = 100 milímetros cuadrados (mm^2)
	1 metro cuadrado (m^2) = 10,000 centímetros cuadrados
	1 hectárea (ha) = 10,000 metros cuadrados
	1 kilómetro cuadrado (km^2) = 1,000,000 de metros cuadrados

MEDIDAS USUALES

LONGITUD	1 pie = 12 pulgadas (plg)
	1 yarda (yd) = 36 pulgadas
	1 yarda = 3 pies
	1 milla(mi) = 5280 pies
	1 milla = 1760 yardas
PESO	1 libra (lb) = 16 onzas (oz)
	1 tonelada (T) = 2000 libras
CAPACIDAD	1 taza (t) = 8 onzas liquidas (oz liq)
	1 pinta (pt) = 2 tazas
	1 cuarto (cf) = 2 pintas
	1 cuarto = 4 tazas
	1 galón (gal) = 4 cuartos
ÁREA	1 pie cuadrado (pie^2) = 144 pulgadas cuadradas (plg^2)
	1 yarda cuadrada (yd^2) = 9 pies cuadrados
	1 acre = 43,560 pies cuadrados
	1 milla cuadrada (mi^2) = 640 acres
TIEMPO	1 minuto (min) = 60 segundos (s)
	1 hora (h) = 60 minutos
	1 día (d) = 24 horas
	1 semana (sem) = 7 días
	1 año = 12 meses
	1 año = 52 semanas
	1 año = 365 días
	1 siglo (sig) = 100 años

FÓRMULAS

$P = 2(l + w)$	Perímetro de un rectángulo
$P = 4s$	Perímetro de un cuadrado
$P = ns$	Perímetro de un polígono regular
	n = número de lados
$A = lw$	Área de un rectángulo
$A = s^2$	Área de un cuadrado
$A = bh$	Área de un paralelogramo
$A = \frac{1}{2}bh$	Área de un triángulo
$C = \pi d$	Circunferencia de un círculo
$A = \pi r^2$	Área de un círculo
$V = lwh$	Volumen de un prisma rectangular
$V = Bh$	Volumen de cualquier prisma
	B = área de base
$V = \pi r^2 h$	Volumen de un cilindro
$I = prt$	Interés simple

SÍMBOLOS

=	es igual a
≠	no es igual a
>	es mayor que
<	es menor que
≥	es mayor o igual que
≤	es menor o igual que
≈	es aproximadamente igual a
≅	es congruente con
~	es semejante a
…	continúa infinitamente
$1.\overline{3}$	decimal periódico 1.333…
%	por ciento
π	pi (aproximadamente 3.14)
°	grado
°C	grado Celcius
°F	grado Fahrenheit

$\overleftrightarrow{AB}$	recta AB
$\overline{AB}$	segmento de recta AB
$\overrightarrow{AB}$	rayo AB
$\angle ABC$	ángulo ABC
$m\angle ABC$	medida del ángulo ABC
$\triangle ABC$	triángulo ABC
$\overset{\frown}{AB}$	arco AB
∥	es paralelo a
⊥	es perpendicular a
2:5	en razón de 2 a 5
10^2	diez a la segunda potencia
$\sqrt{}$	raíz cuadrada
$^+4$	4 positivo
$^-4$	4 negativo
$|^-4|$	valor absoluto de $^-4$
(3,4)	par ordenado 3, $^-4$
$P(E)$	probabilidad del evento E

Índice

CRÉDITOS

CRÉDITOS

CHAPTER 12   331: © Gianni Tortoli/Photo Researchers, Inc. 332: *t.* Bill and Judie Anderson. 333: *b.* Bill and Judie Anderson. 336: *r.* Smithsonian Institution. 337: *b.* Imagery for Silver Burdett & Ginn. 338: *t.*, *m.* Sally Schaedler. 340: *t.* © Dick Davis/Photo Researchers, Inc.; *b.* Cary Wolinsky/Stock, Boston. 342: Dan De Wilde for Silver Burdett & Ginn. 344, 345: Bruce Lemerese. 350: *t.* Lyle Miller. 351: Vermont Castings, Inc. 352: *t.* Laurie Marks. 354: *m.* Lane Yerkes. 356: Sally Schaedler. 357: Lane Yerkes. 361: *t.* Lyle Miller.

CHAPTER 13   365: Cheryl A. Treandly/Jeroboam. 366: David Madison/Bruce Coleman. 368: E.R. Degginger. 369: Laurie Jordan. 370, 371: Sally Schaedler. 372: *b.* Laurie Marks. 376: © Rafael Macia/Photo Researchers, Inc. 378, 379: Andy Yelenak. 381: Rick Cooley. 386, 387: Gary Undercuffler. 388, 389: Don Dyen. 392: Wendell Metzen/Bruce Coleman. 394: *t.l.* Focus on Sports; *t.r.* John Morgan; *b.l.* Dave Stock/Focus West; *b.r.* Doug Wilson/Black Star. 395: *t.* Chuck O'Rear/West Light; *m.* © 1987 Chuck O'Rear/Woodfin Camp & Associates.

CHAPTER 14   397: Ron Watts/Black Star. 398: *l.* Robert Jackson; *r.* Steve Mc-Cutcheon; *b.* California State Library. 400: *t.* Yoram Kahana/Peter Arnold, Inc.; *b.* Don Patterson. 401: Don Patterson. 402: © Frederick Ayers, III/Photo Researchers, Inc. 403: *b.* © F. Gohier/Photo Researchers, Inc. 404: D. Brewster/Bruce Coleman. 404–405: Sally Schaedler. 406, 407: Bill and Judie Anderson. 408: *t.* L. Davey/Leo de Wys, Inc.; *m.* © Tom Hollyman/Photo Researchers, Inc. 409: © Tom Hollyman/Photo Researchers, Inc. 410: *t.* Eric Carle/Shostal Associates; *b.* © Georg Gerster/Photo Researchers, Inc. 412: Ron Watts/Black Star. 414: *l.*, *m.* C. Allan Morgan/Peter Arnold, Inc.; *r.* Michael Viard/Peter Arnold, Inc. 415: © Craig Aurness/Woodfin Camp & Associates. 416: © Georg Gerster/Photo Researchers, Inc. 418: *t.* Kathie Kelleher. 421: *t.* © Lawrence Migdale/Photo Researchers, Inc.; *b.* Gary Undercuffler. 422–423: John Hamberger. 423: Lou Vaccaro.